Level 3

¡Avancemos!

Cuaderno para hispanohablantes
Teacher's Edition

HOLT McDOUGAL
a division of Houghton Mifflin Harcourt

ISBN-13: 978-0-618-75230-0
ISBN-10: 0-618-75230-7

6 7 8 9 - 2266 - 16 15 14
4500456456
Internet: www.holtmcdougal.com

Contents

TO THE STUDENT:

Your workbook, **Cuaderno para hispanohablantes**, is similar to *Cuaderno: Práctica para todos*, but it has been especially designed for you as a student with some degree of experience with Spanish. The leveled vocabulary and grammar activities cover the material taught and practiced in each lesson of your textbook. In each lesson, two pages of additional vocabulary and grammar (which are not found in the *Cuaderno*) present more advanced concepts such as complex grammar, spelling difficulties, and advanced vocabulary. Other workbook pages use the vocabulary and grammar from the lesson to target a specific skill such as listening, reading or writing.

These are the sections in the **Cuaderno para hispanohablantes** for each lesson:

- **Vocabulario**

  Has two to three activities that practice the vocabulary taught in that lesson.

- **Vocabulario adicional**

  Provides additional vocabulary lessons relevant to you as a heritage learner.

- **Gramática**

  Follows the same pattern as the **Vocabulario** section and reinforce the grammar points taught in each lesson.

- **Gramática adicional**

  Teaches an advanced grammar concept, such as punctuation, verb forms, and more complex sentence structures.

- **Integración / conversación simulada**

  Each of these pages has a pre-AP* activity that requires you to respond to interactive media. The Integración: Hablar present information from two different sources and ask that you respond to a related question. The Integración: Escribir page is like the Integración: Hablar page except that you will give your response in written form. The Conversación simulada activities consist of a simulated telephone conversation. In these guided conversation activities, you'll see an outline of the conversation on the page in front of you as you respond appropriately to the audio prompts you hear.

- **Integración: Escribir**

  This page is like the previous one, except that you will provide your answer in written form.

- **Lectura**

  Contains short readings comprehension activities to practice your understanding of written Spanish.

- **Escritura**

  In this section you are asked to write a short composition. There is a pre-writing activity to help you prepare your ideas and a rubric to check how well you did.

- **Cultura**

  Focuses on the cultural information found throughout each lesson.

- **Comparación cultural**

  In lesson 2: non-leveled pages provide writing support for the activities in the student text.

* Pre-AP is a registered trademark of the College Entrance Examination Board, which was not involved in the production of and does not endorse this product.

v

TO THE TEACHER:

Cuaderno para hispanohablantes is a leveled workbook which addresses the special needs of heritage students. It is similar to *Cuaderno: Práctica para todos* in that it provides additional practice, but it requires that students handle Spanish at a higher level than their non-Hispanic classmates. Additionally, two pages of additional vocabulary and grammar, which are not found in the *Cuaderno*, present more advanced concepts such as complex grammar, spelling difficulties, and advanced vocabulary. As an additional study tool, the workbook contains bookmarks that include the lesson vocabulary list and abbreviated grammar explanations.

The leveled practice pages labeled A, B, or C are written at three different levels of difficulty, from easiest (A) to most challenging (C).

- The A page is for students who recognize spoken Spanish but have no experience reading or writing it

- The B page assumes that students speak and understand Spanish

- The C page is for those who have had some formal training in Spanish

The following sections are included in **Cuaderno para hispanohablantes** for each lesson:

- **Vocabulario**
  Contains three activities that practice the lesson vocabulary

- **Vocabulario adicional**
  Provides vocabulary lessons relevant to heritage learners

- **Gramática**
  Two sections that follow the same pattern as the Vocabulario section and target the specific grammar points taught in the lesson.

- **Gramática adicional**
  An additional page which teaches an advanced grammar concept, such as punctuation, verb forms, and more complex sentence structures.

- **Integración / conversación simulada**
  Each of these pages has a pre-AP activity that requires students to respond to interactive media. The Integración: Hablar present information from two different sources and ask that students respond to a related question. The Integración: Escribir page is like the Integración: Hablar page except that the response is in written form. The Conversación simulada activities consist of a simulated telephone conversation. In these guided conversation activities, an outline of the conversation is on the students' page as they respond appropriately to the audio prompts they hear.

- **Lectura**
  Contains short readings accompanied by comprehension and analytical activities

- **Escritura**
  Contains a pre-writing activity, a short writing prompt, and a rubric

- **Cultura**
  Focus on the cultural information found throughout each lesson.

- **Comparación cultural**
  In lesson 2: non-leveled pages provide writing support for the activities in the student text.

Vocabulario A *Vamos a acampar*

Level 3 Textbook **pp. 32–36**

> **¡AVANZA!** **Goal:** Talk about camping and nature.

1 Empareja con una línea cada actividad con el objeto asociado.

1. encender   **a.** la cantimplora
2. escalar   **b.** la estufa de gas
3. montar   **c.** las montañas
4. remar   **d.** el kayac
5. llenar   **e.** la tienda de campaña

2 Escribe las cosas que necesitas para ir a acampar según las descripciones.

1. El libro que usas para conseguir información turística de un lugar es _**una guía**_.
2. Para encender una fogata o una estufa, es necesario usar _**un fósforo**_.
3. Para cocinar sobre una fogata o en la estufa, tienes que preparar la comida en _**una olla**_.
4. Si hacemos una excursión y necesitamos agua, llenamos _**la cantimplora**_.
5. No es posible traer una cama cuando vas a acampar. Por eso utilizas _**un saco de dormir**_.

3 Escribe oraciones completas para describir las actividades de las siguientes personas según los dibujos. **Answers will vary. Possible answers:**

Modelo:  *Juan camina en el bosque.*

Juan

1. Clara   **2. Maribel y Verónica**   **3. Sr. Álvarez**   **4. nosotros**   **5. Carlos y Germán**

1. _**Clara observa la naturaleza.**_
2. _**Maribel y Verónica montan la tienda de campaña.**_
3. _**El señor Álvarez enciende la estufa.**_
4. _**Nosotros navegamos por rápidos.**_
5. _**Carlos y Germán escalan montañas.**_

Vocabulario B *Vamos a acampar*

> **¡AVANZA!**   **Goal:**   Talk about camping and nature.

❶ Completa la tabla con las actividades y las cosas que Juan necesita para acampar.

Actividades	Cosas necesarias
Modelo: navegar por los rápidos	*el kayac*
1. dormir al aire libre	un saco de dormir
2. encender la fogata	los fósforos
3. cocinar sobre la fogata o en la estufa	la olla
4. beber agua durante las excursiones	la cantimplora
5. conseguir información sobre los lugares de interés	la guía
6. llevar todas las cosas al campamento	la camioneta

❷ Escribe oraciones completas para describir qué hacen las siguientes personas cuando van a acampar.

1.   **2.**   **3.**   **4.**   **5.**

1. José   camina por el bosque.

2. Papá   conduce la camioneta.

3. Elena   llena su cantimplora con agua.

4. Cristóbal   rema el kayac en el río.

5. Matías y David   encienden la fogata.

❸ Escribe oraciones completas para explicar para qué sirven las siguientes cosas.   Answers will vary.
Possible answers:

1. Una estufa   La estufa sirve para preparar la comida.

2. Una cantimplora   La cantimplora sirve para guardar el agua cuando uno va a acampar.

3. Un fósforo   Uno usa el fósforo para encender la estufa o la fogata.

4. Una fogata   La fogata sirve para cocinar la comida cuando uno va a acampar.

5. Un albergue juvenil   Es un lugar de alojamiento para jóvenes. Es barato.

UNIDAD 1 Lección 1   Vocabulario B

Vocabulario C *Vamos a acampar*

> **¡AVANZA!** **Goal:** Talk about camping and nature.

1 Escribe la frase o palabra del vocabulario que corresponda a cada descripción.

1. Si no pago el precio completo por un artículo, recibo un ___descuento.___

2. No tengo carro en la ciudad. Por eso tengo que utilizar ___el transporte público.___

3. Estoy muy cansado por el viaje. El viaje fue ___agotador.___

3. Nosotros vamos a tener muy buenos recuerdos del viaje para siempre pues nos divertimos mucho. El viaje fue ___inolvidable.___

4. Para preparar las comidas y no tener frío por la noche, hicimos ___una fogata___ en el campamento.

2 Vas a acampar con tus amigos pero tienes que planificar el viaje con tiempo. Usa los verbos de la caja para escribir tres oraciones completas sobre lo que debes hacer antes de salir y tres oraciones completas sobre lo que quieres hacer durante el viaje. **Answers will vary. Possible answers:**

conducir	ahorrar	traer la tienda	observar	hacer una excursión	dormir

Antes de salir...

1. ___tengo que ahorrar dinero.___
2. ___tengo que traer mi tienda de campaña.___
3. ___tenemos que conducir al campamento.___

Durante el viaje...

1. ___quiero hacer una excursión diferente cada día.___
2. ___quiero observar la naturaleza en el bosque.___
3. ___quiero dormir y comer al aire libre.___

3 Quieres ir a acampar con tus amigos el próximo fin de semana. Escribe un párrafo de cinco oraciones sobre tus planes. ¿Qué cosas necesitas? ¿Qué actividades vas a hacer? **Answers will vary.**

_____

_____

_____

_____

_____

UNIDAD 1 Lección 1 Vocabulario C

Vocabulario adicional *Algunas interjecciones*

| **¡AVANZA!** | **Goal:** Use interjections and exclamations to react to information. |

Una manera de expresar reacciones y emociones durante una conversación en español es mediante el uso de interjecciones y exclamaciones. Las interjecciones tienen varios significados, según el contexto y la entonación. Sirven para añadir significado e interés a mensaje.

Algunas exclamaciones:

¡Imposible!	*Imposible!*
¡Qué bien!	*Great!*
¡Qué horror!	*How horrible!*
¡No me digas!	*No way!*

Algunas interjecciones:

¡Ay! ¡Huy!	*Oh!*
¡Uf!	*Ugh!*
¡Eh!	*Hey!*
¡Ajá!	*Ah ha!*
¡Pum!	*Boom!*
¡Jajay!	*Ha ha!*
¡Jiji!	*Hee hee!*

Observa el uso de las interjecciones en la siguiente conversación:

Miguel: ¡Eh! Elisa, ¿sabes qué pasó?

Elisa: No, ¿qué?

Miguel: Cuando fuimos al albergue juvenil no tenían agua dulce.

Elisa: ¡Ay! ¡Qué difícil! ¿Qué hiciste?

Miguel: ¡Uf! Fue difícil, pero al final nos metimos al río para lavarnos.

Elisa: ¡Ajá! Fue una buena idea, pero, ¿cuándo arreglaron el problema?

Miguel: Pues no sé, porque nos marchamos a otro campamento de todas formas. ¡Jajay!

Escribe una interjección o exclamación para reaccionar ante cada situación.
Answers will vary. Possible answers:

1. Sacaste una buena nota en un examen difícil. _____ ¡Uy! ¡Qué bien! _____

2. Una serpiente te asustó en el sendero del bosque. _____ ¡Ay! _____

3. Tú y tu amigo hacen una broma. _____ ¡Jiji! _____

4. Alguien te cuenta algo increíble. _____ ¡No me digas! ¡Imposible! _____

5. Te das cuenta de algo interesante. _____ ¡Ajá! _____

UNIDAD 1 Lección 1

Vocabulario adicional

4

Unidad 1, Lección 1
Vocabulario adicional

¡Avancemos! 3
Cuaderno para hispanohablantes

Gramática A *Preterite tense of regular verbs*

> **¡AVANZA!**　**Goal:** Use the preterite tense of regular verbs to talk about past events.

1 Elige la forma correcta del verbo para completar el párrafo sobre una excursión al bosque.

Durante las vacaciones Isabel y yo **1.** (caminaste / (caminamos)) en el bosque todos los días. Hoy nos **2.** ((salió)/ salí) una serpiente de un árbol. Isabel **3.** (gritamos /(gritó)), pero yo **4.** (sacaste /(saqué)) mi cámara y **5.** ((empecé)/ empezaron) a tomar fotos de la serpiente y de la naturaleza. Cuando nosotros **6.** ((volvimos)/ volvieron) al campamento, mamá y papá **7.** (encendiste /(encendieron)) la estufa y **8.** (preparé /(prepararon)) la comida. Yo **9.** (comiste /(comí)) mucho y **10.** ((descansé)/ descansó) junto a la fogata.

2 Completa las siguientes oraciones sobre el viaje de Ana y sus amigos con la forma correcta del verbo en el pretérito.

1. Nosotros _____ahorramos_____ (ahorrar) mucho dinero para ir de vacaciones. _____Salimos_____ (salir) para la sierra según el plan.

2. Yo _____organicé_____ (organizar) todo y _____conseguí_____ (conseguir) las reservas para un albergue juvenil.

3. Nosotros _____pasamos_____ (pasar) dos noches en el albergue y dos noches en un campamento.

4. Emilio _____se olvidó_____ (olvidarse) de traer su saco de dormir pero Clara le _____ofreció_____ (ofrecer) uno extra.

5. Celia y Emilio _____montaron_____ (montar) la tienda de campaña. Luego, _____corrieron_____ (correr) al albergue para comprar comida.

3 Cambia las siguientes oraciones al pretérito.

1. Yo navego por los rápidos.
Yo navegué por los rápidos.

2. Los chicos consiguen un albergue juvenil cerca del centro.
Los chicos consiguieron un albergue juvenil cerca del centro.

3. Mis amigos y yo ahorramos dinero para el viaje.
Mis amigos y yo ahorramos dinero para el viaje.

4. Tú enciendes la estufa.
Tú encendiste la estufa.

5. Alba me ofrece su cantimplora.
Alba me ofreció su cantimplora.

UNIDAD 1 Lección 1　Gramática A

Gramática B *Preterite tense of regular verbs*

> **¡AVANZA!** **Goal:** Use the preterite tense of regular verbs to talk about past events.

1 Mira las fotos de las vacaciones de la familia Rodríguez. Ellos fueron a acampar. Escribe oraciones completas para describir lo que hicieron.

1. Carlos	**2. Papá**	**3. José**	**4. Carlos, José y Mercedes**	**5. Papá**

1. Carlos hizo una fogata. _____
2. Papá encendió la estufa. _____
3. José llenó la cantimplora con agua. _____
4. Carlos, José y Mercedes montaron la tienda de campaña. _____
5. Papá encontró una araña. _____

2 Contesta las siguientes preguntas sobre tus experiencias con oraciones completas. **Answers will vary.**

1. ¿Almorzaste alguna vez al aire libre?

   _____

2. ¿Escalaste una montaña alguna vez?

   _____

3. ¿Cuándo fue la última vez que utilizaste el transporte público?

   _____

4. ¿Dormiste alguna vez en una tienda de campaña?

   _____

3 Escribe cuatro oraciones completas sobre una excursión inolvidable que hiciste. Describe adónde fuiste, qué hiciste y cómo fue la excursión. Usa el pretérito.

Answers will vary.

_____

_____

_____

_____

_____

Gramática C *Preterite tense of regular verbs*

¡AVANZA!	**Goal:** Use the preterite tense of regular verbs to talk about past events.

1 Nina y su clase fueron a acampar. Escribe un párrafo sobre su excursión con elementos de los cuadros.

todos los alumnos
nosotros
mis compañeros
yo
el maestro
mi amiga Amalia

llega
maneja
quedarse
montar la tienda de campaña
divertirse
comer al aire libre

Sample answer: El fin de semana pasado toda la clase fue a acampar. El maestro llegó antes de nosotros porque manejó su coche hasta el lugar. Mis compañeros y yo montamos las tiendas de campaña y después todos los alumnos comieron al aire libre. Mi amiga Amalia se quedó en casa porque estaba enferma. Todos los alumnos se divirtieron.

2 Escribe un diálogo entre tú y tu primo sobre una excursión que hiciste con tu clase. Usa los verbos del segundo cuadro en la Actividad 1 para hablar de lo que pasó, cómo la pasaron, qué hicieron y cómo fue la excursión. **Answers will vary.**

Tu primo: ¿Qué tal estuvo la excursión?

Tú: _____

Tu primo: _____

Tú: _____

Tu primo: _____

Tú: _____

Tu primo: _____

3 Escribe un párrafo de cinco oraciones sobre las últimas vacaciones que hiciste. Incluye en tu párrafo información sobre adónde fuiste, qué hiciste y que pasó durante las vacaciones.

Answers will vary.

_____

_____

_____

_____

_____

UNIDAD 1 Lección 1, Gramática C

Gramática A *Preterite tense of irregular verbs*

> **¡AVANZA!** **Goal:** Use the preterite tense of irregular verbs to talk about past events.

1 Pedro comenzó a escribir un reporte sobre su última excursión, pero olvidó poner los verbos en pasado. Escribe la forma correcta de los verbos en los espacios de la derecha.

Nosotros (**1.**) hacer una excursión el sábado pasado. Sara y Juan (**2.**) ir a la montaña y (**3.**) ver la naturaleza. Yo no (**4.**) ir con Sara y Juan pero (**5.**) andar por el bosque con Susana...

1. hicimos
2. fueron
3. vieron
4. fui
5. anduve

2 Cambia las oraciones sobre las actividades de las siguientes personas del presente al pretérito.

1. Ellos andan en bicicleta.
   Ellos anduvieron en bicicleta.

2. Nosotros tenemos la oportunidad de ir al extranjero.
   Nosotros tuvimos la oportunidad de ir al extranjero.

3. Yo veo animales en el bosque.
   Yo vi animales en el bosque.

4. Tú vas a la selva.
   Tú fuiste a la selva.

5. Ella trae un saco de dormir.
   Ella trajo un saco de dormir.

3 Contesta las siguientes preguntas sobre lo que hizo cada persona para el viaje.

Modelo: ¿Quién trajo la cámara? (yo)

   Yo traje la cámara.

1. ¿Quién condujo la camioneta? (Papá)
   Papá condujo la camioneta.

2. ¿Quiénes hicieron una excursión a la montaña? (ustedes)
   Ustedes hicieron una excursión a la montaña.

3. ¿Quién se vistió para remar el kayac? (tú)
   Tú te vestiste para remar el kayac.

4. ¿Quiénes se divirtieron en el bosque? (nosotros)
   Nosotros nos divertimos en el bosque.

UNIDAD 1 Lección 1

Gramática A

Gramática B *Preterite tense of irregular verbs* **Level 3 Textbook pp. 42–44**

> **¡AVANZA!** **Goal:** Use the preterite tense of irregular verbs to talk about past events.

1 Completa las oraciones para indicar qué hicieron las siguientes personas durante su viaje.

1. Gustavo ___durmió___ (dormir) al aire libre.
2. Daniela ___fue___ (ir) a comprar una olla y fósforos para el viaje.
3. Yo les ___di___ (dar) agua a todos antes de la excursión.
4. Tú ___te vestiste___ (vestirse) para navegar por rápidos.
5. Carla y Camila ___vieron___ (ver) una araña en la olla.

2 Combina las columnas para escribir oraciones lógicas sobre una excursión de la familia López. Usa el pretérito. **Answers will vary. Possible answers:**

Modelo: *Ana se divirtió durante el viaje.*

Ana	encender la estufa	para remar el kayac
Paco y yo	dormirse	el campamento
Raquel y tú	ir al bosque	en el sendero
Ana y Paco	tener que cocinar	al aire libre

1. Ana durmió al aire libre.
2. Paco y yo fuimos al bosque para remar el kayac.
3. Raquel y tú encendieron la estufa en el sendero.
4. Ana y Paco tuvieron que cocinar para todos en el campamento.

3 Lee el siguiente correo electrónico que te mandó tu amiga Rosario y escribe una respuesta.

PARA:

DE: Rosario

«¿Qué tal? Cuéntame un poco de tu viaje. ¿Dónde estuviste? ¿Quiénes fueron? ¿Qué hiciste durante el viaje? ¿Vieron Uds. muchos animales? ¿Fueron a las montañas? ¿Cuántas horas dormiste cada noche? ¿Fue un viaje agotador? ¡Escríbeme pronto! Saludos, Rosario.»

Answers will vary.

Gramática C _Preterite tense of irregular verbs_

Level 3 Textbook pp. 42–44

> **¡AVANZA!** **Goal:** Use the preterite tense of irregular verbs to talk about past events.

1 Completa el siguiente párrafo sobre el verano pasado de Sofía. Escribe la forma correcta del verbo que corresponda.

El verano pasado mi familia y yo **1.** ___fuimos___ al parque nacional.

Nosotros **2.** ___estuvimos___ allí durante tres días. Yo **3.** ___tuve___

que ayudar a mis hermanos porque ellos no **4.** ___pudieron___ montar la tienda

de campaña. Mi padre **5.** ___vio___ nuestras dificultades con la tienda y

6. ___vino___ a ayudarnos. Mi mamá nos **7.** ___dijo___ que

teníamos que descansar. Al día siguiente, todos **8.** ___anduvimos___ por el bosque,

rumbo a la montaña.

2 Escribe oraciones completas para describir los aspectos de tu último viaje. **Answers will vary. Possible answers:**

1. Lugar: ___Hicimos un viaje a Europa.___

2. Actividades y excursiones: ___Fuimos a los museos y vimos muchos monumentos y catedrales.___

3. Preparativos y planes: ___Tuvimos que ahorrar mucho dinero y nos quedamos en un albergue juvenil.___

4. Eventos inolvidables: ___Vimos a un famoso actor del cine porque filmaron su nueva película cerca del albergue.___

3 Escribe un informe para una guía turística de Internet sobre una excursión que hiciste. Escribe cinco oraciones para contestar las siguientes preguntas: ¿Adónde fuiste? ¿Qué hiciste? ¿Qué tuviste que hacer para organizar la excursión? ¿Qué viste? ¿Quiénes fueron contigo?

___Answers will vary.___

_____

_____

_____

_____

_____

UNIDAD 1 Lección 1
Gramática C

10

Unidad 1, Lección 1
Gramática C

¡Avancemos! 3
Cuaderno para hispanohablantes

Gramática adicional Contextual clues in the preterite

> **¡AVANZA!** **Goal:** Review and practice additional contextual clues that indicate past events.

Hay varias frases y expresiones de tiempo que señalan el pretérito.
Ya aprendiste las siguientes:

Ayer	Ayer fui al supermercado.
Anteayer	Conocí a Juan anteayer.
Anoche	No pude dormir anoche.
Hace dos días / semanas / años	Tuvimos un examen hace dos días.
La semana pasada	Fuimos a acampar la semana pasada.

Hay otras frases adicionales que también pueden indicar un evento pasado:

Una vez	Una vez hice un viaje a Acapulco.
Por primera vez	Dormí bien por primera vez en dos semanas.
El otro día / un día	El otro día empecé a organizar el viaje.
La última vez	La última vez que navegamos por rápidos fue el año pasado en el parque nacional.

1 Escribe oraciones completas para describir los recuerdos de tus últimos cumpleaños. **Answers will vary.**

Modelo: El año pasado *El año pasado tuve una fiesta para celebrar mi cumpleaños.*

1. La última vez _____

2. Ese día _____

3. Hace dos años _____

4. Por primera vez _____

2 Escribe cinco oraciones sobre un evento inolvidable que pasó durante tus últimas vacaciones.
Usa por lo menos tres de las expresiones anteriores y el pretérito.

Answers will vary.

_____

_____

_____

_____

Integración: Hablar

> **¡AVANZA!** **Goal:** Respond to written and oral passages about a camping trip.

Un grupo de estudiantes quiere pasar unos días de campamento en México. Lee el siguiente mensaje electrónico que aparece en un grupo de discusión de Internet.

Fuente 1 Leer

De: Rocalloso <rocalloso@...>
Fecha: Marzo 23
Asunto: Campamento rural en la Zona del Silencio

ZONA DEL SILENCIO

Ecoturismo Rural   Paquete 3 noches 4 días US $300 / persona en tienda doble

El desierto chihuahuense fue alguna vez un océano. Hoy, la falta de agua es constante. Pero aparte de la natural belleza de un hábitat extraordinario, la Zona del Silencio ofrece al turista la magia y el enigma encerrado en su nombre. Sólo las pirámides de la antigüedad y el Triángulo de las Bermudas encierran los misterios asociados con la Zona del Silencio.

Considerada por mucho tiempo como un polo magnético donde el tiempo se detiene y los radios dejan de funcionar, la Zona del Silencio se localiza en el lugar donde convergen los estados mexicanos de Chihuahua, Coahuila y Durango.

El paquete incluye tres noches de campamento. Transporte terrestre desde Durango. Guía y tres comidas diarias.

Equipaje básico: saco de dormir, cantimplora, equipo de higiene personal, chaqueta.

Ahora vas a escuchar el mensaje grabado de Claudia Gracián. Toma notas. Luego completa la actividad.

Fuente 2 Escuchar

HL CD 1, tracks 1–2

¿Crees que es una buena idea hacer un viaje a la Zona del Silencio? ¿Por qué? Prepara tu respuesta para compartirla con la clase.

Integración: Escribir

¡AVANZA!	**Goal:** Respond to written and oral passages about a camping trip.

Lee el siguiente artículo tomado de una revista turística sobre el estado de Chihuahua, en México.

Fuente 1 Leer

LAS BARRANCAS DEL COBRE

El secreto mejor guardado

El estado grande de México es Chihuahua y una de las más grandes experiencias que el viajero puede tener es una visita a las Barrancas del Cobre. Las profundas barrancas que forman esta serie de cañones se formaron hace más de veinte millones de años y su hondura es tanta (hasta alcanzar casi los dos mil metros) que mientras nieva en las cúspides puede hacer calor en las profundidades.

La diversidad en la fauna es asombrosa y lo mismo sucede con la flora, que cambia de acuerdo a la altura de las planicies y los riscos, desde coníferas como el encino hasta árboles semitropicales en las partes bajas.

Este recinto natural ofrece al turista que ama la naturaleza un sinnúmero de atractivos: ríos con pesca sorprendente, bosques de senderos a pequeños paraísos, ruinas arqueológicas inexploradas.

VIAJERO | 15

Escucha el mensaje que dejó Julián Verdú en el contestador de Kiko, un compañero del club de ciclismo de montaña. Toma notas. Luego completa la actividad.

Fuente 2 Escuchar

HL CD 1, tracks 3–4

Escribe el texto de un folleto sobre el estado de Chihuahua y las Barrancas del Cobre.
¿Qué experiencias tienen quienes visitan este estado mexicano y sus barrancas? **Answers will vary.**

_____

_____

_____

UNIDAD 1 Lección 1 Integración: Escribir

Lectura A

| ¡AVANZA! | **Goal:** Read about what people did on trips. |

1 Vicente acaba de llegar de campamento y su amigo Luis, lo llama por teléfono. Lee la siguiente conversación, responde a las preguntas de comprensión y habla sobre tu experiencia.

> **VICENTE:** ¡Hola Luis! Acabo de regresar de un campamento.
>
> **LUIS:** ¿Regresaste de un campamento? ¿Cuándo llegaste?
>
> **VICENTE:** Llegué hace dos horas. Estoy cansado, pero muy contento.
>
> **LUIS:** ¿Dónde acampaste? ¿Navegaste por el río? ¿Escalaste en la montaña?
>
> **VICENTE:** Estuvo a punto de ser un desastre. Cuando mi hermano y yo quisimos montar la tienda de campaña, no pudimos. Teníamos muchas piezas y no sabíamos cómo empezar porque olvidamos el manual de instrucciones.
>
> **LUIS:** ¡Qué lástima! ¿Entonces cómo acamparon?
>
> **VICENTE:** Tuvimos que ir a un albergue juvenil frente a las montañas. Pero ¿sabes algo? En el albergue, mi hermano y yo hicimos muchos amigos. Hablamos con chicos de otros países y organizamos con ellos muchas excursiones. Nuestros nuevos amigos nos enseñaron a navegar en kayak por el río. Al principio, tuvimos un poco de miedo, porque el río iba muy rápido, pero fue muy emocionante.
>
> **LUIS:** ¡Qué divertido!

2 **¿Comprendiste?** Responde a las siguientes preguntas con oraciones completas.

   1. ¿Adónde fueron Vicente y su hermano?

     Vicente y su hermano fueron a un campamento.

   2. ¿Qué problema ocurrió con la tienda de campaña? ¿Cómo lo resolvieron?

     Ellos no pudieron armar la tienda porque olvidaron el manual. Fueron a un albergue juvenil.

   3. ¿Qué sorpresas encontraron Vicente y su hermano en el albergue?

     Vicente y su hermano conocieron a chicos de otros países.

   4. ¿Qué aprendió Vicente con sus nuevos amigos?

     Vicente aprendió a navegar en kayak por el río.

3 **¿Qué piensas?** ¿Conoces a una persona de otra parte del mundo? Escribe algunas de tus experiencias con esta persona, de dónde es y qué has aprendido con ella. Si tu respuesta es no, escribe sobre alguna persona que te gustaría conocer y lo que te gustaría aprender con ella.

   Answers will vary.

Lectura B

> ¡AVANZA! **Goal:** Read about what people did on trips.

1 Lee el siguiente anuncio sobre lo que hacen los turistas cuando van de vacaciones a México. Luego responde a las preguntas de comprensión y habla sobre tu experiencia.

Vacaciones mexicanas

¿Tiene que viajar al extranjero para ir de vacaciones? Aunque no lo crea, la felicidad se encuentra muy cerca de usted y su familia en las costas mexicanas. Imagínese un lugar alejado de la ciudad, donde el descanso y la diversión se le ofrecen como las únicas actividades.

Nuestra oferta le ofrece estadía en un hotel cinco estrellas con amplias habitaciones renovadas, terraza y piscina junto al mar. El hotel cuenta con instalaciones para practicar deportes acuáticos, jugar al tenis o tomar el sol. La estadía incluye desayunos. Todo a cómodos precios.

Si usted tiene espíritu de aventura y quiere explorar los alrededores, puede visitar las ruinas cerca del hotel. Quedará sorprendido cuando vea los sitios arqueológicos y las maravillas de la civilización maya. Si tiene niños pequeños, no se preocupe. Nuestras instalaciones cuentan con un servicio de guardería las 24 horas y personal calificado. Para más información, vaya a su agente de viajes y pida nuestras ofertas de verano. Llámenos al 800-355-289.

---

2 **¿Comprendiste?** Responde a las siguientes preguntas con oraciones completas.

1. Según el anuncio, ¿qué está cerca de los turistas?
   La felicidad en las costas mexicanas.

2. ¿Cómo es el hotel que describe el anuncio?
   El hotel es de cinco estrellas con habitaciones grandes y renovadas.

3. ¿Qué actividades pueden hacer los turistas en el hotel?
   Los turistas pueden practicar deportes acuáticos, jugar al tenis o tomar el sol.

4. Según el anuncio, ¿es un problema si los turistas tienen niños? ¿Por qué?
   No, porque el hotel tiene personal calificado para cuidar a los niños.

3 **¿Qué piensas?** ¿Te gustaría irte de vacaciones al hotel del anuncio o a algún otro lugar? Escribe un anuncio para unas vacaciones inolvidables. En tu anuncio, describe las actividades que pueden hacer los turistas.
   Answers will vary.

Lectura C

¡AVANZA! **Goal:** Read about what people did on trips.

1 Lee la siguiente entrevista sobre un artista famoso que viaja a Acapulco. Luego responde a las preguntas de comprensión y habla sobre tu experiencia.

Juan Miguel en Acapulco

(México, D.F.) El popular cantante Juan Miguel, se encuentra en Acapulco con motivo del Festival Acapulco. Este festival se realiza en varios puntos del puerto de Guerrero y cuenta con la participación de artistas y cantantes famosos. En esta ocasión, la imagen del este festival estará a cargo de Juan Miguel. Nos acercamos al cantante y conversamos con él sobre sus experiencias en este hermoso puerto.

PERIODISTA: Juan Miguel, ¿cuándo llegaste a Acapulco?

JUAN MIGUEL: Mi equipo y yo llegamos a Acapulco hace tres días. Estamos ocupados organizando el Festival pero yo aprovecho mis ratos libres para pasear por aquí.

PERIODISTA: ¿Cómo te sientes en Acapulco?

JUAN MIGUEL: Muy contento. Es una experiencia maravillosa. Mi grupo y yo estamos con artistas mexicanos y de otros países. Todos los días hablamos y organizamos con ellos excursiones a Acapulco. También buscamos los mejores restaurantes de comida típica para cenar y los mejores sitios para irnos de «reventón».

PERIODISTA: ¿Te gustan las playas de Acapulco?

JUAN MIGUEL: Acapulco tiene playas hermosas. Los paisajes también son increíbles. He tomado muchas fotografías con mi cámara digital...

PERIODISTA: ¿Practicaste algún deporte acuático en Acapulco?

JUAN MIGUEL: Sí, con otros artistas ayer fuimos a la playa y practicamos deportes acuáticos. Las olas iban muy rápido, pero fue muy emocionante.

PERIODISTA: Y los turistas, ¿te molestan mucho?

JUAN MIGUEL: Los turistas me encantan. Estoy feliz de saber que muchos turistas visitan México y las playas de Acapulco para buscar diversión, emoción y entretenimiento. Sólo les pido que por favor cuiden las playas mexicanas. No arrojen basura porque contamina el mar.

PERIODISTA: Juan Miguel, ¿unas últimas palabras para tu público?

JUAN MIGUEL: Aprovecho para invitar a los turistas y al público en general al Festival Acapulco. Aquí podrán cantar, bailar y divertirse. En el Festival Acapulco la diversión no tiene fin.

2 **¿Comprendiste?** Responde a las siguientes preguntas con oraciones completas.

1. Según la noticia, ¿qué se celebra en Acapulco? ¿Quién está invitado a participar?

Se celebra el Festival Acapulco. El popular cantante Juan Miguel está invitado a

participar.

2. ¿Qué hace Juan Miguel cuando no está organizando el festival?

Cuando no está organizando el festival, Juan Miguel pasea por Acapulco.

3. ¿Cómo se divierten Juan Miguel y los otros artistas en Acapulco?

Juan Miguel y los otros artistas organizan excursiones, visitan restaurantes de comida

típica para cenar y lugares para bailar.

4. ¿Qué pensó Juan Miguel de su experiencia con los deportes acuáticos?

A pesar de que las olas iban muy rápido, Juan Miguel pensó que fue muy emocionante.

5. ¿Qué pidió Juan Miguel a los turistas? ¿Por qué?

Juan Miguel pidió a los turistas que cuiden las playas mexicanas porque la basura que

los turistas arrojan contamina el mar.

3 **¿Qué piensas?** Imagina que eres periodista y tu artista favorito visitó tu localidad. Inventa una entrevista con esta persona. Formula preguntas sobre qué lugares y qué cosas divertidas hizo en tu localidad. Respóndelas como si fueras él o ella.

_____

_____

_____

_____

UNIDAD 1 Lección 1   Lectura C

Escritura A

¡AVANZA!	**Goal:** Write about trips.

Fuiste a un viaje al campo por dos días con tus compañeros(as) de clase y tu maestro(a).
Olvidaste llevar tu diario y al regresar escribes lo que hiciste los días que estuviste de viaje.

1 Organiza la información sobre tu viaje al campo: **Answers will vary.**

	Día uno	Día dos
¿Qué lugar(es) visitaste?		
¿Con quién(es) fuiste?		
¿Cuándo fuiste y cuándo regresaste?		
¿Qué hiciste allí?		

2 Escribe dos párrafos cortos, con la información de la actividad anterior. Asegúrate de 1) escribir tus párrafos con oraciones completas y lógicas; 2) dar información suficiente sobre el viaje; 3) usar el pretérito para los verbos y 4) usar la ortografía correcta.

Answers will vary.

_____

_____

_____

_____

3 Evalúa tus párrafos con la información de la siguiente tabla.

	Crédito máximo	Crédito parcial	Crédito mínimo
Contenido	Escribiste dos párrafos cortos con la información de la actividad uno; escribiste oraciones completas y lógicas con suficiente información sobre el viaje.	A veces tuviste en cuenta la información de la actividad uno para escribir tus párrafos; algunas veces no escribiste oraciones completas o lógicas; falta más información sobre el viaje.	No tuviste en cuenta la información de la actividad uno para escribir tus párrafos; no escribiste oraciones completas o lógicas; falta mucha información sobre el viaje.
Uso correcto del lenguaje	Tuviste muy pocos errores o ninguno en el uso del pretérito de los verbos. Usaste la ortografía correcta.	Tuviste algunos errores en el uso del pretérito de los verbos. Tuviste algunos errores de ortografía.	Tuviste un gran número de errores en el uso del pretérito de los verbos. Tuviste un gran número de errores de ortografía.

UNIDAD 1 Lección 1

Escritura A

Escritura B

¡AVANZA!	**Goal:** Write about trips.

Tú y tus amigos están pasando unos días en un albergue juvenil cerca de un parque ecológico. Ayer tú y otro(a) chico(a) prefirieron quedarse en el albergue y no ir de excursión. Explica qué hicieron mientras los demás estaban de excursión.

1 Completa la siguiente tabla con las actividades que hicieron y los lugares en los que estuvieron tú y la otra persona durante el día. **Answers will vary.**

Hora	Lugar	Actividad(es)
8:00 AM – 10:00 AM		
10:00 AM – 12:00 PM		
12:00 PM – 2:00 PM		
2:00 PM – 6:00 PM		

2 Con los datos de la tabla anterior, escribe un relato a tus amigos para informarles sobre el día que pasaron. Usa los verbos en pretérito. Asegúrate de que (1) tu relato sigue un orden lógico, (2) es claro y fácil de entender y (3) el uso del pretérito en los verbos es correcto.
Answers will vary.

_____

_____

_____

_____

_____

_____

_____

3 Evalúa tu relato con la información de la siguiente tabla.

	Crédito máximo	**Crédito parcial**	**Crédito mínimo**
Contenido	El relato sigue un orden lógico, es claro y fácil de entender.	El relato sigue un orden lógico pero es poco claro y algo difícil de entender.	El relato no sigue un orden lógico, es poco claro y difícil de entender.
Uso correcto del lenguaje	Tuviste pocos errores o ninguno al usar los verbos.	Tuviste muchos errores en el uso de los verbos.	Tuviste un gran número de errores al usar los verbos.

Escritura C

| ¡AVANZA! | **Goal:** Write about trips. |

Tú y dos compañeros(as) ganaron un viaje al lugar que ustedes eligieron. Allí pudieron realizar diferentes actividades. Escribe un cuento sobre el viaje.

1 Escribe el nombre de tus compañeros de viaje en las líneas junto a cada óvalo. Luego, escribe dentro de cada óvalo una actividad que realizó esa persona. En las intersecciones escribe las actividades que realizaron dos o más personas juntas. **Answers will vary.**

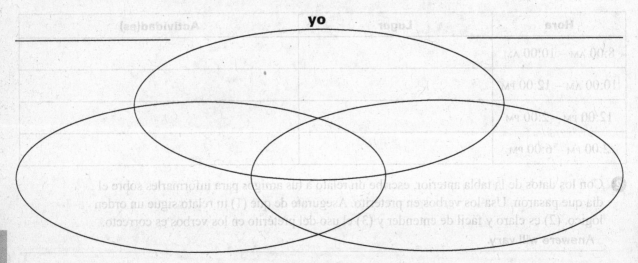

2 Escribe el cuento sobre el viaje con la información del diagrama. Asegúrate de que: 1) incluyes información sobre tus actividades y las de tus compañeros, 2) tu narración es clara e interesante y 3) usas correctamente los verbos en pretérito y la ortografía.

Answers will vary.
_____
_____
_____
_____
_____

3 Evalúa tu cuento con la información de la siguiente tabla.

	Crédito máximo	**Crédito parcial**	**Crédito mínimo**
Contenido	Incluyes información sobre todas las actividades y la narración es clara e interesante.	Incluyes información sobre casi todas las actividades y la narración, es poco clara e interesante.	Incluyes información sobre pocas actividades y la narración no es clara ni interesante.
Uso correcto del lenguaje	Tuviste muy pocos errores o ninguno en el uso de los verbos y la ortografía.	Tuviste varios errores en el uso de los verbos y la ortografía.	Tuviste un gran número de errores en el uso de los verbos y la ortografía.

Escritura C   UNIDAD 1 Lección 1

Cultura A

> **¡AVANZA!** **Goal:** Discover and know people, places, and culture from Mexico.

1 Elige la opción correcta para responder a cada pregunta.

1. ¿Cuál es el nombre oficial de México?
   a. República Mexicana   **(b.)** Estados Unidos Mexicanos   **c.** Distrito Federal Mexicano

2. ¿Cuál de las siguientes ciudades mexicanas NO está a orillas del Pacífico?
   a. Cabo San Lucas   **b.** Acapulco   **(c.)** Veracruz

3. ¿Cuál de las siguientes ciudades mexicanas se encuentra más al norte?
   a. Monterrey   **(b.)** Ciudad Juárez   **c.** México D. F.

2 Responde de forma breve a las siguientes preguntas sobre la cultura mexicana.

1. ¿Cuál es la moneda mexicana?
   El peso mexicano es la moneda nacional mexicana.

2. ¿Quiénes construyeron las pirámides de Chichén Itzá?
   Los mayas construyeron las pirámides de Chichén Itzá.

3. Escribe el nombre de un famoso muralista mexicano.
   Diego Rivera es un famoso muralista mexicano.

3 ¿Qué lugar o parque natural de los Estados Unidos te gusta visitar? ¿Por qué? Escribe el nombre del lugar. Luego escribe tres oraciones para describir el lugar y lo que te gusta de él. Finalmente, escribe otra oración indicando una semejanza o una diferencia entre ese lugar y el parque Cola de Caballo. ¿Sabes si existen parques nacionales o zonas ecológicos protegidos por el gobierno de México? Si sabes de alguno en particular, di cómo se llama, dónde está y alguna otra descripción del mismo. **Answers will vary. Possible Answers:**

El parque Cola de Caballo en la Sierra Madre, en el estado de Monterrey, es uno de los

muchos parques nacionales o zonas protegidas por el gobierno. Este parque se distingue

por una bella y enorme cascada. En los EE.UU., a mi me gusta visitar el Parque del río

Potomac, en Virginia. En este lugar la naturaleza es muy bella. Hay senderos por los

que se puede caminar junto al río y puentes para llegar hasta la parte principal del río.

También pueden verse aves y otros animales. Como en el parque Cola de Caballo, en el

parque del Potomac, hay cascadas, las Great Falls.

Cultura B

> **¡AVANZA!** **Goal:** Discover and know people, places, and culture from Mexico.

1 Responde de forma breve a las siguientes preguntas sobre la geografía de México.

1. ¿Cuál es el nombre oficial de México?

El nombre oficial de México es Estados Unidos Mexicanos.

2. ¿Qué mares y océanos bañan las costas de México?

El océano Pacífico y el mar Caribe bañan las costas de México.

3. ¿Cuántas millas cuadradas aproximadamente tiene México?

México tiene unas 762 mil millas cuadradas.

4. ¿Cómo se llama el sistema montañoso en donde está el parque Cola de Caballo y la Mesa Chipinque?

El sistema montañoso se llama Sierra Madre.

2 La cultura mexicana es muy rica, tanto en su pasado como en la actualidad. Responde a las siguientes preguntas sobre esta cultura usando oraciones completas.

1. ¿Qué restos de la antigua civilización maya se pueden visitar en México?

En México se pueden visitar muchos restos arqueológicos mayas, como las ruinas de

Uxmal y las pirámides de Chitchén-Itzá.

2. ¿Cuáles son las tres personas del mundo de la cultura y las artes de México que más admiras y en qué se destaca o se destacó cada una de ellas? Answers will vary. Possible Answer:

Los mexicanos que más admiro son Octavio Paz, que fue un escritor famoso; la

cantante Paulina Rubio y Gael García Bernal. ¡Él es mi actor favorito!

3 Escribe lo que sepas sobre el artista mexicano Gerardo Murillo y alguna de sus obras. ¿Alguna vez has visto algún trabajo de arte similar? ¿En dónde está? ¿Cómo es? Descríbelo y explica alguna semejanza o diferencia con la obra de Gerardo Murillo. Answers will vary. Possible Answers:

Gerardo Murillo es un famoso muralista mexicano. Uno de sus murales más conocidos

representa el volcán Ixtazihuatl. Un mural que yo conozco es el mural Market Street Railway

una obra de Mona Caron que está en San Francisco. A diferencia de los murales de Murillo,

que suelen inspirarse en paisajes de la naturaleza, la pintura de Mona Caron representa un

paisaje urbano: son tres momentos en la historia de los transportes en Market Street.

Copyright © by McDougal Littell, a division of Houghton Mifflin Company.

UNIDAD 1 Lección 1

Cultura B

Cultura C

> ¡AVANZA! **Goal:** Discover and know people, places, and culture from Mexico.

1 Tu amigo va a viajar a México. Lee sus comentarios y luego responde a sus preguntas para ayudarle a planificar su viaje. Usa oraciones completas.

1. «Primero voy a pasar cuatro días en Monterrey. Además de la ciudad, ¿crees que podré visitar algún lugar natural interesante?»

Cerca de Monterrey se puede visitar el parque Cola de Caballo con su cascada, la Mesa

Chipinque y el Parque Ecológico de Chipinque.

2. «Después de mi visita a Monterrey, me gustaría ir a algún lugar donde pueda practicar deportes acuáticos. ¿Qué lugares me recomiendas?»

Puedes ir a Cabo San Lucas o a Puerto Escondido, en la costa del Pacífico, o a las

playas de la bahía de Campeche o como Cancún en Yucatán.

3. «Por último, si me queda tiempo, me gustaría visitar algunas ruinas mayas. ¿Podré ver alguna cerca de los lugares que voy a visitar?»

Sí, en Yucatán hay ruinas mayas como la pirámide de Chichén-Itzá y Uxmal.

2 Responde a las siguientes preguntas sobre Gerardo Murillo y su obra. Da todos los detalles posibles.

1. ¿Qué nombre adoptó Gerardo Murillo y por qué?

Murillo adoptó el nombre «Dr. Atl». «Atl» en náhuatl significa «agua» y Murillo lo eligió

para destacar la importancia que para él tenía la naturaleza mexicana.

2. ¿Cuáles era el principal tema de los murales de Murillo? ¿En que se inspiraban?

Su tema principal eran los paisajes y la naturaleza de México.

3 ¿Qué lugar de interés arqueológico o histórico recomiendas visitar en Estados Unidos. ¿Por qué es interesante este lugar? ¿Tiene algo en común con las ruinas mexicanas?

Answers will vary. Possible Answers: En Estados Unidos recomiendo visitar las ruinas de

los asentamientos de los indios pueblo, en Arizona. Allí, al igual que en México, también se

pueden ver restos de edificaciones muy antiguas. Pero las construcciones de los pueblo son

mucho más sencillas que las de los mayas y están construidas con adobe o barro seco. Por

otra parte, los asentamientos mayas estaban en lugares con mucha vegetación, mientras

que los asentamientos pueblo estaban en zonas desérticas.

Vocabulario A *Vamos a la playa*

Level 3 Textbook pp. 58–62

¡AVANZA!　　**Goal:**　Talk about extended family and trips to the beach.

1 Empareja cada objeto o actividad de la playa con su descripción

1. Se usa para protegerse del sol.
2. Se juega en la playa entre dos equipos.
3. Un barco para pasar las vacaciones.
4. Los barcos entran y salen de este lugar.
5. Se usa para flotar en el agua si uno no sabe nadar.

a. el chaleco salvavidas
b. el voleibol playero
c. el puerto
d. la sombrilla
e. un crucero

2 Lee las palabras de la caja y elige la que describe la relación de cada miembro de la familia de Ana.

bisnieta	sobrina	yerno	cuñada	nietos	nuera

1. La esposa de mi hijo es mi _____ **nuera** _____.
2. Los hijos de mis hijos son mis _____ **nietos** _____.
3. La hija de mi hermana es mi _____ **sobrina** _____.
4. El esposo de mi hija es mi _____ **yerno** _____.
5. La nieta de mi hija es mi _____ **bisnieta** _____.
6. La esposa de mi hermano es mi _____ **cuñada** _____.

3 Usa el vocabulario de la lección para escribir lo que haces en la playa en las siguientes situaciones. **Answers will vary. Possible answers:**

1. Cuando hace calor agobiante, _____ **nado en la piscina.** _____
2. Cuando hace fresco, _____ **tomo el sol.** _____
3. Cuando me mareo, _____ **descanso un poco.** _____
4. Cuando hay brisa, _____ **no practico el voleibol playero.** _____
5. Cuando camino por la playa _____ **recojo caracoles.** _____

UNIDAD 1 Lección 2

Vocabulario A

Vocabulario B *Vamos a la playa*

Level 3 Textbook pp. 58–62

> **¡AVANZA!** **Goal:** Talk about extended family and trips to the beach.

1 Escribe las relaciones familiares según las descripciones del árbol de la familia de Laura.

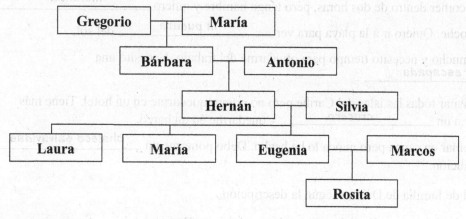

```
        Gregorio        María
            Bárbara        Antonio
                Hernán        Silvia
      Laura      María      Eugenia      Marcos
                              Rosita
```

1. Marcos es ___el cuñado___ de Laura y María.

2. Rosita es ___la sobrina___ de Laura.

3. Hernán y Silvia son ___los abuelos___ de Rosita.

4. Hernán y Silvia son ___los suegros___ de Marcos.

5. Laura, María y Eugenia son ___las bisnietas___ de Gregorio y María.

6. Bárbara y Antonio son ___los abuelos___ de Laura, María y Eugenia.

7. Marcos es ___el yerno___ de Hernán y Silvia.

8. Silvia es ___la nuera___ de Bárbara y Antonio.

2 Escribe oraciones completas para describir lo que hace la familia Ramírez en la playa.
Answers will vary. Possible answers:

  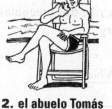  

1. **Margarita y Carmen**   2. **el abuelo Tomás**   3. **Carlitos**   4. **papá**   5. **la abuela Catalina**

1. ___Margarita y Carmen recogen caracoles.___

2. ___El abuelo Tomás merienda una manzana.___

3. ___Carlitos se marea en la canoa.___

4. ___Papá se refugia del sol.___

5. ___La abuela Catalina se recuesta en la silla.___

UNIDAD 1 Lección 2   Vocabulario B

Vocabulario C *Vamos a la playa*

¡AVANZA!	**Goal:** Talk about extended family and trips to the beach.

1 Escribe la palabra o expresión que se asocia con las siguientes descripciones.

1. Vamos a comer dentro de dos horas, pero tengo hambre y quiero ___merendar___.

2. Es casi noche. Quiero ir a la playa para ver ___la puesta___ del sol.

3. Trabajo mucho y necesito tiempo para olvidarme del trabajo. Necesito una ___escapada___.

4. Quiero visitar todas las islas del Caribe pero no quiero quedarme en un hotel. Tiene más sentido ir a un ___crucero___ y quedarme en un barco.

5. Quiero remar en canoa pero nunca lo he hecho. Debo ponerme un ___chaleco salvavidas___ por precaución.

2 Dibuja el árbol de familia de Débora según la descripción.

Débora tiene dos hermanos. Daniel está casado con Adriana. Daniel y Adriana tienen un bebé que se llama Antonio. El otro hermano de Daniel se llama Raimundo. Él está casado con Linda. Los padres de Débora se llaman Evelyn y Diego. Débora, Daniel y Raimundo son los nietos de Carmen y Fernando, los padres de Evelyn.

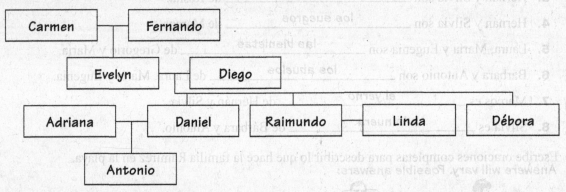

3 Con la información en el árbol de la familia de Débora, escribe tres preguntas sobre las relaciones familiares y da las respuestas. **Answers will vary.**

Modelo: ¿Quiénes son los hermanos de Débora?

Daniel y Raimundo son los hermanos de Débora.

1. _____

_____

2. _____

_____

3. _____

_____

UNIDAD 1 Lección 2

Vocabulario C

Unidad 1, Lección 2
Vocabulario C

26

¡Avancemos! 3
Cuaderno para hispanohablantes

Vocabulario adicional *Más sobre el clima*

> **¡AVANZA!** **Goal:** Talk about weather conditions.

Más expresiones

Se pueden describir fenómenos del tiempo con las siguientes frases y expresiones:

La precipitación	*precipitation*	Los relámpagos	*lightning*		
La humedad	*humidity*	La nevada	*blizzard*		
La sequía	*drought*	Está (parcialmente) soleado.	*It is (partly) sunny.*		
La tormenta	*storm*	Está (parcialmente) nublado.	*It is (partly) cloudy.*		
Los chaparrones	*downpour*	Está despejado.	*It is clear.*		
Los chubascos	*heavy rain*	Hay niebla.	*It is foggy.*		
Los truenos	*thunder*				

1 Describe qué tiempo hace en las siguientes ciudades.

1. Miami   2. Atlanta   3. San Francisco   4. Denver   5. Phoenix   6. Seattle

1. Está parcialmente soleado / Está parcialmente nublado.
2. Hay relámpagos en Atlanta / Hay tormentas en Atlanta.
3. Hay niebla en San Francisco.
4. Hay una nevada en Denver.
5. Hay sequía en Phoenix.
6. Hay chaparrones en Seattle.

2 Escribe cuatro oraciones completas para describir qué tiempo hace en tu ciudad durante el verano. **Answers will vary.**

_____

_____

_____

_____

UNIDAD 1 Lección 2 Vocabulario adicional

Gramática A *El imperfecto*

Level 3 Textbook pp. 63–67

> ¡AVANZA! **Goal:** Use the imperfect tense to talk about ongoing past activities.

1 Completa las siguientes oraciones sobre las vacaciones en la playa con la forma correcta de los verbos del cuadro.

reunirse	jugar	hacer	ir	pasar	preparar

1. De niño nosotros siempre _____**pasábamos**_____ las vacaciones en la playa.

2. Mi madre _____**preparaba**_____ todas las comidas al aire libre.

3. Normalmente _____**hacía**_____ un calor agobiante en la playa.

4. Yo siempre _____**jugaba**_____ al voleibol playero con mis hermanos.

5. Todos los miembros de la familia _____**se reunían**_____ en la playa.

6. Y tú, ¿_____**Ibas**_____ mucho a la playa?

2 Escribe una oración completa para decir lo que hacían las personas en la playa. **Answers will vary. Possible answers:**

1. Alfonso	2. Adriana	3. Irene y Mercedes	4. Luis	5. Nosotros	6. Yo

1. Alfonso hacía surfing.

2. Adriana merendaba en la playa.

3. Irene y Mercedes se recostaban en la playa.

4. Luis nadaba. / Luis se metía al agua.

5. Nosotros jugábamos al voleibol playero.

6. Yo veía la puesta del sol.

Gramática B *El imperfecto*

> **¡AVANZA!** **Goal:** Use the imperfect tense to talk about ongoing past activities.

1 Escribe oraciones completas sobre cómo eran las vacaciones de los bisabuelos de Ignacio.

> **Modelo:** Toda la familia / ir a la playa de Mazatlán.
>
> *Toda la familia iba a la playa de Mazatlán.*

1. Tus padres / recostarse en la playa para tomar el sol.
   Tus padres se recostaban en la playa para tomar el sol.

2. Todos nosotros / reunirse en la playa cada verano.
   Todos nosotros nos reuníamos en la playa cada verano.

3. Tu abuelo Ismael / ser el primero en llegar.
   Tu abuelo Ismael era el primero en llegar.

4. Tú / tener miedo al velero.
   Tú tenías miedo al velero.

5. Yo / ver la puesta del sol todas las noches.
   Yo veía la puesta del sol todas las noches.

2 Escribe oraciones completas para describir lo que hacían todos en la playa.

| 1. Arturo | 2. Raquel y Vivian | 3. yo | 4. Teresa | 5. nosotros |

1. **Arturo veía el amanecer. / Arturo veía la puesta del sol.**

2. **Raquel y Vivian recogían caracoles.**

3. **Yo navegaba el velero.**

4. **Teresa bebía agua.**

5. **Nosotros escuchábamos música.**

UNIDAD 1 Lección 2 Gramática B

Gramática C *El imperfecto*

> **¡AVANZA!** **Goal:** Use the imperfect tense to talk about ongoing past activities.

1 Completa el párrafo sobre las vacaciones en la playa con la forma correcta de los verbos en el cuadro.

hacer	ver	meterse	estar	tener	ir

Cuando mis padres **1.** ___ estaban ___ recién casados,

2. ___ iban ___ a la playa con nuestra familia todos los

veranos. Siempre **3.** ___ hacía ___ calor en la playa y yo

4. ___ tenía ___ que refugiarme bajo la sombrilla. Para

refrescarse, mi madre **5.** ___ se metía ___ al agua. Al final de cada

día, todos nosotros **6.** ___ veíamos ___ la puesta de sol.

2 Completa las siguientes oraciones para decir qué hacías en las siguientes situaciones. Usa el imperfecto en tus respuestas.

Modelo: Cuando estaba en la playa *tomaba el sol.*   **Answers will vary.**

1. Cuando hacía calor _____

2. Cuando iba de vacaciones _____

3. Cuando hacía fresco _____

4. Cuando toda tu familia se reunía _____

5. Cuando tenía 10 años _____

6. Cuando veía a mis amigos _____

3 Responde las siguientes preguntas con oraciones completas sobre lo que hacías de niño.

1. ¿Cómo pasabas las vacaciones?   **Answers will vary.**

_____

2. ¿Qué les gustaba hacer a ti y a tus amigos durante los fines de semana?

_____

3. ¿Qué hacías de niño(a) que no haces ahora?

_____

4. ¿Cuáles eran tus juegos favoritos?

_____

UNIDAD 1 Lección 2
Gramática C

Gramática A *Preterite vs. Imperfect*

> **¡AVANZA!** **Goal:** Review and use the preterite and imperfect to talk about past activities.

❶ Elige el verbo correcto en las siguientes oraciones sobre un día en la playa.

1. Ayer, nosotros (llegamos / llegábamos) a la playa a las 10:30 en punto.

2. Mientras Susana (preparaba / preparó) la comida (empezó / empezaba) a llover.

3. Mientras (llovió / llovía), los niños (dejaron / dejaban) de jugar.

4. De pronto (salía / salió) el sol.

5. Por las noches, (nos gustaron / nos gustaba) cantar y tocar la guitarra.

❷ Completa las siguientes oraciones con la forma correcta del verbo en paréntesis. Decide entre el imperfecto o el pretérito.

1. Todos los veranos nosotros _____pasábamos_____ (pasar) las vacaciones en la playa.

2. A mí siempre me _____gustaba_____ (gustar) estar el día entero en el agua.

3. Una vez mi familia _____fue_____ (ir) a la playa pero de pronto _____empezó_____ (empezar) a llover.

4. Nunca nos _____importaba_____ (importar) qué tiempo _____hacía_____ (hacer).

5. Una vez mientras yo _____me refugiaba_____ (refugiarse) debajo de la sombrilla mi hermana _____vino_____ (venir) para darme algunas caracolas que ella _____recogió_____ (recoger).

❸ Escribe oraciones completas con todos los elementos. Usa el pretérito y el imperfecto según el contexto. **Answers will vary. Possible answers:**

Modelo: mis padres llegar a la playa / nosotros bañarnos

Mis padres llegaron a la playa mientras nosotros nos bañábamos.

1. Enrique llamar / Victoria y Carlos ver la puesta del sol
   Enrique llamó cuando Victoria y Carlos veían la puesta del sol.

2. mi cuñada tener un bebé / mis padres estar de vacaciones
   Mi cuñada tuvo un bebé cuando mis padres estaban de vacaciones.

3. Papá decir que era hora de comer / nosotros jugar al voleibol playero
   Papá dijo que era hora de comer cuando nosotros jugábamos al voleibol playero.

4. Nosotros llegar / Nuria dormir en la arena
   Nosotros llegamos cuando Nuria dormía en la arena.

UNIDAD 1 Lección 2 Gramática A

Gramática B *Preterite vs. Imperfect*

¡AVANZA!   **Goal:**   Review and use the preterite and imperfect to talk about past activities.

❶ Elige el verbo correcto y escríbelo en pretérito o imperfecto para completar las oraciones.

ver	conducir	tener	cenar	empezar	hacer

1. Nosotros ___cenábamos___ en un restaurante cuando mi abuela llamó.

2. Todos los años el abuelo Ricardo ___conducía___ la casa rodante a nuestra casa.

3. Una vez tú ___tuviste___ que preparar la comida al aire libre.

4. De niña yo normalmente ___veía___ la puesta del sol en la playa.

5. Cuando jugábamos al voleibol playero ___empezó___ a llover.

6. Mientras nadábamos ___hacía___ un calor agobiante en la playa.

❷ Escribe oraciones con el pretérito o el imperfecto para completar el contexto.

1. Todos los fines de semana / Amanda / hacer una escapada
   Todos los fines de semana Amanda hacía una escapada.

2. ¿Tú / invitar a los Gómez a tu fiesta / este año?
   ¿Invitaste a los Gómez a tu fiesta este año?

3. A las 10:30 / nosotros /salir en avión para México.
   A las 10:30 nosotros salimos en avión para México.

4. Uds. / siempre / marearse en el velero.
   Uds. siempre se mareaban en el velero.

5. María / preparar la comida / cuando / nosotros / llegar.
   María preparaba la comida cuando nosotros llegamos.

❸ Contesta las siguientes preguntas sobre tus actividades pasadas con oraciones completas.
Answers will vary.

1. ¿Qué actividades hiciste cuando estabas de vacaciones?

   _____

2. ¿Cómo te sentías cuando saliste de tu casa esta mañana?

   _____

3. ¿Qué tiempo hacía cuando llegaste a casa ayer?

   _____

4. ¿Dónde vivías cuando eras niño?

   _____

UNIDAD 1 Lección 2

Gramática B

Gramática C *Preterite vs. Imperfect*

> **¡AVANZA!** **Goal:** Review and use the preterite and imperfect to talk about past activities.

1 Completa el párrafo sobre el día especial de Carlos. Escribe la forma correcta del verbo en el pretérito o el imperfecto.

Ayer **1.** ___**fue**___ (ser) un día muy especial. Carlos **2.** ___**cumplió**___ (cumplir) doce años y su familia **3.** ___**quiso**___ (querer) celebrar en la playa.

4. ___**Hacía**___ (Hacer) buen tiempo y **5.** ___**estaba**___ (estar) soleado. A las 2:00 de la tarde todos **6.** ___**llegaron**___ (llegar) a la playa. Mucha gente ya

7. ___**estaba**___ (estar) allí. Algunos **8.** ___**recogían**___ (recoger) caracoles, otros

9. ___**nadaban**___ (nadar) y Ángela y yo **10.** ___**tomábamos**___ (tomar) el sol. Carlos

11. ___**estaba**___ (estar) muy contento cuando **12.** ___**se metió**___ (meterse) al agua.

De repente todos los invitados **13.** ___**vieron**___ (ver) un pez grande al lado de Carlos.

Carlos nos **14.** ___**dijo**___ (decir) que no lo **15.** ___**vio**___ (ver) mientras

él **16.** ___**nadaba**___ (nadar). En fin, **17.** ___**fue**___ (ser) un día fantástico.

2 Escribe un párrafo de seis oraciones completas sobre la última escapada que hiciste. ¿Adónde fuiste? ¿Quiénes estaban allí? ¿Qué pasó mientras estabas allí? ¿Cómo te sentías mientras estabas al aire libre? Usa el pretérito y el imperfecto. **Answers will vary.**

_____

_____

_____

_____

_____

3 Escribe un resumen de lo que sucedió en el último programa de televisión que viste. Usa verbos en pretérito e imperfecto. **Answers will vary.**

_____

_____

_____

_____

_____

_____

_____

_____

Gramática adicional *Contextual clues in the imperfect*

| ¡AVANZA! | **Goal:** Review contextual clues that indicate ongoing past activities. |

Hay varias frases que pueden indicar actividades habituales o continuas:

De niño	De niño yo tenia lecciones de natación.
Cuando era joven	Cuando era joven dormía mucho.
Mientras	Mientras yo estudiaba mi hermana cocinaba.
Todos los días / años	Todos los días iba a la escuela en autobús.
Regularmente	Jugaban al tenis regularmente.
Normalmente	Me levantaba a las siete de la mañana normalmente.
Cada verano / semana / martes	Pasábamos cada verano en la playa.

1 Indica si las siguientes oraciones están en el presente, el pretérito o el imperfecto según el contexto.

	Presente	Pretérito	Imperfecto
Modelo: Tenemos que organizar el viaje	X		
1. Yo iba regularmente a nadar en la playa.			X
2. ¿Viste la puesta del sol anoche?		X	
3. ¿Quiénes jugaban al voleibol playero regularmente?			X
4. Ustedes van a México este año, ¿verdad?	X		
5. De niño navegué un velero muy grande.		X	
6. No me gusta tomar el sol.	X		
7. Todos los fines de semana hacíamos una escapada fuera de la ciudad.			X
8. Hace seis meses se reunieron todos los miembros de la familia en Acapulco.		X	

2 Escribe cinco oraciones completas sobre cómo pasabas los veranos cuando eras niño(a). Usa las frases contextuales del imperfecto. **Answers will vary.**

_____

_____

_____

_____

_____

Conversación simulada

> ¡AVANZA!   **Goal:** Respond to a conversation discussing activities, skills and abilities.

Vas a participar en una conversación telefónica simulada con tu amigo Salvador. Primero, lee el bosquejo de la conversación que aparece en la página. Luego, escucha el audio. Tú sólo oirás lo que te dice Salvador. Entonces escucha el audio de nuevo. Esta vez participarás en la conversación. Responde de forma oral a lo que te dice Salvador. Una señal te indicará cuando te toque a ti hablar.

[phone rings]

Tú: Contesta el teléfono.

Salvador: (Él saluda.)

Tú: Saluda y di quién eres. Pregúntale a Salvador cómo le fue en sus vacaciones.

Salvador: (Él contesta y te pregunta qué piensas.)

Tú: Contesta y pregúntale qué otras cosas hizo.

Salvador: (Él habla de lo que hizo.)

Tú: Dale tu opinión sobre lo que él dice.

Salvador: (Él te invita.)

Tú: Contesta y explica por qué.

Salvador: (Él se despide.)

Tú: Despídete y cuelga.

Integración: Escribir

¡AVANZA!	**Goal:** Respond to written and oral passages discussing activities, skills and abilities.

Lee el siguiente folleto en sobre un crucero por el Caribe mexicano.

Fuente 1 Leer

CRUCEROS PARAÍSO MAYA

Playas de arenas blancas, aguas tibias y cristalinas y atención de primera clase son sólo unas de las muchas atracciones que usted disfruta cuando viaja con nosotros. Con visitas a Cancún, Playa del Carmen y Cozumel, usted podrá gozar de un México acogedor, lleno del sabor de la región maya.

Nuestro crucero Paraíso Maya le ofrece:

• **Camarotes de lujo con balcón privado**
• **Dos restaurantes de cocina internacional**
• **Casino**
• **Teatro**
• **Piscina, pista para correr y gimnasio**
• **Salón de belleza**
• **Excursiones turísticas**

Para reservar su lugar llame a la línea gratuita 1-PARAÍSO o contacte a su agente de viajes.

Escucha el mensaje que Barry Guillén dejó en el contestador de su agente de viajes. Toma notas. Luego completa la actividad.

Fuente 2 Escuchar

HL CD 1, tracks 7–8

¿Cuál crees que será el itinerario del viaje para el señor Guillén? Explica cómo crees que será su viaje y por qué. **Answers will vary.**

_____

_____

_____

_____

_____

UNIDAD 1 Lección 2
Integración: Escribir

Lectura A

| ¡AVANZA! | **Goal:** Read about family vacations. |

1 Lee lo que escribió María sobre unas vacaciones que pasó con su hermana y su familia. Luego responde a las preguntas de comprensión y compara su experiencia con la tuya.

Unas vacaciones no tan buenas

Mi hermana Lupe me llamó para preguntarme si quiero ir de vacaciones con ella y su familia. Este año no voy a ir. El año pasado estuve quince días en la playa con mi hermana, su esposo, sus dos hijos Lucas y María Claudia.

A mi hermana y a su esposo les gustan mucho los deportes acuáticos. Pasaban la mayor parte del día en el mar. Cuando no practicaban surf, paseaban con las motos acuáticas. Algunos días, mi cuñado jugaba al voleibol playero y mi hermana observaba el juego y lo animaba. Y mientras ellos se divertían, yo cuidaba a los niños. Algunos días llevaba un libro a la playa y me recostaba debajo de la sombrilla para leer. Pero al final nunca leía. Lucas y María Claudia me llamaban todo el tiempo. Se enojaban si no jugaba con ellos o no los acompañaba a bañarse al mar. A mediodía comíamos en el restaurante del hotel. Después mi hermana y su familia tomaban una siesta. Entonces yo aprovechaba para salir a pasear. Pero a esa hora mucha gente toma la siesta y no había nadie por las calles. Mi hermana estaba muy entusiasmada con el surf y con la moto acuática. Yo me sentía mal pero no quería decirle nada porque no quería que se enojara conmigo. Yo sabía que hacía mucho tiempo ella no pasaba vacaciones en la playa... Pero yo la quiero mucho. Tal vez decida ir con ellos otra vez.

---

2 **¿Comprendiste?** Responde a las siguientes preguntas con oraciones completas.

1. ¿Crees que el cuñado de María es muy deportista? ¿Por qué?

Sí, él es muy deportista porque practica surf, pasea en moto acuática y juega al

voleibol playero.

2. ¿Que hacían María y su familia a mediodía?

Comían todos juntos. Después de comer, la hermana de María, su marido y los hijos

dormían la siesta y María salía a pasear.

3. ¿Cómo se sentía María durante las vacaciones? ¿Mostraba sus sentimientos? ¿Por qué?

María se sentía mal por la situación que tenía, pero no mostraba sus sentimientos

porque pensaba que su hermana se iba a enojar con ella.

3 **¿Qué piensas?** ¿Qué harías si estuvieras en la misma situación de María? Escribe una anécdota sobre tus últimas vacaciones. **Answers will vary.**

_____

_____

_____

UNIDAD 1 Lección 2 Lectura A

Lectura B

> **¡AVANZA!** **Goal:** Read about family vacations.

1 Jorge tiene muy buenos recuerdos de sus vacaciones. Lee el relato y luego responde a las preguntas de comprensión y compara su experiencia con la tuya.

Recuerdos

Cuando Jorge era niño, todos los veranos iba con su familia a casa de los abuelos. Los abuelos vivían en una casita pequeña muy cerca de la playa. Todas las mañanas Jorge y su abuelo iban a pescar. Se levantaban muy temprano y salían cuando todavía era de noche. El abuelo decía que «hacía fresco», mientras que Jorge pensaba que hacía frío. Jorge nadaba muy bien, pero el abuelo siempre le pedía que se pusiera el chaleco salvavidas antes de montarse en el bote. Cuando ya estaban lejos de la costa, el abuelo paraba de remar y los dos se quedaban un rato hablando y mirando el mar. Casi siempre veían el amanecer y esto era un espectáculo maravilloso.

Cuando llegaban a casa, todos iban corriendo a ver que traían. Algunas veces regresaban con muchos pescados y otras veces traían muy pocos. Era raro el día en que no pescaban nada. De todas maneras siempre lo pasaban fenomenal: se divertían hablando, remando y mirando el mar.

Algunos días, Jorge y su abuelo no podían salir en el bote porque había tormenta. Entonces se quedaban en casa, contaban historias, la abuela hacía pasteles y por la tarde los chicos de los vecinos iban a la casa de los abuelos para ver películas de aventuras. Ahora los abuelos viven en la ciudad y Jorge siempre dice: «Los veranos en casa de los abuelos eran los mejores del mundo».

2 **¿Comprendiste?** Responde a las siguientes preguntas con oraciones completas:

1. ¿Por qué Jorge y su abuelo se levantaban muy temprano? ¿Cuándo salían de casa?
Ellos se levantaban muy temprano para ir a pescar y salían de casa cuando aún era de noche.

2. ¿Qué hacían Jorge y su familia los días que había tormenta?
Se quedaban en casa, contaban historias, la abuela hacía pasteles y por la tarde los chicos de los vecinos iban a la casa de los abuelos y veían películas de aventuras todos juntos.

3. ¿Por qué Jorge y su familia no volvieron a pasar las vacaciones al mismo lugar?
Porque los abuelos se marcharon a vivir en la ciudad.

3 **¿Qué piensas?** ¿Qué recuerdos especiales tienes de las vacaciones cuando eras niño(a)?
Answers will vary.

Lectura C

¡AVANZA! **Goal:** Read about family vacations.

1 Lee lo que escribió Gerardo sobre unas vacaciones en familia. Luego responde a las preguntas de comprensión y da tu opinión sobre su experiencia.

Vacaciones en familia

En junio fui de vacaciones con mi familia a Cayo Hueso, en Florida. Yo no tenía ganas de ir de vacaciones en familia, mis padres, mi hermana, mi hermano, los abuelos, los tíos, la prima... pero después todo resultó mucho más divertido e interesante de lo que yo pensaba.

Todos estaban muy emocionados con el viaje. En casa nadie hablaba de otra cosa. Y no sé por qué, pero eso me hacía sentirme mal. Cuanto más oía hablar de Cayo Hueso, menos ganas tenía de ir allí. Los fines de semana el tío Eusebio venía con toda la familia y el tema de conversación era Cayo Hueso. Papá y el tío Eusebio hablaban de pesca. Mi hermana y la prima Amelia se encerraban en el cuarto de mi hermana durante horas para probarse trajes de baño y ropa de playa. Hasta mi hermano pequeño, me preguntaba miles de cosas sobre los cayos. Yo siempre le respondía: «No sé, no sé nada, yo nunca estuve allí».

Al fin llegó el día del viaje. Era un día claro y soleado. Tuvimos que ir a Atlanta para tomar el avión. En el avión tuvimos que sentarnos separados. Éramos diez personas y mi hermano pequeño se sentó a mi lado. El pobre se mareó durante las dos horas que duró el viaje. Cuando por fin llegamos a Cayo Hueso estaba lloviendo.

Ahora nadie estaba contento. Todos pensábamos que tendríamos que pasar las vacaciones encerrados en el apartamento, luego supimos que en Florida son frecuentes las tormentas y las lluvias durante el verano, pero sólo duran unas horas. Y así fue, a las pocas horas dejó de llover y brilló el sol. Hacía calor. Entonces todos quisieron ir a dar un paseo por la ciudad. Había tiendas de artesanías, de ropas y de objetos curiosos... En otras calles se veían casas de madera pintadas de blanco con patios llenos de árboles, plantas y flores. Había mucha gente caminando por la calle.

Yo empezaba a ver Cayo Hueso de otra forma: el calor no era tan agobiante como yo pensaba, la ciudad era agradable... Pero yo seguía pensando que unas vacaciones en familia sólo podían ser aburridas.

Al día siguiente fuimos a la playa. La arena era blanca y fina y el agua estaba caliente. Mi hermana y mi prima me convencieron para montar motos acuáticas. La verdad es que pasamos un buen rato. Otro día practicamos surf. Me sorprendí cuando vi que papá pidió una tabla de surf para él. Enseguida aprendió a mantener el equilibrio, cada vez que lo veía sobre una ola volvía a sorprenderme. ¡Yo no conocía esa faceta de mi papá! Yo pensaba que iba a pasar unas vacaciones feas y al final ¡fueron unas vacaciones geniales!

2 **¿Comprendiste?** Responde a las siguientes preguntas.

1. Gerardo dice que toda su familia estaba emocionada con el viaje. ¿Cómo se refleja esa emoción y qué efecto produce en Gerardo?

La emoción se refleja en que toda la familia hablaba de Cayo Hueso constantemente.

Eso hacía que Gerardo se sintiera mal y tuviera menos ganar de ir de viaje.

_____

2. ¿Cómo estuvo el viaje? Explica tu respuesta.

El viaje no estuvo bueno. En el avión tuvieron que sentarse separados, el hermano

pequeño de Gerardo se mareó durante todo el viaje y cuando llegaron a Cayo Hueso

estaba lloviendo.

3. ¿Cómo era la ciudad y qué vio Gerardo cuando fue a pasear con su familia?

La ciudad era agradable; Gerardo vio tiendas de artesanías, de ropa y de objetos

curiosos, también vio casas de madera pintadas de blanco con patios llenos de árboles,

plantas y flores y mucha gente caminando por la calle.

4. ¿Qué sorpresa se llevó Gerardo?

Gerardo se sorprendió de ver que su padre pedía una tabla se surf y que luego aprendió

a mantener el equilibrio.

_____

3 **¿Qué piensas?** ¿Te sorprendiste alguna vez porque un miembro de tu familia hizo algo que tú no esperabas? ¿Quién fue? ¿Qué hizo y por qué te sorprendió? **Answers will vary.**

_____

_____

_____

_____

_____

Lectura C   UNIDAD 1 Lección 2

Escritura A

¡AVANZA!	**Goal:** Write about vacations.

Estás de vacaciones en la playa con varios miembros de tu familia. Mientras tomas el sol observas qué hacen los demás. Escribe en tu diario qué hacía cada persona.

1 Escribe en la siguiente tabla: 1) el nombre, 2) la relación que tiene contigo la persona que está de vacaciones, y 3) una actividad para cada persona. **Answers will vary.**

nombre(s)	miembro de la familia	actividad
a. *Gabriela y Dolores*	*mis hermanas pequeñas*	*jugar en la arena*
b.		
c.		
d.		
e.		

2 Con la información anterior, escribe en tu diario sobre el día en la playa. Haz tu escrito con muchos detalles. Asegúrate de que (1) la descripción de las actividades es clara, (2) incluyes comentarios personales, (3) usas los verbos de manera correcta. **Answers will vary.**

Ayer mi familia y yo pasamos el día en la playa...

_____

_____

_____

_____

3 Evalúa el párrafo de tu diario con la información de la siguiente tabla.

	Crédito máximo	**Crédito parcial**	**Crédito mínimo**
Contenido	Todas las actividades están desarrolladas con ideas claras e incluyes comentarios personales.	Casi todas las actividades presentan ideas claras e incluyes algunos comentarios personales.	Las actividades no están desarrolladas con ideas claras y no incluyes comentarios personales.
Uso correcto del lenguaje	Hay muy pocos errores o ninguno en el uso de los verbos.	Hay algunos errores en el uso de los verbos.	Hay un gran número de errores en el uso de los verbos.

UNIDAD 1 Lección 2 Escritura A

Escritura B

¡AVANZA!   **Goal:**   Write about vacations.

Escribe dos párrafos para explicar cómo pasaban tú y tu familia las vacaciones cuando eras pequeño(a). Si lo prefieres, puedes inventar las vacaciones que te hubiera gustado pasar.

1 Completa la ficha siguiente con la información sobre tus vacaciones en familia.

a. Lugar _____

b. Características del lugar _____

_____

c. Actividades que hacías _____

_____

d. Actividades de otros miembros de la familia _____

_____

2 Escribe dos párrafos sobre aquellas vacaciones. Usa el imperfecto y el pretérito. Asegúrate de que (1) incluyes información sobre cada uno de los puntos de la ficha, (2) te expresas de forma clara y ordenada, (3) usas los verbos correctamente.

_____

_____

_____

_____

_____

_____

3 Evalúa tus párrafos con la siguiente tabla.

	Crédito máximo	**Crédito parcial**	**Crédito mínimo**
Contenido	Incluyes información sobre todos los puntos de la ficha. Tus párrafos son claros y ordenados.	Incluyes información sobre algunos puntos. Tus párrafos, en general, son claros y ordenados.	No incluyes información sobre varios puntos. Tus párrafos no son claros ni ordenados.
Uso correcto del lenguaje	Tuviste muy pocos errores o ninguno en el uso del imperfecto y el pretérito.	Tuviste muchos errores en el uso del imperfecto y el pretérito.	Tuviste un gran número de errores en el uso del imperfecto y el pretérito.

UNIDAD 1 Lección 2

Escritura B

Unidad 1, Lección 2
Escritura B

42

¡Avancemos! 3
Cuaderno para hispanohablantes

Escritura C

¡AVANZA!	**Goal:** Write about vacations.

Un grupo de compañeros y tú pasaron varios días en una reserva natural para filmar un documental de la zona. Acaban de regresar y te pidieron que escribas un reportaje sobre el viaje.

1 Escribe los datos que la directora del periódico quiere incluir en el reportaje:

a. Personas que participaron: _____

b. Dónde se quedaron: _____

c. Equipo que usaron: _____

d. Objetivos del viaje y del documental: _____

e. Tareas de cada persona durante la filmación: _____

_____

_____

2 Escribe tu reportaje con la información de la ficha. Asegúrate de que (1) incluyes toda la información que pide la directora del periódico, (2) la información es clara y organizada, (3) los tiempos verbales son correctos.

_____

_____

_____

_____

_____

_____

_____

3 Evalúa tu reportaje con la siguiente tabla.

	Crédito máximo	**Crédito parcial**	**Crédito mínimo**
Contenido	Incluyes toda la información y ésta es clara y organizada.	Incluyes bastante información y en general es clara y organizada.	Incluyes muy poca información y es poco clara y organizada.
Uso correcto del lenguaje	Tuviste muy pocos errores o ninguno en el uso de los tiempos de los verbos.	Tuviste muchos errores en el uso de los tiempos de los verbos.	Tuviste un gran número de errores en el uso de los tiempos de los verbos.

UNIDAD 1 Lección 2 Escritura C

Cultura A

¡AVANZA!	**Goal:** Discover and know people, places, and culture from Mexico.

1 Relaciona cada elemento de la primera columna con el elemento correspondiente de la segunda.

1. __c__ Península de Yucatán   **a.** ciudad del Pacífico

2. __d__ La Quebrada   **b.** folclore

3. __b__ María Izquierdo   **c.** mar Caribe

4. __e__ Tulum   **d.** clavadistas

5. __a__ Acapulco   **e.** mayas

2 Responde de forma breve a las siguientes preguntas sobre México y su gente.

1. ¿Quiénes son los clavadistas?
   Son deportistas que se zambullen desde un acantilado.

2. ¿Qué hay en las ruinas de Tulum?
   Hay un castillo y un templo con pinturas en las paredes.

3. ¿Por qué la Península de Yucatán es un destino turístico muy popular en México?
   Yucatán es muy popular por sus hermosas playas y sus ruinas mayas.

3 ¿Crees que el deporte de los clavadistas de Acapulco es un deporte fácil o extremo? ¿Por qué sí o no? ¿Conoces un lugar en tu estado o región donde la gente practica un deporte extremo? ¿Cómo es ese lugar? ¿Qué deporte practica la gente allí? ¿En qué consiste ese deporte? Completa la siguiente ficha con el nombre del deporte y una oración completa sobre cada uno de los puntos que se indican. **Answers will vary. Possible answers:**

Creo que el deporte de los clavadistas de Acapulco es extremo porque es muy peligroso.

Un deporte extremo ___**es el rafting.**___

Lugar: ___**Este deporte es popular en muchos ríos de Carolina del Norte.**___

¿En qué consiste?: ___**El rafting consiste en descender por ríos de aguas rápidas y corrientes**___
fuertes en una canoa.

Tu opinión sobre este deporte: ___**Es un deporte muy emocionante pero, como todos los deportes**___
extremos, puede ser peligroso por lo que hay que protegerse bien y tomar medidas de
seguridad.

Cultura B

> **¡AVANZA!** **Goal:** Discover and know people, places, and culture from Mexico.

1 Responde de forma breve a las siguientes preguntas sobre México.

1. ¿En qué mar u océano está la península de Yucatán?
La península de Yucatán está en el mar Caribe.

2. ¿En la costa de qué mar u océano está la ciudad de Acapulco?
Acapulco está en la costa del océano Pacífico.

3. ¿Desde dónde y de qué altura se zambullen los clavadistas de Acapulco?
Los clavadistas de Acapulco se zambullen desde un acantilado de casi once metros de altura.

4. ¿Cuándo comenzó la tradición de los calvadistas de Acapulco?
La tradición comenzó en el año 1934.

2 Responde con oraciones completas a las siguientes preguntas sobre Laura Esquivel y su obra.

1. ¿Quién es Laura Esquivel?
Es una autora mexicana.

2. ¿Qué cuenta la novela *Como agua para chocolate*?
Cuenta la historia de una familia mexicana que vivía en un rancho a principios de 1900.

3 ¿Por qué razones Yucatán es un centro que atrae mucho turismo? ¿En qué lugar de Estados Unidos un turista puede disfrutar de la naturaleza y visitar un museo o un lugar histórico? ¿Dónde está y cómo es ese lugar? ¿Qué cosas se pueden hacer allí?

Answers will vary. Possible answer:
Yucatán atrae turistas por su combinación de ofertas de ocio y de cultura. El estado de Vermont tiene paisajes magníficos. Allí los turistas pueden disfrutar de la montaña en verano haciendo senderismo y escalando y en invierno pueden esquiar y practicar otros deportes de invierno. Quien quiera combinar naturaleza con cultura, también puede visitar museos y lugares históricos muy interesantes.

¡Avancemos! 3
Cuaderno para hispanohablantes

Unidad 1, Lección 2
Cultura B   45

UNIDAD 1 Lección 2   Cultura B

Copyright © by McDougal Littell, a division of Houghton Mifflin Company.

Cultura C

> **¡AVANZA!** **Goal:** Discover and know people, places, and culture from Mexico.

1 Tulum es un importante sitio arqueológico mexicano. Responde a las siguientes preguntas sobre este lugar con oraciones completas.

1. ¿Dónde están las ruinas de Tulum?

Las ruinas de Tulum están en la península de Yucatán, muy cerca de la costa.

_____

2. En Tulum se pueden visitar los restos de dos construcciones antiguas. ¿Qué tipo de edificios son y quiénes los construyeron?

Los principales edificios que se pueden visitar en Tulum son un castillo y un templo;

son construcciones mayas.

3. En Tulum también se pueden observar unas pinturas muy antiguas. ¿Dónde están?

Las pinturas que se pueden observar en Tulum están en las paredes del antiguo

templo.

2 Los clavadistas de La Quebrada son famosos en todo el mundo. Explica lo que sepas de estos deportistas. Da todos los detalles posibles. **Answers will vary. Possible answer:**

Los clavadistas son hombres que se zambullen desde un acantilado de casi once metros

de altura que está muy cerca de la ciudad turística de Acapulco, en la costa del océano

Pacífico de México. La tradición de este deporte comenzó en 1934.

3 ¿Sobre qué temas escribió Laura Esquivel en su novela *Como agua para chocolate*? ¿Qué aspectos de la vida familiar y la cultura mexicanas se reflejan en esta obra? ¿Cuál es un tema importante en la obra de tu autor favorito? ¿Por qué crees que usa ese tema? ¿Qué relación hay entre ese tema y la cultura del autor? **Answers will vary.**

_____

_____

_____

_____

_____

_____

_____

_____

_____

UNIDAD 1 Lección 2

Cultura C

Comparación cultural: Tierra de contrastes
Lectura y escritura

Después de leer los párrafos sobre las diferentes regiones donde viven Juan y Diana, escribe un párrafo sobre la región donde tú vives. Usa la información de la tabla para escribir un párrafo sobre la región donde vives.

Paso 1

Completa la tabla con los detalles sobre la región donde vives.

Nombre de la región	Lugar	Comentarios / Detalles

Paso 2

Ahora usa los detalles de la tabla para escribir una oración para cada uno de los temas.

_____

_____

_____

_____

_____

Comparación cultural: Tierra de contrastes
Lectura y escritura
(continuación)

Paso 3

Ahora escribe un párrafo usando las oraciones que escribiste como guía. Incluye una oración de introducción y utiliza las frases **frente a**, **fuera de**, **junto a**, **dentro de** para describir la región donde vives.

_____

Lista de verificación

Asegúrate de que...

☐ incluyes todos los detalles de la tabla sobre la región donde vives en el párrafo;

☐ usas los detalles para describir sobre la región donde vives;

☐ utilizas las frases preposicionales.

Tabla

Evalúa tu trabajo con la siguiente tabla.

Criterio de escritura	Excelente	Bueno	Necesita mejorar
Contenido	Tu párrafo incluye todos los detalles sobre la región donde vives.	Tu párrafo incluye algunos de los detalles sobre la región donde vives.	Tu párrafo incluye muy poca información sobre la región donde vives.
Comunicación	La mayor parte de tu párrafo está organizada y fácil de entender.	Partes de tu párrafo están organizadas y fáciles de entender.	Tu párrafo está desorganizado y es difícil de entender.
Precisión	Tu párrafo tiene pocos errores de gramática y de vocabulario.	Tu párrafo tiene algunos errores de gramática y de vocabulario.	Tu párrafo tiene muchos errores de gramática y de vocabulario.

Comparación cultural: Tierra de contrastes
Compara con tu mundo

Ahora escribe un párrafo comparando la región donde vives con la de uno de los estudiantes de la página 83. Organiza tu comparación por temas. Primero compara los nombres de las regiones, después dónde están ubicadas y por último escribe comentarios y detalles sobre la región donde tú vives.

Paso 1

Usa la tabla para organizar la comparación por temas. Escribe los detalles de cada uno de los temas sobre la región donde vives y los detalles de la región del (de la) estudiate que has elegido.

	Mi región	La región de _____
Nombre del lugar(es)		
Ubicación		
Comentarios		

Paso 2

Ahora usa los detalles de la tabla para escribir la comparación. Incluye una oración de introducción y escribe sobre cada tema. Utiliza las frases **frente a, fuera de, junto a, dentro de** para describir sobre la región donde vives y la del (de la) estudiante que has elegido.

_____

_____

_____

_____

_____

_____

Vocabulario A ¡Es hora de ayudar!

| ¡AVANZA! | **Goal:** Talk about volunteer work and community activities. |

1 Carolina y Amalia organizan un grupo de voluntarios de la comunidad. Subraya la palabra o expresión que mejor completa cada descripción de sus actividades.

1. Todos reciclan las (anuncios / bolsas de plástico / letreros) para ayudar al medio ambiente.

2. Carolina y Amalia solicitan dinero para recaudar (fondos / revistas / diseños) para la campaña.

3. Algunas personas de la comunidad también trabajan como (voluntarios / coordinadores / estrellas) en el comedor de beneficencia.

4. Carolina y Amalia crean un (diseño / periódico / canal de televisión) para su letrero de la campaña.

5. El (anuncio / lema / artículo) de su proyecto de acción es «¡Ahora o Nunca! ¡A mejorar nuestra comunidad!»

2 Escribe la palabra o frase que identifica dónde se realizan las siguientes actividades de la comunidad.

1. En el ___hogar de ancianos___ se pueden organizar actividades para los ancianos.

2. En el ___comedor de beneficencia___ se sirve comida para la gente sin hogar.

3. En el ___hospital___ se puede trabajar como voluntario para ayudar a los pacientes.

4. En la ___agencia de publicidad___ se puede ver dónde puedes anunciar tu evento o tu proyecto: en las noticias, en el periódico, en las revistas o, en la radio.

5. En el ___periódico___ se leen las noticias diarias y los anuncios de los eventos importantes de la comunidad.

3 Contesta las siguientes preguntas sobre tus experiencias en la comunidad donde vives. Escribe oraciones completas. **Answers will vary.**

1. ¿Cuáles son las prioridades de tu comunidad con respecto a los proyectos de acción social?

_____

2. Menciona un proyecto donde se pueda trabajar como voluntario. ¿Dónde es?

_____

3. ¿Qué proyectos de acción social se organizan en tu escuela?

_____

4. ¿Qué tipo de publicidad hay para los eventos en tu comunidad?

_____

UNIDAD 2 Lección 1

Vocabulario A

Vocabulario B *¡Es hora de ayudar!*

> **¡AVANZA!**   **Goal:**   Talk about volunteer work and community activities.

1 David describe las prioridades de su comunidad. Elige la palabra o expresión apropiada del cuadro y escríbela en el espacio en blanco para identificar qué oportunidades hay.

trabajar de voluntario	la publicidad	comedor de beneficencia	presupuesto

1. Hay mucha gente sin hogar en la comunidad. El ___comedor de beneficencia___ busca voluntarios para servir la comida.

2. Las compañías y organizaciones deben estar conscientes de las necesidades de la comunidad. Deben incluir dinero en su ___presupuesto___ anual para ayudar a la comunidad.

3. Hay muchas oportunidades para ayudar a la comunidad sin aceptar dinero por el trabajo. Cada individuo debe ___trabajar de voluntario___ .

4. La prensa juega un papel importante en ___la publicidad___ de los eventos.

2 Escribe oraciones completas para describir qué puedes hacer para ayudar a las siguientes causas de tu comunidad.   **Answers will vary.**

Modelo: en el hospital   *Puedo trabajar de voluntario leyéndoles libros a los enfermos.*

1. a la gente sin hogar ___Puedo ayudar en el comedor de beneficencia.___

2. a eliminar la basura ___Puedo reciclar y limpiar el parque.___

3. a apoyar un proyecto de acción social ___Puedo ayudar a juntar dinero.___

4. a hacer publicidad ___Puedo solicitar la colaboración de la prensa.___

3 Escribe un anuncio publicitario de una campaña para eliminar la basura de tu comunidad. Incluye en tu anuncio: 1) el lema de la campaña, 2) las prioridades de tu proyecto y 3) cómo puede contribuir el público para apoyar el proyecto. Escribe cinco oraciones completas.   **Answers will vary.**

_____

_____

_____

_____

_____

Vocabulario C *¡Es hora de ayudar!*

> **¡AVANZA!** **Goal:** Talk about volunteer work and community activities.

1 Escribe la palabra o expresión que corresponde a cada definición.

1. El dinero que una compañía u organización tiene cada año para funcionar es
el presupuesto.

2. El acto de solicitar dinero de varias personas y fuentes para una campaña es recaudar
fondos.

3. _____**La cooperación**_____ es el acto de varias personas de ayudar y hacer contribuciones
con un mismo fin.

4. «Todos para uno y uno para todos» es un _____**lema.**

5. Los periódicos, las emisoras y los canales de televisión forman parte de
la prensa.

2 Contesta las siguientes preguntas con oraciones completas sobre tus actividades en tu
comunidad. **Answers will vary.**

1. ¿En qué proyecto de acción social te gustaría trabajar y por qué?
_____

2. ¿Cuál sería un buen lema para la campaña de salud de un hospital?
_____

3. ¿Qué tipos de publicidad son los más efectivos en tu comunidad?
_____

4. ¿Cuáles crees que son las mejores maneras de recaudar fondos para una campaña?
_____

5. ¿Cuáles son las prioridades de tu comunidad en cuanto a los proyectos de acción social?
_____

3 Escríbele una carta a un(a) representante de tu gobierno local para expresar cuáles son tus
ideas para mejorar tu comunidad. Escribe seis oraciones e incluye: 1) tus prioridades,
2) cómo puede contribuir la gente y 3) cómo puede colaborar el gobierno en el proyecto.

   Answers will vary.
_____
_____
_____
_____
_____

UNIDAD 2 Lección 1

Vocabulario C

Vocabulario adicional *Cognados Falsos*

> **¡AVANZA!** **Goal:** Use correct cognates and avoid false cognates in Spanish.

palabra en inglés	cognado falso	palabra en español
to have a good time	tener buen tiempo	divertirse, pasarlo bien
to move	moverse (físicamente)	mudarse (de casa a casa)
to support	soportar = tolerar	apoyar, sostener
to apply (for a job) / application	aplicar / la aplicación = implementar / implementación	solicitar / la solicitud
actually	en actualidad = presente	en realidad, realmente
to realize	realizar = cumplir	darse cuenta de

1 Subraya la frase correcta entre paréntesis para completar las oraciones.

1. Pensaba que Laura iba a venir a la fiesta pero (en la actualidad / <u>en realidad</u>) ella nunca tuvo intención de asistir.

2. ¡Qué fantástico viaje tuvimos! Aunque llovió, (<u>nos divertimos</u> / tuvimos buen tiempo) mucho.

3. (Realicé / <u>Me di cuenta de</u>) que dejé mis llaves en la oficina.

4. ¿Cuándo (se mueven / <u>se mudan</u>) los Gómez a la nueva casa?

5. Voy a (<u>solicitar</u> / aplicar) el nuevo trabajo en el hospital.

6. Puedes (soportar / <u>apoyar</u>) la campaña y donar dinero.

2 Escribe oraciones completas y correctas con las siguientes palabras. Answers will vary. Possible answers:

1. realmente: ___La visita al canal de televisión fue realmente interesante.___

2. solicitud: ___La respuesta de mi solicitud de trabajo llegó ayer.___

3. darse cuenta de: ___Me di cuenta del problema del reciclaje de latas.___

4. tener buenos modales: ___Es importante tener buenos modales en todas partes.___

UNIDAD 2 Lección 1 Vocabulario adicional

Gramática A *Tú commands*

> **¡AVANZA!** **Goal:** Use informal commands to tell someone what to do and what not to do.

❶ Felipe le da instrucciones a su amigo Jorge de cómo puede contribuir a las causas importantes de la comunidad. Haz un círculo en la forma correcta del mandato **tú**.

1. (**Elige** / Elijas) una causa para apoyar a los pobres.

2. (Des / **Da**) dinero a una causa importante.

3. No (**organices** / organiza) todo tú solo.

4. (Delegues / **Delega**) las responsabilidades a tu equipo.

5. No (ve / **vayas**) a la prensa sin un plan organizado.

❷ Tu amigo quiere ayudar en la comunidad y tú le das mandatos. Escribe oraciones completas con la forma correcta de los mandatos afirmativos y negativos.

Modelo: Reciclar el papel. *Recicla el papel.*

1. Hacer trabajo voluntario.
   Haz trabajo voluntario.

2. No gastar dinero en cosas innecesarias.
   No gastes dinero en cosas innecesarias.

3. Ir a una agencia de publicidad para informar al público sobre los eventos.
   Ve a una agencia de publicidad para informar al público sobre los eventos.

4. No tener miedo de solicitar dinero para la campaña.
   No tengas miedo de solicitar dinero para la campaña.

5. Recaudar fondos para el presupuesto.
   Recauda fondos para el presupuesto.

❸ Escribe un mandato para decirle a tu hermano lo que debe o no debe hacer en cada situación.

Modelo: El medio ambiente está en peligro. *Recicla latas y papel.* **Answers will vary.**

1. Quiero ayudar a la gente sin hogar de la ciudad.
   Sirve comida en el comedor de beneficencia.

2. Hay una crisis de gasolina en tu ciudad.
   No uses el carro todos los días.

3. El hospital necesita gente adicional para trabajar.
   Trabaja de voluntario en el hospital.

Gramática A UNIDAD 2 Lección 1

Gramática B *Tú commands*

> **¡AVANZA!** **Goal:** Use informal commands to tell someone what to do and what not to do.

1 Elige el verbo apropiado del cuadro y escribe la forma correcta del mandato para decirle a tu amigo(a) qué debe hacer para mejorar la comunidad.

ser	hacer	tener	gastar	reciclar

1. _____ **Ten** _____ paciencia con los ancianos.

2. No _____ **gastes** _____ mucho dinero.

3. _____ **Recicla** _____ el papel, las latas y las bolsas de plástico.

4. No _____ **hagas** _____ mucho ruido.

5. _____ **Sé** _____ responsable.

2 Escribe oraciones completas con mandatos afirmativos y negativos para decirle a tu amigo Emilio lo que debe hacer en cada situación.   **Answers will vary.**

Modelo: Quiero ir al centro. *Ve al centro.*

1. Tengo que buscar un trabajo.
   Busca un trabajo.

2. Tengo que hablar con el director del hospital.
   Habla con él.

3. No quiero colaborar con esta empresa.
   No colabores con esta empresa.

4. No puedo ir a la reunión.
   No vayas.

3 Un estudiante de México va a pasar una semana en tu ciudad. Escríbele dos oraciones acerca de qué debe hacer y dos oraciones acerca de qué no debe hacer en tu ciudad. Usa los mandatos afirmativos y negativos.

Cosas que debes hacer: **Answers will vary.**

1. _____

2. _____

Cosas que no debes hacer: **Answers will vary.**

1. No _____

2. No _____

UNIDAD 2 Lección 1 **Gramática B**

Gramática C *Tú commands*

> **¡AVANZA!** **Goal:** Use informal commands to tell someone what to do and what not to do.

1 Escribe mandatos afirmativos y negativos a un(a) amigo(a) y dile lo que debe hacer para ayudar en la comunidad.

Modelo: trabajar de voluntario(a) en el hospital

Trabaja de voluntario(a) en el hospital.

1. reciclar los periódicos
Recicla los periódicos.

2. no gastar mucho dinero
No gastes mucho dinero.

3. hacer lo que más puedas
Haz lo que más puedas.

4. no conducir el carro
No conduzcas el carro.

5. ir en bicicleta a la escuela.
Ve en bicicleta a la escuela.

6. no ser irresponsable
No seas irresponsable.

2 Escribe oraciones completas con mandatos para decirle a tu amigo(a) lo que debe o no debe hacer en los siguientes lugares. **Answers will vary. Possible answers:**

Modelo: en la casa _Limpia tu cuarto._ No _juegues al fútbol en el salón._

1. en la ciudad
Cuida los jardines.

No **tires latas en la calle.**

2. en el hospital
Habla en voz baja.

No **hagas ruido.**

3. en la escuela
Haz tus tareas.

No **seas irrespetuoso.**

3 Preparas un folleto para la gente joven de tu comunidad. Escribe cinco mandatos afirmativos y negativos para motivarlos a ser voluntarios. **Answers will vary.**

_____

_____

_____

_____

_____

Nombre _____ Clase _____ Fecha _____

Gramática A *Other command forms*

¡AVANZA!	**Goal:** Use usted, ustedes, and nosotros command forms to tell someone what to do and what not to do.

1 Escoge la forma correcta del mandato para decirles a tus compañeros de clase lo que tu y ellos deben hacer para ayudar a la comunidad.

1. (**Hagan**/ Haz) una campaña para limpiar el parque.
2. (**Pidamos**/ Pidan) nosotros dinero a la comunidad para recaudar fondos.
3. No (esperan /**esperen**) hasta tarde para organizar un proyecto.
4. (Recojan /**Recojamos**) nosotros la basura de la calle.
5. (Van /**Vayan**) en bicicleta a la escuela.
6. No (**sean**/ son) perezosos.

2 Escribe mandatos afirmativos y negativos para decirle a la señora Román qué debe hacer para trabajar de voluntaria.

1. ir al centro de la comunidad _Vaya al centro de la comunidad._
2. usar el transporte público _Use el transporte público._
3. escribir un lema para la campaña _Escriba un lema para la campaña._
4. no tener miedo de pedir ayuda _No tenga miedo de pedir ayuda._
5. no ser tímida _No sea tímida._
6. no llegar tarde a la reunión de voluntarios _No llegue tarde a la reunión de voluntarios._

3 Tienes la oportunidad de darle recomendaciones a algunos profesores de la escuela. Escribe un mandato afirmativo y un mandato negativo para decirle los cambios que tú quieres ver en cada categoría. **Answers will vary.**

Modelo: la clase de deportes	*Organice más partidos de fútbol.*	*No deje tarea en los días de los partidos.*
la clase de matemáticas		
el examen de ciencias		
el horario de descanso		
las actividades extracurriculares		

UNIDAD 2 Lección 1   Gramática A

Gramática B *Other command forms*

Level 3 Textbook pp. 102–104

| ¡AVANZA! | **Goal:** | Use usted, ustedes, and nosotros command forms to tell someone what to do and what not to do. |

1 Tus padres quieren organizar unos proyectos de acción social en la comunidad. Escríbeles mandatos afirmativos y negativos para decirles lo que deben hacer.

1. ___Vayan___ (ir) al centro de la comunidad.

2. ___Pregunten___ (preguntar) si hay oportunidades de trabajo.

3. ___Hagan___ (hacer) trabajo voluntario.

4. ___Sirvan___ (servir) comida a los pobres.

5. No ___tarden___ (tardar) en informarse de las campañas.

6. No ___vayan___ (ir) en coche sino en transporte público.

2 El director de eventos sociales de la escuela te pide tu opinión para atraer más publicidad. Escríbele mandatos para decirle qué puede hacer con cada medio de comunicación.

Modelo: la agencia de publicidad

Vaya a una agencia de publicidad para organizar la campaña. **Answers will vary.**

1. la prensa __Solicite la colaboración de la prensa.__

2. el canal de televisión __Mande la información al canal de televisión.__

3. el periódico __Escriba un anuncio del evento en el periódico.__

4. las emisoras __Anuncie el evento en las emisoras.__

5. las noticias __Pida tiempo en las noticias para anunciar el evento.__

3 Un grupo de alumnos y tú están organizando una campaña para eliminar la basura en los pasillos y en los jardines de la escuela. Escribe oraciones completas con tres mandatos afirmativos y tres mandatos negativos para decirles a los demás cómo ustedes van a organizar la campaña. Usa la forma de mandato **nosotros**. **Answers will vary.**

Lo que debemos hacer:

1. _____

2. _____

3. _____

Lo que no debemos hacer:

1. _____

2. _____

3. _____

UNIDAD 2 Lección 1
Gramática B

Gramática C *Other command forms*

 ¡AVANZA! **Goal:** Use usted, ustedes, and nosotros command forms to tell someone what to do and what not to do.

1 Escribe oraciones completas con mandatos afirmativos y negativos para decirles a las siguientes personas cómo pueden contribuir al proyecto de acción social que tú estás organizando. **Answers will vary. Possible answers:**

Modelo: a tus profesores (solicitar)

Soliciten dinero a la comunidad.

1. a David y a Luis (buscar)

Busquen los anuncios en la agencia de publicidad.

2. al Sr. Beltrán (ir)

Vaya al hospital para ayudar a los médicos.

3. a la Sra. López (escribir)

Escriba el lema de la campaña.

4. a tus amigos (no ser)

No sean impacientes.

5. a tus compañeros de clase (no ir)

No vayamos a casa sin los letreros de publicidad.

2 Tus amigos de Chile vienen a tu ciudad. Escríbeles mandatos afirmativos y negativos de lo que deben hacer para prepararse para su viaje. **Answers will vary.**

Modelo: *Traigan el paraguas.* No *traigan el traje de baño.*

1. _____ No _____

2. _____ No _____

3. _____ No _____

4. _____ No _____

3 Tu clase de español está organizando una campaña para limpiar un parque de tu comunidad. Escribe un anuncio publicitario sobre la campaña para el periódico. Escribe cinco mandatos afirmativos y cinco manadatos negativos para motivar a la comunidad a colaborar en el proyecto. **Answers will vary.**

_____

_____

_____

_____

_____

Gramática adicional

Affirmative Commands using **¡A + infinitivo!** *and Negative Commands using* **No + infinitivo**

> **¡AVANZA!** **Goal:** Use infinitive expressions to give indirect commands.

Las formas de los mandatos normalmente se dirigen a personas específicas.

Come tus verduras.

No coman demasiado.

Cómase todo el desayuno.

Se pueden usar las expresiones **¡A + infinitivo!** y **No + infinitivo** con algunos verbos para dar mandatos indirectos.

La expresión **¡A + infinitivo!** funciona como un mandato afirmativo:

¡A jugar! **¡A comer!** **¡A trabajar!**

La expresión **No + infinitivo** funciona como un mandato negativo:

No fumar **No tocar** **No nadar aquí**

❶ Escribe las formas del imperativo en infinitivo. Usa la primera fila como guía.

Mandato	Imperativo con el infinitivo
Modelo: Trabajen.	*¡A trabajar!*
1. No fume.	No fumar
2. Toca el piano.	¡A tocar el piano!
3. No griten.	No gritar
4. Corran.	¡A correr!
5. Cómete el desayuno.	¡A comer el desayuno!
6. No pise el suelo.	No pisar el suelo

❷ Vas a organizar una campaña para eliminar la contaminación en tu ciudad. Escribe dos frases imperativas afirmativas y dos negativas con las expresiones del imperativo con el infinitivo.

Answers will vary. Possible answers:

Afirmativas:

1. ¡A reciclar!

2. ¡A limpiar el parque!

Negativas:

1. No tirar las botellas a la basura

2. No hacer ruidos después de las once de la noche

UNIDAD 2 Lección 1

Gramática adicional

Integración: Hablar

> **¡AVANZA!** **Goal:** Respond to written and oral passages describing volunteer activities.

Lee lo que dice el sitio web siguiente.

Fuente 1 Leer

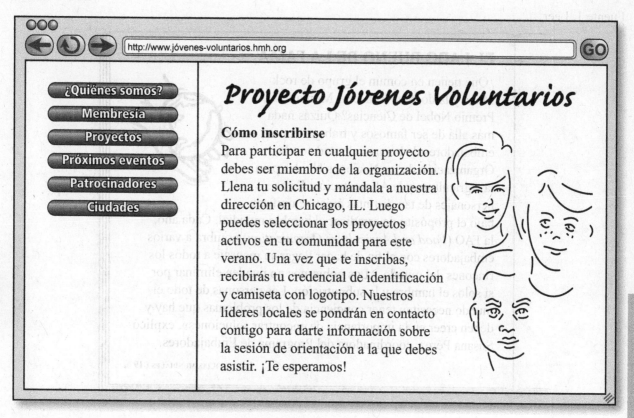

http://www.jóvenes-voluntarios.hmh.org   GO

¿Quiénes somos?
Membresía
Proyectos
Próximos eventos
Patrocinadores
Ciudades

Proyecto Jóvenes Voluntarios

Cómo inscribirse
Para participar en cualquier proyecto debes ser miembro de la organización. Llena tu solicitud y mándala a nuestra dirección en Chicago, IL. Luego puedes seleccionar los proyectos activos en tu comunidad para este verano. Una vez que te inscribas, recibirás tu credencial de identificación y camiseta con logotipo. Nuestros líderes locales se pondrán en contacto contigo para darte información sobre la sesión de orientación a la que debes asistir. ¡Te esperamos!

Vas a escuchar el mensaje que Susana Norris dejó en el contestador de su amigo Marco Antonio. Toma apuntes, luego completa la Actividad.

Fuente 2 Leer

HL CD 1, tracks 9–10

¿Qué le dirías a otro compañero de la escuela para informale acerca de los requisitos del club y los eventos disponibles este fin de semana?

_____

_____

_____

_____

_____

_____

Integración: Escribir

> **¡AVANZA!** **Goal:** Respond to written and oral passages describing volunteer activities.

Lee el siguiente artículo sobre la participación de personas famosas en organizaciones de beneficencia pública.

Fuente 1, Leer

EL LADO BUENO DE LA FAMA

¿Qué tienen en común el grupo de rock Maná y la doctora Rita Levi Montalicini, Premio Nobel de Ciencias? Quizás nada más allá de ser famosos y trabajar como embajadores de buena voluntad con la Organización de las Naciones Unidas para la Agricultura y la Alimentación. Estos personajes de tan distintas áreas se unifican bajo el propósito de erradicar el hambre mundial. Cada año, la FAO (*Food and Agriculture Organization*) nombra a varios embajadores con el fin de hacer llegar su mensaje a todos los rincones del mundo. «Los gobiernos no pueden eliminar por sí solos el hambre y la subnutrición. Las personas de todo el mundo necesitan tener conciencia de los problemas que hay y deben creer en la importancia de encontrar soluciones», explicó Susana Pérez, coordinadora del Programa de Embajadores.

LAS NOTICIAS MUNDIALES | 19

Vas a escuchar el comentario que hizo Oliverio Picinelo, un actor de televisión, en una entrevista de radio. Toma apuntes.

Fuente 2 Escuchar

HL CD 1, tracks 11–12

Explica tu punto de vista sobre la participación de celebridades en estas organizaciones voluntarias. ¿Es un buen uso de la fama? ¿Crees que en verdad su fama ayuda a promover sus causas nobles? ¿Por qué? **Answers will vary.**

_____

_____

_____

_____

_____

_____

Lectura A

> **¡AVANZA!** **Goal:** Persuade others and describe volunteer activities.

1 Lee el siguiente comunicado de prensa de un grupo de voluntarios que va a recaudar fondos para un hogar de ancianos. Luego, responde a las preguntas de comprensión y escribe sobre tu experiencia.

Apoyar a nuestros ancianos

El hogar de ancianos Rosario Díaz es un proyecto de acción social que hace quince años atiende a más de cincuenta personas mayores de nuestra comunidad. Este hogar se mantiene principalmente por las contribuciones de los ciudadanos. El presupuesto del hogar es muy pequeño y por eso necesita de la ayuda de todos.

La semana del 18 al 24 de marzo, el grupo de voluntarios del hogar vamos a celebrar la campaña «Todo por los ancianos». Nuestro objetivo es recaudar fondos para poder seguir dándoles a los ancianos de nuestra comunidad las atenciónes que necesitan.

¡Venga a visitarnos y ayúdenos! Su cooperación puede hacer feliz a muchas personas. ¡Contribuya con efectivo o con un cheque para ayudarnos con nuestros gastos! ¡Traiga ropa o comida para donar! ¡Ayúdenos a organizar los talleres de artesanía! En el hogar también tenemos una biblioteca. A muchos de nuestros ancianos les encanta leer. ¡Traiga sus libros!

¡Venga a pasar un rato con ellos! ¡Léales y comparta sus historias! ¡Cambie la vida de una persona con un poco de su tiempo! No olvide que hay muchas formas de apoyarmos. ¡Infórmese! Muchas gracias de antemano.

2 **¿Comprendiste?** Responde a las siguientes preguntas con oraciones completas. **Answers will vary.**
Possible answers.

1. ¿Cuál es la función del hogar de ancianos Rosario Díaz?
  Su función es atender a más de cincuenta personas mayores de edad.

2. ¿Qué es la campaña «Todo por los ancianos» y quién o quiénes la organizan?
  Es una campaña para recaudar fondos para el hogar de ancianos. Esta campaña la
  organiza el grupo de voluntarios del hogar.

3. ¿Qué pueden lograr las personas que ayudan en la campaña con su colaboración?
  Pueden ayudar a recaudar el dinero y otros recursos para que el hogar siga funcionando.

3 **¿Qué piensas?** El comunicado dice: «¡Cambie la vida de una persona con un poco de su tiempo!» ¿Cómo entiendes tú esta frase? ¿Crees que se puede cambiar la vida de una persona con algo simple? ¿Has tenido alguna experiencia que sirva para apoyar tu respuesta? **Answers will vary.**

_____

_____

_____

Lectura B

| ¡AVANZA! | **Goal:** Persuade others and describe volunteer activities. |

1 Adolfo trabaja con un grupo de voluntarios y busca apoyo para la próxima campaña. Lee el mensaje que Adolfo le envió a su amigo José Luis. Luego responde a las preguntas de comprensión y compara su experiencia con la tuya.

Otra forma de ayudar

Estimado José Luis:

Estoy planificando una nueva campaña. Mi grupo de voluntarios y yo queremos visitar a los niños del hospital y llevarles regalos. No te preocupes por el dinero. Queremos desarrollar una campaña y recaudar fondos para comprar libros y juguetes. Necesitamos la ayuda de otras personas. Necesitamos gente con entusiasmo y creatividad para trabajar con nosotros y por eso pensé en ti. Tú siempre tienes muy buenas ideas y podrías ayudarnos en la planificación de la campaña.

Pienso que tu grupo de teatro podría hacer una función para colaborar con la campaña. Podrían recaudar fondos con la venta de las entradas y también pedir la cooperación del público. La persona que se ocupa de la publicidad del grupo de teatro puede mandar un anuncio de su actuación a la prensa y a una emisora de radio para apoyar la campaña.

Te mandaré un correo electrónico con el lema de la campaña y la información sobre dónde las personas pueden enviar el dinero y los juguetes. Además, incluyo una dirección y un teléfono de contacto. Gracias por tu ayuda.

Adolfo

2 **¿Comprendiste?** Responde a las siguientes preguntas con oraciones completas.

1. ¿Cómo espera Adolfo que José Luis participe en su campaña?
Adolfo espera que José Luis participe en su campaña con una función de teatro.

2. ¿Por qué Adolfo quiere que José Luis lo ayude en la campaña?
Adolfo quiere que José Luis lo ayude porque él piensa que José Luis es una persona
con entusiasmo, creatividad y que tiene muy buenas ideas.

3. ¿Cómo es que José Luis puede comunicarse con Adolfo?
Jose Luis puede comunicarse con Adolfo por correo electrónico, correo y teléfono.

3 **¿Qué piensas?** ¿Ayudaste alguna vez en una campaña benéfica? ¿Cómo crees que puedes ayudar en una campaña de este tipo si no tienes dinero? ¿Cuál ayuda crees que es más importante? ¿Por qué? Answers will vary.

_____

_____

UNIDAD 2 Lección 1

Lectura B

Lectura C

| ¡AVANZA! | **Goal:** Persuade others and describe volunteer activities. |

1 Amanda colabora habitualmente con una asociación de voluntarios que se ocupan de limpiar los parques de la comunidad. Este año, Amanda estuvo de viaje con su familia y cuando regresó, ya los voluntarios habían hecho casi todo el trabajo de la campaña. Lee la conversación entre Amanda y Violeta, otra voluntaria. Luego, responde a las preguntas de comprensión y da tu opinión sobre el tema.

¿Cómo puedo ayudar?

VIOLETA: Hola. ¿Viste el cartel para anunciar la campaña de este año? ¡Míralo!

AMANDA: ¡Es estupendo! ¡Es muy original! ¡Todo está perfecto! Lo hizo una agencia de publicidad, ¿verdad?

VIOLETA: ¿Una agencia de publicidad? ¡No olvides que nuestro presupuesto no nos permite gastar dinero en eso! Ernesto hizo el diseño, él tiene mucha creatividad.

AMANDA: ¡Es genial! ¿Y cuándo vamos a limpiar el parque?

VIOLETA: El próximo jueves, ya tenemos todo organizado. Contamos con un grupo de más de cien personas que prometieron su colaboración.

AMANDA: Yo también voy a ir, como todos los años. Si quieres puedo escribir un anuncio para la prensa.

VIOLETA: Gracias, pero esta mañana mandamos un anuncio a la prensa. Sara escribió un artículo para explicar en qué consiste nuestro trabajo y para solicitar la cooperación de los demás. La revista Nuestro Mundo va a publicarlo el próximo martes.

AMANDA: Ya veo que llegué demasiado tarde.

VIOLETA: No, no digas eso, sabes que hay muchísimo trabajo que hacer. Además, muchas de las cosas que hicimos durante estos últimos días ya estaban planificadas de antemano y tú colaboraste en esa planificación. ¿Te acuerdas de la entrevista que tuviste con la dueña de los almacenes Casa y Jardín? Pues ella cumplió su promesa y mandó 300 pares de guantes de trabajo para los voluntarios que van a ayudarnos a limpiar el parque.

AMANDA: ¡Qué bien! ¿Y le escribiste o la llamaste para darle las gracias?

VIOLETA: No, todavía no. Mejor llámala tú. Ella te conoce a ti.

AMANDA: Está bien, yo la llamo. ¿Entonces, ya todo está preparado?

VIOLETA: Pues creo que sí. Oye, ¿vendrá tu hermano al parque?

AMANDA: Si, y te tengo una sorpresa. ¡Mi hermano va a venir con David Hernández!

VIOLETA: ¿El cantante? ¡Entonces la campaña de este año va a ser todo un éxito!

---

❷ ¿Comprendiste? Responde a las siguientes preguntas con oraciones completas.

1. ¿Por qué Amanda cree que el cartel lo hizo una empresa de publicidad?

Amanda cree que el cartel lo hizo una empresa porque está muy bien hecho y es muy

original.

2. Además del cartel, ¿qué otras cosas hicieron los voluntarios y voluntarias mientras
Amanda estuvo de viaje?

Ellos mandaron un anuncio a la prensa y escribieron un artículo para explicar su

trabajo y para solicitar la cooperación de los demás.

3. ¿Cómo cooperaron los almacenes Casa y Jardín con la campaña?

La dueña de los almacenes regaló 300 pares de guantes de trabajo para los

voluntarios.

4. ¿Cuál es la sorpresa de Amanda y cómo cree Violeta que eso puede afectar a la campaña?

La sorpresa es que el hermano de Amanda va a ir a limpiar el parque con su amigo

David Hernández, que es un cantante conocido. Violeta cree que, con la presencia de

David, la campaña será todo un éxito.

❸ ¿Qué piensas? Escribe un breve ensayo sobre una campaña de acción social. Ten en cuenta
las siguientes preguntas. ¿Crees que la presencia de una persona famosa puede influir mucho
en el éxito de una campaña de acción social? ¿Cómo reaccionas tú cuando lees en la prensa o
ves en la televisión que una persona famosa participa en una campaña de acción social?

Answers will vary.

_____

_____

_____

_____

_____

_____

_____

_____

_____

_____

_____

_____

_____

Escritura A

¡AVANZA!	**Goal:** Describe volunteer activites and persuade others.

Trabajas como voluntario(a) en un comedor de beneficencia. El próximo mes, es el quinto aniversario del comedor y tu grupo de voluntarios va a organizar un evento para promocionarlo. Diseña un cartel para anunciar este evento y para pedir la colaboración del público.

1 Rellena la siguiente ficha sobre el evento:

Tipo de evento: _____

Lugar y fecha de celebración: _____

Finalidad del evento: _____

Ayuda que se solicita: _____

_____

_____

_____

2 Usa los datos de la ficha para crear un cartel. Asegúrate de que: 1) incluyes toda la información importante sobre el evento e información fácil de entender, 2) usas mandatos para pedir ayuda y animar a la gente a colaborar, 3) usas correctamente los verbos y la ortografía. **Answers will vary.**

_____

_____

_____

_____

_____

3 Evalúa tu cartel con la siguiente tabla.

	Crédito máximo	**Crédito parcial**	**Crédito mínimo**
Contenido	La información es suficiente, clara y fácil de entender.	La información es poco clara y no es fácil de entender.	La información es muy escasa, poco clara y difícil de entender.
Uso correcto del lenguaje	Hay muy pocos errores o ninguno en el uso de los verbos y la ortografía.	Hay muchos errores en el uso de los verbos y la ortografía.	Hay un gran número de errores en el uso de los verbos y la ortografía.

Copyright © by McDougal Littell, a division of Houghton Mifflin Company.

UNIDAD 2 Lección 1 Escritura A

Escritura B

| ¡AVANZA! | **Goal:** Describe volunteer activites and persuade others. |

Estás organizando a dos amigos que trabajan en una obra caritativa: Raúl, el chico encargado de recaudar fondos no sabe qué hacer, y Manuela, le ofreció su ayuda.

1 Escribe una lista de cosas necesarias para organizar la campaña e indica quién va a hacerlo. Algunas tareas las harán los dos.

Tareas	Raúl	Manuela
a.		
b.		
c.		
d.		
e.		
f.		
g.		

2 Escríbeles una carta para darles sugerencias sobre lo que tienen que hacer. Incluye en tu carta expresiones impersonales para indicar algunas tareas y mandatos para sugerir quién puede hacer cada cosa. Asegúrate de que: 1) los mandatos y las instrucciones sean claros, 2) el tono de la carta sea cortés y que 3) los tiempos de los verbos sean correctos. **Answers will vary.**

_____

_____

_____

_____

_____

_____

_____

_____

3 Evalúa tu carta usando la siguiente tabla.

	Crédito máximo	Crédito parcial	Crédito mínimo
Contenido	Los mandatos y las instrucciones son claros y la carta es cortés.	Algunos mandatos o instrucciones son poco claros o la carta es poco cortés.	Los mandatos y las instrucciones no son claros y la carta no es cortés.
Uso correcto del lenguaje	Hay muy pocos errores o ninguno en el uso de los tiempos de los verbos.	Hay muchos errores en el uso de los tiempos de los verbos.	Hay un gran número de errores en el uso de los tiempos de los verbos.

68

UNIDAD 2 Lección 1

Escritura B

Unidad 2, Lección 1
Escritura B

¡Avancemos! 3
Cuaderno para hispanohablantes

Escritura C

¡AVANZA!	**Goal:** Describe volunteer activites and persuade others.

Quieres organizar un proyecto de acción social para ayudar a inmigrantes que acaban de llegar a Estados Unidos. Vas a presentarles el proyecto a tus compañeros y a pedirles que te ayuden.

1 Anota todas las necesidades de los inmigrantes. Después, selecciona las cinco necesidades más importantes y escribe al lado de cada una cómo tú y tus compañeros pueden ayudar a los inmigrantes con respecto a cada necesidad.

Modelo: Necesitan... *aprender inglés.*   **Nosotros podemos...** *darles clases de inglés.*

1. _____   _____
2. _____   _____
3. _____   _____
4. _____   _____
5. _____   _____

2 Describe tu proyecto. Primero, explica las necesidades de los inmigrantes luego, explica cómo ustedes van a ayudarles. Usa mandatos claros y directos para animar a tus compañeros. Pídeles a tus compañeros que hagan algunas tareas, pero no seas demasiado directo(a). Asegúrate de que: 1) incluyas información suficiente para dar una idea clara del proyecto, 2) tu presentación sea convincente, 3) el vocabulario y los tiempos de los verbos sean correctos.

Answers will vary.

_____

_____

_____

_____

3 Evalúa tu informe usando la siguiente tabla.

	Crédito máximo	Crédito parcial	Crédito mínimo
Contenido	La presentación incluye mucha información sobre el proyecto y ésta es convincente.	La presentación no incluye suficiente información sobre el proyecto o, a veces, no es muy convincente.	La presentación incluye muy poca información sobre el proyecto y ésta no es convincente.
Uso correcto del lenguaje	Hay muy pocos errores o ninguno en el uso del vocabulario y los tiempos de los verbos.	Hay algunos errores en el uso del vocabulario y los tiempos de los verbos.	Hay un gran número de errores en el uso del vocabulario y los tiempos de los verbos.

Cultura A

Level 3 Textbook pp. 88–115

| **¡AVANZA!** | **Goal:** Discover and know the culture and important events of Hispanic people in the United States. |

1 Relaciona los lugares de la primera columna con los datos correspondientes de la segunda.

1. __c__ California
2. __e__ Chicago
3. __a__ Nueva York
4. __b__ Salt Lake City
5. __d__ Texas

a. ciudad con importante comunidad puertorriqueña
b. allí nació Pablo O'Higgins
c. estado con mayor población hispana
d. segundo estado con mayor población hispana
e. ciudad con importante comunidad mexicana

2 La cultura hispana en Estados Unidos se refleja en muchos aspectos. Responde a las siguientes preguntas sobre la cultura y la vida de los hispanos estadounidenses.

1. ¿Cuáles son algunas comidas populares de influencia hispana en Estados Unidos?

   Possible answer: Los burritos, tacos, fajitas, puerco, yuca y moros son comidas de influencia hispana en Estados Unidos.

2. ¿Qué tipo de producción agrícola ha hecho famoso al estado de California?

   El estado de California es famoso por los viñedos.

3. ¿Qué estado es famoso por las misiones fundadas allí por los españoles?

   California es un estado famoso por las misiones fundadas allí por los españoles.

4. ¿En qué ciudad está el Museo del Barrio?

   El Musco del Barrio está en Nueva York.

5. ¿Con quién trabajó el famoso artista Pablo O'Higgins?

   El artista Pablo O'Higgins trabajó con Diego Rivera.

3 Durante el «Hands On Miami Day», muchos jóvenes de Miami, Florida, participan en trabajos comunitarios. ¿Hay algún día similar en tu estado o región? Si lo hay, di cómo se llama, a qué está dedicado y escribe tres cosas que hacen los jóvenes ese día. Si no lo hay, ¿crees que sería una buena idea hacer un día similar? ¿A qué dedicarías tú en esos días? ¿Por qué? Di cómo se llamaría ese día, a qué estaría dedicado y escribe tres cosas que harían los jóvenes. Answers will vary. Possible answers:

Un día especial en mi comunidad: «Hands on San Francisco» en San Francisco, California.

1. Quiénes participan: Durante este día, se movilizan miles de voluntarios; muchos jóvenes participan en este gran evento.

2. Qué hacen: Ayudan en diversas tareas, como limpieza de playas y parques, y en la recaudación de fondos para proyectos de acción social.

3. Mi comentario: Es una buena oportunidad para hacer algo por los demás, para aprender más cosas sobre la comunidad en la que vivimos y para conocer a gente nueva.

UNIDAD 2 Lección 1

Cultura A

Cultura B

| ¡AVANZA! | **Goal:** | Discover and know the culture and important events of Hispanic people in the United States. |

1 Responde a las siguientes preguntas sobre la cultura y la comunidad hispana en Estados Unidos.

1. ¿Cuál es el estado que tiene una mayor población hispana?

El estado que tiene una mayor población hispana es California.

2. Nombra tres cosas por las que es famoso el estado de California.

El estado de California es famoso por los viñedos, las misiones que fundaron allí los

españoles y por la industria del espectáculo: Hollywood.

3. ¿Con qué pintor importante trabajó Pablo O'Higgins durante algunos años?

Pablo O'Higgins trabajo con Diego Rivera durante algunos años.

4. ¿Quiénes fundaron el Museo del Barrio de Nueva York?

Activistas y artistas de Puerto Rico fundaron el Museo del Barrio de Nueva York.

2 Completa la tabla siguiente con nombres de ciudades con gran población hispana en cada una de las zonas de Estados Unidos que se indican.   Possible answers:

Pacífico	Centro	Atlántico
San Diego	Houston	Miami
Los Ángeles	Tucson	Nueva York

3 En Estados Unidos hay muchos hispanos famosos en la cultura, el arte, el deporte, las ciencias y la política. Responde a las siguientes preguntas sobre algunas de estas personas y sus obras usando oraciones completas.

1. Nombra dos personas hispanas de Estados Unidos que sean famosas y escribe una oración explicando por qué es famosa cada una de ellas.

Possible answer: Jennifer López es una actriz y cantante de origen puertorriqueño con

gran éxito en Estados Unidos y en otros países. Sandra Cisneros es una escritora con

herencia mexicana muy conocida en Estados Unidos. Óscar de la Hoya es un boxeador

mexico-americano que ganó muchos campeonatos importantes.

2. ¿Qué personajes representaban en sus obras los pintores anteriores al siglo XX? ¿En qué se diferencian estos personajes de los que aparecen en las obras de Pablo O'Higgins?

Antes del siglo XX, los pintores pintaban solamente a las personas ricas. La obra de

O'Higgins, por el contrario, representa a la gente común, su vida y sus ocupaciones.

Cultura C

> **¡AVANZA!** **Goal:** Discover and know the culture and important events of Hispanic people in the United States.

1 Responde con oraciones completas a las siguientes preguntas sobre la cultura hispana en Estados Unidos.

1. ¿Qué comidas de influencia caribeña son populares en Estados Unidos?

   El puerco, la yuca y los moros son platos populares de influencia caribeña en EE.UU.

2. ¿Cuáles son las comunidades hispanas más importantes en Nueva York y Nueva Jersey?

   Las comunidades hispanas más importantes en los estados de Nueva York y Nueva

   Jersey son la puertorriqueña, la cubana y la dominicana.

3. ¿Cuál es el origen de la mayoría de la población hispana de Chicago, Illinois?

   La mayor parte de los hispanos de Chicago son mexicanos.

4. ¿Qué influencia tienen las comunidades hispanas en la sociedad de Estados Unidos?

   Las comunidades hispanas contribuyen mediante sus costumbres, fiestas, música,

   arte y cocina.

2 Responde a las siguientes preguntas sobre el arte hispano en Estados Unidos. Da todos los detalles posibles.

1. ¿A qué país viajó Pablo O'Higgins para estudiar pintura y con quién se relacionó? Describe cómo el artista reflejo su sociedad en su arte.

   Pablo O'Higgins viajó a México para estudiar pintura con los muralistas mexicanos y

   trabajó durante cuatro años con Diego Rivera. O'Higgins reflejó la vida y ocupaciones de

   la gente común en su obra.

2. ¿Conoces un museo que refleja la cultura hispana en Nueva York? ¿Por qué?

   El Museo del Barrio en Nueva York refleja la cultura hispana.

3. ¿Qué artista, cantante o escritor(a) hispano(a) de Estados Unidos admiras? ¿Cómo se reflejan sus raíces hispanas en su obra? Answers will vary. Possible answers:

   El hispano estadounidense que más admiro es el escritor Sabine Ulibarrí. Sus raíces

   hispanas se reflejan en todos los temas que trata en su obra y el lenguaje que utiliza.

UNIDAD 2 Lección 1

Cultura C

Vocabulario A ¿Cómo nos organizamos?

> **¡AVANZA!**   **Goal:**   Talk about media and the community.

① Indica si las siguientes palabras son partes de un periódico (P) o de la televisión (T). Escribe tus respuestas en los espacios.

1. __T__ la teletón
2. __T__ el largometraje
3. __P__ el titular
4. __P__ la columna
5. __T__ los dibujos animados

6. __P__ el artículo de opinión
7. __T__ la subtitulación para sordos
8. __T__ un programa educativo
9. __P__ un anuncio personal
10. __P__ un anuncio clasificado

② Escribe la parte del periódico que corresponda a cada descripción.

las gráficas	un anuncio clasificado	un titular
una reseña	un anuncio personal	una columna

1. Una línea de texto que encabeza un artículo es __un titular.__
2. Un artículo semanal escrito por una persona es __una columna.__
3. La publicidad para un producto o anuncio de un trabajo es __un anuncio clasificado.__
4. Una crítica de una película, concierto o libro es __una reseña.__
5. Las imágenes y tablas que acompañan un artículo son __las gráficas.__
6. Un anuncio para buscar amigos es __un anuncio personal.__

③ Describe lo que hacen las siguientes personas. Escribe oraciones completas.

1. Los editores __revisan los artículos y los preparan para su publicación.__
2. Un patrocinador __da dinero para apoyar un programa.__
3. Una fotógrafa __toma fotos.__
4. Un telespectador __ve la televisión.__
5. El público __va a las obras de teatro y a los conciertos. También ve los programas de televisión.__

UNIDAD 2 Lección 2   **Vocabulario A**

Vocabulario B ¿Cómo nos organizamos?

¡AVANZA!	**Goal:** Talk about media and the community.

1 Escoge la palabra o expresión que corresponda a la definición.

1. Dar el equivalente de un texto en otro idioma:
  a. publicar
  b. traducir *(circled)*
  c. entrevistar

2. Una persona que ve la televisión:
  a. una editora
  b. un patrocinador
  c. un(a) telespectador(a) *(circled)*

3. El texto del programa para la gente que no puede oír:
  a. la publicidad por correo
  b. la subtitulación para sordos *(circled)*
  c. el titular

4. Dar dinero para apoyar un programa:
  a. explicar
  b. patrocinar *(circled)*
  c. investigar

2 Escribe la palabra o expresión que completa cada descripción.

1. La gente a quien un artículo o programa está dirigido es __el público.__

2. Un programa para recaudar fondos es __una teletón.__

3. El día de entregar un artículo al editor es __la fecha límite.__

4. Un documental breve es __un cortometraje.__

5. Un artículo en el que el público expresa cómo se siente sobre una cuestión es __un artículo de opinión.__

3 Contesta las preguntas de Juan, quien quiere conocer más detalles del periódico o la televisión. **Answers will vary. Possible answers:**

1. ¿En qué sección del periódico se puede encontrar la información sobre ventas y compras de objetos y artículos?

En el anuncio clasificado se encuentra la información sobre ventas y compras de objetos y artículos.

2. ¿Qué es una teletón?

La teletón es un programa de televisión que recauda fondos para obras caritativas.

3. ¿Qué diferencia hay entre un editor y un fotógrafo?

El editor revisa y prepara los artículos para la publicación, y el fotógrafo toma fotos y ayuda al escritor a entrevistar a las personas para hacer los artículos.

4. ¿Qué es la columna del editor?

La columna del editor es donde el editor escribe un artículo de opinión del periódico.

5. ¿Qué diferencia hay entre un largometraje y un cortometraje?

El cortometraje es un documental breve y el largometraje es una película que dura más de una hora.

Vocabulario C ¿Cómo nos organizamos?

> **¡AVANZA!** **Goal:** Talk about media and the community.

❶ Escribe oraciones completas para describir para qué sirven las siguientes cosas.
Answers will vary. Possible answers:

1. las gráficas

Las gráficas sirven para apoyar el texto porque son imágenes con información.

2. los volantes

Los volantes sirven para hacer publicidad en una sola hoja.

3. el titular

El titular sirve para resumir el artículo y llamar la atención.

4. los anuncios clasificados

Los anuncios clasificados anuncian productos u ofertas de trabajo.

❷ Escribe si estás de acuerdo con las siguientes declaraciones y explica por qué. Escribe
oraciones completas. Answers will vary.

1. Los niños aprenden la violencia de los dibujos animados violentos.

2. Se deben ofrecer la subtitulación para sordos en otras lenguas.

3. Se debe emitir los resultados de las elecciones en vivo.

4. Todo el mundo debe tener acceso a las noticias veinticuatro horas al día.

❸ Escribe una noticia para el periódico de tu escuela. Cuenta cómo se organizaron tus
compañeros(as) y tú para colaborar en la teletón a beneficio de las personas inválidas de
tu comunidad. Escribe para decir quiénes participaron, qué hizo cada uno, cuánto dinero
recaudaron, etc. Answers will vary.

Vocabulario adicional *Abreviaturas comunes*

¡AVANZA!	**Goal:** Use common abbreviations.

Las siguientes abreviaturas son comunes en español.

señor	Sr.	calle	c/
señora	Sra.	avenida	avda.
señorita	Srta.	izquierda	izq.
doctor	Dr.	derecha	dcha.
doctora	Dra.	departamento	dpto.
página	pág.	número	núm.
capítulo	cap.	apartado postal	apdo.
por ejemplo	p. ej.	al cuidado	a/c
post data	p.d.	teléfono	tel.

1 Escribe de nuevo el siguiente anuncio sin abreviaturas:

> Se vende casa
> Avda. 4, entre c/ 6 y c/ 7, núm. 37B
> tº: 42 35 89

> *Se vende casa*
>
> *Avenida 4, entre Calle 6 y Calle 7, número 37B*
>
> *Teléfono: 42 35 89*

2 Escribe la siguiente dirección con las abreviaturas correspondientes:

> Doctor Rogelio Santana, al cuidado
> del Departamento de Educación
> Calle Palmas, Número 26
> Apartado Postal 3B
> Teléfono 55 53 21

> *Dr. Rogelio Santana, a/c Depto. de Educación*
>
> *c/ Palmas, núm. 26*
>
> *Apdo. 3B*
>
> *Tel. 55 53 21*

3 Escribe tu dirección con las abreviaturas apropiadas: **Answers will vary.**

_____

_____

_____

_____

Gramática A *Object pronouns with commands*

> **¡AVANZA!** **Goal:** Give commands combined with object pronouns.

1 Subraya la forma correcta del mandato para responder a las preguntas de algunas personas.

Modelo: ¿Debo traer mis libros? (tráiganlos / _tráelos_)

1. ¿Debo contarles la historia a ustedes? (cuéntanosla / cuéntemela)

2. ¿Debo escribirle una carta a mi abuelita? (escribámosla / escríbesela)

3. ¿Debemos levantar la mano para hablar en clase? (levantémosla / levántenla)

4. ¿Debo conducir el coche al centro de la ciudad? (condúcelo / condúzcanlo)

5. ¿Debo ponerme el abrigo si no hace frío? (póntelo / pónganselo)

6. ¿Debemos mandarte postales desde Florida? (mándasela / mándenmelas)

2 Completa la tabla para darles instrucciones a tus amigos y conocidos.

Actividad	quién	afirmativo	negativo
escribir la carta a tus padres	tu hermanito	Escríbesela.	No se la escribas.
decir a nosotros el horario de los exámenes	la directora de la escuela	Díganoslo.	No nos lo diga.
dar las instrucciones a Andrés	tus padres	Dénselas.	No se las den.
ponerse las botas	tu amigo Alejandro	Póntelas.	No te las pongas.

3 Tu amigo Emilio quiere ayudar a la comunidad y te pide consejos. Contesta sus preguntas con un mandato afirmativo o negativo.

Modelo: ¿Qué debo hacer si tengo que comprar un regalo para mi amigo?

Cómpraselo. / No se lo compres.

¿Qué debo hacer si...

1. ...tengo muchas bolsas de plástico para reciclar? __Recíclalas. / No las recicles.__

2. ...tengo la oportunidad de ayudar a la gente sin hogar? __Ayúdala. / No la ayudes.__

3. ...tengo que entregar el artículo al editor del periódico? __Entrégaselo. / No se lo entregues.__

4. ...tengo que preparar la traducción? __Prepárala. / No la prepares.__

5. ...quiero ponerme la ropa nueva? __Póntela. / No te la pongas.__

Gramática B *Object pronouns with commands*

> **¡AVANZA!** **Goal:** Give commands combined with object pronouns.

1 Escribe en el espacio en blanco el mandato con lo que tú quieres que hagan estas personas.

Modelo: Julio, nuestra madre quiere un recetario nuevo. *Cómpraselo.*

1. Carmen, la profesora necesita tiza. __*Dásela.*__

2. Sofía y Santiago, no manden los artículos al editor hoy. __*No se los manden.*__

3. La consejera no quiere nuestras metas para mañana. __*No se las escribamos.*__

4. Las coordinadoras necesitan sus horarios. __*Prepárenselos.*__

2 Da instrucciones a las siguientes personas. Sustituye las palabras subrayadas por pronombres y escribe mandatos afirmativos o negativos con los verbos de la caja.

solicitar	poner	practicar	tirar	limpiar	entregar

Modelo: Don Juan, los guantes de trabajo son necesarios. *Póngaselos.*

1. Señoritas enfermeras, las jeringas usadas son peligrosas. __*No las tiren*__ en la papelera sino en un recipiente seguro.

2. Señores bomberos, los ejercicios de preparación son importantes. __*Practíquenlos*__ todos los días.

3. Sandra, la profesora Díaz no recibió tu tarea. __*Entrégasela*__ ahora.

4. Sr. Vélez, el hospital necesita voluntarios. __*Solicítelos*__ con un anuncio en el periódico.

5. Pedro, tu apartamento está muy limpio. __*No lo limpies*__ tanto.

3 Contesta las siguientes preguntas que te hace un amigo con mandatos afirmativos o negativos. Luego explica el porqué de tus sugerencias. **Answers will vary. Possible answers:**

Modelo: ¿Debo entregar la tarea a la maestra todos los días?

  Sí, entrégasela, porque la maestra es muy estricta.

1. ¿Debemos decir siempre la verdad a nuestros padres?
  Sí, debemos decírsela, porque es bueno ser honesto.

2. ¿Debe mi padre darme dinero todos los domingos?
  Sí, debe dártelo, porque tú ayudas mucho en casa.

3. ¿Puedo escribir notas a mis amigos mientras el profesor explica la lección?
  No, no se las escribas, porque el profesor se va a enojar.

4. ¿Debemos donar sangre en la feria de salud de la escuela?
  Sí, donémosla, porque muchos enfermos la necesitan.

Unidad 2, Lección 2
Gramática B

78

UNIDAD 2 Lección 2
Gramática B

¡**Avancemos! 3**
Cuaderno para hispanohablantes

Gramática C *Object pronouns with commands*

| ¡AVANZA! | **Goal:** Give commands combined with object pronouns. |

1 Completa el discurso de la coordinadora del proyecto «Parques Limpios y Seguros» de tu comunidad con los mandatos correctos de los verbos subrayados. Usa los pronombres apropiados.

«La verdad es que el éxito del programa se debe a los voluntarios de la comunidad. Es necesario que les <u>demos</u> un aplauso. **1.** ___**Démoselo**___ ahora. Pero la labor apenas empieza y hoy es el momento de <u>pedir</u> ayuda. **2.** ___**Pidámosla**___ a nuestras autoridades municipales, a nuestros políticos. Vecinos, <u>repitan</u> este mensaje a sus hijos. **3.** ___**Repítanselo**___ todos los días: El parque es tuyo, cuídalo. Hay que <u>proteger</u> el césped, las plantas y los árboles. Niños, **4.** ___**protéjanlos**___, porque estos árboles son los pulmones de nuestra ciudad.»

2 Graciela dirige la estación de información en el hospital de su comunidad. Usa los mandatos afirmativos y negativos para corregir las equivocaciones siguientes.

Modelo: David le quiere dar una solicitud de empleo al director. (jefe de personal)
  <u>No se la des al director. Dásela al jefe de personal.</u>

1. El señor Fuentes quiere pedir sus medicinas a la asistente. (enfermera)
  No se las pida a la asistente. Pídaselas a la enfermera.

2. Los voluntarios quieren dirigir sus preguntas a la recepcionista. (a mí)
  No se las dirijan a la recepcionista. Diríjanmelas a mí.

3. Cristóbal quiere ofrecer su tiempo libre al jefe de personal. (jefe de voluntarios)
  No se lo ofrezcas al jefe de personal. Ofréceselo al jefe de voluntarios.

4. La enfermera quiere entregar su horario al administrador. (jefa de enfermeras)
  No se lo entregue al administrador. Entrégueselo a la jefa de enfermeras.

5. El visitante quiere contar chistes a los voluntarios. (pacientes)
  No se los cuente a los voluntarios. Cuénteselos a los pacientes.

3 Tu amigo te pide consejos sobre su nuevo trabajo en el canal de televisión. Quiere saber si: 1) debe escribirles una carta a los patrocinadores del programa; 2) debe describirle el proyecto a la prensa local; 3) debe pedirles más dinero a los productores para hacer publicidad; 4) debe mandarles información sobre el proyecto a los líderes de la comunidad. Escríbele un mensaje con mandatos para responder a sus preguntas. **Answers will vary.**

_____

_____

_____

_____

Gramática A *Impersonal expressions + infinitive*

> **¡AVANZA!** **Goal:** Make suggestions and requests with impersonal expressions + infinitive.

❶ Usa las expresiones del cuadro para completar cada oración de una manera lógica.

es necesario	es difícil	es interesante	es malo	es mejor

1. ___Es difícil___ resolver todos los problemas de la sociedad.

2. ___Es malo___ pedir dinero a la gente sin hogar.

3. ___Es interesante___ leer artículos sobre los proyectos de acción social de la comunidad.

4. A mucha gente no le gusta leer el periódico. Para ellos ___es mejor___ ver las noticias en la televisión.

5. ___Es necesario___ estar informado antes de ofrecer tu opinión.

❷ Mira los dibujos de tus amigos. Escribe un comentario con una expresión impersonal para decir cómo mantienen la salud. Answers will vary. Possible answers:

Modelo:  *Es necesario hacer ejercicio.*

1.   2.   3.   4.   5.

1. ___Es importante leer el periódico.___

2. ___Es bueno tener una dieta sana.___

3. ___Es malo comer comida no saludable.___

4. ___Es necesario dormir ocho horas.___

5. ___Es posible sacar buenas notas.___

Gramática B *Impersonal expressions + infinitive*

> **¡AVANZA!** **Goal:** Make suggestions and requests with impersonal expressions + infinitive.

1 Completa las oraciones con una expresión impersonal para decirle a Javier cómo ser un buen miembro de la comunidad.   **Answers will vary. Possible answers:**

1. ___Es bueno___ trabajar de voluntario en un centro de la comunidad.

2. ___Es malo___ ver televisión todo el tiempo.

3. ___Es necesario___ seguir las normas de la sociedad.

4. ___Es posible___ tener un trabajo y trabajar de voluntario.

5. ___Es fácil___ no hacer nada, pero la comunidad te necesita.

2 Cambia los mandatos a oraciones completas con una expresión impersonal para dar tus comentarios acerca de las siguientes actividades.   **Answers will vary. Possible answers:**

1. ¡Recicla!

   Es importante reciclar.

2. ¡Elijan temprano una carrera profesional!

   Es mejor elegir temprano una carrera profesional.

3. ¡No digas mentiras!

   Es malo decir mentiras.

4. ¡Trabaja de voluntario en el hospital!

   Es bueno trabajar como voluntario en el hospital.

5. ¡Hagan la tarea para sacar buenas notas!

   Es necesario hacer la tarea para sacar buenas notas.

3 Escribe un anuncio publicitario para motivar a los estudiantes a escribir para el periódico de la escuela. Escribe cinco sugerencias y recomendaciones con expresiones impersonales.

   Answers will vary.

_____

_____

_____

_____

_____

_____

_____

Gramática C *Impersonal expressions + infinitive*

> **¡AVANZA!** **Goal:** Make suggestions and requests with impersonal expressions + infinitive.

1 El director de tu escuela hizo varias recomendaciones a los(las) estudiantes esta mañana. Usa los verbos con expresiones impersonales para escribir lo que dijo. Usa la primera fila como modelo. **Answers will vary. Possible answers:**

desayunar	*Es necesario desayunar para tener energía.*
dormir	**Es recomendable dormir ocho horas.**
bañarse	**Es sano bañarse todos los días.**
escuchar	**Es necesario escuchar a los maestros.**
cumplir	**Es importante cumplir con la tarea.**
faltar	**No es bueno faltar a clase.**

2 Escribe cinco consejos que te dan las personas mayores. Usa expresiones impersonales con el infinitivo. **Answers will vary.**

Modelo: *Es malo arrojar basura en las calles.*

1. _____
2. _____
3. _____
4. _____
5. _____

3 Escribe un párrafo con sugerencias para un grupo de alumnos nuevos sobre qué lugares visitar en tu ciudad. Usa expresiones impersonales. **Answers will vary.**

_____
_____
_____
_____
_____
_____

Gramática adicional *El sufijo -ción*

¡AVANZA! **Goal:** Form nouns from verbs with the suffix *-ción*.

Se puede agregar el sufijo **-ción** a algunos verbos para crear sustantivos:

publicar ⟶ publicación   transportar ⟶ transportación

traducir ⟶ traducción   inventar ⟶ invención

investigar ⟶ investigación   sustituir ⟶ sustitución

confundir ⟶ confusión   concluir ⟶ conclusión

bendecir ⟶ bendición   expresar ⟶ expresión

1 Completa la tabla con el verbo o el sustantivo apropiado.

verbo	sustantivo
animar	**animación**
vocalizar	**vocalización**
ocupar	ocupación
liberar	liberación
discriminar	**discriminación**
integrar	integración
contribuir	contribución
colaborar	**colaboración**
producir	producción
terminar	**terminación**

2 Subraya el verbo o el sustantivo para completar las oraciones.

1. El profesor González va a (sustitución / <u>sustituir</u>) a la profesora Quevedo el próximo martes.

2. El reportero hizo una (investigar / <u>investigación</u>) sobre el problema de la pobreza en nuestra ciudad.

3. La maestra pidió una (<u>traducción</u> / traducir) del artículo del español al inglés.

4. ¿Vas a (invitación / <u>invitar</u>) a Luis a la fiesta?

5. En la actualidad, todavía hay mucha (discriminar / <u>discriminación</u>) en los lugares de trabajo.

6. Quiero (colaboración / <u>colaborar</u>) con este grupo para escribir el artículo.

Conversación simulada

 Goal: Respond to a conversation about media and the community.

Vas a participar en una conversación telefónica simulada con tu amigo Rafael. Primero, lee el bosquejo de la conversación que aparece en la página. Luego, escucha el audio. Tú sólo oirás lo que te dice Rafael. Entonces escucha el audio de nuevo. Esta vez participarás en la conversación. Responde de forma oral a lo que te dice Rafael. Una señal te indicará cuando te toque a ti hablar.

> **[phone rings]**
>
> **Tú:** Contesta el teléfono.
>
> **Rafael:** (Él saluda y te habla de lo que está haciendo. Te pregunta tu opinión.)
>
> **Tú:** Tú le das tu opinión acerca del tipo de programas de los que él habla.
>
> **Rafael:** (Él contesta. Luego te pregunta qué te gusta y si aprendes algo.)
>
> **Tú:** Explica tu punto de vista.
>
> **Rafael:** (Él habla de un tipo programa de televisión y te pregunta tu preferencia.)
>
> **Tú:** Dile cuáles son tus gustos.
>
> **Rafael:** (Él se despide y te dice qué hará a continuación.)
>
> **Tú:** Despídete y cuelga.

UNIDAD 2 Lección 2 · Conversación simulada

Integración: Escribir

> **¡AVANZA!**　**Goal:** Respond to a conversation about media and the community.

El siguiente fragmento es de un artículo que describe la popularidad de las transmisiones de televisión por Internet. Mientras lees subraya las palabras nuevas para luego buscarlas en un diccionario.

Fuente 1, Leer

El periódico

LIBRO 6 NÚMERO 2

¿Televisión durante horas de trabajo?

Raimundo Lida

La incomodidad de mi jefe se dejó sentir entre los dos como una cubeta de hielo. Sin que yo me diera cuenta, había estado observándome por varios minutos, detrás de mí, a la entrada del cubículo, los ojos puestos en la pantalla de mi computadora. ¿Qué le llamó tanto la atención? Que entre uno y otro reclamo, solicitud de cobertura o investigación de datos, yo hallaba tiempo para seguir el partido de fútbol transmitido en televisión directa por Internet.

Era la final del campeonato europeo y por la diferencia de horario, claro, la transmisión en vivo coincidía con mis horas de trabajo. Claro que yo podría haber programado la grabadora en casa y olvidado el juego hasta la noche. ¿Pero cómo resistir la tentación de echar un ojito cuando con sólo un clic el periódico local me ofrecía la posibilidad de verlo en vivo?

Lee el siguiente mensaje que Donald Medina dejó a su esposa, Dulce. Luego completa la actividad.

HL CD 1, tracks 15–16

¿Compartes la opinión del hombre que le dejó un recado a su esposa Dulce? ¿Te parece justo lo sucedido a Raimundo Lida? ¿Por qué? **Answers will vary.**

_____

_____

_____

_____

_____

_____

Lectura A

> **¡AVANZA!**   **Goal:** Express opinions and make requests and recommendations.

1 Lee el artículo que publicó el periódico local sobre una teletón. Luego, responde a las preguntas de comprensión y escribe tu opinión sobre el tema.

Teletón a favor de nuestros ancianos

El ocho de junio, desde las cinco de la tarde hasta las diez de la noche, se va a realizar la segunda teletón a beneficio de Ciudadanos Unidos, un grupo que ayuda a los ancianos. La teletón se hace con el fin de recaudar fondos para la construcción de un hogar de ancianos en nuestra localidad. El evento se va a llevar a cabo en el Teatro Martí y se va a transmitir por la televisión local.

Ya contamos con $12,000 dólares que otorgaron las autoridades locales. Hay cerca de treinta comerciantes que van a dar donaciones de $250 dólares, pero se necesitan patrocinadores y la contribución de todos los ciudadanos. A lo largo de la próxima semana, todos los comerciantes del área van a recibir volantes informativos y formularios para inscribirse como patrocinadores.

El grupo Ciudadanos Unidos necesitan nuestra colaboración. Si necesitan más información, pónganse en contacto con Ciudadanos Unidos, en el teléfono 555-3322.

Muchas gracias por su cooperación.

---

2 **¿Comprendiste?** Responde a las preguntas con oraciones completas.

1. ¿Cuándo y dónde se va a celebrar la teletón?

La teletón se va a celebrar el ocho de junio, desde las cinco de la tarde hasta las diez de la noche, en el teatro Martí.

2. ¿Con que objetivo se va a celebrar la teletón?

La teletón se celebra para recaudar fondos para la construcción de un hogar de ancianos.

3. ¿Quiénes cooperaron con el proyecto y cuántos fondos dieron?

Las autoridades locales y treinta comerciantes cooperaron ya con el proyecto. Las autoridades dieron $ 12,000 para el proyecto y los comerciantes $250 cada uno.

3 **¿Qué piensas?** ¿Alguna vez participaste en una teletón o la viste por la televisión? ¿Cuál crees que es el principal atractivo de este tipo de eventos para que tanta gente participe en ellos? Answers will vary.

_____

_____

Lectura B

| ¡AVANZA! | **Goal:** Express opinions and make requests and recommendations. |

1 Víctor y su hermano nunca están de acuerdo sobre qué ver en la televisión. Lee su conversación. Luego responde a las preguntas de comprensión y compara su experiencia con la tuya.

¿Qué hay en la tele?

Una tarde, mientras Esteban lee el periódico con interés, Víctor, su hermano, le pide buscar en el periódico la programación de la televisión. Muy animado, Esteban le comenta:

—En el canal de acceso público se emite un programa educativo y después un cortometraje sobre la historia del ferrocarril.

A Víctor no le parece interesante esta idea. Él quiere ver algo divertido, como un largometraje. Esteban continúa leyendo el periódico y encuentra que en el canal 18 hay un largometraje de aventuras. Víctor está contento porque le gustan los largometrajes de aventuras y los dibujos animados.

De pronto, Esteban prende la televisión y le dice a su hermano que en cinco minutos empieza el noticiero. Víctor se levanta y le pide que le avise cuando termine el noticiero para poder ver su largometraje de aventuras.

—Víctor, después del noticiero voy a ver el programa de debate que hay en el canal 15.

Víctor se queda un poco triste. Él quiere ver su largometraje y le pide a Esteban que esta noche olvide los temas de actualidad y las noticias que tanto le gustan. Esteban acepta con una condición: mañana él va a elegir lo que van a ver en la televisión.

2 **¿Comprendiste?** Responde a las siguientes preguntas con oraciones completas. **Answers will vary.**

Possible answers:

1. ¿Qué programas hay en el canal de acceso público?

   En el canal de acceso público hay un programa educativo y despúes un cortometraje

   sobre la historia del ferrocarril.

2. Cada uno de los chicos quiere ver un programa diferente. ¿Cómo solucionan este problema?

   Hoy van a ver el largometraje que le gusta a Víctor y mañana Esteban va a elegir el

   programa que van a ver.

3 **¿Qué piensas?** ¿En tu casa discuten sobre los programas de televisión que quieren ver? ¿Qué programas quieres ver tú? ¿Qué programas quieren ver las otras personas? ¿Cómo solucionan el problema? **Answers will vary.**

_____

_____

_____

UNIDAD 2 Lección 2 Lectura B

Lectura C

| ¡AVANZA! | **Goal:** Express opinions and make requests and recommendations. |

1 El director de una revista se reúne con todos sus colaboradores para preparar la próxima edición. Lee lo que el director les dice y luego responde a las preguntas de comprensión.

Preparando la edición

Buenos días a todos. Como ya saben, el viernes es la fecha límite para entregar los materiales que se van a publicar en el próximo número de nuestra revista. Por favor, anoten lo que voy a decirles. Es importante no olvidar ningún detalle para organizar todo el trabajo.

Luis, Gloria y Viviana, si ya tienen sus artículos de opinión terminados, dénselos a Clara. Ella es nuestra nueva editora. Clara, por favor, revísalos bien y si tienes alguna duda, habla con los escritores. Es necesario tener buena comunicación para lograr buenos resultados.

Rogelio, tú ocúpate de los anuncios. Primero, prepara los anuncios clasificados, revísalos y organízalos. Luego, decide dónde se van a colocar los otros anuncios.

Gloria, por favor escribe un artículo sobre los programas de la televisión educativa. Como aún tenemos tiempo, por favor, llama a Julia Muñoz, la directora del nuevo programa educativo para jóvenes que ponen en la televisión local. Dile que queremos hacerle una entrevista sobre su programa. Entrevístala y haz un resumen de la entrevista en tu artículo. Incluye alguna cita con los comentarios de la señorita Muñoz. Acuérdate de pedirme el nuevo número de teléfono de la fotógrafa. Es necesario hablar con ella hoy mismo. Necesitamos una foto de la señorita Muñoz. Cuando hables con ella, pídele de favor que te mande por correo electrónico las fotos que hizo para el artículo de Viviana.

Jorge, por favor, prepara la reseña de cine cuanto antes. Con el artículo de Gloria y tu reseña, ya completamos la página de cultura.

También se necesita traducir al español la información sobre la teletón que va a celebrarse para reunir fondos para el hospital de beneficencia. Luis y Viviana, tradúzcanlo. Rogelio, por favor, no te olvides de poner un anuncio de la teletón en la segunda página de la revista. La traducción con la información va en la página siete y el anuncio en la página dos, debajo de las cartas al editor. Recuérdalo bien. Por cierto, Clara, después de revisar los materiales nuevos, por favor, responde a las cartas al editor.

Por último, les recuerdo que en el próximo número también se va a publicar por primera vez la nueva sección sobre la actualidad regional. Jorge y yo vamos a ocuparnos de esta sección. Cuando todos los materiales estén preparados, pónganlos en archivos electrónicos, un archivo por sección, y envíenmelos por correo electrónico.

Si no hay más preguntas, pongámonos a trabajar. Muchas gracias por toda su colaboración y volvemos a vernos el miércoles por la tarde. Ya saben, llámenme si necesitan algo o si hay algún problema.

¡Gracias!

UNIDAD 2 Lección 2

Lectura C

2 **¿Comprendiste?** Responde a las siguientes preguntas:

1. ¿Cuándo tienen que estar listos todos los materiales para la próxima edición de la revista?

El viernes tienen que estar listos todos los materiales que se van a publicar. Es la

fecha límite.

2. ¿Qué novedad va a haber en el próximo número de la revista ?

La novedad es una nueva sección sobre la actualidad regional.

3. ¿Cuál es el trabajo de Rogelio?

Él es el encargado de preparar los anuncios de la revista. Él coloca cada anuncio donde

tiene que ir.

4. ¿Cuáles trabajos de Gloria se van a publicar en el próximo número de la revista?

Se va a publicar su artículo sobre los programas de televisión educativa.

5. ¿Cuál es el trabajo de Clara?

Clara es la nueva editora. Su trabajo es revisar los artículos de opinión que ya están

terminados.

3 **¿Qué piensas?** ¿Qué secciones te gusta leer primero en un periódico o revista? ¿Por qué?
¿Qué secciones de un periódico o revista te resultan menos interesantes? ¿Por qué? Answers will vary.

_____

_____

_____

_____

_____

Escritura A

¡AVANZA! **Goal:** Express opinions and make requests and recommendations.

Estás colaborando con una asociación que hace obras caritativas. Escríbele a un(a) amigo(a) para animarlo(a) a colaborar.

1 Explícale las razones por las cuales debe colaborar y dale frases de ánimo con mandatos.

razones por las cuales debe colaborar	frases de ánimo

2 Escríbele un mensaje a tu amigo. Usa las notas de la actividad anterior y hazle reflexionar sobre las satisfacciones personales que va a obtener con su colaboración. Asegúrate de que tu mensaje contenga: 1) oraciones completas y lógicas; 2) las razones por las cuales debe colaborar; 3) frases de ánimo y 4) verbos y ortografía correctos.

_____

_____

_____

_____

_____

_____

3 Evalúa tu mensaje con la siguiente tabla:

	Crédito máximo	**Crédito parcial**	**Crédito mínimo**
Contenido	El mensaje es claro y fácil de entender.	Algunas partes de tu mensaje no son claras o no son fáciles de entender.	Tu mensaje es poco claro y difícil de entender.
Uso correcto del lenguaje	Hay muy pocos errores en el uso de los verbos y de la ortografía.	Hay algunos errores en el uso de los verbos y de la ortografía.	Hay muchos errores en el uso de los verbos y de la ortografía.

UNIDAD 2 Lección 2
Escritura A

Unidad 2, Lección 2
Escritura A

90

¡Avancemos! 3
Cuaderno para hispanohablantes

Escritura B

¡AVANZA!	**Goal:** Express opinions and make requests and recommendations.

Como parte de tu trabajo en un grupo de voluntarios de la escuela, tienes que dar consejos a unos niños sobre la importancia de ser un(a) buen(a) estudiante. Escribe una charla que les enseñe a los niños cómo ser un(a) estudiante exitoso/a.

1 Haz una lista de cosas que los jóvenes deben hacer y otra de cosas que no deben hacer.

deben hacer...	no deben hacer...

2 Escribe la charla para los niños con las ideas de la tabla y mandatos. Asegúrate de que:
1) la charla sea clara y fácil de entender, 2) las recomendaciones que haces sean adecuadas y
3) los tiempos y las formas verbales sean correctos. **Answers will vary.**

_____

_____

_____

_____

_____

_____

3 Evalúa tu charla con la siguiente tabla.

	Crédito máximo	**Crédito parcial**	**Crédito mínimo**
Contenido	La charla es clara y fácil de entender y las recomendaciones son adecuadas.	La charla es clara y fácil de entender; algunas de las recomendaciones no son adecuadas.	La charla es poco clara y difícil de entender y las recomendaciones no son adecuadas.
Uso correcto del lenguaje	Hay muy pocos errores o ninguno en el uso de los tiempos de los verbos.	Hay muchos errores en el uso de los tiempos de los verbos.	Hay un gran número de errores en el uso de los tiempos de los verbos.

UNIDAD 2 Lección 2

Escritura B

Escritura C

¡AVANZA!	**Goal:** Express opinions and make requests and recommendations.

Escribe tus opiniones sobre los programas de televisión de esta noche.

1 Primero, escribe los títulos de los programas (reales o imaginarios) y describe qué tipo de programa es cada uno. Los programas pueden durar una o dos horas.

Hoy	8:00 P.M.	9:00 P.M.	10:00 P.M.	11:00 P.M.
Canal 18				
Telecadena				
Canal 23				

2 Usa tus opiniones sobre los programas y recomiéndales a tus lectores que los vean, si son interesantes. Usa mandatos y expresiones impersonales. Asegúrate de que: 1) expreses tus opiniones de forma clara, 2) tu artículo sea convincente y 3) el vocabulario y los tiempos de los verbos sean correctos. **Answers will vary.**

_____

_____

_____

_____

3 Evalúa tu artículo con la siguiente tabla.

	Crédito máximo	**Crédito parcial**	**Crédito mínimo**
Contenido	Las opiniones son claras y el artículo es convincente.	La mayor parte de las opiniones son claras y el artículo es convincente.	Las opiniones son poco claras y el artículo es poco convincente.
Uso correcto del lenguaje	Hay muy pocos errores o ninguno en el uso del vocabulario y de los tiempos de los verbos.	Hay algunos errores en el uso del vocabulario y de los tiempos de los verbos.	Hay un gran número de errores en el uso del vocabulario y de los tiempos de los verbos.

UNIDAD 2 Lección 2

Escritura C

Cultura A

¡AVANZA!	**Goal:** Discover and know the culture and important events of Hispanic people in the United States.

1 Un hispano famoso en Estados Unidos es Carlos Santana. Elige la opción correcta para responder a cada pregunta sobre él.

1. Carlos Santana nació en...

   a. Los Ángeles.   **(b.)** México.   **c.** San Diego.   **d.** Nueva York.

2. El instrumento musical que toca Carlos Santana es...

   (a.) la guitarra.   **b.** la trompeta.   **c.** el violín.   **d.** los tambores.

3. El instrumento musical que tocaba el padre de Carlos Santana era...

   a. la guitarra.   **b.** la trompeta.   **(c.)** el violín.   **d.** los tambores.

4. Santana creó la fundación Milagro para ayudar _____ en 1998.

   a. al medio ambiente   **(c.)** a niños y jóvenes pobres

   b. las escuelas públicas   **d.** a personas con cáncer

2 En Estados Unidos se publican varios periódicos en español. Responde a las siguientes preguntas sobre los principales periódicos estadounidenses en español.

1. ¿Cuál es el periódico estadounidense en español más grande y en qué ciudad está?

   La Opinión, en Los Ángeles, es el periódico estadounidense en español más grande.

2. ¿Cuántos lectores tienen aproximadamente entre los tres principales periódicos del país?

   Casi dos millones de lectores tienen los tres principales periódicos del país.

3 ¿Qué razones pueden tener los lectores estadounidenses para elegir periódicos en español? ¿Crees que es importante que se publique este tipo de periódicos? Completa la tabla siguiente según tu opinión. **Answers will vary. Possible answers:**

Razones por las que la gente los lee	Razones por las que es o no es importante su publicación
1. Prefieren leer en español. Hay más noticias de países hispanos.	**1.** Ayudan a conservar y difundir la cultura hispana.
2. Hay más noticias de la comunidad hispana en Estados Unidos.	**2.** Permiten un acceso a la información a la gente que no puede leer inglés.

Cultura B

> **¡AVANZA!** **Goal:** Discover and know the culture and important events of Hispanic people in the United States.

1 Indica si las siguientes afirmaciones relacionadas con la cultura hispana en Estados Unidos son verdaderas (**V**) o falsas (**F**). Si la oración es falsa, escríbela de forma correcta.

1. __F__ Carlos Santana conoció la música a los doce años.
   Carlos Santana conoció la música a los ocho años.

2. __F__ El padre de Carlos Santana era cantante en un grupo folclórico.
   El padre de Carlos Santana era mariachi violinista.

3. __V__ En las canciones de Santana se pueden sentir sus raíces hispanas.

4. __F__ El periódico en español más famoso de Chicago es *La Opinión*.
   El periódico en español más famoso de Chicago es *La Raza*.

5. __V__ El periódico en español más importante de Nueva York es *La Prensa*.

2 Los periódicos son importantes para la comunidad. Responde a las siguientes preguntas sobre periódicos estadounidenses en español con oraciones completas.

1. ¿Por qué en Estados Unidos se publican muchos periódicos en español?
   En Estados Unidos se publican muchos periódicos en español porque hay una gran
   comunidad hispana.

2. Además de informar al público hispano, ¿qué más pueden aportar a la sociedad estadounidense en general los periódicos en español?
   Answers will vary. Possible answer: Los periódicos en español son como un escaparate
   de la cultura hispana. Gracias a ellos, cualquier persona que sepa leer el español, puede
   aprender más cosas sobre la sociedad y la cultura hispana.

3 Explica lo que hizo Carlos Santana para ayudar a los demás. ¿Crees que es importante que los personajes famosos hagan cosas así? ¿Por qué? Explica tus opiniones en un párrafo breve. **Answers will vary. Possible answers:**
   Las personas famosas deben ayudar a la sociedad y dar ejemplo de solidaridad a los
   demás. Debido a su fama, sus acciones son conocidas por muchísima gente y su ejemplo
   puede ser muy importante e influir a muchas otras personas.

Cultura C

| ¡AVANZA! | **Goal:** | Discover and know the culture and important events of Hispanic people in the United States. |

1 En el año 1999 Carlos Santana obtuvo el mayor éxito de su carrera. Completa las oraciones con la información correspondiente.

1. La persona que inició a Carlos Santana en la música fue ____su padre____ .

2. El instrumento que tocaba el padre de Carlos Santana era ____el violín____ .

3. El instrumento que toca Santana es ____la guitarra____ .

4. La música de Santana tiene raíces ____latinas____ .

5. Un título de una canción de Carlos Santana es ____*Oye como va*____ .

2 Los periódicos, lo mismo que los artistas, influyen en su comunidad. Responde a las preguntas con oraciones completas y todos los detalles posibles. **Answers will vary. Possible answers:**

1. ¿Cómo se llama y de qué se ocupa la fundación que creó Carlos Santana?

   La fundación tiene el nombre de «Milagro» y se ocupa de organizar, apoyar y patrocinar

   campañas para el beneficio de los niños y jóvenes pobres.

2. ¿Cuáles son los tres periódicos estadounidenses en español más populares? ¿Dónde se publica cada uno de ellos?

   En Estados Unidos, los tres periódicos en español con más lectores son *La Opinión* en

   Los Ángeles, *La Raza* en Chicago y *La Prensa* en Nueva York.

3. Además de la publicación y la lectura de periódicos en español, ¿de qué otras formas mantienen viva su cultura los hispanos en Estados Unidos?

   Mediante asociaciones culturales, eventos festivos y culturales, y siguiendo y dando

   a conocer a los demás las tradiciones de sus culturas.

3 ¿Crees que, en general, los jóvenes hispanos de los Estados Unidos que leen periódicos y revistas eligen publicaciones en español o en inglés?¿Cuál es tu opinión sobre esto? Responde en un párrafo breve. **Answers will vary. Possible answer:**

La mayoría de los jóvenes prefiere leer en inglés porque puede ser más fácil leer en inglés

que en español, porque hay más materiales en inglés que en español especialmente para

jóvenes. Sería bueno que los jóvenes leyeran más en español para conservar mejor su

cultura y a conocer mejor otro idioma.

_____

_____

UNIDAD 2 Lección 2   Cultura C

Comparación cultural: Culturas musicales
Lectura y escritura

Después de leer los párrafos sobre la música que se escucha donde viven Rolando y
Mariana, escribe un párrafo sobre la música que se escucha en la región donde tu vives.
Usa la información del organigrama para escribir un párrafo sobre la música que se
escucha en tu región.

Paso 1

Completa el organigrama con los detalles sobre la música de tu región.

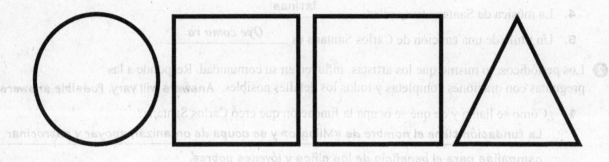

Paso 2

Ahora usa los detalles del organigrama para escribir una oración para cada uno de los temas
del organigrama.

_____

_____

_____

_____

_____

Comparación cultural   UNIDAD 2

Comparación cultural: Culturas musicales

Lectura y escritura (seguir)

(continuación)

Paso 3

Ahora escribe un párrafo usando las oraciones que escribiste como guía. Incluye una oración de introducción y utiliza las expresiones impersonales **se hace**, **se encuentra** para describir la música de tu región.

_____

_____

_____

_____

_____

_____

Lista de verificación

Asegúrate de que...

☐ incluyes todos los detalles del organigrama sobre la música de tu región;

☐ usas los detalles para describir la música de tu región;

☐ utilizas las expresiones impersonales.

Tabla

Evalúa tu trabajo con la siguiente tabla.

Criterio de escritura	Excelente	Bueno	Necesita mejorar
Contenido	Tu párrafo incluye todos los detalles sobre la música de tu región.	Tu párrafo incluye algunos de los detalles sobre la música de tu región.	Tu párrafo incluye muy poca información sobre la música de tu región.
Comunicación	La mayor parte de tu párrafo está organizada y es fácil de entender.	Partes de tu párrafo están organizadas y son fáciles de entender.	Tu párrafo está desorganizado y es difícil de entender.
Precisión	Tu párrafo tiene pocos errores de gramática y de vocabulario.	Tu párrafo tiene algunos errores de gramática y de vocabulario.	Tu párrafo tiene muchos errores de gramática y de vocabulario.

Comparación cultural: Culturas musicales
Compara con tu mundo

Ahora escribe un párrafo comparando la música de la región donde vives con la de uno de los estudiantes de la página 143. Organiza tu comparación por temas. Primero, compara el nombre de la música, después los tipos de música y por último tu opinión personal sobre la música regional..

Paso 1

Usa el organigrama para organizar la comparación por temas. Escribe los detalles de cada uno de los temas sobre la música de tu región y la del (de la) estudiante que elegiste.

	Mi música	La música de _____
Nombre de la música		
Tipos de música		
Opiniones		

Paso 2

Usa los detalles del organigrama para escribir la comparación. Incluye una oración de introducción y escribe sobre cada tema. Utiliza las siguientes expresiones impersonales: **se hace, se encuentra.**

_____

_____

_____

_____

_____

_____

UNIDAD 2

Comparación cultural

Unidad 2
Comparación cultural

98

¡Avancemos! 3
Cuaderno para hispanohablantes

Vocabulario A ¿Cómo será el futuro?

> **¡AVANZA!** **Goal:** Discuss the future of the environment.

1 Escoge las palabras o frases correctas para completar las ideas sobre el medio ambiente.

1. El proceso en que se pierden los bosques porque el hombre corta los árboles es: *a*
   a. la deforestación **b.** la capa de ozono **c.** el clima

2. Una forma de proteger el planeta es cuidando: *c*
   a. el smog **b.** el basurero **c.** el aire puro

3. El calentamiento del planeta provoca: *b*
   a. la biodiversidad **b.** el efecto invernadero **c.** el petróleo

4. Un planeta sano no necesita: *b*
   a. biodiversidad **b.** smog **c.** recursos naturales

2 Escoge la palabra correcta para completar las oraciones sobre el medio ambiente.

1. Hay que (proteger / dañar) nuestro medio ambiente.

2. Un temblor puede producir (el clima / el derrumbe) de un edificio.

3. La contaminación del aire amenaza (la capa de ozono / el basurero).

4. Muchos científicos dicen que (la biodiversidad / el efecto invernadero) va a destruir el planeta.

5. La deforestación aumenta (el riesgo / la innovación) de contaminación del medio ambiente.

3 Escribe cuatro oraciones completas con las palabras relacionadas al medio ambiente.
   Answers will vary.
1. el petróleo / _____
2. la sequía / _____
3. el aire puro / _____
4. la erosión / _____

UNIDAD 3 Lección 1 Vocabulario A

Vocabulario B ¿Cómo será el futuro?

Level 3 Textbook pp. 154–156

> **¡AVANZA!** **Goal:** Discuss the future of the environment.

❶ Escribe la letra de la palabra de la derecha que se opone a la palabra de la izquierda.

1. __b__ el aire puro   **a.** el pasado
2. __a__ el porvenir   **b.** el smog
3. __e__ sencillo(a)   **c.** la inundación
4. __c__ la sequía   **d.** proteger
5. __d__ dañar   **e.** complejo(a)

❷ Escoge la palabra correcta para completar las oraciones sobre el medio ambiente.

la deforestación	responsable	la capa de ozono	extinguirse	la erosión

1. ___La deforestación___ destruye nuestros bosques.
2. ___La erosión___ amenaza los suelos del planeta.
3. La contaminación afecta a ___la capa de ozono___ de la atmósfera.
4. Cada persona necesita ser ___responsable___ del medio ambiente.
5. Si no nos informamos sobre cómo mejorar el medio ambiente, la vida en el planeta puede ___extinguirse___.

❸ Expresa tus opiniones sobre el medio ambiente del planeta con oraciones completas. Utiliza las siguientes frases para empezar cada oración y el vocabulario de la lección. **Answers will vary. Possible answers:**

1. Creo que ___debemos proteger el planeta.___
2. Quiero (que) ___cada persona sea responsable con el medio ambiente.___
3. Es esencial (que) ___investigar el uso de los recursos no renovables.___
4. Hay que ___proteger las especies en vía de extinción.___
5. En el futuro ___voy a desarrollar un programa para reutilizar algunos recursos naturales.___

Vocabulario B UNIDAD 3 Lección 1

Vocabulario C ¿Cómo será el futuro?

> **¡AVANZA!** **Goal:** Discuss the future of the environment.

1 Explica con oraciones completas lo que se puede hacer para mejorar el medio ambiente. Usa una palabra de la caja para cada oración. **Answers will vary. Possible answers:**

votar	reutilizar	responsabilidad	apreciar	proteger

1. Hay que votar por los candidatos ecologistas.

2. Hay que reutilizar los recursos no renovables.

3. Cada persona necesita aceptar su responsabilidad por los daños causados al medio ambiente.

4. Debemos apreciar los recursos que nos ofrece el planeta y tratarlo bien.

5. Es esencial proteger el medio ambiente y no dañarlo.

2 Contesta con oraciones completas las preguntas sobre el medio ambiente.

1. ¿Cómo se llama el aire contaminado que se encuentra en las ciudades?
   El aire contaminado es el smog.

2. Cuando hay erosión junto a un río y éste se desborda de su cauce por la abundancia de agua, ¿qué se produce?
   En ese lugar se produce una inundación.

3. ¿Qué opinión tienes del efecto invernadero? **Answers will vary.**

4. ¿Cómo puedes ayudar a proteger el medio ambiente? **Answers will vary.**

3 Escribe en un párrafo corto un resumen de una conferencia sobre el tema de la biodiversidad: qué es, por qué es importante, cómo la cultura humana hace parte de la biodiversidad, etc.
   Answers will vary.

_____

_____

_____

_____

_____

_____

_____

_____

Vocabulario adicional

> **¡AVANZA!**   **Goal:** Recognize the Greek origin of words that are masculine but end in **-a**.

Ya aprendiste que casi todos los sustantivos terminados en **-a** son femeninos. Sin embargo, hay palabras de origen griego terminadas en **-a** que son masculinas. Muchas de estas palabras, pero no todas, terminan en **-ma**, **-ta** o **-sis**.

el programa	*program*	**el clima**	*climate*
el poema	*poem*	**el planeta**	*planet*
el drama	*drama*	**el cometa**	*comet*
el problema	*problem*	**el análisis**	*analysis*
el tema	*theme, topic*	**el día**	*day*
el idioma	*(spoken) language*	**el mapa**	*map*
el sistema	*system*	**el paréntesis**	*the parenthesis*

1 Completa las oraciones con palabras de la lista. Usa una palabra por oración.

1. _____El planeta_____ en que vivimos es la Tierra.

2. Me encanta _____el poema_____ romántico que le escribió su novio.

3. Necesito _____el mapa_____ de Argentina para ver dónde está Buenos Aires.

4. _____El tema_____ de mi composición es sobre «Cómo pasé mis vacaciones de verano».

5. Me gusta solucionar _____el crucigrama_____ que aparece en el periódico todos los días.

2 Escoge cinco palabras de la lista y escribe oraciones completas con ellas. **Answers will vary.**
Possible answers:

1. El clima de esta región es desagradable en el invierno.

2. Los planetas están en el sistema solar.

3. ¿Puedes solucionar el problema?

4. El español es el idioma que más me gusta.

5. ¿Cuál es el día de tu cumpleaños?

3 Usa palabras de le lista para escribir un poema de cuatro versos. Asegúrate de que tenga título y rima.

_____

_____

_____

_____

UNIDAD 3 Lección 1

Vocabulario adicional

Gramática A *Future Tense*

> **¡AVANZA!** **Goal:** Talk about the future.

1 Subraya la forma correcta del verbo en el futuro para hablar del medio ambiente.

1. Nosotros (<u>tendremos</u> / tendrán) que ser responsables por el futuro del planeta.

2. Ustedes (<u>protegerán</u> / protegé) las especies en vía de extinción y los recursos naturales.

3. (<u>Será</u> / Seré) importante conservar el aire puro.

4. La gente (<u>reutilizará</u> / reutilizaré) los artículos en vez de tirarlos a la basura.

5. Tú (haremos / <u>harás</u>) todo lo posible para reciclar.

2 Escribe la forma correcta del verbo entre paréntesis para describir el futuro del planeta.

1. El desarrollo de la tecnología _____ traerá _____ (traer) muchos avances.

2. La raza humana _____ será _____ (ser) responsable por el planeta y los recursos naturales.

3. Algunos recursos naturales _____ disminuirán _____ (disminuir) con el paso del tiempo.

4. Tú _____ te informarás _____ (informarse) de cuáles son las especies en peligro de extinción.

5. Algunas instituciones _____ fomentarán _____ (fomentar) la protección de especies de animales y plantas.

3 Escribe oraciones completas para describir qué harán las siguientes personas la próxima semana.

1. Alicia / reciclar los periódicos
   Alicia reciclará los periódicos.

2. Los padres de Rafael / votar en las elecciones
   Los padres de Rafael votarán en las elecciones.

3. Nosotros / investigar los programas de conservación
   Nosotros investigaremos los programas de conservación.

4. Yo / hacer una búsqueda en el Internet sobre organizaciones de caridad
   Yo haré una búsqueda en el Internet sobre organizaciones de caridad.

5. Tú / venir a la escuela con información sobre los recursos naturales
   Tú vendrás a la escuela con información sobre los recursos naturales.

UNIDAD 3 Lección 1 Gramática A

Gramática B *Future Tense*

¡AVANZA! **Goal:** Talk about the future.

---

1 Elige el verbo apropiado y escribe la forma correcta para completar las predicciones de Elisa.

ir	hacer	despreciar	ser	valorar

1. En el futuro el smog le _____ **hará** _____ daño a la capa de ozono.

2. Los niños _____ **irán** _____ a la escuela para informarse de las amenazas al planeta.

3. La gente _____ **valorará** _____ el aire puro.

4. La erosión y la contaminación _____ **serán** _____ problemas difíciles de resolver.

5. Yo no _____ **despreciaré** _____ los recursos naturales.

2 Escribe los planes tuyos y de otras personas con la forma del futuro correspondiente.

Modelo: Voy a votar / *Votaré en las próximas elecciones.* **Answers will vary. Possible answers:**

1. Vas a tener / **Tendrás muchas responsabilidades en el futuro.**

2. Van a hacer / **Harán una investigación sobre el efecto invernadero en la clase de ciencias.**

3. Vamos a informarnos / **Nos informaremos sobre las amenazas al medio ambiente.**

4. Voy a ser / **Seré más responsable para proteger los recursos naturales.**

5. Va a proteger / **Protegerá a los animales y plantas en vía de extinción.**

3 Contesta las siguientes preguntas sobre tu futuro con oraciones completas. **Answers will vary.**

1. Menciona dos cosas que harás para conservar las riquezas naturales de la tierra.

_____

_____

2. ¿Dónde vivirás dentro de 10 años?

_____

_____

3. ¿Qué les enseñarás a los niños del futuro sobre la conservación del medio ambiente?

_____

_____

4. En tu opinión, ¿cómo podremos mejorar el futuro del medio ambiente?

_____

_____

UNIDAD 3 Lección 1

Gramática B

Gramática C *Future Tense*

> **¡AVANZA!**   **Goal:**   Talk about the future.

1 Claudia va a desarrollar un proyecto de acción social con su amigo Andrés. Escribe la forma correcta de los verbos en el futuro para completar las siguientes oraciones sobre sus planes.

Answers will vary. Possible answers:

1. Andrés y yo _____prepararemos_____ una campaña para reducir la basura en la comunidad.

2. Yo _____haré_____ unos letreros con nuestro lema: «Conservar, reciclar y proteger».

3. Nuestros compañeros de clase _____saldrán_____ a la comunidad para distribuir los letreros.

4. Tú _____pondrás_____ un letrero en el salón de clase.

5. Nosotros _____investigaremos_____ otras campañas por Internet.

2 Escribe una predicción para cada categoría con oraciones completas. **Answers will vary. Possible answers:**

1. la deforestación _____Los científicos predicen que la deforestación amenazará la biodiversidad._____

2. la tecnología _____Habrá muchos avances en la tecnología._____

3. los recursos naturales _____Los recursos naturales disminuirán si la gente no los conserva._____

4. el petróleo _____Los países productores de petróleo aumentarán sus ganancias._____

3 Vas a participar como candidato en las elecciones del cuerpo estudiantil en tu escuela. Escribe un párrafo para describir tu campaña y tus planes como futuro presidente del consejo de los estudiantes. **Answers will vary.**

Modelo: *Cuando sea el presidente del consejo estudiantil, todos los salones de clase tendrán acceso directo al Internet.*

_____

_____

_____

_____

_____

UNIDAD 3 Lección 1   Gramática C

Gramática A *Por y para*

| ¡AVANZA! | **Goal:** Practice the difference between **por** and **para**. |

1 Encierra con un círculo la razón del uso de **por** o **para** en cada oración.

1. Caminamos por el bosque. (hacia / (a través))

2. Este regalo es para ti. ((destinado a) / a causa de)

3. Para ser un niño, él entiende bien las cosas. (a causa de / (comparación))

4. Te daré dos dólares por el libro. (durante / (a cambio))

5. Estuvimos en Costa Rica por seis semanas. (hacia / (durante))

6. Me llamó por teléfono. ((medio) / a causa de)

7. Rafael trabajó por mí porque estuve enfermo aquel día. ((en lugar de) / comparación)

2 Escribe **por** o **para** en el espacio en blanco para completar la descripción del proyecto social de la clase.

1. Tengo que preparar el informe ____para____ el sitio web.

2. Pagaremos cien dólares ____por____ los folletos de la campaña.

3. Es necesario reciclar ____para____ eliminar la basura y proteger el medio ambiente.

4. ____Para____ mí, el desarrollo de la tecnología es muy importante para el proyecto.

5. Voy a caminar ____por____ el parque para disfrutar del aire puro.

3 Escribe una oración nueva con **por** o **para**.

Modelo: No terminé la tarea / no tener tiempo

No terminé la tarea por no tener tiempo.

1. Tengo un regalo / mi maestro

Tengo un regalo para mi maestro.

2. Enrique llamó a Juan / teléfono

Enrique llamó a Juan por teléfono.

3. Tenemos que hacer la tarea / mañana

Tenemos que hacer la tarea para mañana.

4. Viajaron / todo el país

Viajaron por todo el país.

5. Estaremos en Honduras / seis meses

Estaremos en Honduras por seis meses.

UNIDAD 3 Lección 1 Gramática A

Unidad 3, Lección 1
Gramática A
106

¡Avancemos! 3
Cuaderno para hispanohablantes

Gramática B *Por y para*

> **¡AVANZA!**   **Goal:** Practice the difference between **por** and **para**.

1 Reemplaza las expresiones subrayadas con **por** o **para**. Escribe las oraciones de nuevo.

Modelo: Nosotros tenemos que ir al centro <u>durante</u> la mañana.

Nosotros tenemos que ir al centro por la mañana.

1. La destrucción de la selva es <u>a causa de</u> la deforestación.

La destrucción de la selva es por la deforestación.

2. El medio ambiente estará en peligro <u>durante</u> muchos años.

El medio ambiente estará en peligro por muchos años.

3. Me mandó las fotos de la selva tropical <u>a tráves del</u> correo electrónico.

Me mandó las fotos de la selva tropical por correo electrónico.

4. Isabel nos dio cinco dólares <u>a cambio de</u> un libro sobre el reciclaje.

Isabel nos dio cinco dólares por un libro sobre el reciclaje.

2 Completa el párrafo con **por** o **para**.

1. ___Para___ ser un buen ciudadano, es importante preocuparse **2.** ___por___ las cuestiones sociales de la comunidad. **3.** ___Por___ ejemplo, los proyectos de acción social sirven **4.** ___para___ mejorar la sociedad. **5.** ___Para___ mucha gente, estos programas funcionan bien y son buenos **6.** ___para___ el futuro de la comunidad. **7.** ___Por___ muchos años el público ha participado en las campañas de la comunidad **8.** ___por___ razones personales y sociales. **9.** ___Por___ lo general, participar en estos programas es una experiencia acogedora **10.** ___para___ mucha gente.

3 Contesta las siguientes preguntas. Escribe oraciones completas con **por** o **para** en tus respuestas.

1. ¿Para cuándo te gradúas de la escuela?

Me gradúo para el verano.

2. ¿Por cuánto tiempo piensas estudiar español?

Estudiaré español por dos semestres.

3. Para ti, ¿cuál es una cuestión social muy importante?

La conservación del medio ambiente es muy importante para la vida.

4. ¿Qué haces normalmente las tardes de los fines de semana?

Me voy al cine por la tarde.

UNIDAD 3 Lección 1 Gramática B

Gramática C *Por y para*

> **¡AVANZA!** **Goal:** Practice the difference between **por** and **para**.

1 Completa el siguiente diálogo sobre un viaje de Elena y Carolina con **por** o **para**.

Elena: Hola Carolina. ¿A qué hora pasas **1.** ___por___ mi casa mañana?

Carolina: **2.** ___Por___ la mañana tengo que comprar un vestido **3.** ___para___ el viaje.

Elena: ¿ **4.** ___Para___ qué fecha es nuestro vuelo?

Carolina: Es **5.** ___para___ el quince de noviembre. La agente de viajes dijo que tiene mucha información **6.** ___para___ nosotras sobre las atracciones turísticas.

Elena: ¿Pudiste cambiar este vuelo **7.** ___por___ otro vuelo más temprano?

Carolina: Sí. Bueno, **8.** ___para___ hacer más planes paso **9.** ___por___ tu casa y hablamos de lo que tenemos que hacer **10.** ___para___ prepararnos para el viaje.

2 Escribe oraciones completas y lógicas con un elemento de cada columna.

Quería ir a un café	por	tomar un café conmigo
Pregunté si hay un café	para	aquí cerca
Caminé		descansar un rato
Vi a mi amigo José y se quedó		mañana
José me dijo que tenía que hacer la tarea		una hora y media

Modelo: *Quería ir a un café para descansar un rato.*

1. Pregunté si hay un café por aquí cerca.

2. Caminé por una hora y media.

3. Vi a mi amigo José y se quedó para tomar un café conmigo.

4. José me dijo que tenía que hacer la tarea para mañana.

3 Escribe oraciones completas para contar qué haces: por tu salud, para sacar buenas notas, por tu barrio, para disfrutar del tiempo libre y por tu familia.

_____

_____

_____

_____

_____

_____

Gramática adicional *Algunos fenómenos gramaticales*

¡AVANZA! **Goal:** Use of common grammatical phenomena and their standard counterparts.

Observa los siguientes fenómenos del español:

Fenómeno	El español estándar
1. **Habían** tres estudiantes en la biblioteca.	**Había** tres estudiantes en la biblioteca.
2. Ustedes tienen el libro que necesito. **Démenlo**, por favor.	Ustedes tienen el libro que necesito. **Dénmelo**, por favor.
3. **Siéntensen**, por favor.	**Siéntense**, por favor.
4. ¿Tú ya **comistes**?	¿Tú ya **comiste**?
5. Todos los veranos **íbanos** a la playa.	Todos los veranos **íbamos** a la playa.
6. Las chicas **estudiando** en el jardín son mis primas.	Las chicas **que estudian** en el jardín son mis primas.
7. Voy a comprar los **cafeses**.	Voy a comprar los **cafés**.

Estos fenómenos se deben a la sobregeneralización de las formas del estándar al español hablado; se consideran errores gramaticales pero su uso es común en el mundo hispanohablante.

Escribe los siguientes enunciados de nuevo en el español estándar.

Modelo: ¿A qué hora vinistes de trabajar?

A qué horas viniste de trabajar?

1. ¿A qué hora te levantastes hoy?

   ¿A qué hora te levantaste hoy?

2. Me duelen los pieses.

   Me duelen los pies.

3. La familia viviendo al lado de nosotros tiene un perro grande.

   La familia que vive al lado de nosotros tiene un perro grande.

4. ¿Vistes la nueva blusa que compré?

   ¿Viste la nueva blusa que compré?

5. Sólo habían seis personas en el cine.

   Sólo había seis personas en el cine.

Integración: Hablar

 ¡AVANZA! **Goal:** Respond to written and oral passages expressing environmental concerns and possibilities.

Lee el siguiente artículo que apareció en un periódico centroamericano.

Fuente 1 Leer

El Heraldo

EDICIÓN MATUTINA

La basura electrónica y el medio ambiente

Felipe González
San José, Costa Rica.— Quien diga que los costarricenses, en cuanto a la tecnología, no han entrado pisando fuerte al nuevo milenio, sólo tiene que visitar uno de nuestros tiraderos. La cantidad de televisiones, estéreos, teléfonos celulares y computadoras obsoletas acumulada en las montañas de cosas por reciclar es impresionante. Pero más allá de los esqueletos de todos estos artículos, los peligros surgen cuando pensamos en los metales pesados que forman su cerebro y organismo. El cadmio, el mercurio y el plomo, por ejemplo, son verdaderos peligros para la salud. Y si el problema es evidente en los basureros donde se recicla, sólo hay que visitar los que no llevan a cabo este proceso para darnos cuenta de la emergencia a la que nos enfrentamos. La solución no es difícil de hallar. La mayoría de las grandes ciudades cuenta con empresas de reciclaje especializadas en desmantelar estos aparatos para reutilizar sus partes. Con una pequeña búsqueda en un directorio es seguro que podríamos remediar la situación.

Escucha el mensaje que Humberto Soria dejó en el contestador de su amiga María Elena. Toma notas. Luego completa la actividad.

Fuente 2 Escuchar

HL CD 1, tracks 17–18

Según el artículo que leíste, explica con una respuesta corta lo que María Elena podría sugerirle a Humberto. Explica por qué, en tu opinión, ésta es una buena solución.

UNIDAD 3 Lección 1

Integración: Hablar

Copyright © by McDougal Littell, a division of Houghton Mifflin Company.

Integración: Escribir

¡AVANZA!	**Goal:**	Respond to written and oral passages expressing environmental concerns and possibilities.

Lee la siguiente tabla de noticias que viene del sitio web de un periódico de Guatemala.

Fuente 1 Leer

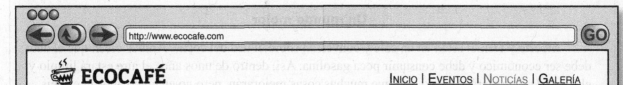

ECOCAFÉ

INICIO | EVENTOS | NOTICÍAS | GALERÍA

El Salvador
Ministros del Programa de las Naciones Unidas para el Medio Ambiente (PNUMA) se reunirán este mes en San Salvador para discutir los peligros de la industria química. Según el PNUMA, la tendencia de los países industrializados de trasladar sus fábricas y laboratorios de productos químicos a los países en desarrollo pone en peligro a la población mundial.

Guatemala
La industria biotecnológica guatemalteca busca mercados entre los países industrializados.

Honduras
Las Islas de la Bahía se beneficiarán de un donativo de 2.5 millones de dólares para la conservación de los ecosistemas y la biodiversidad. El Fondo para el Medio Ambiente Mundial apoyará varios programas con el fin de proteger la región.

Panamá
La ley que castiga con cárcel a los «mercenarios del medio ambiente» será puesta en práctica para investigar las denuncias de los habitantes de las tierras altas de Azuero. La cacería ilegal de especies en peligro de extinción y la tala inmoderada de árboles son delitos que serán perseguidos.

Escucha la nota de Radio Público de Juan José Balseiro, un periodista panameño. Toma notas. Luego completa la actividad.

Fuente 2 Escuchar

HL CD 1, tracks 19–20

Escribe un párrafo en el que resumas los problemas ambientales que afectan a Centroamérica, según estas fuentes. ¿Crees que deba hacerse algo para solucionarlos? ¿Por qué? **Answers will vary.**

_____
_____
_____
_____

Lectura A

| ¡AVANZA! | **Goal:** Read about environmental concerns and possibilities. |

1 Lee las ideas de Alberto y Daniel sobre el futuro. Responde a las preguntas de comprensión y da tu opinión sobre lo que ellos dicen.

Un mundo mejor

Alberto y Daniel están en un café y conversan sobre el uso del coche. Ambos creen que el auto debe ser económico y debe consumir poca gasolina. Así, dentro de unos años el aire estará limpio y el smog desaparecerá. Alberto cree que muchas cosas mejorarán, pero no en cinco años ni en seis, porque el planeta está bastante enfermo y necesitará más tiempo para volver a tener aire limpio. Daniel le explica que si todos ayudamos no se necesitará tanto tiempo. Él cree que hay muchas personas que se preocupan por la naturaleza, por los riesgos de la contaminación y por el cuidado del medio ambiente. Además, Daniel piensa que muy pronto los investigadores desarrollarán coches y máquinas que no necesitarán petróleo para funcionar; lo harán con energías limpias y renovables como el sol y el viento. Gracias a las energías renovables, la contaminación disminuirá tanto que ya no habrá problemas con la capa de ozono. El mundo será mucho mejor que ahora.

2 **¿Comprendiste?** Responde a las siguientes preguntas con oraciones completas.

1. Según Daniel, ¿por qué ayudarán las personas a cuidar el medio ambiente?

Las personas lo harán porque cada vez hay más personas que conocen los riesgos de

la contaminación.

2. De acuerdo con lo que dice Daniel, ¿cuáles serán los aportes más importantes de los científicos dentro de unos años? ¿Cómo pueden cambiar nuestra vida estos aportes?

Los aportes de los científicos serán desarrollar coches y máquinas que funcionen

con energías renovables. El uso de estas energías puede ayudar a disminuir la

contaminación de manera importante y hacer que nuestra vida sea mejor.

3. ¿En qué están de acuerdo Daniel y Alberto y en qué no están de acuerdo?

Los dos están de acuerdo en que en el futuro los problemas del medio ambiente

disminuirán. Pero Daniel cree que los problemas se terminarán muy pronto, mientras

Alberto piensa que se necesitará más tiempo para solucionarlos.

3 **¿Qué piensas?** Según Alberto, «nuestro planeta está bastante enfermo y necesitará más tiempo para curarse». ¿Estás de acuerdo con Alberto? ¿Por qué? Answers will vary.

_____

_____

_____

_____

Lectura B

> ► **¡AVANZA!** **Goal:** Read about environmental concerns and possibilities.

1 Lee el anuncio sobre la celebración del Día del Árbol. Responde a las preguntas de comprensión y compara esta celebración con una experiencia tuya.

¡El Día del Árbol!

Los árboles mantienen la vida y el equilibrio de la naturaleza. Ellos limpian el aire, nos proporcionan oxígeno para respirar y embellecen nuestros campos y ciudades. Nos dan los alimentos y la madera, y sirven de hogar para muchos animales. Además evitan la erosión para impedir, con sus raíces, que las lluvias y los vientos arrastren la tierra y los nutrientes. Si te importa la naturaleza, la asociación Amigos de los Árboles instalará un puesto de información en el prado de los Laureles. El domingo 25 de marzo las personas que lo deseen podrán visitar una exposición de fotografías y dibujos de los árboles de nuestra región en la antigua granja de los Laureles. Los actos del día comenzarán a las 10:30 a.m. con una charla del concejal del medio ambiente. A las 11:00 a.m., los instructores de la Escuela-Taller de Jardinería explicarán el ciclo de la vida de los árboles. A partir de las 11:30 a.m., comenzará la plantación de 350 árboles. Las personas que quieran plantar un árbol deberán recogerlo en el puesto de información. Los voluntarios de Amigos de los Árboles y del Ayuntamiento les indicarán cómo deben plantarlos y les proporcionarán guantes y palas. A la 1:00 p.m., el Ayuntamiento invitará a todos los asistentes a un almuerzo campestre. Después de comer tendremos juegos, actividades y un concurso de dibujo para los niños. ¡Los esperamos a todos!

---

2 **¿Comprendiste?** Responde a las siguientes preguntas con oraciones completas.

1. ¿Por qué son importantes los árboles para las personas?

Los árboles son importantes porque limpian el aire, nos dan oxígeno, alimentos y madera. Además evitan la erosión y embellecen el paisaje.

2. ¿Qué tendrán que hacer las personas que quieren plantar un arbolito?

Esas personas deberán recogerlo en el puesto de información y llevarlo al lugar en el que se va a realizar la plantación.

3. ¿Cuál es el principal evento en esta celebración del Día del Árbol? ¿Qué otras actividades se desarrollarán?

El principal evento es la plantación de 350 arbolitos. Además habrá una exposición de fotografías y dibujos, charlas, una comida campestre, juegos y un concurso de dibujo.

3 **¿Qué piensas?** ¿Has participado alguna vez en una tarea colectiva relacionada con la conservación del medio ambiente? Si no es así, ¿cómo te gustaría colaborar para conservar el medio ambiente? Answers will vary.

Lectura C

> **¡AVANZA!** **Goal:** Read about environmental concerns and possibilities.

1 Lee el informe que escribió Silvia sobre una sesión de orientación profesional. Responde a las preguntas de comprensión y compara su experiencia con la tuya.

Profesiones del futuro

Ayer asistí a una sesión informativa con mis compañeros y compañeras de clase sobre nuevas profesiones ambientales. Las profesiones que presentaron son todas muy interesantes. Son profesiones que hace unos años no existían y que surgieron al necesitarse personas preparadas para afrontar problemas relacionados con el medio ambiente y para asegurar el cumplimiento de las leyes y reglas de protección.

Varios compañeros, compañeras y yo quedamos tan entusiasmados con estas profesiones que decidimos estudiar para trabajar y ayudar a solucionar los problemas relacionados con el medio ambiente. Además de ser profesiones interesantes nos darán la oportunidad de encontrar un buen empleo. En los próximos años habrá una gran demanda de profesionales ambientales, tanto en las compañías privadas que tienen que cumplir las leyes sobre protección como en las organizaciones que ayudan a que otras compañías las cumplan; por ejemplo las agencias del gobierno que controlan y aseguran el cumplimiento de esas leyes.

Hace unas semanas no sabía qué profesión quería seguir, pero ahora creo que estudiaré para ser ingeniera ambiental. Como ingeniera ambiental vigilaré que las empresas cumplan las leyes y reglas relacionadas con el medio ambiente, analizaré la calidad del agua y dirigiré los programas de reciclaje.

Mi amiga Rosario será especialista en la calidad del aire. Ella y yo haremos tareas muy parecidas porque ella también tendrá que vigilar que se cumplan las leyes y hará análisis para saber si el medio ambiente está contaminado, pero ella se ocupará sólo del aire.

Mis compañeros Marta y Pedro serán conservacionistas de suelos. Ellos se encargarán de analizar y restaurar los suelos y las tierras dañadas por la erosión, y harán sugerencias a los agricultores sobre los mejores tratamientos para el crecimiento de sus plantas.

Fernando, otro amigo, siempre quiso ser maestro. Como ahora también está muy preocupado por el medio ambiente, cree que ser educador ambiental es una profesión perfecta para él. Así podrá hacer las dos cosas que más le gustan: enseñar y cuidar el medio ambiente. Él educará a las personas sobre los problemas del medio ambiente y la forma de solucionarlos, les hablará sobre las especies en peligro de extinción y les dirá qué pueden hacer para protegerlas. Hará sugerencias sobre el ahorro de agua y de energía, enseñará a los niños cómo reciclar y ayudará a la gente a comprender por qué es importante la colaboración de todos para cuidar y salvar la Tierra. Yo conozco bien a Fernando y sé que trabajará mucho y que se sentirá muy feliz con esta profesión.

Con todo esto que te conté, ¿te animas a seguir una profesión para proteger el medio ambiente? Entre más personas nos comprometamos mejor y más efectiva será la acción.

UNIDAD 3 Lección 1

Lectura C

2 **¿Comprendiste?** Responde a las siguientes preguntas: Answers will vary. Possible answers:

1. Las profesiones sobre las que escribe Silvia existen sólo desde hace unos años. ¿Por qué?

Estas profesiones tienen poco tiempo de exisitir porque todas estas profesiones

surgieron con el fin de ayudar a solucionar los problemas del medio ambiente que

existen actualmente. Estos problemas antes no existían o no eran tan graves.

2. Según lo que escribe Silvia, ¿qué oportunidades de trabajo tendrán los profesionales del medio ambiente?

Estos profesionales tendrán unas oportunidades de trabajo muy buenas, ya que se

necesitarán muchas personas preparadas en este campo. Ellos podrán trabajar con

compañías privadas y con agencias del gobierno.

3. ¿Qué profesionales se ocuparán de analizar la calidad del agua? Di alguna otra tarea de estos profesionales.

Los ingenieros ambientales analizarán la calidad del agua; estos profesionales también

dirigirán programas de reciclaje.

4. Si tú decides ser educador o educadora ambiental, ¿cuál será tu trabajo?

Mi trabajo será educar a las personas sobre los problemas del medio ambiente y

la forma de solucionarlos; haré sugerencias sobre el ahorro de agua y de energía;

enseñaré a los niños cómo reciclar y ayudaré a la gente a comprender por qué es

importante la colaboración de todos para cuidar y salvar la Tierra.

3 **¿Qué piensas?** ¿Cuál de las profesiones de las que habla Silvia te parece la más interesante? ¿Por qué? ¿Crees que esta profesión podría ser útil en tu comunidad? Si tuvieras esta profesión, ¿qué cosas harías por tu comunidad? Escribe dos de ellas.   Answers will vary.

Escritura A

¡AVANZA!	**Goal:** Express environmental concerns and possibilities.

Escribe un párrafo sobre el tema de cómo ayudar a mejorar el medio ambiente.

1 Escribe dentro del cuadro dos cosas que cada persona o personas pueden hacer para mejorar el medio ambiente.

Mi profesor(a) y mis compañeros(as) de clase	1.
	2.
Mi familia	1.
	2.
Yo	1.
	2.

2 Escribe tu párrafo con base en los datos de la Actividad 1. Incluye: 1) seis actividades diferentes; 2) ideas bien organizadas y fáciles de comprender; 3) verbos en el futuro. **Answers will vary**

_____

_____

_____

_____

_____

_____

3 Evalúa tu párrafo usando la siguiente tabla.

	Crédito máximo	**Crédito parcial**	**Crédito mínimo**
Contenido	El párrafo incluye seis actividades diferentes y la información está bien organizada y es fácil de comprender.	El párrafo incluye cinco actividades diferentes; parte de la información no está bien organizada o no es fácil de comprender.	El párrafo incluye cuatro actividades diferentes o menos; la información no está organizada y no es fácil de comprender.
Uso correcto del lenguaje	Hay muy pocos errores o ninguno en el uso de los verbos.	Hay algunos errores en el uso de los verbos.	Hay un gran número de errores en el uso de los verbos.

UNIDAD 3 Lección 1

Escritura A

Name _____   Date _____

Escritura B

¡AVANZA!	**Goal:** Express environmental concerns and possibilities.

Haz algunas predicciones sobre cómo será la vida en el año 2100, con el fin de comprender los problemas actuales del medio ambiente.

1 Observa el modelo del cuadro y escribe qué cambiará poco y qué cambiará mucho para cada uno de los elementos de la primera columna.

	Seguirá igual o muy parecido(a)	**Cambiará, será totalmente nuevo(a)**
La comida	*la comida en paquetes*	*la comida comprimida*
Las casas		
Los medios de transporte		
La naturaleza		
Las diversiones		

2 Escribe el párrafo usando la información de la tabla anterior. Asegúrate de que: 1) la información está clara y bien organizada y 2) el lenguaje y los verbos son correctos. **Answers will vary.**

_____

_____

_____

_____

_____

_____

_____

_____

3 Evalúa el párrafo usando la siguiente tabla.

	Crédito máximo	**Crédito parcial**	**Crédito mínimo**
Contenido	El párrafo incluye información clara y bien organizada.	El párrafo incluye información y la mayor parte es clara y bien organizada.	El párrafo incluye poca información y no es clara ni organizada.
Uso correcto del lenguaje	Tuviste muy pocos errores o ninguno en el uso del lenguaje y los verbos.	Tuviste algunos errores en el uso del lenguaje y los verbos.	Tuviste un gran número de errores en el uso del lenguaje y los verbos.

Escritura C

> ¡AVANZA! **Goal:** Express environmental concerns and possibilities.

El próximo verano tu hermano(a) mayor va a participar en un proyecto de acción social en un país de Centroamérica. Ayúdalo a tomar una decisión.

1 Elige el país de Centroamérica en el que se desarrollaría cada proyecto. Escribe dos ideas que deben hacerse en cada proyecto. Dile a tu hermano que le dé una puntuación de 1 a 5 a cada actividad según lo que le guste o lo que le parezca interesante.

Proyecto	País	Actividades	Puntos
aplicación de energía solar		1. _____ 2. _____	
eliminación de la deforestación		1. _____ 2. _____	
proyecto educacional		1. _____ 2. _____	

2 Con base en lo anterior, tu hermano decide en qué proyecto puede participar. Prepárale un resumen y asegúrate de: 1) presentar la información de manera organizada; 2) incluir cinco actividades que hará; 3) hacer un uso correcto de los verbos en futuro y del lenguaje. **Answers will vary.**

_____
_____
_____
_____
_____
_____

3 Evalúa el resumen usando la siguiente tabla.

	Crédito máximo	Crédito parcial	Crédito mínimo
Contenido	Tu resumen está bien organizado e incluye cinco actividades.	La mayor parte de tu resumen está bien organizado e incluye cuatro actividades.	Tu resumen está desorganizado y sólo incluye tres actividades o menos.
Uso correcto del lenguaje	Tuviste muy pocos errores o ninguno en el uso del lenguaje y los verbos.	Tuviste algunos errores en el uso del lenguaje y los verbos.	Tuviste un gran número de errores en el uso del lenguaje y los verbos.

Escritura C UNIDAD 3 Lección 1

Unidad 3, Lección 1
Escritura C

118

¡Avancemos! 3
Cuaderno para hispanohablantes

Cultura A

> **¡AVANZA!** **Goal:** Discover and know people, places, and culture from Central America.

1 Completa el siguiente crucigrama sobre la geografía de Centroamérica.

1. Capital de Honduras.
2. Capital de Nicaragua.
3. San _____, capital de Costa Rica.
4. País que tiene frontera con Guatemala.
5. San _____, capital de El Salvador.
6. Capital de Guatemala.
7. Capital de Panamá.
8. Océano que baña las costas de El Salvador.

Crossword:
- 7 Down: PANAMA
- 1 Across: TEGUCIGALPA
- 6 Down: GUATEMALA
- 8 Down: PACIFICO
- 2 Across: MANAGUA
- 3 Across: JOSE
- 4 Across: MEXICO
- 5 Across: SALVADOR

2 Responde de forma breve a las siguientes preguntas.

1. En Centroamérica se hablan el mam y el quiché entre otros idiomas indígenas. ¿Cuál es el origen de estos dos idiomas?
   Éstos son de origen maya.

2. ¿En qué país está el monte más alto de Centroamérica?
   El monte más alto de Centroamérica está en Guatemala.

3. ¿Cuáles son los principales problemas que afectan las selvas de Centroamérica?
   Los principales problemas de las selvas son la deforestación y la contaminación.

3 ¿Por qué crees que los ecoturistas visitan Costa Rica y otros lugares similares?
   Los ecoturistas visitan lugares como Costa Rica porque allí la naturaleza tiene elementos únicos y extraordinarios.

¿Qué lugar de tu región o estado le recomendarías visitar a una persona que quiere admirar la naturaleza? ¿Cómo es ese lugar? Completa la siguiente ficha y escribe una oración para cada uno de los puntos que se indican. **Possible answers:**

En _____Florida_____ recomiendo visitar _____los Everglades._____

Paisaje: __Los Everglades son un lugar muy especial. Son una gran extensión de terreno inundado por varios ríos de agua dulce que corren muy lentamente.__

Vida vegetal y animal: __Están cubiertos de hierbas altas y árboles aislados. La fauna es variada; hay cocodrilos, panteras y grullas.__

Lo que más me gusta a mí: __Lo mejor es pasear en barco por los canales.__

Cultura B

> **¡AVANZA!** **Goal:** Discover and know people, places, and culture from Central America.

① Responde de forma breve a las siguientes preguntas sobre la cultura y la geografía de Centroamérica.

1. En Centroamérica se hablan varios idiomas indígenas de origen maya. Menciona tres de ellos.

Algunos idiomas indígenas son el mam, el kaqchiquel, el akateco y el quiché.

2. Menciona algunas comidas típicas de Centroamérica.

Algunos comidas típicas son las pupusas, los tamales, el gallo pinto, las tortillas y el

ceviche.

3. ¿Cómo es el clima en Centroamérica?

El clima es caliente y húmedo en las tierras bajas y frío en las tierras altas.

4. ¿Cuál es el pico más alto de Centroamérica y en qué país está?

El pico más alto es el Volcán Tajumulco, en Guatemala.

② La naturaleza y la historia de Centroamérica son muy interesantes. Responde a las siguientes preguntas usando oraciones completas.

1. El lago de Nicaragua tiene agua dulce. ¿Cómo se explica la presencia de tiburones en ese lago?

Antes de ser un lago fue parte del Mar Caribe; con el paso de los años, el agua salada

se transformó en agua dulce.

2. ¿Por qué Centroamérica es una zona interesante para la arqueología?

Centroamérica es interesante para la arqueología porque allí se encuentran muchos

restos de la civilización maya.

③ ¿Cuales son dos grandes problemas de las selvas centroamericanas? ¿Qué problemas afectan el medio ambiente de tu región? ¿Cuál es la consecuencia? Explica cuáles son los problemas y escribe una oración explicando las consecuencias que tienen. **Answers will vary. Possible answer:**

Las dos grandes problemas de las selvas centroamericanas son la deforestación y la

contaminación. Yo vivo en una región en la que hay muchos bosques. Estos bosques están

protegidos y no tenemos problemas de deforestación. Pero en las grandes ciudades

hay contaminación por los automóviles y las industrias. La consecuencia de esta

contaminación es que el aire está sucio y no es bueno para la respiración.

Copyright © by McDougal Littell, a division of Houghton Mifflin Company.

Cultura C

¡AVANZA!	**Goal:** Discover and know people, places, and culture from Central America.

1 Responde con oraciones completas a las siguientes preguntas sobre Centroamérica.

1. ¿Qué artesanía indígena típica se puede comprar en los mercados al aire libre de Centroamérica y cuál es una de sus características?

En los mercados al aire libre de Centroamérica se puede comprar ropa hecha a mano por los mayas; esta ropa tiene una combinación de hermosos colores.

2. Nombra a dos centroamericanos famosos y di de qué país son y por qué son famosos.

Answers will vary. Possible answer: Rubén Darío fue un poeta de Nicaragua. Claribel Alegría es una escritora de El Salvador. Gabriela Núñez es una política de Honduras.

2 Responde a las siguientes preguntas con todos los detalles posibles.

1. ¿Cómo se formó el lago de Nicaragua?

El lago formaba parte del mar Caribe, pero cuando subió el nivel de la tierra se formó el lago. Con el tiempo, el agua salada se convirtió en agua dulce.

2. ¿Qué puede pasar si llegan a desaparecer las tortugas en Centroamérica?

Si desaparecieran las tortugas aumentaría la cantidad de algas de las que se alimentan. Las algas podrían contaminar el agua. También los animales que se alimentan de tortugas, como los jaguares, tendrían que comer otro tipo de animales.

3 ¿Qué se debe hacer para evitar la extinción de algunas especies animales? Menciona una especie en peligro de extinción o una especie protegida en Estados Unidos. Describe cual es su situación actual y cuál tú crees que será su situación dentro de unos años y por qué.

Answers will vary. Possible answer: Para evitar la extinción de algunas especies animales se les deben declarar especies protegidas. Una especie protegida en Estados Unidos es el bisonte. A pesar de que antiguamente había grandes manadas de bisontes en las praderas del centro del país, actualmente sólo quedan unos pocos. Seguramente, en el futuro habrá más porque ya nadie los caza y se cuidan los lugares donde viven. Pero se necesitarán muchos años para que su número aumente de manera considerable.

Vocabulario A *Por un futuro mejor*

Level 3 Textbook pp. 180–182

> **¡AVANZA!** **Goal:** Talk about a better future.

❶ Escoge la palabra de la derecha que se asocia con la palabra de la izquierda.

1. la sociedad ___*d*___
2. persistir ___*e*___
3. la irresponsabilidad ___*c*___
4. imprescindible ___*a*___
5. evaluar ___*b*___

a. esencial
b. criticar
c. el fracaso
d. los ciudadanos
e. seguir adelante

❷ Completa las oraciones con la palabra correcta del cuadro.

Modelo: Hay que luchar para *superar* los obstáculos de la vida.

desconfianza	un fracaso	sufrimiento	superar	solucionar	la unidad

1. No eres _____*un fracaso*_____ total si cometes un error.
2. No es raro sentir _____*desconfianza*_____ de lo desconocido.
3. Para progresar necesitamos _____*la unidad*_____ de todas las personas.
4. Juntos vamos a _____*solucionar*_____ nuestros problemas.
5. Se debe respetar el _____*sufrimiento*_____ de otros y ayudarlos a prosperar.

❸ Contesta las preguntas con oraciones completas. **Answers will vary. Possible answers:**

1. ¿Cómo se llama una persona que nace y vive en un país?

   La persona que nace y vive en un país es un(a) ciudadano(a).

2. ¿Cuál es uno de los vehículos más novedosos de los años 2000?

   Uno de los productos más novedosos es el vehículo híbrido.

3. ¿Cuál es una dificultad que impide el progreso?

   Una dificultad que impide el progreso es el miedo al fracaso.

Vocabulario B *Por un futuro mejor*

| ¡AVANZA! | **Goal:** Talk about a better future. |

① Escoge la letra de la oración de la derecha que define la palabra de la izquierda.

1. la advertencia __d__

2. la unidad __e__

3. la irresponsabilidad __a__

4. la patente __c__

5. la desconfianza __b__

a. Es no encargarte de lo que tienes que hacer.

b. Es lo que sientes cuando una persona nunca te dice la verdad.

c. Es el documento oficial que legaliza la comercialización de un producto.

d. Es un aviso de que algo malo o peligroso va a pasar.

e. Es lo que resulta cuando un grupo se hace sólido.

② Completa el párrafo con la palabra correcta del cuadro.

solución	adelante	satisfacer	obstáculos
problemas	insistir	sociedad	fracasos

Si queremos darle **1.** _____solución_____ a los problemas del planeta, tenemos

que luchar contra los **2.** _____obstáculos_____ que nos ofrece. Hay incendios,

sequías, inundaciones y temblores pero debemos seguir **3.** _____adelante_____

para superar estos **4.** _____problemas_____. Es esencial saber cómo

5. _____satisfacer_____ nuestras necesidades y al mismo tiempo respetar

nuestro planeta. A veces criticamos la política y la **6.** _____sociedad_____ por

nuestros **7.** _____fracasos_____ pero la verdad es que todos tenemos que

8. _____insistir_____ en el progreso del planeta.

③ Completa las siguientes opiniones para describir cómo los ciudadanos pueden encargarse de la comunidad. **Answers will vary. Possible answers:**

1. Los ciudadanos deben _____tener una conciencia social._____

2. Es imprescindible que usemos _____productos y recursos renovables._____

3. Hay que _____seguir adelante y persistir._____

4. Si hay un obstáculo, _____debemos luchar y progresar._____

5. Tenemos que _____evaluar la política._____

Vocabulario C *Por un futuro mejor*

> ¡AVANZA! **Goal:** Talk about a better future.

1 Escribe una definición para cada una de las siguiente palabras. **Possible answers:**

1. invento: Producto o aparato nuevo que alguien hace, idea o crea.

2. desconfianza: Es lo que sientes cuando sospechas que alguien no te dice la verdad.

3. obstáculo: Es lo que hace imposible o difícil que se haga cierta cosa.

4. advertencia: Es llamar la atención a alguien de un peligro o una dificultad.

5. principio: Regla por la que se dirige una persona.

2 Escoge la que más se asocia al contexto de los siguientes mini-diálogos. En la caja hay más palabras que las que necesitas.

el principio	el fracaso	el producto	las irresponsabilidades
las sociedades	las políticas	los ciudadanos	los principios	los obstáculos

1. María: Hola, Georgina. Para ti, ¿cuál es ___el producto___ más novedoso de las últimas décadas?

   Georgina: El más novedoso es el vehículo híbrido.

2. Marisol: Contéstame esta pregunta, por favor. ¿Quién debe encargarse de mejorar el futuro?

   José María: Pienso que todos ___los ciudadanos___ debemos encargarnos de mejorar el futuro, ¿verdad?

3. Antonio: ¿Cuál es uno de ___los obstáculos___ que tenemos que superar para progresar?

   Esmeralda: Uno de ellos es la falta de conciencia social de algunas personas.

3 Escribe un párrafo para describir cómo los ciudadanos y los políticos pueden ser más responsables. Usa el vocabulario de la lección. **Answers will vary.**

_____

_____

_____

_____

_____

UNIDAD 3 Lección 2

Vocabulario C

Vocabulario adicional

¡AVANZA!	**Goal:** Expand your vocabulary with common phrases for expressing opinions.

Ya aprendiste algunas frases verbales que puedes usar para expresar tus opiniones.

Dos de estas frases son **Dudo que** y **No es verdad que**. Hay otras expresiones que puedes usar para dar énfasis a tus opiniones.

Para mí	*as for me*
Por mi parte	*as far as I'm concerned*
Desde mi punto de vista	*from my point of view*
En mi opinión	*in my opinion*
Entiendo que	*from my understanding*
Según	*according to*

1 Indica con las siguientes expresiones lo que piensas de tu libro favorito. Escribe oraciones completas en cada oración. **Answers will vary. Possible answers:**

Título del libro: Buenas noches, luna

1. Para mí, Margaret Wise Brown es una escritora excelente.

2. Desde mi punto de vista, entiendo que también es una historia de amistad.

3. En mi opinión, los dibujos son fantásticos.

4. Según lo que leo, a todos los niños les gusta el libro.

5. Creo que, es un libro que leerás muchísimas veces.

2 Describe tu película favorita con cinco expresiones de la lista. Escribe oraciones completas y usa una expresión por oración. **Answers will vary. Possible answers:**

Título de la película: Amigos para siempre

1. Para mí, es la mejor película para niños.

2. Por mi parte, es una película cómica.

3. En mi opinión, también es un poco triste.

4. Desde mi punto de vista, es una historia de amor.

5. Entiendo que también es una historia de amistad.

UNIDAD 3 Lección 2 Vocabulario adicional

Gramática A *Present subjunctive of regular verbs*

¡AVANZA!	**Goal:** Use impersonal expressions and the subjunctive to express your opinions.

1 Lee las oraciones sobre las obligaciones de la sociedad y subraya la forma correcta del verbo.

1. Es importante que los ciudadanos (<u>voten</u> / votan).

2. Es necesario que el gobierno (<u>respete</u> / respeta) a los ciudadanos.

3. Para prosperar, es imprescindible que el país (tiene / <u>tenga</u>) buenas relaciones con otros países.

4. Es probable que la sociedad (<u>cometa</u> / comete) errores.

5. Es imposible que una persona (soluciona / <u>solucione</u>) los problemas de mundo.

2 Completa las siguientes oraciones con la forma correcta del verbo.

1. Es importante que nuestra lucha por la igualdad _____**persista**_____ (persistir).

2. Ojalá que nuestros hijos _____**se informen**_____ (informarse) sobre las cuestiones importantes de la sociedad.

3. Es bueno que el gobierno nos _____**advierta**_____ (advertir) de los problemas que nos afectan.

4. Es malo que los medios de comunicación _____**comercialicen**_____ (comercializar) con el sufrimiento de la gente.

5. Es probable que yo _____**cometa**_____ (cometer) errores con mis hijos.

3 Escribe seis oraciones para describir qué tiene que hacer Julia para ser una buena ciudadana. Usa el subjuntivo y escoge los elementos de cada columna que correspondan.

Modelo: *Es imprescindible que el alcalde apoye las campañas importantes.*
Answers will vary. Possible answers:

Es necesario	buscar maneras de ayudar a la gente
Es importante	respetar a las otras personas
(No) es bueno	hacer investigaciones sobre los problemas
(No) es malo	criticar a otros
Es mejor	participar en proyectos de acción social

1. Es importante que la alcaldesa participe en proyectos de acción social.

2. Es malo que María critique a otros.

3. Es bueno que la policía haga investigaciones sobre los problemas.

4. Es necesario que el ciudadano respete a las otras personas.

5. Es mejor que yo busque maneras de ayudar a la gente.

Gramática B *Present subjunctive of regular verbs*

> **¡AVANZA!**   **Goal:**   Use impersonal expressions and the subjunctive to express your opinions.

1 María le da consejos a Rosa para sacar buenas notas en la escuela. Completa las siguientes oraciones con la forma correcta del verbo.

Para sacar buenas notas es imprescindible estudiar mucho. Es importante que los alumnos **1.** _____ **respeten** _____ (respetar) a los profesores y que **2.** _____ **hagan** _____ (hacer) la tarea. Es imposible progresar si uno no hace sus deberes. Es probable que los profesores **3.** _____ **critiquen** _____ (criticar) tu trabajo, pero al final es mejor que tú **4.** _____ **aprendas** _____ (aprender) de tus errores. Para seguir adelante, es necesario que todos **5.** _____ **tengan** _____ (tener) en cuenta que van a la escuela para aprender. ¡Ojalá que todos nosotros **6.** _____ **podamos** _____ (poder) progresar juntos!

2 Completa las siguientes oraciones para explicarle a los estudiantes qué se debe hacer para proteger el medio ambiente. **Answers will vary. Possible answers:**

1. Es necesario que
   conservemos los recursos naturales.

2. Es bueno que
   nos informemos de las cuestiones importantes.

3. Es malo que
   la gente gaste dinero, electricidad y petróleo innecesariamente.

4. Es una lástima que
   no todos reciclen.

5. Es posible que
   la contaminación destruya el medio ambiente.

3 Escribe una breve carta de opinión al periódico local sobre la responsabilidad de proteger los recursos naturales que tiene una comunidad. Usa las expresiones impersonales y el subjuntivo.

Answer will vary. Possible answer: Estimado editor: Es una lástima que no todos respeten

el medio ambiente. Creo que los responsables deben reparar los daños que ocasionan. Es

necesario que busquemos el bienestar de la sociedad y evitar que nos quiten los recursos

más preciados de la tierra.

UNIDAD 3 Lección 2   Gramática B

Gramática C *Present subjunctive of regular verbs*

Level 3 Textbook pp. 183–187

> **¡AVANZA!** **Goal:** Use impersonal expressions and the subjunctive to express your opinions.

❶ Indica tus opiniones a otras personas. Escribe oraciones completas con el subjuntivo y las expresiones impersonales según el modelo.

Modelo: Juan no quiere investigar los problemas.

Juan, es necesario que investigues los problemas.

1. Carmen y Maribel participan en los proyectos de la universidad.
   Carmen y Maribel, es bueno que participen en los proyectos de la Universidad.

2. El señor Fuentes busca apoyo de varias organizaciones.
   Señor Fuentes, es necesario que busque apoyo de varias organizaciones.

3. Mamá quiere tener tiempo para trabajar en la campaña.
   Mamá, ojalá que tengas tiempo para trabajar en la campaña.

4. Luz, no puedes resolver todos los problemas en un día.
   Luz, es imposible que resuelvas todos los problemas en un día.

❷ Completa las oraciones para explicarle a la gente de tu comunidad cómo tener conciencia social y funcionar como un grupo unido. **Answers will vary. Possible answers:**

1. Es necesario que ___ **todos trabajen juntos para mejorar la comunidad.**

2. Es mejor que ___ **los jóvenes participen en los proyectos.**

3. Es una lástima que ___ **no todas las comunidades tengan programas de acción social.**

4. Es imprescindible que ___ **la gente se organice.**

5. Es importante que ___ **la gente se informe.**

❸ Escribe una carta de seis oraciones al gobernador de tu estado. Explícale tu opinión sobre los programas de la comunidad con el subjuntivo y las expresiones impersonales.

Answer will vary. Possible answer: Estimado gobernador del estado: Entiendo que la

naturaleza cometa errores, pero en mi opinión los ciudadanos debemos solucionar los

problemas de la comunidad. Por ello, es bueno que nos informemos de la política y el

compromiso del gobierno para el medio ambiente. Ojalá que los programas contra la

contaminación ambiental y la deforestación sigan adelante sin problemas. Por mi parte,

es probable que organice el trabajo de ayuda a los afectados por las inundaciones en mi

comunidad. Según veo, es necesario que todas las organizaciones trabajen juntas en este

programa de acción social. Es probable que al final le escriba un informe sobre la experiencia.

Saludos, Rigoberta.

UNIDAD 3 Lección 2

Gramática C

Gramática A More subjunctive verb forms

¡AVANZA!	**Goal:**	Use impersonal expressions and the subjunctive of irregular verbs to express your opinions.

1 Subraya la forma correcta del verbo para completar las oraciones con las ideas de un doctor para mejorar la salud.

1. Es importante que la gente (sabe / <u>sepa</u>) qué comidas son buenas.

2. Es necesario que el ambiente (<u>sea</u> / es) cómodo y limpio.

3. Es una lástima que muchas personas no (duermen / <u>duerman</u>) ocho horas cada noche.

4. Es imprescindible que (hay / <u>haya</u>) apoyo para mejorar la salud en la comunidad.

5. Ojalá que todos (estamos / <u>estemos</u>) informados de los programas de salud.

2 Completa las oraciones con la forma correcta de los verbos de la caja.

hacer	ir	dar	advertir	pedir	ser

Modelo: Es importante que tú _hagas_ tu parte del trabajo.

1. Es imprescindible que la comunidad _____ sea _____ responsable.

2. No es necesario que mamá y papá _____ vayan _____ contigo al centro de la comunidad todos los días.

3. Es probable que yo _____ advierta _____ a la comunidad de las ventajas del proyecto.

4. Es lógico que nosotros _____ pidamos _____ dinero a la comunidad para juntar fondos.

5. Es mejor que tú me _____ des _____ un poco de tiempo para organizar el proyecto.

3 Escribe oraciones completas con el subjuntivo y las expresiones impersonales para decirles tu opinión a las siguientes personas.

Modelo: Ojalá /ser responsables / nosotros

Ojalá que nosotros seamos responsables.

1. es importante / ir al centro estudiantil para recibir información / Juan y Carla
   Es importante que Juan y Carla vayan al centro estudiantil para recibir información.

2. es probable / estar informado sobre los programas de la comunidad / tú
   Es probable que tú estés informado sobre los programas de la comunidad.

3. es bueno / darles información a sus amigos sobre los programas / ustedes
   Es bueno que ustedes les den información a sus amigos sobre los programas.

4. es imposible / ir a todas las reuniones de los grupos / nosotros
   Es imposible que nosotros vayamos a todas las reuniones de los grupos.

Gramática B *More subjunctive verb forms*

> **¡AVANZA!** **Goal:** Use impersonal expressions and the subjunctive of irregular verbs to express your opinions.

1 Escribe la forma correcta del verbo en paréntesis para completar las oraciones sobre los temores de Daniel por su nuevo invento.

1. Es importante que yo _____ **proteja** _____ (proteger) mi idea con una patente.

2. Ojalá que la competencia no _____ **sepa** _____ (saber) de mi invento.

3. No es probable que yo te _____ **dé** _____ (dar) información sobre mi producto.

4. Es mejor que mi producto _____ **sea** _____ (ser) un secreto por ahora.

2 Escribe de nuevo las siguientes oraciones para distribuir el trabajo a las siguientes personas.

> **Modelo:** Es importante escribir el anuncio publicitario del proyecto. (Tú)
> *Es importante que tú escribas el anuncio publicitario del proyecto.*

1. Es raro ser la única persona que lo organiza todo. (ella)
Es raro que ella sea la única persona que lo organiza todo.

2. Es bueno saber toda la información del proyecto (ustedes).
Es bueno que ustedes sepan toda la información del proyecto.

3. Es imposible estar en los dos lugares a la vez. (yo)
Es imposible que yo esté en los dos lugares a la vez.

4. Es probable dar dinero a la campaña. (nosotras)
Es probable que nosotras demos dinero a la campaña.

3 Escríbeles una carta a los líderes de tu ciudad con tus consejos para resolver los siguientes problemas. Usa el subjuntivo y las expresiones impersonales. **Answer will vary. Possible answer:**

> ### Problemas de mi comunidad
> **1.** No hay sitio para todos en los salones de clase.
> **2.** No todos los ciudadanos van a las reuniones de la comunidad para informarse.
> **3.** La gente no ve todos los problemas que hay.
> **4.** La gente de la comunidad no da dinero para apoyar las causas sociales.

Estimado señor/a _____ :

Es una lástima que no haya sitio para todos en los salones de clase. Es imposible que

la gente no vea todos los problemas que hay. Es mejor que vayamos a las reuniones de

la comunidad para informarnos. Para seguir adelante, es necesario que la gente de la

comunidad dé dinero para apoyar las causas sociales.

UNIDAD 3 Lección 2
Gramática B

Gramática C *More subjunctive verb forms*

> **¡AVANZA!** **Goal:** Use impersonal expressions and the subjunctive of irregular verbs to express your opinions.

1 Para tener conciencia social, ¿qué se debe hacer? Escribe un consejo para cada una de las categorías. Usa el subjuntivo de los verbos en el cuadro y las expresiones impersonales.

Modelo: para mejorar la sociedad   **Answers will vary. Possible answers:**

Es mejor que todos nosotros seamos respetuosos de las normas
sociales para mejorar la sociedad.

| ser respetuoso | estar informado | ver los problemas | dar dinero | ser responsable |

1. para proteger el medio ambiente
   Es importante que la sociedad sea responsable para proteger el medio ambiente.

2. para seguir adelante con la tecnología
   Es necesario que nosotros estemos informados de los avances de la tecnología.

3. para mejorar la educación
   Es imprescindible que todos den dinero para mejorar la educación.

4. para eliminar el sufrimiento
   Es necesario que la gente vea los problemas para eliminar el sufrimiento.

2 Tus compañeros de clase y tú organizan una campaña para mejorar la educación. Completa las siguientes oraciones con consejos a la directora de tu escuela para la campaña. Usa el subjuntivo con los verbos en paréntesis. **Answers will vary. Possible answers:**

1. Es importante que (tener) _____ **todos tengan libros.**
2. Es malo que (haber) _____ **no haya computadoras para todos.**
3. Es imprescindible que (ir) _____ **los alumnos vayan a la escuela todos los días.**
4. Es necesario que (saber) _____ **los padres sepan qué estudian sus hijos en la escuela.**

3 Tú y tus compañeros de clase montan una campaña para convencer a los profesores de hacer más proyectos en la comunidad. Escribe cinco oraciones con las expresiones impersonales y el subjuntivo para preparar tus argumentos.

Answer will vary. Possible answer: Es importante que tengamos más tiempo para estudiar.

También es necesario que seamos buenos alumnos y ciudadanos. Es imprescindible que haya

oportunidades para trabajar en la comunidad. En nuestra opinión es bueno que nos den

más tarea durante el fin de semana. Quisiéramos decirles que estamos orgullosos de poder

ayudar.

UNIDAD 3 Lección 2 Gramática C

Gramática adicional El se pasivo

> **¡AVANZA!** **Goal:** Use passive constructions with se.

Para no mencionar a la persona que realiza una acción o el sujeto de una oración, podemos usar **se**. Mira los siguientes ejemplos:

Voz activa	Voz pasiva
1. Aquí la gente habla español.	Aquí se habla español.
2. Ellos venden computadoras en esta tienda.	Se venden computadoras en esta tienda.
3. Todo el mundo dice que este restaurante es caro.	Se dice que este restaurante es caro.
4. Ahora sabemos que el mundo es redondo.	Se sabe que el mundo es redondo.

1 Escribe las siguientes oraciones de nuevo con el **se** pasivo.

Modelo: En este restaurante ellos preparan un buen bistec.

En este restaurante se prepara un buen bistec.

1. Esta escuela necesita libros.

En esta escuela se necesitan libros.

2. Trabajamos mucho aquí.

Se trabaja mucho aquí.

3. El mecánico de este garaje arregla los coches rápido.

En este garaje se arreglan los coches rápido.

4. Los alumnos aprenden mucho en esta escuela.

Se aprende mucho en esta escuela.

2 Escribe oraciones completas con el **se** pasivo.

Modelo: vender / chocolates

Se _venden chocolates_ .

1. comprar artículos de cuero

Se compran artículos de cuero.

2. hablar español

Se habla español.

3. mantener el espacio limpio

Se mantiene el espacio limpio.

4. buscar secretario(a) bilingüe

Se busca secretario(a) bilingüe.

Conversación simulada

¡AVANZA! **Goal:** Respond to a conversation presenting and supporting an opinion.

Vas a participar en una conversación telefónica simulada con tu amigo Ahmed. Primero, lee el bosquejo de la conversación que aparece en la página. Luego, escucha el audio. Tú sólo oirás lo que te dice Ahmed. Entonces escucha el audio de nuevo. Esta vez participarás en la conversación. Responde de forma oral a lo que te dice Ahmed. Una señal te indicará cuando te toque a ti hablar.

[phone rings]

Tú: Contesta el teléfono.

Ahmed: (Él saluda y te pregunta si ya fuiste a la escuela.)

Tú: Dile que no has ido y por qué.

Ahmed: (Él contesta y te pregunta qué piensas.)

Tú: Contesta y pregúntale por qué le gusta la política.

Ahmed: (Él explica por qué y te hace otra pregunta.)

Tú: Respóndele.

Ahmed: (Él te invita.)

Tú: Contéstale que sí y que ahora piensas votar.

Ahmed: (Él se despide.)

Tú: Despídete y cuelga.

Integración: Escribir

¡AVANZA!	**Goal:** Respond to written and oral passages presenting and supporting an opinion.

Lee esta carta al editor que se publicó en un semanario de Managua, Nicaragua.

Fuente 1 Leer

📋 Carta al editor

Fantasía centroamericana

El artículo "Centroamérica: Un país" que apareció en el semanario núm. 487 es más que una fantasía, una prueba de la irresponsabilidad de ciertos periodistas de ver el presente sin mirar el pasado. Si nuestros países atraviesan un período de calma política, esto no es producto de la mano de Dios ni de las grandes catástrofes naturales que nos han mantenido ocupados en años recientes. Esta situación positiva es producto de nuestras luchas por la igualdad ciudadana. ¿Cómo pueden los jóvenes mirar al futuro sin detenerse a examinar de dónde venimos? La democracia naciente en nuestros países no es una recuperación, como dice el señor Asensio en su reportaje, es un cultivo nuevo. Una vista a nuestra historia puede sostener esta opinión.

Abril Mercado
<abmer@...com>

ACONTECER SEMANAL • 3

Escucha el recado que Graciela Carballo, una joven guatemalteca, dejó para su amiga Leticia. Toma notas. Luego completa la actividad.

HL CD 1, tracks 23–24

¿Crees que es importante tener bases correctas cuando expresamos una opinión? ¿Por qué? Usa la información en las fuentes como ejemplos para escribir un párrafo. **Answers will vary.**

_____

_____

_____

_____

_____

UNIDAD 3 Lección 2

Integración: Escribir

Lectura A

> **¡AVANZA!**   **Goal:**   Read opinions and recommendations.

① Lee el siguiente comunicado de una asociación de vecinos. Luego responde a las preguntas de comprensión y da tu opinión sobre el tema.

La plaza de nuestro barrio

(Comunicado de la Asociación de Jóvenes Ciudadanos)

Hace tiempo la plaza Cuatro Vientos era el lugar de reunión de la gente del barrio. Lamentablemente, hace tres años, las autoridades locales decidieron cortar los árboles de la plaza y quitar los bancos para construir un estacionamiento. Pasó el tiempo y nunca se construyó el estacionamiento. Es importante que recordemos que la plaza Cuatro Vientos era la única de nuestro barrio en la que había árboles.

Es importante que recuperemos este lugar de recreo. Es necesario que los niños tengan un sitio seguro donde jugar y que todos los vecinos tengamos un lugar para pasear, encontrarnos y descansar.

Nuestra asociación luchará por la recuperación de Cuatro Vientos. Tenemos el compromiso de devolverle al barrio este lugar de recreo. Para ello solicitamos la colaboración de todos los ciudadanos y ciudadanas. Si tiene usted conciencia social y quiere ayudarnos en esta solicitud, por favor firme abajo. Es sumamente importante que reunamos cinco mil firmas para presentar nuestra solicitud al ayuntamiento.

---

② **¿Comprendiste?** Responde a las siguientes preguntas con oraciones completas.

  1. ¿Cuál es el problema que expone la Asociación de Jóvenes Ciudadanos en su comunicado?

    El problema consiste en que hace tres años se destruyó la plaza del barrio.

  2. ¿Por qué era tan importante la plaza?

    La plaza era importante porque era el lugar donde la gente se reunía y era la única plaza del barrio en la que había arboles.

  3. ¿Qué es lo que quiere lograr la Asociación y cómo espera conseguirlo?

    La Asociación quiere recuperar la plaza como lugar de recreo y zona verde. Para conseguirlo espera reunir cinco mil firmas que apoyen su solicitud ante el ayuntamiento.

③ **¿Qué piensas?** ¿Crees que los grupos cívicos y las asociaciones de vecinos son importantes? ¿Por qué? **Answer will vary.**

_____

_____

Lectura B

| ¡AVANZA! | **Goal:** Read opinions and recommendations. |

1 Lee el siguiente aviso de la dirección de una escuela. Luego responde a las preguntas de comprensión y compara su experiencia con la tuya.

A todos los alumnos

La semana pasada algunos alumnos jugaron al fútbol delante de la escuela y rompieron los arbustos que plantaron los alumnos de tercer grado. Es muy triste que algunas personas no cuiden lo que es propiedad de todos. Los estudiantes de tercero trabajaron mucho para arreglar los jardines que hay delante de la escuela. Es lamentable que la irresponsabilidad de un pequeño grupo de personas haga fracasar así un trabajo de varios meses.

Afortunadamente conseguimos varios arbustos nuevos y los estudiantes de tercero volverán a arreglar los jardines. Es importante que todos comprendamos la importancia de este proyecto y que colaboremos en él. Todos queremos tener una escuela bonita y agradable y para conseguirlo es imprescindible que todos la cuidemos.

Les recordamos a todos los estudiantes que no está permitido jugar al fútbol delante de la escuela y les advertimos que quienes lo hagan serán penalizados. Es una lástima que algunos estudiantes no respeten las reglas de la escuela y que necesitemos recurrir a las penalizaciones.

Es imprescindible que no olvidemos nunca que la política de esta escuela se basa en el respeto a los demás y el respeto a nuestro entorno. Para el equipo de dirección es sumamente importante que nuestros estudiantes aprendan a ser ciudadanos y ciudadanas responsables y respetuosos y que tengan una conciencia social que les ayude a relacionarse con las demás personas de una manera positiva.

---

2 **¿Comprendiste?** Responde a las siguientes preguntas con oraciones completas.

1. ¿Cuál es el problema que hay en la escuela?

Algunos alumnos que no cumplen las reglas jugaron al fútbol en frente de la escuela y rompieron unos arbustos.

2. ¿Cómo van a solucionar el problema?

La dirección de la escuela consiguió arbustos nuevos y va a plantarlos.

3. ¿Qué va a hacer la dirección para que todos los alumnos cumplan las reglas?

La dirección penalizará a los alumnos que jueguen al fútbol delante de la escuela.

3 **¿Qué piensas?** En tu opinión, ¿qué se debe hacer para ser buen(a) ciudadano(a)? Explica.

Answer will vary.

UNIDAD 3 Lección 2

Lectura B

Lectura C

> **¡AVANZA!** **Goal:** Read opinions and recommendations.

1 Lee el siguiente debate que tiene lugar en un programa de televisión. Luego responde a las preguntas de comprensión y da tu opinión sobre el tema.

Un producto novedoso

LOCUTORA: Buenos días. En el Congreso de Jóvenes Inventores, que se celebra en nuestra ciudad, vimos muchos inventos muy interesantes. Al congreso asisten jóvenes inventores de todo el país. Muchos de ellos son todavía estudiantes y están en el congreso acompañados por sus profesores. También asisten al congreso representantes de varias compañías que observan los inventos y hablan con los jóvenes. Es posible que las compañías comercialicen algunos de los productos novedosos que vimos en el congreso, o también es posible que ofrezcan un puesto de trabajo a alguno de los jóvenes inventores. Hoy tenemos con nosotros a dos de estos representantes de las compañías que asisten al congreso: el señor Palacios y la señora Urquijo. Señor Palacios, señora Urquijo, nos gustaría conocer su opinión sobre un producto novedoso para ahorrar gasolina que se presentó en el Congreso de Jóvenes Inventores. ¿Ustedes estarían dispuestos a comercializarlo?

SR. PALACIOS: Por un lado, el producto es interesante porque ahorra hasta un siete por ciento de gasolina. Por el otro lado, es demasiado caro. Tanto, que es muy posible que el consumidor gaste en comprarlo e instalarlo más de lo que puede ahorrar en gasolina en dos años. Yo creo que no es útil.

SRA. URQUIJO: Yo no estoy de acuerdo. El producto es de gran utilidad. En primer lugar, el ahorro de gasolina no es interesante sólo por el dinero que le permite ahorrar al consumidor. Es importante que pensemos que un coche que consuma menos gasolina, también contaminará menos.

SR. PALACIOS: En mi opinión, lo que usted dice no tiene sentido. Es muy difícil que los consumidores vayan a gastar su dinero en un producto que ahorra gasolina sólo por disminuir la contaminación si ellos no obtienen ningún beneficio directo del uso de ese producto. Por eso pienso que es lógico que las compañías no estén interesadas en comercializarlo. Es un producto completamente inútil.

SRA. URQUIJO: Perdone usted, Sr. Palacios. Creo que usted está equivocado. Es posible que el producto no se pueda comercializar tal y como se presentó en el Congreso, pero usted estará de acuerdo conmigo en que mejorándolo un poco será un invento magnífico.

SR. PALACIOS: Por favor, es mejor que hablemos de otra cosa. Ese producto no tiene ningún futuro.

SRA. URQUIJO: Entonces ¿por qué habló usted con el chico que lo presentó y le dijo que su compañía está interesada en comprarle los derechos del producto?

UNIDAD 3 Lección 2 Lectura C

❷ ¿Comprendiste? Responde a las siguientes preguntas.

1. ¿Quiénes asisten al congreso de jóvenes inventores?

Asisten jóvenes que han inventando algo. Muchas veces van acompañados por sus profesores. También asisten representantes de varias compañías.

2. ¿Qué pueden ofrecer las compañías a los jóvenes inventores?

Las compañías pueden ofrecerles la comercialización de su invento o un puesto de trabajo.

3. ¿Cuáles son las ventajas y cuáles los inconvenientes del producto del que se habla en el debate?

La ventaja es que ahorra hasta un siete por ciento de gasolina. El inconveniente es que es un producto caro.

❸ ¿Qué piensas? ¿Comprarías un producto que ayude a disminuir la contaminación si a ti no te reporta beneficios económicos? ¿Por qué? Answer will vary.

_____

_____

_____

Lectura C   UNIDAD 3 Lección 2

Unidad 3, Lección 2
Lectura C

138

¡Avancemos! 3
Cuaderno para hispanohablantes

Copyright © by McDougal Littell, a division of Houghton Mifflin Company.

Escritura A

¡AVANZA!	**Goal:** Write about opinions and recommendations.

Tu amiga está preocupada porque en la última evaluación no sacó buenas notas y tú quieres ayudarla. Escribe un párrafo con tus recomendaciones para ella.

1 Escribe tres razones por las que tu amiga no sacó buenas notas y tres cosas que puede hacer para mejorar en la próxima evaluación.

No sacó buenas notas por:

1. _____

2. _____

3. _____

Para mejorar puede:

1. _____

2. _____

3. _____

2 Escribe un párrafo con al menos tres recomendaciones que le harías a tu amiga. Usa mandatos y expresiones impersonales para hacer tus recomendaciones. Asegúrate de que: 1) tus explicaciones son claras y fáciles de entender; 2) tus recomendaciones son lógicas; 3) las estructuras sintácticas y las formas verbales son correctas.

_____

_____

_____

_____

_____

_____

3 Evalúa tu párrafo con la siguiente tabla.

	Crédito máximo	**Crédito parcial**	**Crédito mínimo**
Contenido	Escribiste tres recomendaciones que son claras y fáciles de entender.	Casi todas tus recomendaciones son claras y fáciles de entender.	Tus recomendaciones son poco claras y no son fáciles de entender.
Uso correcto del lenguaje	Hay muy pocos errores o ninguno en las estructuras sintácticas y las formas verbales.	Hay algunos errores en las estructuras sintácticas y las formas verbales.	Hay un gran número de errores en las estructuras sintácticas y las formas verbales.

UNIDAD 3 Lección 2 Escritura A

Escritura B

> **¡AVANZA!**   **Goal:**   Write about opinions and recommendations.

Escribe sobre algún problema que existe en tu escuela y sobre cómo solucionarlo.

1 Describe en una oración corta cuál es el problema y luego completa el organizador gráfico con las principales ideas que vas a incluir en tu propuesta.

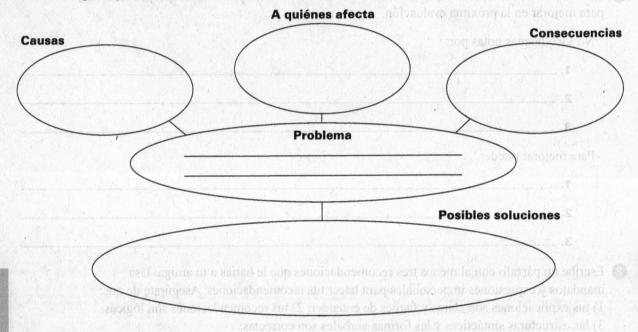

2 Usa los datos de la gráfica anterior para escribir una propuesta para solucionar el problema. Usa expresiones impersonales y asegúrate de que: 1) tu propuesta sea clara y fácil de comprender; 2) tus recomendaciones resulten convincentes; 3) las formas verbales sean correctas.

_____

_____

_____

3 Evalúa tu propuesta con la siguiente tabla.

	Crédito máximo	**Crédito parcial**	**Crédito mínimo**
Contenido	La propuesta es clara y fácil de entender y las recomendaciones son convincentes.	En general la propuesta es clara y fácil de entender pero las recomendaciones no son muy convincentes.	La propuesta es poco clara y difícil de entender y las recomendaciones no son convincentes.
Uso correcto del lenguaje	Hay muy pocos errores o ninguno en los modos y las formas verbales.	Hay algunos errores en los modos y las formas verbales.	Hay muchos errores en los modos y las formas verbales.

Escritura C

¡AVANZA!	**Goal:** Write about opinions and recommendations.

Identifica el problema ecológico más grave de tu comunidad. Luego escribe un informe sobre el problema.

1 Describe en una oración corta cuál es el problema y luego completa el esquema con las principales ideas que vas a incluir en tu informe.

Problema:			
Causas	**Consecuencias**	**¿Qué pueden hacer las autoridades?**	**¿Qué pueden hacer los ciudadanos?**

2 Con los datos del esquema anterior escribe el informe. Expresa tus opiniones y da razones para apoyarlas. Incluye algunas recomendaciones con expresiones impersonales. Asegúrate de que: a) tu informe contenga una introducción, una exposición del problema, tu opinión, tus recomendaciones y una conclusión; 2) tus opiniones y sugerencias sean claras y son fáciles de comprender; 3) las formas verbales sean correctas.

_____

_____

_____

_____

3 Evalúa tu proyecto con la siguiente tabla.

	Crédito máximo	**Crédito parcial**	**Crédito mínimo**
Contenido	Tu informe es claro y bien organizado e incluye la información que se indica en el punto anterior.	Algunas partes de tu informe son poco claras o no están bien organizadas pero incluyes la información que se indica en el punto anterior.	Tu informe es poco claro y poco organizado y no incluye la información que se indica en el punto anterior.
Uso correcto del lenguaje	Hay muy pocos errores o ninguno en las formas verbales.	Hay algunos errores en las formas verbales.	Hay un gran número de errores en las formas verbales.

Cultura A

> ¡AVANZA! **Goal:** Discover and know people, places, and culture from Central America.

1 Indica si las siguientes afirmaciones sobre la población y la cultura de los países de Centroamérica son ciertas (C) o falsas (F). Si la oración es falsa, escríbela de forma correcta.

1. __C__ Los chinos forman una de las minorías más importantes de Panamá.
_____

2. __F__ La construcción del Canal de Panamá cambió la geografía del país, pero la vida sigue siendo más o menos igual que antes.
La construcción del Canal de Panamá cambió la geografía, la vida y las costumbres del país.

3. __F__ José Antonio Velásquez fue un pintor salvadoreño.
José Antonio Velásquez fue un pintor hondureño.

4. __C__ José Antonio Velásquez pintó sus cuadros pensando en cómo pintaban los hombres primitivos y en cómo pintan los niños.
_____

5. __F__ El estilo de pintura que usó Velásquez se conoce como arte primitivo.
El estilo de pintura que usó Velásquez se conoce como arte primitivista.

2 ¿Qué representa José Antonio Velásquez en sus obras? ¿Cuál es una característica de las personas que aparecen en las obras de José Antonio Velásquez?
La obra de José Antonio Velásquez representa escenas de Centroamérica. En sus cuadros,

José Antonio Velásquez siempre pintaba a las personas haciendo algo.

3 Escribe el nombre de una pintura muy famosa de José Antonio Velásquez. Escribe un comentario breve sobre este cuadro: Usa oraciones completas para describirlo y para expresar tu opinión personal sobre el mismo. **Answers may vary. Possible answers:**

Un cuadro famoso de José Antonio Velasquez es *Vista de San Antonio de Oriente.*
El cuadro representa un pueblecito en las montañas. El estilo de la pintura es
primitivista. La composición tiene muchos detalles.
Mi opinión: **Answers will vary for the second part of the question.**

Cultura A   UNIDAD 3 Lección 2

Unidad 3, Lección 2
Cultura A
142

¡Avancemos! 3
Cuaderno para hispanohablantes

Cultura B

Level 3 Textbook **pp. 200–201**

> **¡AVANZA!** **Goal:** Discover and know people, places, and culture from Central America.

❶ Responde de forma breve a las siguientes preguntas.

1. ¿Cómo era Panamá antes de la construcción del canal?

Panamá era un país pequeño y poco conocido.

2. ¿Qué impacto tuvo la construcción del canal en la población panameña?

Con la construcción del Canal de Panamá cambiaron las costumbres y la población.

3. ¿Qué otro nombre recibe el arte ingenuo?

El arte ingenuo también es conocido como arte primitivista.

4. Menciona una característica de los cuadros de José Antonio Velásquez.

Los cuadros de José Antonio Velásquez tienen muchos detalles.

❷ El Canal de Panamá es una gran obra de ingeniería. ¿Con qué comparación o ejemplo se puede ilustrar la cantidad de piedras y tierra que se excavaron para su construcción? Responde con una oración completa.

Se dice que con la tierra y piedras excavadas se podría construir una réplica de la Gran

Muralla China desde Nueva York hasta San Francisco.

❸ ¿Por qué se muestra en tu libro una fotografía de un molino de viento en Costa Rica? ¿Se usa el viento u otra energía renovable en tu región? ¿Cuál? ¿Por qué se usa ese tipo de energía? ¿Se podría usar otra? Si en la actualidad en tu región no se usa energía renovable, ¿cuál o cuáles se podrían o no se podrían usar? Completa la ficha con oraciones completas sobre los puntos que se indican. **Answers will vary. Possible answers:**

El molino de viento en Costa Rica muestra que en ese país usan métodos de energía

renovable. Con los molinos de viento producen electricidad. En mi región no se usan

energías renovables. Se podría usar la energía solar porque siempre hace muy buen

tiempo y hay mucha luz.

No se puede o no se podría usar (da razones): *En mi región, sin embargo, no se podría*
usar la energía del viento porque aquí hay muy poco viento.

UNIDAD 3 Lección 2 Cultura B

Cultura C

> | ¡AVANZA! | **Goal:** Discover and know people, places, and culture from Central America. |

❶ Responde con oraciones completas a las siguientes preguntas sobre Panamá.

1. ¿Qué es el Canal de Panamá y cuál es su función?

El Canal de Panamá es un paso artificial que une el Atlántico con el Pacífico para que

los barcos puedan pasar de un océano a otro sin tener que bordear el continente.

2. ¿De qué manera cambió la vida en Panamá tras la construcción del canal?

Después de la construcción del canal Panamá pasó de ser un país poco conocido a ser

uno de los mayores centros de mercancías de todo el mundo.

3. ¿Por qué en Panamá existe una minoría china muy importante?

Son los descendientes de los obreros chinos que se desplazaron a Panamá para

construir el canal y que tras la construcción se asentaron en el país.

❷ José Antonio Velásquez fue un famoso pintor hondureño. Responde a las siguientes
preguntas sobre su obra y sobre su pintura con todos los detalles que puedas.
Answers will vary.

1. ¿Por qué motivo crees que un artista puede elegir este estilo para su obra? **Possible answer:**

Un artista puede usar el estilo ingenuo para mostrar una visión personal del mundo.

2. ¿Qué importancia tienen los detalles en la obra de José Antonio Velásquez? Explica tu
respuesta con ejemplos del cuadro *Vista de San Antonio de Oriente*.

Los detalles son muy importantes en su obra, por ejemplo, en *Vista de San Antonio de*

Oriente pueden verse los dibujos en los tejidos de la ropa de la gente, las plantas, las

hierbas, las piedras de los muros y las tejas de los tejados de las casas.

❸ ¿Por qué crees que el Canal de Panamá es importante? Y en tu región, ¿cuál es el principal
centro de mercancías o la principal vía de transporte de mercancías en tu región? ¿Por qué es
importante? ¿Hay algo que se podría hacer para que el transporte de mercancías fuera más
efectivo o rápido? Responde en un párrafo. **Answers will vary. Possible answer:**

El Canal de Panamá ayuda al comercio haciendo más fácil y rápido el transporte de

mercancías. La autovía I 95 pasa muy cerca de mi ciudad. Es la principal vía de transporte

para mi región. Todos los días muchos camiones llevan alimentos y muchas otras cosas

a las principales ciudades de la costa Este de Estados Unidos. Pienso que para que el

transporte fuera más rápido podría hacerse una vía más, sólo para camiones y vehículos

grandes.

Cultura C   UNIDAD 3 Lección 2

Comparación cultural: Protejamos la naturaleza
Lectura y escritura

Después de leer los párrafos sobre lo que hacen Manuela y Ruth para proteger la naturaleza, escribe un párrafo sobre la naturaleza de tu zona, cómo la protegen y quiénes participan. Usa la información que está en tus gráficas circulares para escribir un párrafo sobre la naturaleza de tu zona.

Paso 1

Completa las gráficas circulares con los detalles sobre la naturaleza de dos lugares de tu región.

Paso 2

Ahora usa los detalles de gráficas circulares para escribir una oración para cada uno de los temas.

_____

_____

_____

_____

_____

Comparación cultural: Protejamos la naturaleza

Lectura y escritura (seguir)

(continuación)

Paso 3

Ahora escribe tu párrafo usando las oraciones que escribiste como guiá. Incluye una oración de introducción y utiliza las expresiones impersonales **es bueno que**, **es necesario que** para describir la naturaleza de tu región.

_____

_____

_____

_____

_____

_____

Lista de verificación

Asegúrate de que...

☐ incluyes todos los detalles de las gráficas circulares sobre la naturaleza de tu región;

☐ usas los detalles para describir la naturaleza de tu región;

☐ utilizas las frases impersonales seguidas del subjuntivo.

Tabla

Evalúa tu trabajo con la siguiente tabla.

Criterio de escritura	Excelente	Bueno	Necesita mejorar
Contenido	Tu párrafo incluye todos los detalles sobre la naturaleza de tu región.	Tu párrafo incluye algunos de los detalles sobre la naturaleza de tu región.	Tu párrafo incluye muy poca información sobre la naturaleza de tu región.
Comunicación	La mayor parte de tu párrafo está organizada y es fácil de entender.	Partes de tu párrafo están organizada y son fáciles de entender.	Tu párrafo está desorganizado y es difícil de entender.
Precisión	Tu párrafo tiene poco errores de gramatica y de vocabulario.	Tu párrafo tiene algunos errores de gramatica y de vocabulario.	Tu párrafo tiene muchos errores de gramatica y de vocabulario.

UNIDAD 3

Comparación cultural

Unidad 3
Comparación cultural

146

¡Avancemos! 3
Cuaderno para hispanohablantes

Comparación cultural: Protejamos la naturaleza
Compara con tu mundo

Ahora escribe un párrafo comparando la naturaleza de tu región con la de una de las estudiantes de la página 203. Organiza la comparación por temas. Primero, compara el nombre del lugar, después cómo lo protegen y por último describe a las personas que participan en su cuidado.

Paso 1

Usa la tabla para organizar la comparación por temas. Escribe los detalles de cada uno de los temas sobre la naturaleza de tu región y la de la estudiante que elegiste.

	Mi región	La región de _____
Nombre del lugar		
Actividades		
Participantes		

Paso 2

Ahora usa los detalles de la tabla para escribir la comparación. Incluye una oración de introducción y escribe sobre cada tema. Utiliza las expresiones impersonales **es bueno que, es necesario que** seguidas del subjuntivo para describir la naturaleza de tu región y la de la estudiante que has elegido.

_____

_____

_____

_____

_____

_____

_____

_____

_____

UNIDAD 3 Comparación cultural

Vocabulario A ¿Quién te inspira?

¡AVANZA!   **Goal:** Discuss the types of people who inspire you.

① Escribe la letra de la frase de la derecha que se relaciona con la palabra de la izquierda.

1. _c_ el (la) entrenador(a)
2. _b_ el (la) astronauta
3. _a_ el (la) obrero(a)
4. _e_ el (la) científico(a)
5. _d_ el (la) empresario(a)

a. trabaja en la construcción de una casa
b. viaja a la luna
c. prepara a un equipo de fútbol para jugar en el parque
d. dirige una compañía
e. investiga las partes del átomo

② Encierra en un círculo la palabra que mejor completa cada oración sobre la personalidad.

1. El astronauta es (modesto / orgulloso) y no habla mucho de sí mismo.
2. Mi tía es (vanidosa / considerada) le gusta ayudar a las demás personas.
3. El mecánico es (sincero / impaciente) y cumple lo que dice que hará.
4. La empresaria rica es (generosa / presumida) y ayuda a los pobres.
5. El trabajador social debe ser (impaciente / comprensivo) con la gente.

③ Escribe oraciones completas para decir lo que hacen las siguientes personas. **Possible answers:**

Answers will vary.

1. un(a) programador(a): _Un(a) programador(a) diseña sistemas para computadoras._
2. un(a) trabajador(a) social: _Un(a) trabajador(a) social ayuda a la gente para que reciba servicios sociales._
3. un(a) mecánico(a): _Un(a) mecánico(a) arregla los coches y otras máquinas._
4. un(a) maestro(a): _Un(a) maestro(a) da clases y enseña a los estudiantes en la escuela._
5. un(a) chofer: _Un(a) chofer maneja el autobús escolar._

UNIDAD 4 Lección 1   Vocabulario A

Vocabulario B ¿Quién te inspira?

> **¡AVANZA!**   **Goal:**   Discuss the types of people who inspire you.

1 Benjamín encuentra disciplina en todas partes. Identifica a las personas de quiénes Benjamín se queja en las situaciones siguientes.

los maestros	el entrenador	la gente	mis padres	el chofer

1. En la escuela, _los maestros_ me exigen que haga la tarea.
2. En la casa, _mis padres_ me prohíben que traiga amigos a la casa.
3. En el gimnasio, _el entrenador_ no me deja que falte a las prácticas.
4. En el cine, _la gente_ me sugiere que no hable.
5. En el autobús escolar, _el chofer_ me aconseja que me siente.

2 Agnes describe la personalidad de varias personas a quienes admira en su familia. Usa las palabras del vocabulario para completar las descripciones correctamente.

1. Mi padre es muy _generoso_ siempre ayuda a los que lo necesitan.
2. Mi hermana Isabel es _fiel_, ella es una persona muy constante, se mantiene a mi lado en las buenas y en las malas.
3. Mi tío Iván es una persona _ingeniosa_; sus ideas son innovadoras.
4. A mi hermano Carlos lo conoce todo el mundo, él es muy _popular_.
5. Mi abuela Laura es una mujer muy _atrevida_, no le teme a nada.

3 Escribe una oración completa para identificar cada profesión.

Modelo: Enseña en una escuela. _Es un(a) profesor(a)._

1. Se interesa en los negocios. _Es un(a) empresario(a)._
2. Conduce un avión. _Es un(a) piloto._
3. Trabaja en la construcción. _Es un(a) obrero(a)._
4. Diseña sistemas para la computadora. _Es un(a) programador(a)._
5. Viaja en una nave espacial. _Es un(a) astronauta._

Vocabulario C ¿Quién te inspira?

> **¡AVANZA!** **Goal:** Discuss the types of people who inspire you.

1 Escribe oraciones completas para describir lo que hace cada profesionista.

Answers will vary.
Possible answers:

Modelo: Un(a) carpintero(a). _Un(a) carpintero(a) trabaja la madera en el taller._

1. Un(a) astronauta: _Un(a) astronauta vuela en una nave espacial._

2. Un(a) entrenador(a): _Un(a) entrenador(a) prepara a los jugadores para el partido._

3. Un(a) mecánico(a): _Un(a) mecánico(a) arregla los carros._

4. Un(a) detective: _Un(a) detective investiga los crímenes._

5. Un(a) científico(a): _Un(a) científico(a) busca curas para las enfermedades._

6. Un(a) empresario(a): _Un(a) empresario(a) vende productos o servicios al público._

2 Contesta con oraciones completas las preguntas sobre la personalidad. Usa el vocabulario de la lección. Answers will vary. Possible answers:

Modelo: ¿Cómo es la persona impaciente?
La persona impaciente no puede esperar a nadie.

1. ¿Cómo es la persona presumida? _La persona presumida siempre habla de sí misma._

2. ¿Cómo es la persona tímida? _A la persona tímida no le gustan los grupos._

3. ¿Cómo es la persona desagradable? _La persona desagradable se comporta mal._

4. ¿Cómo es la persona comprensiva? _La persona comprensiva te escucha y te ayuda._

5. ¿Cómo es la persona honesta? _La persona honesta siempre actúa con decencia y honradez._

3 Usa por lo menos cinco palabras del vocabulario nuevo para describir en un párrafo al maestro o maestra que más te ha inspirado en tu vida de estudiante. Después de escribir, subraya las palabras del vocabulario nuevo. Answers will vary. Possible answers:

El maestro que más me ha inspirado es el profesor López porque admiro su paciencia, su

generosidad y su comprensión. Una vez él me dijo que yo era tímida pero no presumida. Yo

creo que él es tímido también.

UNIDAD 4 Lección 1

Vocabulario C

Unidad 4, Lección 1
Vocabulario C

150

¡Avancemos! 3
Cuaderno para hispanohablantes

Vocabulario adicional *Palabras con b y v*

> **¡AVANZA!** **Goal:** Use the proper spelling for words with **b** and **v**.

Hay palabras que se escriben con **b** y otras que se escriben con **v**. Las dos letras tienen más o menos el mismo sonido. Hay algunas reglas generales que puedes seguir pero la mejor manera de dominar su uso es memorizar las palabras por separado.

Algunas reglas generales	Ejemplos
«b» delante de una consonante	blanco, brazo, pueblo
«b» con el imperfecto del indicativo	daba, ibas, andabas
«v» en las palabras que terminan en «venir»	convenir, prevenir

1 Escribe una **b** o una **v**, según sea el caso. Usa el diccionario si necesitas ayuda.

Modelo: _b_risa   Mo_v_er

1. ama _b_ le
2. su _b_ es
3. ad _v_ ertir
4. _v_ otar (en las elecciones)
5. _b_ otar (la basura)

6. _b_ ar _b_ acoa
7. a _v_ ión
8. _v_ ienen
9. sa _b_ en
10. andu _v_ e

2 Completa el siguiente párrafo con la letra correcta:

Los bomberos valientes

Eran las cinco de la tarde de un día **1.** _v_ iernes. Los niños juga **2.** _b_ an alegremente en la calle **3.** _B_ enito Juárez. Algunos llega **4.** _b_ an de la **5.** _b_ i **6.** _b_ lioteca con sus padres. Era un día muy **7.** _b_ onito. De pronto se oyó un ruido **8.** _b_ ár **9.** _b_ aro. ¡Había un incendio en la casa de los **10.** _V_ argas! La señora **11.** _V_ erónica grita **12.** _b_ a: —¡Llamen a los **13.** _b_ om **14.** _b_ eros! Todos corrimos a nuestras casas a **15.** _b_ uscar **16.** _b_ aldes con agua. Cuando llegaron los **17.** _b_ om **18.** _b_ eros, arriesgaron sus **19.** _v_ idas y sal **20.** _v_ aron a los que esta **21.** _b_ an dentro de la casa. Todos pensamos que fueron muy **22.** _v_ alientes.

3 Escribe oraciones completas con las siguientes palabras. **Answers will vary. Possible answers:**

1. amable / valiente: ___El bombero es amable al contestar mis preguntas y valiente en su trabajo.___
2. votar / botar: ___Me gusta votar en las elecciones estudiantiles y botar la basura de mi casa.___
3. Bárbara / barbacoa: ___A Bárbara le gusta la barbacoa de carne.___

Gramática A The subjunctive with ojalá and verbs of hope

¡AVANZA! **Goal:** Use subjunctive to express hopes and wishes.

❶ Lee las oraciones y haz un círculo alrededor de la forma correcta del subjuntivo.

Modelo: Mi madre quiere que yo (saque / saques) buenas notas.

1. Mis hermanas desean que yo no (entremos / entre) en su cuarto.
2. Mi hermano Luis espera que nosotras (escuches / escuchemos) sus discos.
3. Mis padres no quieren que tú (llames / llamen) tan tarde.
4. Néstor espera que yo te (enseñes / enseñe) la carta.
5. Ojalá que él (hable / hables) sinceramente conmigo.

❷ Lee las oraciones sobre lo que unas personas esperan de otras. Complétalas con los verbos del cuadro en subjuntivo.

Modelo: Mis padres quieren que yo no *falte* a ninguna clase.

faltar	escribir	estar	ser	acabar	ganar	volver

1. El capitán del equipo espera que nosotros ___*ganemos*___ el partido.
2. Las maestras de química quieren que yo ___*esté*___ en el laboratorio.
3. Jorge y yo esperamos que tú ___*escribas*___ en el periódico escolar.
4. Yo deseo que ustedes ___*sean*___ sinceros con ella.
5. Ustedes quieren que ellos ___*vuelvan*___ pronto a casa.
6. Ojalá que Sandra ___*acabe*___ de leer el libro mañana.

❸ Expresa qué te gustaría que pasara en el mundo para que fuera mejor. Empieza cada oración con *Ojalá* e incluye la palabra entre paréntesis. **Answers will vary. Possible answers:**

Modelo: (el ambiente) *Ojalá que las industrias no contaminen el ambiente.*

1. (guerras) *Ojalá que se acaben las guerras.*
2. (enfermedades) *Ojalá que los científicos descubran la cura a todas las enfermedades.*
3. (basura) *Ojalá que nosotros no arrojemos más basura.*
4. (niños) *Ojalá que todos los niños tengan comida.*
5. (mecánico) *Ojalá que el mecánico arregle mi carro.*

Gramática B The subjuntive with ojalá and verbs of hope

Level 3 Textbook pp. 265–269

> ¡AVANZA! **Goal:** Use subjunctive to express hopes and wishes.

1 Un grupo de amigos intenta ponerse de acuerdo sobre lo que van a hacer un sábado por la tarde. Completa el diálogo con los verbos del cuadro en subjuntivo.

estar	salir	alquilar	ir	ver	poner

TOMÁS: Oigan chicos, ¿qué les parece si vamos al cine?

MIKI: ¡Buf! ¿Otra vez? Yo quiero que ___vayamos___ a patinar sobre hielo.

ROSI: Sí, pero la pista de patinaje está muy lejos y mis padres no quieren que yo ___salga___ hasta tan tarde.

MARTA: Yo quiero que ___alquilemos___ una película y que la ___veamos___ en mi casa.

ROSI: A mí me parece muy bien. Ojalá que el video club ___esté___ cerca de aquí.

MIKI: Bueno, ojalá nos ___pongamos___ de acuerdo sobre qué película queremos ver.

2 Escribe seis oraciones sobre lo que esperas que la familia Ordoñez haga durante sus vacaciones. Utiliza la expresión "ojalá" o los verbos **desear, esperar** o **querer** al empezar tus oraciones. **Answers will vary. Possible answers:**

Modelo: Papá / bucear _Espero que papá bucee._

1. Marina / tomar el sol ___Ojalá que Marina no tome mucho sol.___

2. el abuelo / hacer esquí acuático ___Deseo que el abuelo haga esquí acuático.___

3. José / nadar ___Espero que José nade en el lago.___

4. mamá y papá / pasear ___Ojalá papá y mamá paseen por el campo.___

5. todos juntos / jugar al fútbol ___Espero que todos juntos jueguen al fútbol.___

3 Escribe cuatro oraciones completas para decir lo que deseas que pase durante este año escolar. **Answers will vary. Possible answers:**

Modelo: Ojalá que los maestros no nos den mucha tarea este año.

1. ___Espero que aprendamos mucho.___

2. ___Ojalá que tengamos tiempo para estudiar.___

3. ___Deseo que no tengamos muchos exámenes.___

4. ___Quiero que hagamos hacer un proyecto en la clase de español.___

UNIDAD 4 Lección 1 Gramática B

Gramática C *The subjuntive with Ojalá and verbs of hope*

| ¡AVANZA! | **Goal:** Use subjunctive to express hopes and wishes. |

1 Estas personas esperan que los demás hagan lo mismo que ellos. Lee las siguientes oraciones y escríbelas de nuevo con el verbo **esperar** y el pronombre indicado.

Modelo: Juan y Charlie estudian en la biblioteca / ustedes
Juan y Charlie esperan que ustedes estudien en la biblioteca.

1. Yo trabajo en la pizzería / tú *Yo espero que tú trabajes en la pizzería.*

2. Nosotros somos pacientes / ustedes *Nosotros esperamos que ustedes sean pacientes.*

3. Tú escuchas a la directora / él *Tú esperas que él escuche a la directora.*

4. Pilar hace deporte cada día / ellos *Pilar espera que ellos hagan deporte cada día.*

5. Ellos respetan a los animales / nosotros *Ellos esperan que nosotros respetemos a los animales.*

2 Contesta las preguntas sobre lo que quieren unas personas de otras. Usa la información en paréntesis.

Modelo: ¿Qué quiere el maestro de los alumnos? (estudiar)
El maestro quiere que los alumnos estudien.

1. ¿Qué esperan los señores López del mecánico? (arreglar el coche)
Los señores López esperan que el mecánico arregle el coche.

2. ¿Qué quiere el entrenador de béisbol de su equipo? (ganar el partido)
El entrenador de béisbol quiere que su equipo gane el partido.

3. ¿Qué esperamos nosotros de la maestra de español? (tener paciencia)
Nosotros esperamos que la maestra de español tenga paciencia.

4. ¿Qué esperan ustedes de mis amigos? (ser comprensivos)
Ustedes esperan que mis amigos sean comprensivos.

5. ¿Qué quieren ellos de los exámenes de historia? (ser fáciles)
Ellos quieren que los exámenes de historia sean fáciles.

3 Escribe cuatro oraciones para expresar lo que tú y los miembros de tu familia esperan o quieren hacer cuando van a acampar.

Modelo: Mis padres *quieren que vayamos juntos a pasear por la montaña.*

1. Mis primas *Mis primas esperan que yo haga una fogata por la noche.*

2. José *José quiere que sus padres se bañen en el río.*

3. Mi hermano *Mi hermano espera que mi madre haga perros calientes.*

4. Todos nosotros *Todos nosotros esperamos que no llueva.*

Gramática A Subjunctive with Verbs of Influence

Level 3 Textbook pp. 270–272

> ¡AVANZA! **Goal:** Use the subjunctive to give advice, opinions and suggestions.

1 Completa las oraciones con los verbos del cuadro según corresponda.

Modelo: Te recomiendo que _visites_ las playas de Puerto Rico.

viajen	pueda	vayamos	canten	comer	seas	visites

1. Juan recomienda que nosotros _____vayamos_____ al cine esta tarde.
2. Mamá nos sugiere que _____comamos_____ la cena en el jardín en el verano.
3. Yo espero que _____pueda_____ volver a Cuba algún día.
4. Te aconsejo que _____seas_____ paciente.
5. Yo quiero que mis padres _____viajen_____ por todo el mundo.
6. Tú prefieres que los estudiantes no _____canten_____ en la biblioteca.

2 Contesta las preguntas para decir qué quieren las siguientes personas que hagas.

Modelo: ¿Qué quiere tu vecino(a)? (ir a su casa)
Mi vecino quiere que yo vaya a su casa.

1. ¿Qué quieren tus padres? (sacar la basura) _Mis padres quieren que yo saque la basura._
2. ¿Qué quiere el maestro? (estudiar) _El maestro quiere que yo estudie._
3. ¿Qué quieren ustedes? (ir al cine) _Ustedes quieren que yo vaya al cine._
4. ¿Qué quieres tú? (comprar un disco compacto) _Tú quieres que yo compre un disco compacto._

3 Un grupo de estudiantes se reúne para conversar sobre sus amigos. Usa la información de abajo para describir cómo es cada uno y cómo quieres que sea cada persona.

Modelo: Carlos / generoso / cariñoso
Carlos es generoso pero yo deseo que sea cariñoso.

1. Jorge y Sabina / inteligentes / comprensivos
   Jorge y Sabina son inteligentes pero yo deseo que sean comprensivos.

2. Nosotras / brillantes / dedicadas
   Nosotras somos brillantes pero yo deseo que seamos dedicadas.

3. Yo / cortés / enérgico(a)
   Yo soy cortés pero deseo ser enérgico(a).

4. Ustedes / orgullosos / modestos
   Ustedes son orgullosos pero yo deseo que sean modestos.

UNIDAD 4 Lección 1 Gramática A

Gramática B *Subjunctive with Verbs of Influence*

¡AVANZA!	**Goal:** Use the subjunctive to give advice, opinions and suggestions.

1 Completa la conversación telefónica entre Maité y Carla con la forma correcta del verbo.

MAITÉ: ¡Hola Carla! ¿Quieres que ___hagamos___ (hacer) algo esta tarde?

CARLA: No sé. ¿Prefieres que ___veamos___ (ver) una película o que ___vayamos___ (ir) a casa de Alexa?

MAITÉ: Me parece buena idea ir a casa de Alexa. También le podemos decir a Carlos y Toni que ___vayan___ (ir).

CARLA: De acuerdo. Diles que ___lleven___ (llevar) algunos discos compactos. Yo llamo a Alexa para que ___compre___ (comprar) los tacos y las bebidas.

2 Elige un verbo del cuadro para completar los consejos que la gente da a otros.

comprar	visitar	estudiar	llegar	tomar

1. Los padres de Ana y Carlos les exigen que no ___lleguen___ tarde.
2. Mi profesor me aconseja que ___estudie___ más.
3. El mecánico te sugiere que ___compres___ un carro nuevo.
4. Nuestros amigos nos recomiendan que ___visitemos___ el museo.
5. El médico le prohibe al paciente que ___tome___ la medicina con café.

3 Escribe las recomendaciones para un grupo de amigos que viaja a Puerto Rico. Usa los verbos **aconsejar, recomendar, querer, sugerir** y **desear** en oraciones completas.

Modelo: Mis padres / tú / probar la comida portorriqueña

Mis padres esperan que tú pruebes la comida portorriqueña. **Answers will vary. Possible answers:**

1. Abuelos / Alex y Elsa / comprar / una guía de Puerto Rico.

   Los abuelos aconsejan que Alex y Elsa compren una guía de Puerto Rico.

2. Juani / yo / no salir solo(a) por la noche

   Juani desea que yo no salga solo(a) por la noche.

3. Ustedes / Rosa / visitar los museos

   Ustedes quieren que Rosa visite los museos.

4. Yo / ustedes / llevar ropa de verano

   Yo sugiero que ustedes lleven ropa de verano.

5. Nosotros / ustedes / comer en el restaurante Mi Tierra

   Nosotros recomendamos que ustedes coman en el restaurante Mi Tierra.

Gramática C *Subjunctive with Verbs of Influence*

Level 3 Textbook pp. 270–272

> ⟩**¡AVANZA!** **Goal:** Use the subjunctive to give advice, opinions and suggestions.

❶ Las siguientes personas expresan lo que quieren que otros hagan. Usa los sujetos indicados para reescribir las oraciones según el modelo.

Modelo: Ustedes quieren cambiar el mundo / Ellos
Ustedes quieren que ellos cambien el mundo.

1. Yo quiero ser piloto / Tú Yo quiero que tú seas piloto.

2. René quiere ir a su casa / Nosotros René quiere que nosotros vayamos a su casa.

3. Tú quieres comer en casa / Yo Tú quieres que yo coma en casa.

4. Nosotros queremos compartir el trabajo / José Luis
Nosotros queremos que José Luis comparta el trabajo.

5. Ellos quieren aconsejar a los niños. / Ustedes
Ellos quieren que ustedes aconsejen a los niños.

❷ Escribe cinco oraciones en subjuntivo usando los verbos de influencia.   Answers will vary.

Modelo: *El doctor le recomienda a mi papá que haga más ejercicio.*   Possible answers:

1. Aconsejar Los maestros aconsejan que estudiemos.

2. Insistir Ella insiste en que tú vayas a la fiesta.

3. Mandar El alcalde manda que todos colaboren con la limpieza de las calles.

4. Sugerir Mi mamá sugiere que vayamos al campo.

5. Exigir Leonor le exige que llegue temprano.

❸ Piensa en algún problema o necesidad que existe en tu comunidad o en tu escuela. Escribe un párrafo para indicar lo que deseas o esperas que se haga para mejorar la situación. Answers will vary.

Sugerencias:

Escuela: Los pupitres en el aula. Más tecnología en las clases. Cantidad de estudiantes por clase. Materiales de estudio. Motivación en el aula.

Comunidad: Actividades culturales en la comunidad. Reparaciones en la comunidad. Más edificios públicos en la comunidad. Guía de la comunidad. Tráfico en la comunidad

_____

_____

_____

_____

_____

UNIDAD 4 Lección 1 Gramática C

Gramática adicional *Interjecciones*

> **¡AVANZA!**   **Goal:**   Use interjections to enhance a conversation.

Las palabras o expresiones de interjección acentúan de manera espontánea los sentimientos, actitudes o sensaciones del hablante.

Ejemplos: ¡Ojo!, el piso está resbaladísimo.
Salimos ya. Apúrate, ¡eh!

Algunas palabras y expresiones de interjección son:

¡Ah!	¡Ya!	¡Hola!
¡Anda!	¡Caramba!	¡Hombre!
¡Ay!	¡Ea!	¡Huy!
¡Bah!	¡Eh!	¡Oh!
¡Bravo!	¡Fuera!	¡Ojo!
¡Uh!	¡Uf!	¡Vaya!

❶ Marca con X la oración que no responda correctamente al escenario.

1. Hice muchos ejercicios ayer.

    a. ¡Huy!, me duelen los brazos hoy.

    X **b.** ¡Anda!, me duelen los brazos hoy.

2. ¿Te gusta mi nuevo coche?

    a. ¡Hombre! ¡Es fantástico!

    X **b.** ¡Bah! ¡Es fantástico!

3. Ya son las seis y media.

    X **a.** ¡Bravo!, vamos a perder el autobús.

    b. ¡Caramba!, vamos a perder el autobús.

4. ¿Trajeron la torta de cumpleaños a la fiesta?

    a. ¡Uf!, se nos olvidó en casa.

    X **b.** ¡Ojo!, se nos olvidó en casa.

❷ Responde a las siguientes situaciones con expresiones de interjección.   **Answers will vary.**
Possible answers:

1. Tu no dormiste anoche. ___¡Uf!, estoy muy cansada(o) hoy.___

2. Tu equipo favorito de fútbol acaba de ganar el campeonato. ___¡Bravo!___

3. Tu amigo tiene un perrito nuevo. ___¡Huy! ¡Qué precioso!___

4. Tu tienes mucha tarea esta noche. ___¡Ay!, tengo tanto que hacer.___

Gramática adicional   UNIDAD 4 Lección 1

Integración: Hablar

| ¡AVANZA! | **Goal:** Respond to written and oral passages describing people. |

Lee el siguiente fragmento de una entrevista publicada en la revista de entretenimiento puertorriqueña *Mirador*. La entrevistada es Graciela Pérez, una locutora de televisión.

Fuente 1 Leer

continuación

«Te va a parecer una respuesta muy cursi pero la mujer a quien más admiro es mi madre. Ella no fue una de esas madres abnegadas que se dedicaban al hogar y a los hijos nada más. Mi madre fue y es una mujer emprendedora, trabaja mucho. Siempre insiste en que sus hijos sean mejores cada día. Nos recomienda que tengamos mucha paciencia y tolerancia hacia las personas que no son o piensan como nosotros. Cada vez que puedo le hablo por teléfono y le pido consejos. No es que yo sea dependiente pero siempre es bueno saber la opinión de alguien que vela por tu beneficio, de una persona que te ama incondicionalmente. Ella siempre está contenta y te contagia de su buen humor».

ENTRETENIMIENTO HOY • 19

Escucha el mensaje que Leonor Vega dejó en el contestador de su prima Angélica. Toma notas. Luego completa la actividad.

Fuente 2 Escuchar

HL CD 1, tracks 25–26

¿En qué se parecen las dos mujeres de las que se habla en estos dos casos? ¿En qué son diferentes? Usa tus notas para formular tu respuesta.

Integración: Escribir

> **¡AVANZA!** **Goal:** Respond to written and oral passages describing people.

Lee la siguiente noticia que se publicó en un periódico dominicano.

Fuente 1 Leer

Noticias matutinas

EDICIÓN DE MAÑANA

Dominicanos eligen representante de la belleza nacional

Santo Domingo.— En un ambiente de alegría y sofisticación, los dominicanos eligieron ayer domingo a la nueva reina de belleza que los representará en los concursos internacionales este año. Arambi Prieto Gonzáles, originaria de Santiago de los Caballeros, es una muchacha preparada, cordial e inteligente. De 23 años, la nueva reina cuenta ya con un título de ingeniería industrial. «Arambi es la personificación de la nueva mujer dominicana, bella, preparada e independiente», dijeron dos de las finalistas, «va a representarnos con dignidad».

Escucha el mensaje que Annie Ponce dejó para su amiga Delia. Toma notas. Luego completa la actividad.

Fuente 2 Escuchar

HL CD 1, tracks 27–28

¿Cómo debe ser una reina de belleza? ¿Estás de acuerdo con los padres de Annie Ponce? ¿Cuál es tu opinión sobre los concursos de belleza? Escribe un párrafo en el que expliques el porqué de tu opinión. **Answers will vary.**

_____

_____

_____

_____

_____

_____

_____

_____

Lectura A

> ¡AVANZA! **Goal:** Read about opinions and advice.

1 Lee el siguiente resumen que apareció en el periódico y después contesta las preguntas.

Un encuentro con María de los Ángeles

(Cagua, Puerto Rico) Encontré a María de los Ángeles que acaba de volver a su casa en Puerto Rico después de una larga gira por los Estados Unidos. La popular cantante de boleros me contó que está impaciente por ir a las playas durante su breve visita a la isla. Ella me contó que teme que no pueda quedarse mucho tiempo en la isla porque la próxima semana tiene conciertos en Miami y Nueva York.

Hace unas semanas, su canción fue una de las más escuchadas en la radio y llegó a ser una de las diez primeras canciones. Cuando le di esta noticia me dijo, «Ojalá esto no sea un sueño y que sea realidad. Me emociono cuando veo que mis discos se venden y se escuchan en otros países». Cuando le pregunté qué consejos tiene para los cantantes jóvenes, me contestó que es necesario que los cantantes jóvenes practiquen todos los días y que hagan una rutina de ejercicios vocálicos para mejorar la voz. ¡Qué buenos consejos!

---

2 **¿Comprendiste?** Responde a las siguientes preguntas con oraciones completas.

1. ¿Por qué no puede quedarse mucho tiempo en Puerto Rico María de los Ángeles?

Ella no puede quedarse porque tiene conciertos en Miami y en Nueva York.

2. ¿Cómo reaccionó María cuando se enteró que su canción era una de las diez primeras canciones?

Ella estaba feliz y pensó, «Ojalá esto no sea un sueño y que sea realidad»

3. ¿Qué sugerencia le hace María a los cantantes jóvenes y por qué?

María les sugiere que practiquen todos los días y que hagan una rutina de ejercicios

vocálicos para mejorar la voz.

3 **¿Qué piensas?** ¿Qué le aconsejas a una persona que quiere seguir una carrera musical? ¿Por qué?

Answers will vary.

Lectura B

| ¡AVANZA! | **Goal:** Read about opinions and advice. |

❶ Lee lo que escribió Ramón sobre un tema que le preocupa. Responde a las preguntas de comprensión y compara su experiencia con la tuya.

Una decisión difícil

El próximo curso tengo que decidir qué estudios voy a seguir. El problema es que va a ser difícil elegir porque hay varias profesiones que me interesan. El orientador profesional de la escuela me recomienda que pase una prueba para saber cuál es mi vocación. Pero yo insisto en decidirlo yo solo. Mis amigos dicen que soy popular, paciente y generoso, que me destaco en los deportes y me gusta ayudar a los demás, por eso me aconsejan que sea entrenador deportivo. Mi hermana cree que yo soy sobresaliente en informática y espera que yo estudie para ser programador. Ella cree que yo podré hacer programas extraordinarios.

Mis padres me aconsejan que tome tiempo para pensar porque es una decisión importante. Dicen que ellos sólo desean que yo encuentre una profesión que me interese y que me permita tener un buen puesto de trabajo. Ellos insisten en que me informe bien sobre las profesiones que me interesan. Mi padre, que es muy organizado, quiere que yo haga una lista de profesiones y que anote las habilidades y los estudios que necesitaría para cada una de ellas. Quiere que después investigue las posibilidades de empleo. Yo creo que no es una mala idea y aunque es mucho trabajo lo voy a hacer.

❷ **¿Comprendiste?** Responde a las siguientes preguntas con oraciones completas.

1. ¿Por qué está preocupado Ramón por su futuro?

Ramón está preocupado porque tiene que decidirse por una profesión pero todo el

mundo le da consejos.

2. ¿Qué le aconsejan los amigos? ¿Por qué?

Los amigos le aconsejan que sea entrenador deportivo porque es popular, paciente y

generoso. Se destaca en los deportes y le gusta ayudar a los demás.

3. ¿Cuál es la opinión de los padres? ¿Cuál es el principal consejo que le dan?

Ellos quieren que su hijo encuentre una profesión que le interese y que le permita tener

un buen puesto de trabajo. Su principal consejo es que se informe bien acerca de todas

las profesiones que puedan resultarle interesantes.

❸ **¿Qué piensas?** ¿Qué consejos le darías a Ramón y por qué? Answer will vary.

_____

_____

Lectura B   UNIDAD 4 Lección 1

Lectura C

> ¡AVANZA! **Goal:** Read about opinions and advice.

1 Lee el siguiente diálogo. Responde a las preguntas de comprensión y compara la experiencia de los estudiantes con la tuya.

La nueva profesora

CLAUDIA: ¿Es cierto que ustedes van a tener una profesora nueva este trimestre?

RICARDO: Sí, el profesor Vargas se va un trimestre a Colombia y tendremos una profesora sustituta. Espero que sea tan buena profesora como el señor Vargas.

CLAUDIA: ¡Ojalá que no sea tan estricta como nuestro profesor, el señor Gutiérrez!

RICARDO: ¿El señor Gutiérrez exige que los estudiantes trabajen mucho?

CLAUDIA: Sí. Nos manda que leamos un libro cada semana y que llenemos una ficha sobre el libro.

RICARDO: Bueno, el señor Vargas también nos recomienda que leamos mucho, tanto libros como periódicos y revistas.

CLAUDIA: El señor Gutiérrez prohíbe que hablemos inglés en la clase de español. Una vez al mes, exige que veamos una película en español.

RICARDO: Nosotros también vemos algunas películas en la clase de español. ¡Ver películas es divertido!

CLAUDIA: No cuando el profesor te exige que hagas un informe sobre ella.

RICARDO: ¿Él les manda que hagan un informe sobre cada película que ven? Tienes razón, ¡eso ya no es tan divertido!

MARISOL: Pero eso no es malo. Así aprenderán mucho español.

CLAUDIA: Sí, pero tenemos que estudiar demasiado.

RICARDO: Pues espero que nuestra nueva profesora nos enseñe mucho. Que sea amable y que no nos haga estudiar mucho. Quiero que llegue el jueves para conocerla.

MARISOL: ¿A quién? ¿A la señora Perdomo? Ella fue la profesora de mi hermano el año pasado.

RICARDO: ¿La conoces? ¿Cómo es? ¡Vamos! Necesitamos que nos lo digas.

MARISOL: Ella es amable y muy simpática. Ella quiere que los estudiantes tengan un nivel muy bueno de español. Les aconsejo que empiecen ya a estudiar si no quieren tener una mala nota. ¡Dejen que les de la primera clase!

RICARDO:	No me asustes. Yo espero sacar buenas notas en español.
MARISOL:	Sí, y yo deseo que saques las mejores notas, por eso te aconsejo que estudies.
RICARDO:	¡Ay! ¡Todos los profesores insisten en que estudiemos demasiado!

❷ ¿Comprendiste? Responde a las siguientes preguntas:

1. ¿Ricardo está contento o descontento con su profesor el señor Vargas? ¿Por qué lo sabes?

Él está contento con su profesor. Lo sé porque desea que la nueva profesora sea tan

buena como él.

2. ¿Qué hace el señor Gutiérrez para que los estudiantes aprendan mucho español?

Para que los estudiantes aprendan mucho español, el señor Gutiérrez les manda leer un

libro cada semana, les prohíbe hablar inglés en la clase de español y les exige que cada

mes vean una película en español.

3. ¿Qué es lo que más les preocupa a los estudiantes?

A ellos les preocupa que los profesores les manden a estudiar mucho.

4. Según la conversación de los chicos, ¿cómo es la señora Perdomo?

Es amable y muy simpática pero también es bastante estricta. Quiere que sus

estudiantes tengan muy buen nivel de español.

❸ ¿Qué piensas? ¿Qué es lo que más te gusta y lo que menos te gusta de tu clase de español? ¿Por qué? ¿Qué crees que podrían hacer en la clase de español para que sea más interesante y todos aprendan más? **Answer will vary.**

_____

_____

_____

_____

Escritura A

¡AVANZA!	**Goal:** Write about wishes and plans.

1 En el diagrama siguiente, anota cuáles son los proyectos y esperanzas que tú tienes para las personas indicadas. En las intersecciones escribe proyectos y esperanzas compartidos.

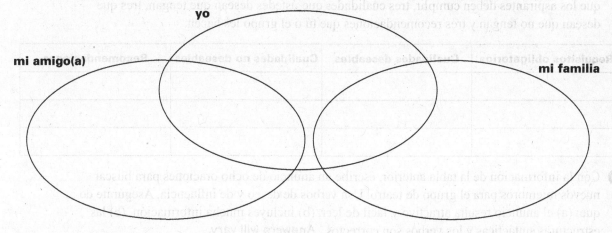

2 Escribe un párrafo para explicar tus esperanzas para la gente a tu alrededor. Asegúrate de que: (a) tus explicaciones son claras y ordenadas, (b) incluyes proyectos y esperanzas tuyos, de tu amigo(a) y de tu familia, (c) las estructuras sintácticas y los verbos son correctos.

Answers will vary.

_____
_____
_____
_____
_____
_____
_____

3 Evalúa tu párrafo con la siguiente tabla.

	Crédito máximo	**Crédito parcial**	**Crédito mínimo**
Contenido	Tus explicaciones son claras y ordenadas e incluyen esperanzas para ti, tu amigo(a) y tu familia.	Hay partes de tus explicaciones que son poco claras pero incluyen esperanzas para ti, tu amigo(a) y tu familia.	Tus explicaciones son poco claras y no incluyen esperanzas para ti, tu amigo(a) o tu familia.
Uso correcto del lenguaje	Hay muy pocos errores o ninguno en las estructuras sintácticas y los verbos.	Hay algunos errores en las estructuras sintácticas y los verbos.	Hay un gran número de errores en las estructuras sintácticas y los verbos.

Escritura B

¡AVANZA!	**Goal:** Write about wishes and plans.

1 Formas parte del grupo de teatro de tu escuela. El grupo necesita incorporar nuevos miembros. ¿Qué cualidades deben tener los aspirantes? Completa la tabla con tres requisitos que los aspirantes deben cumplir, tres cualidades que ustedes desean que tengan, tres que desean que no tengan y tres recomendaciones que tú o el grupo les hacen.

Requisitos obligatorios	Cualidades deseables	Cualidades no deseables	Recomendaciones

2 Con la información de la tabla anterior, escribe un anuncio de ocho oraciones para buscar nuevos miembros para el grupo de teatro. Usa verbos de deseo y de influencia. Asegúrate de que: (a) el anuncio resulta atractivo y fácil de leer, (b) incluyes mucha información, (c) las estructuras sintácticas y los verbos son correctos. **Answers will vary.**

_____

_____

_____

_____

_____

_____

3 Evalúa tu anuncio con la siguiente tabla.

	Crédito máximo	**Crédito parcial**	**Crédito mínimo**
Contenido	Escribiste un anuncio claro con ocho oraciones. Incluiste mucha información de la Actividad 1.	Escribiste un anuncio de seis oraciones. Incluiste alguna información de la Actividad 1.	Escribiste un anuncio de cuatro oraciones. El anuncio no es claro y no incluiste información de la Actividad 1.
Uso correcto del lenguaje	Hay muy pocos errores o ninguno en las estructuras sintácticas y los verbos.	Hay algunos errores en las estructuras sintácticas y los verbos.	Hay un gran número de errores en las estructuras sintácticas y los verbos.

Escritura C

| ¡AVANZA! | **Goal:** Write about wishes and plans. |

1 Escribe una lista de cinco consejos que le darías a un amigo deprimido para que se sienta mejor y una lista de cinco esperanzas para su presente y su futuro.

Consejos	Esperanzas
a.	**a.**
b.	**b.**
c.	**c.**
d.	**d.**
e.	**e.**

2 Con la información de la tabla escribe un poema para tu amigo con el tema de la esperanza. Asegúrate de que tu poema: 1) está escrito en un tono positivo para darle ánimo a tu amigo; 2) le da tus consejos; 3) contiene detalles de la personalidad de tu amigo.

_____

_____

_____

_____

_____

_____

_____

3 Evalúa tu poema con la siguiente tabla.

	Crédito máximo	**Crédito parcial**	**Crédito mínimo**
Contenido	El tono de tu poema es positivo y expones tus consejos con claridad.	El tono de tu poema es positivo pero algunos de tus consejos se exponen con poca claridad.	El tono de tu poema es poco positivo y tus consejos no se exponen con claridad.
Uso correcto del lenguaje	Hay muy pocos errores o ninguno en los verbos y la ortografía.	Hay algunos errores en los verbos y la ortografía.	Hay un gran número de errores en los verbos y la ortografía.

Cultura A

> ¡AVANZA! **Goal:** Discover and know people, places, and culture from Caribbean countries.

1 Relaciona los nombres de la columna del centro con las ocupaciones de la columna de la izquierda y los países de la columna de la derecha.

1. _b, d_ Julia Álvarez			
2. _b, f_ Alejo Carpentier		**d.** República Dominicana	
a. deporte	**3.** _c, f_ Gloria Estefan	**e.** Puerto Rico	
b. literatura	**4.** _a, d_ Pedro Martínez	**f.** Cuba	
c. música	**5.** _c, e_ Olga Tañón		
	6. _a, d_ Félix Sánchez		

2 Responde de forma breve a las siguientes preguntas.

1. Menciona tres ciudades importantes de Puerto Rico.

Tres ciudades importantes de Puerto Rico son San Juan, Ponce y Carolina.

2. ¿Cuántas estaciones tiene el año en los países caribeños?

En el Caribe hay dos estaciones: una seca y otra lluviosa.

3. ¿Cuáles son tres comidas típicas de los países hispanos del Caribe?

Tres comidas típicas son arroz moro, masas de puerco y plátanos maduros fritos.

4. ¿Qué estudió Juan Luis Guerra?

Juan Luis Guerra estudió filosofía y letras y música.

3 ¿Cómo se divierten los jóvenes caribeños los fines de semana? ¿Y tú? Escribe dos oraciones explicando dos diversiones típicas de los jóvenes caribeños y otras dos oraciones con dos cosas que tú haces para divertirte con tus amigos. Luego escribe una oración comparando las diversiones de los jóvenes caribeños con las tuyas. **Possible answers:**

Nos divertimos el fin de semana	
Los jóvenes caribeños	**Mis amigos y yo**
1. Pasean por las calles de sus ciudades.	**1.** Paseamos por el centro comercial.
2. Por la tarde van a bailar.	**2.** Vamos al cine. Nos gusta estar con los amigos y pasear. No nos gusta mucho bailar, preferimos ir al cine.

UNIDAD 4 Lección 1 Cultura A

Cultura B

> **¡AVANZA!**   **Goal:** Discover and know people, places, and culture from Caribbean countries.

1 Responde de forma breve a las siguientes preguntas sobre los países hispanos del Caribe.

1. ¿Cuáles son los tres países hispanos del Caribe?

Los tres países hispanos del Caribe son Cuba, Puerto Rico y República Dominicana.

2. ¿Qué características geográficas comparten los tres países hispanos del Caribe?

Estos países están en islas llanas con algunas montañas.

3. ¿Cuáles son algunas frutas tropicales típicas del Caribe?

Algunas frutas tropicales del Caribe son la piña, el mango, la guayaba y el coco.

4. ¿Dónde nació el beisbolista Roberto Clemente?

Roberto Clemente nació en Puerto Rico.

2 Responde con oraciones completas a las siguientes preguntas sobre la carrera profesional de dos caribeños famosos.

1. Juan Luis Guerra es una famosos cantante de República Dominicana ¿Qué tipo de música canta José Luis Guerra? ¿En qué universidad estadounidense estudió? ¿Qué materia estudió allí?

Juan Luis Guerra canta merengue. Él estudió música en el Berklee College of Music de

Boston.

2. En tu libro puedes ver una fotografía de Félix Sánchez cuando ganó una medalla de oro en los Juegos Olímpicos. ¿En qué competencia ganó la medalla? ¿Cuántas medallas de oro ganaron los atletas dominicanos?

Félix Sánchez ganó la medalla de oro en la carrera de 400 metros con vallas. Ésta es la

única medalla de oro que ganó un atleta dominicano en los Juegos Olímpicos.

3 ¿Cual es una tradición muy popular del carnaval del Caribe? ¿Se celebra el carnaval en tu región? ¿Cuáles son algunas tradiciones del carnaval en tu comunidad o en otro lugar de Estados Unidos? Escribe un párrafo de cuatro o cinco oraciones describiendo una celebración de carnaval en Estados Unidos. **Answers will vary. Possible answers:**

Una tradición del carnaval del Caribe son las máscaras gigantes. En Miami, Florida tambien

se celebra el carnaval. La celebración tiene lugar en la Calle Ocho. El carnaval de la Calle

Ocho es muy alegre y divertido. Hay desfiles, comida de todos los países hispanos y música

y actuaciones de importantes artistas en la calle. Miles de personas participan en este

carnaval, muchas de ellas se disfrazan. Es una de las fiestas en la calle más grande de

Estados Unidos.

UNIDAD 4 Lección 1   Cultura B

Cultura C

> **¡AVANZA!**   **Goal:**   Discover and know people, places, and culture from Caribbean countries.

1 Responde a las siguientes preguntas sobre los países hispanos del Caribe, sus costumbres y el deporte en estos países con oraciones completas.

1. Nombra los tres países hispanos del Caribe y sus respectivas capitales.

Estos países son Cuba, Puerto Rico y la República Dominicana. La capital de Cuba es La

Habana; la de Puerto Rico, San Juan y la de República Dominicana, Santo Domingo.

2. ¿Qué son los vejigantes, cabezones y cojuelos?

Son máscaras gigantes que se usan en el carnaval.

3. ¿Quién fue Roberto Clemente? ¿Dónde nació?

Roberto Clemente fue un popular jugador de béisbol que nació en Puerto Rico.

2 Responde a las siguientes preguntas sobre dos caribeños famosos que hicieron algo para ayudar a los demás. Da todos los detalles posibles.

1. Roberto Clemente murió en un accidente cuando iba a ayudar a personas de Centroamérica. ¿Qué ayuda llevaba? ¿En qué país estaban esas personas y por qué necesitaban ayuda?

Roberto Clemente murió cuando llevaba unas donaciones para las personas de

Nicaragua que fueron víctimas de un terremoto en 1972.

2. ¿Qué es la fundación 4.40? ¿Quién la creó? ¿A qué se dedica esta fundación?

La fundación 4.40 fue creada por Juan Luis Guerra junto con su amigo Herbert Stern.

Esta fundación se encarga de ayudar a las personas que necesitan recursos médicos.

3 ¿Por qué crees que al cantante Juan Luis Guerra se le considera poeta? ¿Prestas atención a la letra de las canciones que escuchas? ¿Piensas que es importante lo que dice una canción o que lo que importa es sólo la música? ¿Qué cantante o grupo crees que tiene letras interesantes en sus canciones? ¿Por qué te gustan esas letras? ¿Las calificarías cómo poesía? Responde en un párrafo breve.

Possible answer: Se le considera un poeta porque sus canciones son verdaderas poesías a

las que se les ha agregado la música. Una canción está formada por música y palabras y los

dos elementos son importantes. Answers will vary for the second part of the question.

Copyright © by McDougal Littell, a division of Houghton Mifflin Company.

UNIDAD 4 Lección 1

Cultura C

Vocabulario A ¿Quiénes son los héroes?

| ¡AVANZA! | **Goal:** Discuss the heroes around you. |

1 Subraya la palabra correcta para describir a estos profesionales.

1. Un(a) bombero(a) debe tener (fama / <u>valentía</u>).

2. Los políticos tienen que pensar en su (<u>imagen</u> / vecina) pública.

3. A José le gustan las computadoras y por eso es (cartero / <u>técnico</u>) de computación.

4. Flor se interesa en los animales y su meta es ser (<u>veterinaria</u> / secretaria).

5. A Gloria le gusta trabajar con la madera y quiere ser (<u>carpintera</u> / cartera).

2 Usa las palabras de la caja para completar las oraciones correctamente.

| la meta | el deber | la fama | logro | propósito |

1. _____El deber_____ de un policía es cuidar a los vecinos de su comunidad.

2. El artista tiene como _____propósito_____ llegar a la fama.

3. El mayor _____logro_____ de un político es ganar una campaña.

4. _____La meta_____ de Camila es convertirse en una periodista famosa.

5. Lograr _____la fama_____ es el propósito de muchos músicos.

3 Ernesto, el candidato para el comité estudiantil de la escuela, te pide tu colaboración. Escribe una oración que describa una de las cualidades que debe tener cada uno de los miembros de la mesa directiva estudiantil. **Answers will vary. Possible answers:**

Modelo: Carla / vocal

Carla sabe hablar en público. Será muy buena vocal.

1. Ernesto / presidente

   Ernesto será un buen presidente porque es ingenioso.

2. Clara / secretaria

   Clara es muy organizada. Será una secretaria dedicada.

3. Laura / tesorera

   Laura es muy honesta. Será la tesorera perfecta.

4. Ramón / fiscal

   Ramón es muy razonable. Será un fiscal muy sincero.

UNIDAD 4 Lección 2 Vocabulario A

Vocabulario B ¿Quiénes son los héroes?

Level 3 Textbook pp. 180–182

| ¡AVANZA! | **Goal:** Discuss the heroes around you. |

1 Escoge la palabra correcta para completar las opiniones de algunas personas de tu comunidad.

| sorprendente | auténtico | imagen | sacrificios | realistas |

1. Pienso que las noticias locales son __realistas__ .

2. Muchas veces los padres hacen __sacrificios__ por sus hijos.

3. Es __sorprendente__ ver cómo los bomberos arriesgan sus vidas por la comunidad.

4. Carmen quiere un autógrafo __auténtico__ de su actor favorito.

5. Las personas famosas no siempre logran una buena __imagen__ .

2 Contesta las preguntas sobre las profesiones con oraciones completas.

1. ¿Quién es la persona que pinta, dibuja y hace esculturas?
   La persona que pinta, dibuja y hace esculturas es un(a) artista.

2. ¿Qué profesión tiene la persona que trabaja con animales?
   La persona que trabaja con animales es un(a) veterinario(a).

3. ¿Quién es la persona que repara las computadoras?
   La persona que repara las computadoras es el(la) técnico(a).

4. ¿Qué profesión tiene la persona que nos mantiene informados?
   La persona que nos mantiene informados es un(a) periodista.

5. ¿Quién es la persona que convence al público de votar por él/ella?
   La persona que convence al público de votar por él/ella es un(a) político(a).

3 Usa el vocabulario para describir cada profesión con una oración completa.
Answers will vary. Possible answers:

1. Músicos __Los músicos son las personas que hacen canciones y componen melodías.__

2. Periodistas __Los periodistas son las personas que trabajan en el periódico.__

3. Policías __Los policías son las personas que protegen la ciudad.__

4. Bomberos __Los bomberos son las personas que combaten los incendios.__

5. Maestros __Los maestros son las personas que nos enseñan en la escuela.__

6. Veterinarios __Los veterinarios son las personas que curan las enfermedades de los animales.__

UNIDAD 4 Lección 2 Vocabulario B

Vocabulario C ¿Quiénes son los héroes?

¡AVANZA!	**Goal:** Discuss the heroes around you.

1 Escribe un poema teniendo en cuenta las profesiones del Vocabulario. Ejemplo: Reparto el correo, soy el cartero, etc.

_____

_____

_____

_____

2 Describe con oraciones completas la diferencia entre lo que hacen los siguientes profesionales y la relación que tienen entre sí. **Answers will vary. Possible answers:**

Modelo: La secretaria y la artista:
La secretaria organiza los documentos en la oficina y la artista realiza pinturas.
Muchas veces la artista necesita a una secretaria para que organice la
correspondencia.

1. Los carpinteros y los carteros:
Los carpinteros trabajan con la madera y los carteros entregan el correo.

El carpintero necesita que el cartero le entregue el correo.

2. Los periodistas y los bomberos:
Los periodistas informan sobre las noticias y los bomberos apagan incendios.

Los periodistas informan sobre la valentía de los bomberos.

3. Los técnicos y los veterinarios:
Los técnicos arreglan los aparatos electrónicos y los veterinarios curan a los animales.

Los veterinarios necesitan a los técnicos para que arreglen sus computadoras.

3 ¿Para ti quiénes son los verdaderos héroes? Escribe un párrafo corto para describir a tu héroe. Usa palabras del vocabulario de la lección. **Answer will vary.**

_____

_____

_____

_____

_____

Vocabulario adicional

¡AVANZA!	**Goal:** Recognize words with the combination **gü**.

- La letra **g** se pronuncia de varias maneras en español. Tiene un sonido fuerte delante de las vocales **a**, **o** y **u**:

  gato, gorra, gusto.

Tiene un sonido suave delante de las vocales **i** y **e**:

  gigante, gente.

- Si quieres producir un sonido fuerte delante de **e** o **i**, añades una **u**:

  guerra, guía.

- Si quieres que suene la **u** delante de la **e** o **i**, añade la diéresis (los dos puntos sobre la letra):

  cigüeña.

- Puedes utilizar estas reglas para el deletreo o puedes memorizar cada palabra por separado.

1 Escribe **g**, **gu** o **gü**, según el caso. Si tienes dudas, consulta un diccionario bilingüe.

1. __g__ar __g__anta
2. pin__gü__ino
3. __gu__ante
4. __g__azpacho
5. in__g__enioso
6. __gu__itarra
7. __gu__acamole
8. di__g__estión
9. __g__orila

2 Escribe un cuento corto diferentes palabras que usen **g**, **gu**, y **gü**. Escribe por ejemplo: Era un gigante al que le gustaba comer guacamole...

_____

_____

_____

_____

_____

_____

_____

UNIDAD 4 Lección 2

Vocabulario adicional

Gramática A

The use of the subjunctive with expressions of doubt and denial

Level 3 Textbook pp. 183–187

¡AVANZA! **Goal:** Use the subjunctive to express doubt, denial or disbelief.

1 Completa las oraciones con el verbo apropiado del cuadro.

quiera	sea	logren	sepamos

1. Me sorprende que estos políticos _____logren_____ convencer al público.
2. Dudo que mi vecino _____sea_____ un chico famoso.
3. No estoy segura de que Javier _____quiera_____ ayudar a la veterinaria.
4. Es improbable que nosotros _____sepamos_____ toda la historia.

2 Escribe la forma correcta del subjuntivo de los verbos en las siguientes oraciones.

1. Es imposible que Juan y yo _____alcancemos_____ (alcanzar) nuestra meta.
2. No es cierto que mi vecino _____esté_____ (estar) pensando en mudarse.
3. Dudo que la secretaria _____venga_____ (venir) mañana.
4. No creo que la fama _____sea_____ (ser) algo bueno.

3 Observa las ilustraciones y escribe cuatro oraciones que expresan duda que Carmen siga estas profesiones. **Answers will vary. Possible answers:**

Modelo:  *Es dudoso que Carmen sea veterinaria.*

  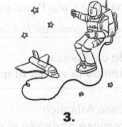 

   1.   **2.**   **3.**   **4.**

1. No creo que Carmen sea violinista.
2. Es difícil que Carmen sea detective.
3. No es probable que Carmen sea astronauta.
4. No estoy seguro(a) de que Carmen sea científica.

Gramática B

The use of the subjunctive with expressions of doubt and denial

Level 3 Textbook pp. 183–187

¡AVANZA! **Goal:** Use the subjunctive to express doubt, denial or disbelief.

1 Escribe oraciones con las siguientes frases: me sorprende, dudo que, tú no crees que no es verdad que, es improbable que. **Answers will vary. Possible answer:**

Modelo: el astronauta / estar solo en el espacio

Me sorprende que el astronauta esté solo en el espacio.

1. el artista / cambiar de imagen _Dudo que el artista cambie de imagen._

2. el veterinario / curar al animal _Tú no crees que el veterinario cure al animal._

3. la bombera / no cumplir con su deber _No es verdad que la bombera no cumpla con su deber._

4. este artista / ser famoso _Es improbable que este artista sea famoso._

2 Contesta negativamente las siguientes preguntas con las expresiones entre paréntesis.

Modelo: ¿Cantas en el coro? (es dudoso)

No, es dudoso que cante en el coro.

1. ¿Salimos esta noche? (es improbable)

   No, es improbable que salgamos esta noche.

2. ¿Voy al teatro esta tarde? (es dudoso)

   No, es dudoso que vayas al teatro esta tarde.

3. ¿Hacen el pastel para Juan? (no creo)

   No, no creo que hagan el pastel para Juan.

4. ¿Traes los materiales necesarios? (no creo)

   No, no creo que traiga los materiales necesarios.

3 Escribe cuatro oraciones en las que expreses tus dudas sobre los siguientes temas. **Answers will vary. Possible answers:**

Modelo: Comer mañana en la Casa Blanca con el Presidente

Dudo que mañana coma en la Casa Blanca con el Presidente.

1. Dar la vuelta al mundo en 8 horas

   No es verdad que demos la vuelta al mundo en 8 horas.

2. Cruzar nadando el océano Atlántico

   Es improbable que cruces nadando el océano Atlántico.

3. Construir una casa de la noche a la mañana

   No es cierto que construyas una casa de la noche a la mañana.

4. Ganar el premio Nobel de la paz este año

   Dudo que gane el premio Nobel de la paz este año.

UNIDAD 4 Lección 2
Gramática B

Gramática C

The use of the subjunctive with expressions of doubt and denial

Level 3 Textbook pp. 183–187

> ¡AVANZA! **Goal:** Use the subjunctive to express doubt, denial or disbelief.

❶ Completa las oraciones con el verbo del cuadro. Puede haber más de una respuesta por oración.

querer	ser	llegar	lograr	arriesgar	saber

1. Me sorprende que estos políticos _logren/ sepan/ quieran_ convencer al público.

2. Julia duda que su vecino ___sea___ un chico famoso.

3. Nosotros no estamos seguros de que Rosa y Ana _quieran/ logren/ sepan_ ayudar a la veterinaria.

4. Es probable que el bombero ___arriesgue___ su vida una vez más.

5. Es imposible que nosotros ___lleguemos___ a tiempo para tomar el tren.

❷ Recuerda que a Ricardo siempre le gusta llevar la contraria. Comienza cada una de las siguientes oraciones con la expresión de Ricardo entre paréntesis y escribe de nuevo las oraciones con los cambios necesarios.

Modelo: El secretario habla con la directora. (Es improbable)

Es improbable que el secretario hable con la directora.

1. El mecánico puede arreglar el coche con estas herramientas. (No creo)

   No creo que el mecánico pueda arreglar el coche con estas herramientas.

2. Lourdes llega esta tarde en el tren de las cinco. (Dudo)

   Dudo que Lourdes llegue esta tarde en el tren de las cinco.

3. El carpintero está haciendo la mesa del comedor con madera de pino. (Me sorprende)

   Me sorprende que el carpintero esté haciendo la mesa del comedor con madera de pino.

4. El cartero no puede llevar el correo hasta tu casa. (No es verdad)

   No es verdad que el cartero no pueda llevar el correo hasta tu casa.

❸ Escribe un párrafo sobre algo que te gustaría hacer en tu vida pero que no estás seguro(a) que puedas alcanzar. Usa las frases de dudas y el subjuntivo.

Answers will vary. Possible answer: **Me gustaría ser astronauta pero dudo que pase**

el examen físico. Me encantaría viajar por el universo pero no estoy segura que me

alcance el dinero para el billete. Tampoco creo que sepa vivir sin gravedad.

UNIDAD 4 Lección 2 Gramática C

Gramática A   *Use the subjunctive with expressions of emotion*

Level 3 Textbook pp. 188–190

> ¡AVANZA!   **Goal:**   Use the subjunctive with clauses that express emotion.

1 Escribe oraciones lógicas con las siguientes frases.

Siento que tú	estudien	su coche
Me alegro de que nosotros	estés	enferma
Nos sorprende que ellos	venda	a cenar fuera
Es una lástima que Tomás	vayamos	tanto

1. Siento que tú estés enferma.

2. Me alegro de que nosotros vayamos a cenar fuera.

3. Nos sorprende que ellos estudien tanto alemán.

4. Es una lástima que Tomás venda su coche.

2 Escoge los adjetivos del cuadro para completar las siguientes oraciones en grado superlativo.

Modelo: Siento que el gato / estar *esté enfermísimo.*

| enfermo | rico | bueno | fácil | feas |

1. Me sorprende que el equipo no /ser sea buenísimo.

2. Siento que el arroz no / estar esté riquísimo.

3. Espero que las faldas no /ser sean feísimas.

4. Nos alegra que el examen /ser sea facilísimo.

3 Describe lo que ocurre en los dibujos con las expresiones indicadas.   **Answers will vary.**
                                                                            Possible answers:

1. "es triste que"   2. nosotros   3. Riki, "Esperar que"
                       "Alegrarse de que"

1. Es triste que esté lloviendo para salir a jugar.

2. Nos alegramos de que la orquesta tenga éxito.

3. Riki espera que su amo lo lleve al veterinario.

Gramática A   UNIDAD 4 Lección 2

Gramática B *Use the subjunctive with expressions of emotion*

Level 3 Textbook pp. 188–190

> **¡AVANZA!**　**Goal:**　Use the subjunctive with clauses that express emotion.

① Escribe la forma correcta del verbo en cada oración.

Modelo:　Me sorprende que Manuel _cante_ (cantar) tan bien.

1. Me sorprende que Juan _____**tome**_____ (tomar) el autobús para ir al colegio.
2. Me gustaría _____**entender**_____ (entender) todos los problemas de matemáticas.
3. Nosotros esperamos _____**participar**_____ (participar) en la función de Navidad.
4. ¿Te alegras de que _____**vengan**_____ (venir) tus primos de Puerto Rico?
5. Camila siente que tu _____**estés**_____ (estar) enfadada con ella.

② Contesta las siguientes preguntas con las expresiones del cuadro.

Answers will vary.

Modelo:　¿Qué le dices a tu mejor amigo(a) cuando se va de viaje?

Possible answers:

　　　Espero que tengas un buen viaje.

sorprenderse de que	esperar que	es una lástima que	sentir que	alegrarse de que

1. ¿Qué le dices a tu mamá cuando está enferma?
   Es una lástima que estés enferma.

2. ¿Qué le dices a un(a) amigo(a) cuando ha alcanzado su meta?
   Me alegro de que tengas éxito.

3. ¿Qué le dices a tu hermano(a) cuando te sorprende con una visita?
   Me sorprende que me visites.

4. ¿Qué le dices a tu abuela cuando llegas tarde a su casa?
   Siento mucho que estés despierta esperándome.

③ Escribe cuatro oraciones para expresar las cosas que tú esperas que le ocurran a Sonia.

Modelo:　aprobar las matemáticas / *Espero que Sonia apruebe matemáticas este año.*

1. ir de acampada / **Espero que Sonia vaya de acampada el próximo año.**
2. tomar clases de natación / **Espero que Sonia tome clases de natación el en verano.**
3. aprender a jugar al ajedrez / **Espero que Sonia aprenda a jugar al ajedrez algún día.**
4. conseguir su meta / **Espero que Sonia consiga su meta cuando sea profesional.**

UNIDAD 4 Lección 2　Gramática B

Gramática C *Use the subjunctive with expressions of emotion*

> **¡AVANZA!** **Goal:** Use the subjunctive with clauses that express emotion.

1 Escribe las oraciones sobre el héroe de Darío con el verbo entre paréntesis en subjuntivo.

Me alegro de que mi vecino Roberto **1.** _____**sea**_____ (ser) bombero y de que

2. _____**sea**_____ (ser) un hombre muy valiente. Un día unas personas provocaron un

incendio en un bosque detrás de nuestra casa. Nuestro vecino Roberto salió con el equipo de

bomberos a luchar contra el fuego y al cabo de largas horas consiguieron apagarlo. Es una

lástima que **3.** _____**haya**_____ (haber) gente así y que no **4.** _____**respeten**_____

(respetar) la naturaleza. Espero que no **5.** _____**vuelva**_____ a ocurrir algo así nunca

más. Es tristísimo ver un bosque quemado sin vida y sin color.

2 Escribe una oración con una expresión de emoción para describir cada dibujo y otra oración
para desearles a los personajes que solucionen su problema.

Modelo:  *Siento que hayas perdido el anillo.*
Espero que lo encuentres pronto.

Answers will vary.
Possible answers:

   1.   **2.**   **3.**

1. _Temo que tengas que comprar otro coche. Espero que no sea caro._

2. _Siento que estés enferma. Espero que te mejores pronto._

3. _Es una lástima que pierdan. Espero que ganen la próxima vez_

3 Piensa en alguien a quien admiras y escribe un párrafo que describa los aspectos que más
te impresionan de la vida de esta persona. Luego escribe lo que puedes hacer para tener las
mismas cualidades de él o ella. **Answer will vary.**

_____

_____

_____

_____

_____

Unidad 4, Lección 2
Gramática C
180

¡Avancemos! 3
Cuaderno para hispanohablantes

Gramática C   UNIDAD 4 Lección 2

Gramática adicional

¡AVANZA!	**Goal:** Practice the use of the *raya* in dialogues.

La raya (—) es un signo de puntuación que se usa para indicar el cambio de un hablante a otro en una narración o en un diálogo.

Observa el uso de la raya en el siguiente ejemplo:

—¿Cómo estás hoy? —le preguntó Jaime.

—Muy bien, —le respondió Jorge—, ¿y tú?

—Muy bien, gracias.

1 En el siguiente diálogo coloca rayas donde sean necesarias.

David y Emilia se reunieron en el parque.

____ ¡Hola! ____ dijo Emilia ____.

____ Emilia, ¿cómo estás? ____ Hace mucho que no nos vemos. ____

____ Sí. Estoy bien, ¿y tú cómo estás? ____ le preguntó.

____ Bien. Estoy muy ocupado en mi nuevo trabajo. ____ le respondió.

____ Me imagino. ____ ¿Te gusta el trabajo? ____

____ Sí, mucho. ____ ¿Cómo van tus estudios? ____ le preguntó David.

____ Acabo de completar mis exámenes finales. ____

____ ¡Qué bien! ____

2 Escribe un pequeño diálogo entre las primas Josefina y Laura. Laura fue de compras y le muestra a Josefina lo que compró. Usa rayas para indicar los cambios de una hablante a otra.

Answers will vary.

_____

_____

_____

_____

_____

Conversación simulada

> **¡AVANZA!**   **Goal:**   Respond to an oral conversation expressing positive and negative emotions.

Vas a participar en una conversación telefónica simulada con tu amiga Eduviges. Primero, lee el bosquejo de la conversación que aparece en la página. Luego, escucha el audio. Tú sólo oirás lo que te dice Eduviges. Entonces escucha el audio de nuevo. Esta vez participarás en la conversación. Responde de forma oral a lo que te dice Eduviges. Una señal te indicará cuando te toque a ti hablar.

[phone rings]

Tú: Contesta el teléfono y pregunta quién llama.

Eduviges: (Ella responde y te dice cómo se siente.)

Tú: Pregúntale por qué.

Eduviges: (Ella te explica por qué ella y su papá se sienten así.)

Tú: Dile qué opinas de la situación.

Eduviges: (Ella te responde y te pregunta sobre un evento.)

Tú: Respóndele y ofrece tu ayuda.

Eduviges: (Ella te pide algo.)

Tú: Contesta si puedes hacerlo.

Eduviges: (Ella se despide.)

Tú: Despídete y cuelga.

_____

_____

_____

_____

_____

UNIDAD 4 Lección 2

Conversación simulada

182

Unidad 4, Lección 2
Conversación simulada

¡Avancemos! 3
Cuaderno para hispanohablantes

Integración: Escribir

> **¡AVANZA!** **Goal:** Respond to written and oral passages expressing positive and negative emotions.

Lee la siguiente línea de mensajes de un foro de Internet donde jóvenes expresan sus opiniones sobre distintos asuntos.

Fuente 1 Leer

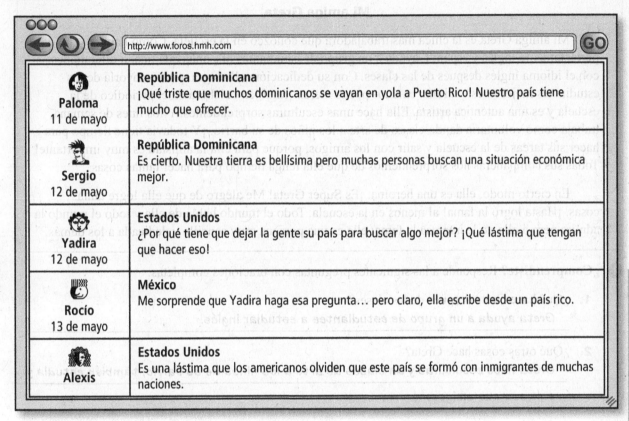

Paloma 11 de mayo	**República Dominicana** ¡Qué triste que muchos dominicanos se vayan en yola a Puerto Rico! Nuestro país tiene mucho que ofrecer.
Sergio 12 de mayo	**República Dominicana** Es cierto. Nuestra tierra es bellísima pero muchas personas buscan una situación económica mejor.
Yadira 12 de mayo	**Estados Unidos** ¿Por qué tiene que dejar la gente su país para buscar algo mejor? ¡Qué lástima que tengan que hacer eso!
Rocío 13 de mayo	**México** Me sorprende que Yadira haga esa pregunta… pero claro, ella escribe desde un país rico.
Alexis	**Estados Unidos** Es una lástima que los americanos olviden que este país se formó con inmigrantes de muchas naciones.

Escucha los comentarios de Silvia Montero, una locutora de radio público en San Juan, Puerto Rico. Toma notas. Luego completa la actividad.

Fuente 2 Escuchar

HL CD 1, tracks 31–32

Escribe un párrafo para expresar tus propias ideas y emociones sobre el tema de la emigración. ¿Con qué opiniones de las que has escuchado estás de acuerdo? ¿Por qué? **Answers will vary.**

_____

_____

_____

_____

_____

Lectura A

¡AVANZA!	**Goal:** Read about reactions and emotions.

1 Lee lo que Aurora piensa de su amiga Greta. Responde a las preguntas de comprensión y da tu opinión sobre el tema.

Mi amiga Greta

Mi amiga Greta es la chica más trabajadora que conozco en la escuela. Como habla perfectamente inglés y español, ayuda a un grupo de estudiantes hispanos que tienen dificultades con el idioma inglés después de las clases. Con su dedicación, ella logra que la mayoría de los estudiantes mejoren este idioma en unos pocos meses. También colabora en el periódico de la escuela y es una auténtica artista. Ella hace unas esculturas sorprendentes. Y los fines de semana, trabaja como voluntaria dando clases de arte a los niños de su barrio. ¡Y todavía tiene tiempo para hacer sus tareas de la escuela y salir con los amigos, porque para ella la amistad es muy importante! Todas sus compañeras nos sorprendemos de que ella tenga tiempo para hacer tantas cosas.

En cierto modo, ella es una heroína. ¡Es Super Greta! Me alegro de que ella logre tantas cosas. ¡Hasta logró la fama! al menos en la escuela. Todo el mundo habla de ella y todo el mundo la admira pero a ella no le interesa la fama; ella es una persona muy sencilla y dedicada a los demás.

2 **¿Comprendiste?** Responde a las siguientes preguntas con oraciones completas.

1. ¿Qué hace Greta después de las clases?

Greta ayuda a un grupo de estudiantes a estudiar inglés.

2. ¿Qué otras cosas hace Greta?

Greta hace esculturas y da clases de arte a los niños de su barrio; también estudia y

sale con sus amigos.

3. ¿Por qué a Greta no le interesa la fama? ¿Por qué crees entonces qué hace tantas cosas? ¿Qué palabras del diálogo confirman tu respuesta?

A Greta no le interesa la fama porque es una persona muy sencilla, ella hace muchas

cosas para ayudar a los demás. Esto lo confirman las palabras de Aurora «Ella es una

persona muy sencilla y dedicada a los demás».

3 **¿Qué piensas?** ¿Qué otras cosas haces tú además de estudiar? ¿Te gusta hacer muchas cosas o pocas cosas a lo largo del día? ¿Por qué? Answers will vary.

_____

_____

_____

_____

UNIDAD 4 Lección 2   Lectura A

Unidad 4, Lección 2
Lectura A
184

¡**Avancemos! 3**
Cuaderno para hispanohablantes

Lectura B

| ¡AVANZA! | **Goal:** Read about and express reactions and emotions |

1 Lee el texto que escribió Rosa para explicar qué va a hacer cuando termine la escuela. Responde a las preguntas de comprensión y compara su experiencia con la tuya.

¿Qué voy a hacer?

Todavía no estoy muy segura qué voy a estudiar. Es probable que estudie para ser científica porque soy muy buena en ciencias, sobre todo en biología. Mis amigas me aconsejan que estudie para ser médica. Aunque dudo mucho que llegue a ser una buena doctora, porque me pongo demasiado nerviosa cuando veo sangre. También me gusta mucho el arte. No creo que sea una mala pintora, pero no estoy segura de que tenga la valentía necesaria para enfrentarme a los momentos de inseguridad y a los sacrificios por los que tiene que pasar un artista. Por eso me gustaría elegir otro tipo de profesión.

Me sorprende que muchas de mis amigas sepan ya qué profesión quieren tener. Mi hermano mayor dice que no siempre podemos tener la seguridad de que elegimos el mejor camino. También dice que muchas veces hay que actuar, tomar decisiones sin saber si son las correctas y arriesgarse. Pero yo no creo que este consejo sea bueno para mí. Cada persona tiene una forma diferente de actuar y tiempo para tomar una decisión.

---

2 **¿Comprendiste?** Responde a las siguientes preguntas con oraciones completas.

1. ¿Qué profesión creen las amigas de Rosa que es buena para ella? ¿Por qué? ¿Qué opina ella?

Sus amigas le aconsejan que sea médica porque es buena en biología y le gusta

ayudar a las personas. Ella cree que no es una buena profesión para ella porque se

pone muy nerviosa cuando ve sangre.

2. ¿Cree Rosa que una profesión artística puede ser buena para ella? ¿Por qué?

Ella piensa que no es bueno tener una profesión artística porque le da miedo

enfrentarse a momentos de inseguridad económica y a sacrificios.

3. ¿Qué le aconseja el hermano a Rosa? ¿Crees que ella va a seguir su consejo? ¿Por qué?

El hermano le dice que se arriesgue, que no siempre es posible tomar decisiones

sabiendo con seguridad si son acertadas o no. No creo que ella vaya a seguir su

consejo, porque dice que necesita tiempo para tomar una decisión.

3 **¿Qué piensas?** ¿Qué haces tú cuando tienes que tomar una decisión y no estás seguro(a) de que es la mejor? ¿Alguna vez tomaste una decisión arriesgada? Explica tu experiencia sobre este tema. **Answers will vary.**

_____

_____

_____

UNIDAD 4 Lección 2 Lectura B

Lectura C

¡AVANZA!	**Goal:** Read about reactions and emotions

1 Lee el siguiente diálogo. Responde a las preguntas de comprensión y da tu opinión sobre el tema.

Periodistas

ROSARIO: Hola, estoy preparando un artículo sobre los héroes de los jóvenes. ¿Podrías ayudarme?

FRANCISCO: Bueno, sabes que yo no soy periodista como tú, dudo que pueda ayudarte mucho.

ROSARIO: Sí, claro que puedes. Yo hablé con varios chicos y chicas y les pregunté quién era su héroe y por qué. Éstas son las notas que tomé en las entrevistas. Ahora tengo que clasificarlas, buscar las más interesantes y escribir el artículo.

FRANCISCO: Está bien, yo puedo ayudarte a clasificarlas.

ROSARIO: Bueno, pues vamos a empezar. Quiero que las leas y que me des tu opinión.

FRANCISCO: No creo que ahora sea un buen momento para empezar.

ROSARIO: Sí lo es. No tenemos mucho tiempo, por eso no creo que debamos esperar más. Revisa esas notas y yo revisaré estas otras.

FRANCISCO: ¡Vaya! Aquí hay toda clase de héroes: una deportista, unos bomberos, un músico, una política, ¡hasta un secretario! Creo que es bastante improbable que un secretario llegue a ser un héroe.

ROSARIO: ¿Por qué no? Todos podemos ser héroes. Si de verdad me quieres ayudar, por favor empieza a leer y luego hablamos.

FRANCISCO: Ya terminé con estas historias y tienes razón, la del secretario es verdaderamente interesante. Me sorprende que ese señor se arriesgara a atravesar una habitación en llamas para salvar a alguien que no conocía. ¡Hay que tener mucha valentía para hacer eso!

ROSARIO: Me alegro que te guste la historia del secretario. Para mí también es una de las mejores. La incluiré en el artículo, junto con la de los bomberos y la de la política.

FRANCISCO: No creo que debas incluir la historia de la política. Pienso que la historia del cartero que ayudó a la señora enferma es más interesante.

ROSARIO: Pues yo creo que las dos son interesantes. Es una pena que no tengamos espacio para incluir las dos.

UNIDAD 4 Lección 2

Lectura C

FRANCISCO: Tú misma lo has dicho, si no tienes espacio debes elegir una de las dos historias. Por lo tanto, creo que debes elegir la más sorprendente. La política actuó correctamente pero no hizo nada sorprendente. Sin embargo, es improbable que alguien piense que el cartero al final sea capaz de hacer lo que hizo. Es muy dudoso que los lectores imaginen el final de la historia, por eso me parece muy interesante.

ROSARIO: ¿Sabes algo? Me sorprende que me hayas hecho unas observaciones tan acertadas. Creo que tú sí serías un buen periodista.

2 **¿Comprendiste?** Responde a las siguientes preguntas.

1. ¿Qué le pide Rosario a Francisco?
   Rosario le pide a Francisco que le ayude a revisar la información que tiene para escribir un artículo sobre héroes.

2. ¿Por qué a Francisco le gustó la historia del secretario?
   A Francisco le gustó la historia del secretario porque le sorprendió su valentía y que se arriesgara a atravesar una habitación en llamas para salvar a alguien a quien no conocía.

3. ¿Qué historias quiere incluir Rosario en el artículo? ¿Qué le aconseja Francisco?
   Rosario quiere incluir la historia del secretario, la de los bomberos y la de la política. Francisco le aconseja que incluya la del cartero que ayudó a la señora enferma en lugar de la historia de la política.

4. ¿Por qué piensa Rosario que Francisco puede ser un buen periodista?
   Rosario piensa que Francisco puede ser un buen periodista porque le hizo observaciones muy acertadas sobre las historias que debe incluir en el artículo para que éste sea más emocionante y le guste más a los lectores.

3 **¿Qué piensas?** ¿Qué características crees que debe tener un artículo de periódico para que resulte interesante? ¿Por qué? ¿Te gustaría ser periodista? ¿Por qué? Answers will vary.

_____

_____

_____

UNIDAD 4 Lección 2   Lectura C

Escritura A

¡AVANZA!	**Goal:** Write about your reactions, beliefs and emotions

1 Piensa en un héroe o heroína, real o imaginario, que tú admires. Escribe todo lo que sepas (o imagines) sobre este héroe o heroína.

Características físicas	Características de su personalidad	Cosas que lo/la hacen especial	Datos de su biografía

2 Escribe un párrafo teniendo en cuenta los datos anteriores. Asegúrate de incluir: 1) cómo es tu héroe o tu heroína, desde el punto de vista físico y de la personalidad; 2) qué cosas hace que sea especial y algunos datos importantes de su biografía; 3) descripciones claras y detalles interesantes; 4) expresiones de emoción con subjuntivo y 5) ortografía correcta.

_____

_____

_____

_____

3 Evalúa tu párrafo con la siguiente tabla.

	Crédito máximo	**Crédito parcial**	**Crédito mínimo**
Contenido	Explicaste a tu personaje con aspectos físicos y personales; con cosas que hacen que sea especial y datos importantes. Hay descripciones claras y detalles interesantes.	Explicaste sólo uno de los dos aspectos del personaje. Faltan explicaciones que lo hagan especial o datos importantes. Algunas descripciones son poco claras y algunos detalles son poco interesantes.	No hay explicaciones físicas o de la personalidad del personaje. No hay datos sobre por qué el personaje es especial ni hay datos importantes. Las descripciones no son claras y los detalles son poco interesantes.
Uso correcto del lenguaje	Usas correctamente expresiones de emoción con el subjuntivo. Usas correctamente la ortografía.	Hay algunos errores en el uso de expresiones de emoción con el subjuntivo. Tienes algunos errores de ortografía.	Tienes muchos errores en el uso de expresiones de emoción con el subjuntivo. Tienes muchos errores de ortografía.

Escritura B

¡AVANZA!	**Goal:** Write about your reactions, beliefs and emotions

1 Estás viendo tu programa de televisión favorito y de repente interrumpen el programa para dar la siguiente noticia: «*Esta tarde una nave espacial aterrizó en las afueras de la capital. De la nave bajaron tres extraterrestres que, muy educadamente, pidieron hablar con la presidenta del gobierno. Los extraterrestres fueron llevados al palacio presidencial. En estos momentos están cenando con los líderes del país*». Piensa cómo te sentiste.

a. al principio, cuando interrumpieron la programación _____

b. mientras escuchabas la noticia _____

c. después de escuchar la noticia completa _____

2 Escribe un párrafo para explicar tu reacción ante la noticia. Asegúrate de que: 1) tu párrafo tiene un orden lógico; 2) expresa tus sentimientos y dudas de forma clara; 3) usa expresiones de duda, negación, incredulidad y emoción con el subjuntivo; 4) haces buen uso del lenguaje y de la ortografía.

_____

_____

_____

_____

_____

_____

_____

3 Evalúa tu párrafo con la siguiente tabla.

	Crédito máximo	**Crédito parcial**	**Crédito mínimo**
Contenido	Tu párrafo es lógico y claro; también expresa tus sentimientos y dudas.	Algunas partes de tu párrafo no son lógicas o son poco claras, como tampoco expresan tus sentimientos y dudas.	Tu párrafo no sigue un orden lógico y es poco claro. No expresa tus sentimientos ni tus dudas.
Uso correcto del lenguaje	Hiciste un buen uso de las expresiones de duda, negación, incredulidad y emoción, como también del lenguaje y de la ortografía.	Tuviste algunos errores con el uso de expresiones de duda, negación, incredulidad y emoción, así como del lenguaje y de la ortografía.	Tuviste muchos errores con las expresiones de duda, negación, incredulidad y emoción; además con el uso del lenguaje y la ortografía.

Escritura C

| ¡AVANZA! | **Goal:** Write about your reactions, beliefs and emotions |

1 Piensa en un problema que exista en tu comunidad y que te haga sentir incómodo(a). Escribe un artículo para el periódico local y expresa tus opiniones y sentimientos. Describe en una oración corta cuál es el problema y luego anota algunas razones por las que te sientes incómodo ante el problema:

Situación: _____

a. El problema en la comunidad es: _____

b. Medidas que podrían haberse tomado y no se tomaron: _____

c. Reacción de las autoridades ante el problema: _____

2 Escribe un artículo de opinión al editor del periódico. El artículo: 1) debe tener una introducción (en la que presentas el problema), un desarrollo en el que manifiestas tu malestar (usa expresiones de duda, negación y emoción con el subjuntivo) y una conclusión en la que manifiestas tu deseo de que se solucione el problema; 2) debe ser claro y expresar tus sentimientos con viveza pero sin ofender a nadie; 3) debe hacer un buen uso de los verbos y de la ortografía.

_____

_____

_____

_____

_____

3 Evalúa tu artículo con la siguiente tabla.

	Crédito máximo	**Crédito parcial**	**Crédito mínimo**
Contenido	El artículo contiene introducción, desarrollo y conclusión; es claro y los sentimientos están expresados con viveza pero sin ofender.	Al artículo le falta una de las partes. Algunas partes son poco claras y algunos sentimientos están expresados con poca viveza pero no son ofensivos.	Al artículo le faltan dos partes; es poco claro y los sentimientos están expresados sin viveza o en algunos casos resultan ofensivos.
Uso correcto del lenguaje	Tuviste pocos errores con el uso de expresiones de duda, negación y emoción. Tampoco tuviste errores con los verbos o con la ortografía.	Tuviste algunos errores con el uso de expresiones de duda, negación y emoción. También tuviste algunos errores con los verbos y la ortografía.	Tuviste muchos errores con el uso de expresiones de duda, negación y emoción. También tuviste muchos errores con los verbos y la ortografía.

UNIDAD 4 Lección 2

Escritura C

Cultura A

> ¡AVANZA!   **Goal:** Discover and know people, places, and culture from Caribbean countries.

1 Indica si las siguientes afirmaciones sobre los países del Caribe y su cultura son ciertas (C) o falsas (F). Si la oración es falsa, escribe la forma correcta.

1. __F__ La fortaleza del Morro de Puerto Rico se encuentra en Mayagüez.

   La fortaleza del Morro de Puerto Rico se encuentra en San Juan.

2. __C__ El Morro fue construido por los españoles para defender la ciudad.

3. __F__ En la actualidad, el Morro ha perdido la popularidad que tuvo como sitio turístico.

   En la actualidad, el Morro es un sitio turístico muy popular.

4. __C__ Amelia Peláez nació en Cuba.

2 Responde de forma breve a las siguientes preguntas sobre la pintora Amelia Peláez.

1. ¿Por qué fue una pionera en la pintura Amelia Peláez?

   Amelia Peláez fue una pionera por su estilo personal y original.

2. ¿Qué tipos de colores usaba Amelia Peláez en sus cuadros?

   En sus cuadros ella usaba colores muy brillantes y líneas negras.

3 Escribe cuatro oraciones para describir el cuadro *Marpacífico* de Amelia Peláez y algunas de sus características más importantes. Despues, escribe si crees que esta pintura refleja la cultura del Caribe. Explica tu respuesta. **Answers will vary. Possible answers:**

Marpacífico

1. **El cuadro representa un hibiscus.**

2. **La planta está sobre una mesa, en lo que parece ser un salón.**

3. **Los colores son intensos y contrastantes.**

4. **Los contornos de las figuras están trazados con líneas negras y anchas.**

5. _____

6. _____

7. _____

8. _____

UNIDAD 4 Lección 2 **Cultura A**

Cultura B

> **¡AVANZA!**   **Goal:**   Discover and know people, places, and culture from Caribbean countries.

1 Responde de forma breve a las siguientes preguntas sobre los países caribeños, su historia y sus artistas.

1. ¿Cuál es el nombre de la fortaleza que construyeron los españoles en San Juan de Puerto Rico?

La fortaleza que los españoles construyeron es El Morro.

2. Las pinturas de Amelia Peláez se caracterizan por unas líneas anchas y negras. ¿Dónde aparecen estas líneas?

Las líneas anchas y negras aparecen alrededor del perímetro de los objetos y las

personas.

3. ¿Qué efecto producen estas líneas anchas y negras en contraste con colores brillantes?

Estas líneas producen un efecto similar a los vitrales del tiempo colonial.

2 Responde a las siguientes preguntas sobre la obra de Amelia Peláez usando oraciones completas.

1. ¿Qué elementos combinó en su obra Amelia Peláez además de la pintura y la arquitectura?

Además de la pintura y la arquitectura, Amelia Peláez combinó en su obra las artes

decorativas.

2. ¿Qué representa el cuadro *Marpacífico* de Amelia Peláez? ¿Qué objetos aparecen en él?

En el cuadro se observa un jarrón con un hibiscus, un sillón y una cortina.

3 Describe el cuadro en la página 250 de tu libro de texto y explica cuáles son sus características más importantes. ¿Qué es lo que más te ha llamado la atención de este cuadro? ¿Por qué? Responde en un párrafo breve. **Answers will vary.**

_____

_____

_____

_____

_____

UNIDAD 4 Lección 2

Cultura B

Cultura C

> **¡AVANZA!** **Goal:** Discover and know people, places, and culture from Caribbean countries.

1 Responde con oraciones completas a las siguientes preguntas sobre los países caribeños.

1. ¿Qué es El Morro de Puerto Rico y con que finalidad fue construido?

El Morro es una fortaleza que fue construida para proteger la ciudad de San Juan.

2. Escribe una característica de la pintura de Amelia Peláez.

Una característica de la pintura de Amelia Peláez es el uso de colores brillantes.

2 Responde con detalles a las siguientes preguntas sobre Amelia Peláez y su obra.

1. ¿A que movimiento artístico perteneció Amelia Peláez? ¿Cuál fue su importancia en dicho movimiento? ¿Por qué?

Amelia Peláez perteneció al modernismo latinoamericano. Ella fue una pionera entre los

pintores de este movimiento por su estilo propio y original.

2. ¿Cómo logró Amelia Peláez un efecto similar a los vitrales coloniales en su pintura?

Amelia Peláez logró un efecto similar a los vitrales coloniales mediante el uso de colores

brillantes que contrastan con las líneas anchas y negras que rodean a las personas y

los objetos de sus cuadros.

3 Al hablar de las obras en las páginas 245 y 250 de tu libro de texto respectivamente, ¿cuáles son los elementos que deben mencionarse para describirlas y compararlas? Explica cuáles son, en tu opinión, las diferencias más importantes entre los dos cuadros. ¿Qué estilo te gusta más o te parece más interesante? ¿Por qué? **Answers will vary.**

_____

_____

_____

_____

_____

_____

UNIDAD 4 Lección 2 Cultura C

Comparación cultural: Héroes del Caribe
Lectura y escritura

Después de leer los párrafos sobre los datos históricos que mencionan Inés y Fernando, escribe un párrafo sobre un héroe o heroína de tu comunidad. Usa la información del organigrama para escribir tu párrafo.

Paso 1

Completa el organigrama con los detalles sobre un héroe o heroína de tu comunidad.

- Introducción
- Nombre del héroe
- ¿Qué hizo?

Cualidades e ideales

Fechas y hechos

Conclusión

Paso 2

Ahora usa los detalles del organigrama para escribir una oración para cada uno de los temas.

_____

_____

_____

_____

_____

_____

UNIDAD 4

Comparación cultural

194

Unidad 4
Comparación cultural

¡Avancemos! 3
Cuaderno para hispanohablantes

Comparación cultural: Héroes del Caribe
Lectura y escritura
(continuación)

Paso 3

Ahora escribe tu párrafo usando las oraciones que escribiste como guía. Incluye una oración de introducción y utiliza las frases **por eso**, **por lo tanto**, **sin embargo** para describir a un héroe o heroína de tu comunidad.

_____

_____

_____

_____

_____

_____

Lista de verificación

Asegúrate de que...

☐ incluyes todos los detalles del organigrama sobre un héroe o heroína de tu comunidad;

☐ usas los detalles para describir a un héroe o heroína de tu comunidad;

☐ utilizas las frases de conexión.

Tabla

Evalúa tu trabajo con la siguiente tabla.

Criterio de escritura	Excelente	Bueno	Necesita mejorar
Contenido	Tu párrafo incluye todos los detalles sobre un héroe o heroína de tu comunidad.	Tu párrafo incluye algunos detalles sobre un héroe o heroína de tu comunidad.	Tu párrafo incluye muy poca información sobre un héroe o heroína de tu comunidad.
Comunicación	La mayor parte de tu párrafo está organizada y es fácil de entender.	Partes de tu párrafo están organizadas y son fáciles de entender.	Tu párrafo está desorganizado y difícil de entender.
Precisión	Tu párrafo tiene pocos errores de gramática y de vocabulario.	Tu párrafo tiene algunos errores de gramática y de vocabulario.	Tu párrafo tiene muchos errores de gramática y de vocabulario.

UNIDAD 4 Comparación cultural

Héroes del Caribe
Comparación Cultural: Compara con tu mundo

Ahora escribe un párrafo comparando al héroe o heroína de tu comunidad con el de uno de los estudiantes que están en la página 263. Organiza la comparación por temas. Primero compara el nombre del héroe y qué hizo, después sus cualidades, las fechas y los eventos importantes, y por último escribe sobre su personalidad.

Paso 1

Usa la tabla para organizar la comparación por temas. Escribe los detalles de cada uno de los temas sobre un héroe o heroína de tu comunidad y los detalles del héroe o heroína del (de la) estudiante que has elegido.

	Mi héroe o heroína	Un héroe o heroína de _____
Nombre del héroe o heroína		
Cualidades		
Fechas y eventos		
Detalles		

Paso 2

Ahora usa los detalles de la tabla para escribir la comparación. Incluye una oración de introducción y escribe sobre cada tema. Utiliza las frases de conexión **por eso, por lo tanto, sin embargo** para describir a tu héroe o heroína y el del (de la) estudiante que has elegido.

_____

_____

_____

_____

_____

_____

_____

Vocabulario A ¿Cómo te entretienes?

| ¡AVANZA! | **Goal:** Talk about personal items. |

1 Indica con una **X** qué artículos guardas en una cartera y qué artículos guardas en una computadora.

artículos	en una cartera	en una computadora
las gafas de sol	X	
los juegos de computadora		X
el paraguas	X	
la contraseña		X
la búsqueda		X
el monedero	X	
los documentos de identidad	X	
el sitio web		X

2 Escribe la palabra que corresponde a las descripciones relacionadas con las computadoras.

| un salón de charlas   un escáner   una búsqueda   un enlace   una contraseña   un sitio web |

Modelo: Una palabra o secuencia de letras y números que permite el acceso a un sitio web: _una contraseña_

1. Un lugar en el ciberespacio donde la gente con intereses comunes puede conversar y conocerse: _un salón de charlas_

2. Un sitio del web que te lleva a otros sitios semejantes: _un enlace_

3. Una máquina conectada a la computadora que sirve para copiar imágenes y documentos: _un escáner_

4. Una investigación en Internet: _una búsqueda_

5. Una página en el ciberespacio con una dirección única: _un sitio web_

3 Contesta las siguientes preguntas sobre el uso de la computadora y el Internet. Escribe oraciones completas.   **Answers will vary. Possible answers:**

1. ¿Cuándo sueles conectarte al Internet?
   Me conecto al Internet todos los días.

2. ¿Qué tipo de información descargas del Internet normalmente?
   Descargo música y diferentes artículos.

3. Para ti, ¿es valioso usar una agenda electrónica? ¿Por qué sí o por qué no?
   Es valioso usar una agenda electrónica porque guardo mi horario e información allí.

UNIDAD 5 Lección 1 Vocabulario A

Vocabulario B ¿Cómo te entretienes?

> **¡AVANZA!** **Goal:** Talk about personal items.

1 Linda es muy descuidada y perdió su mochila. Mira los dibujos de los artículos que la policía pudo recuperar y los artículos que todavía faltan. Escribe en los espacios la lista de artículos.

Artículos recuperados   **Artículos que faltan**

Modelo: *un lapiz*

4. _____ la cartera _____

1. _____ el paraguas _____

_____

5. _____ el teléfono _____
        celular

2. _____ el monedero _____

_____

6. _____ la agenda _____
        electrónica

3. _____ un bolígrafo _____

_____

7. _____ la computadora _____
        portátil

2 Contesta las siguientes preguntas con oraciones completas. **Answers will vary.**

1. Para ti, ¿qué es más valioso, la computadora portátil o la agenda electrónica? ¿Por qué?

_____

2. ¿Temes que el Internet no sea un lugar seguro para enviar mensajes? ¿Por qué sí o por qué no?

_____

3. ¿Has entrado en un salón de charlas? ¿Cuál era el tema de la charla?

_____

4. ¿Con qué frecuencia descargas música del Internet?

_____

Vocabulario C ¿Cómo te entretienes?

¡AVANZA!	**Goal:** Talk about personal items.

1 Tu abuelo no sabe usar la computadora. Explícale con oraciones completas para qué sirven las siguientes cosas. **Answers will vary. Possible answers:**

1. una contraseña **Una contraseña permite el acceso a servicios, a sitios web y a tu información privada.**

2. una búsqueda por Internet **Una búsqueda te permite investigar cualquier tema en el Internet.**

3. un salón de charlas **Un salón de charlas es un sitio en el ciberespacio donde puedes conocer a gente y hablar de los intereses que tienen en común.**

4. una agenda electrónica **Es una computadora pequeña que sirve para guardar tu horario, la lista de teléfonos, direcciones y notas.**

2 Escribe oraciones completas para decir cuál de los dos elementos de cada pareja es más valioso para ti y por qué. **Answers will vary.**

Modelo: las gafas de sol / el paraguas

Para mí, las gafas de sol son más valiosas porque en mi pueblo no llueve mucho y no necesito paraguas.

1. una agenda electrónica / una computadora portátil

_____

2. una contraseña / una dirección electrónica

_____

3. los documentos de identidad / las tarjetas de crédito

_____

4. un sitio seguro del web / un salón de charla

_____

3 Escribe cinco oraciones para explicarles a Carmen y Cristina lo que deben hacer si sospechan que un salón de charlas no es seguro. **Answers will vary. Possible answers:**

Modelo: *Deben esconder su identidad cuando usan estos sitios.*

1. **Es importante no guardar información personal en los sitios web.**

2. **Deben guardar su información con una contraseña.**

3. **No deben descargar información del sitio.**

4. **No deben charlar con gente desconocida.**

5. **No deben decir dónde viven o cuál es su número de teléfono.**

Vocabulario adicional La ortografía: h

¡AVANZA!	**Goal:** Use the spelling of words with silent h.

La letra **h** no se pronuncia en español. Por eso es difícil saber si una palabra se deletrea con **h** o no.

Observa los siguientes homófonos:

hecho	echo
hola	ola
ha	a
haber	a ver
hay	¡ay!

1 Escribe las siguientes oraciones de nuevo y corrige los errores de ortografía.

Modelo: Héctor a aprendido mucho español este año.

Héctor ha aprendido mucho español este año.

1. Voy a la cocina haber si hay comida echa.
   Voy a la cocina a ver si hay comida hecha.

2. He hido al supermercado ha comprar frutas.
   He ido al supermercado a comprar frutas.

3. Llamé ha Juan el otro día para saber si a hecho la tarea.
   Llamé a Juan el otro día para saber si ha hecho la tarea.

4. Hecho de menos ha mis primos.
   Echo de menos a mis primos.

5. ¡Hay! No les dije ni ola.
   ¡Ay! No les dije ni hola.

2 Escribe cuatro oraciones completas con las palabras de la lista de arriba. **Answers will vary.**

_____

_____

_____

_____

UNIDAD 5 Lección 1
Vocabulario adicional

Gramática A   *Subjunctive with Conjunctions*

¡AVANZA!	**Goal:** Use the subjunctive after certain conjunctions.

1 Antes de viajar a La Paz, Julián repasa las recomendaciones que le dieron las siguientes personas. Encierra en un círculo el verbo que complete correctamente la recomendación.

1. El maestro de español: Estudia el vocabulario regional para que (entiendes / **entiendas**) todo.

2. Su mamá: Lleva un abrigo en caso de que (**haga** / hace) frío.

3. Su papá: Visita los museos a fin de que (**aprendas** / aprender) mucho.

4. El abuelo Fulgencio: Come las comidas regionales sin que (**te quejes** / te quejas).

5. Bibiana, la hermanita de seis años: Cómprame una muñeca inca a menos que no (tienes / **tengas**) dinero.

2 Iván Maldonado hace planes para la excursión a Cuzco. Usa las conjunciones del cuadro para completar la nota que escribió esta mañana.

en caso de que	a menos que	con tal de que	sin que	para que

Es importante prepararnos 1. _____**sin que**_____ tengamos que andar con prisas. 2. _____**En caso de que**_____ no llegue a tiempo el autobús es necesario tener otro modo de transporte. Carmen necesita llamar a la recepción 3. _____**para que**_____ tengan listos el taxi o la camioneta del hotel. 4. _____**Con tal de que**_____ no nos pongan en la camioneta vieja de ayer todo estará bien. Este es el plan, 5. _____**a menos que**_____ llueva.

3 Antes de irse para Bolivia, Julián también tiene consejos para su familia. Completa sus recomendaciones. **Answers will vary. Possible answers:**

1. Escríbanme mucho por computadora a menos que _____no tengan tiempo._____

2. Mándenme dinero frecuentemente para que _____no sufra penurias._____

3. No alquilen mi cuarto sin que _____me avisen antes._____

4. Vengan a visitarme antes de que _____termine el verano._____

5. Tendrán que llamarme por teléfono en caso de que _____yo no llame._____

Gramática B   Subjunctive with Conjunctions

Level 3 Textbook pp. 325–329

> **¡AVANZA!**   **Goal:**   Use the subjunctive after certain conjunctions.

1 Juán describe su personalidad para un programa de intercambio estudiantil en Bolivia. Encierra en un círculo las conjunciones con subjuntivo y subraya los verbos que las siguen.

Modelo: Siempre estudio mucho _antes de que_ _tenga_ un examen.

1. Ayudo a mis amigos _en caso de que_ _tengan_ problemas.

2. Soy serio _a menos que_ _conozca_ bien a la persona.

3. Hago la tarea _sin que_ mis padres me lo _digan_.

4. Siempre llevo mis documentos en la cartera _en caso de que_ los _necesite_.

2 Mario Fuentes a veces olvida que tiene una hermana gemela y hay actividades que comparten. Cambia las oraciones por las correcciones que le hace Marcela.

Modelo: **Mario:** El dinero es para comprar una bicicleta.

Marcela: El dinero es _para que nos compremos una bicicleta._

1. **Mario:** A fin de llegar a tiempo a la escuela, me levanto temprano.

Marcela: A fin de que _lleguemos a tiempo a la escuela nos levantamos temprano._

2. **Mario:** En caso de tener retraso para llegar a la escuela, llamo a la dirección.

Marcela: En caso de que _tengamos un retraso para llegar a la escuela llamamos a la dirección._

3. **Mario:** Con tal de que mis padres estén orgullosos de mí, soy buen hijo.

Marcela: Con tal de que _nuestros padres estén orgullosos de nosotros somos buenos hijos._

3 La enfermera de la escuela habla con los estudiantes que van al viaje de estudios. Usa las pistas para formar las recomendaciones.

Modelo: no viajar / sin que / estar vacunados

No viajen sin que estén vacunados.

1. no comer en la calle / a menos que / tener mucha hambre

No coman en la calle a menos que tengan mucha hambre.

2. lavarse las manos / a fin de que / no enfermarse

Lávense las manos a fin de que no se enfermen.

3. avisar al guía / en caso de que / sentirse mal

Avisen al guía en caso de que se sientan mal.

4. llevar un botiquín / para que / resolver pequeñas emergencias

Lleven un botiquín para que resuelvan pequeñas emergencias.

Gramática C Subjunctive with Conjunctions

> **¡AVANZA!**　**Goal:**　Use the subjunctive after certain conjunctions.

❶ Luis pone un anuncio en la cartelera del salón de clases. Completa el párrafo con la conjugación correcta de los verbos.

En caso de que **1.** _____ **estés** _____ interesado en viajar a los países andinos, ésta es tu

oportunidad. Claro, a menos que no **2.** _____ **tengas** _____ mucho dinero, debes saber que

en el banco te hacen un préstamo para viajar. Antes de que **3.** _____ **digas** _____ que no,

el préstamo no lo empiezas a pagar sino hasta el año próximo, con muy bajas cuotas.

En caso de que **4.** _____ **quieras** _____ saber mucho más sobre Perú, Bolivia y Ecuador,

puedes hacer una búsqueda por Internet. La excursión durará dos semanas y con tal de que

5. _____ **vayas** _____ te darán toda la comida gratis. Aquí está mi buzón electrónico para que

me **6.** _____ **escribas** _____ si quieres conocer más detalles.

❷ Esta mañana los excursionistas del grupo turístico de Guadalupe Cerna tienen muchas ideas. Combina las oraciones con la conjunción entre paréntesis y haz cambios en los verbos.

Modelo:　No vamos en el autobús. El hotel nos da un descuento. (a menos que)

No vamos en el autobús a menos que el hotel nos dé un descuento.

1. Desayunemos en el camino. Probamos la comida típica. (para que)

Desayunemos en el camino para que probemos la comida típica.

2. Llevemos zapatos tenis. Estamos muy cansados. (en caso de que)

Llevemos zapatos tenis en caso de que estemos muy cansados.

3. Regresemos temprano. Vemos el partido de fútbol. (a fin de que)

Regresemos temprano a fin de que veamos el partido de fútbol.

4. Compremos recuerdos de Cuzco. Nos vamos de Perú. (antes de que)

Compremos recuerdos de Cuzco antes de que nos vayamos de Perú.

❸ Aunque el futuro es incierto, las personas hacen diferentes actividades para prepararse para el futuro. Escribe un párrafo para describir cómo te preparas tú. Usa las conjunciones que expresan duda. **Answers will vary.**

_____

_____

_____

_____

Gramática A *Subjunctive with the Unknown*

¡AVANZA! **Goal:** Use the subjunctive to talk about the unknown.

1 Dibuja un círculo rojo alrededor de la forma correcta del verbo en cada oración.

Modelo: ¿Conocen a alguien que (**sepa**/ sabe) tocar el violín?

1. No hay nadie que (confía /**confíe**) en ese banco como yo.

2. Todos los chicos quieren un coche que (**sea**/ es) rápido.

3. No conozco a nadie que (quiere /**quiera**) ser ingeniero.

4. Lili quiere una computadora que (hace /**haga**) sus tareas.

2 Mónica Restrepo va a pasar un año en Quito, Ecuador. Usa el subjuntivo para formar las preguntas que le va a hacer al consejero de su escuela.

Modelo: restaurantes / vender hamburguesas

¿Hay restaurantes que vendan hamburguesas?

1. guías turísticos / llevarte a la línea ecuatorial

¿Hay guías turísticos que te lleven a la línea ecuatorial?

2. familias / hospedar estudiantes extranjeros

¿Hay familias que hospeden estudiantes extranjeros?

3. jóvenes / practicar fútbol americano

¿Hay jóvenes que practiquen fútbol americano?

4. canales de televisión / pasar programas en inglés

¿Hay canales de televisión que pasen programas en inglés?

3 Escribe una oración negativa para cada una de estas frases utilizando el verbo **conocer**.

Modelo: Nosotros / trabajar en una oficina.

Nosotros no conocemos a nadie que trabaje en una oficina.

1. Elsa y Silvia / cocinar comida peruana

Elsa y Silvia no conocen a nadie que cocine comida peruana.

2. Yo / tener problemas en la escuela

Yo no conozco a nadie que tenga problemas en la escuela.

3. Alex / esconder la cartera en el coche

Alex no conoce a nadie que esconda la cartera en el coche.

4. Nosotros / llevarse mal con Alicia

Nosotros no conocemos a nadie que se lleve mal con Alicia.

UNIDAD 5 Lección 1

Gramática A

Gramática B *Subjunctive with the Unknown*

Level 3 Textbook pp. 330–332

> **¡AVANZA!** **Goal:** Use the subjunctive to talk about the unknown.

1 Andrea Chávez describe a su familia. Escribe en el cuadro el número del verbo que completa correctamente la oración.

1. Tengo una tía que __d__ mucho.
2. No tengo una prima que __b__ rubia.
3. Necesito un hermano que me __e__ .
4. No tengo hermanos que __a__ gemelos.
5. En mi familia no hay nadie que __c__ alemán.

a. sean
b. sea
c. hable
d. ronca
e. comprenda

2 Jaime, el hermano menor de Luisa, es muy curioso. Completa las respuestas que Luisa le da a su hermano con el verbo en subjuntivo.

Modelo: ¿Tienes un novio romántico?

No, busco un novio que *sea* romántico.

1. ¿Te gustan muchos chicos en la escuela?

   No, no hay nadie que me __guste__ en la escuela.

2. ¿Muchos amigos tuyos hablan español?

   No, no tengo muchos amigos que __hablen__ español.

3. Tienes una computadora portátil que tiene Internet, ¿verdad?

   No, no tengo una computadora portátil que __tenga__ Internet.

4. Tienes amigos que llevan a sus hermanos a la universidad, ¿o no?

   No, no tengo amigos que __lleven__ a sus hermanos a la universidad.

3 Utiliza las palabras para escribir cuatro oraciones con subjuntivo sobre lo que buscan, quieren o necesitan algunas personas.

Modelo: *Ustedes necesitan una casa que sea más grande.*

Yo		un ordenador
Eduardo		una cartera
Cristina y María	buscar	una agenda electrónica
Ustedes	querer	una casa
Mi familia	necesitar	un libro
Mis amigos y yo		un paraguas

_____

_____

_____

_____

UNIDAD 5 Lección 1 Gramática B

Gramática C   *Subjunctive with the Unknown*

Level 3 Textbook pp. 330–332

> **¡AVANZA!**   **Goal:**   Use the subjunctive to talk about the unknown.

1 Unos amigos buscan ideas para hacerle un regalo a una chica. Lee el diálogo y complétalo con la forma correcta en subjuntivo.

JORGE: ¡Hola Miriam! A Roberto y a mí nos gustaría hacerle un regalo a Sonia y buscamos algo que _____ **sea** _____ (ser) diferente.

MIRIAM: Creo que Sonia necesita un monedero pequeño que _____ **quepa** _____ (caber) en su bolsa nueva. También quiere unos aretes que _____ **vayan** _____ (ir) bien con su vestido nuevo.

JORGE: ¿Conoces algunas tiendas que _____ **vendan** _____ (vender) monederos y aretes?

MIRIAM: Sí, si quieres un monedero que no _____ **cueste** _____ (costar) mucho, puedes ir a Don Pieles. Y si quieres comprarle unos aretes que le _____ **gusten** _____ (gustar) debes ir a Romeo's. Cierran a las cinco, pero si se dan prisa llegarán antes de que _____ **cierren** _____ (cerrar).

JORGE: Gracias Miriam, no hay nadie que _____ **conozca** _____ (conocer) a Sonia tan bien como tú.

2 Esteban le hace preguntas a Marco Antonio. Escribe las preguntas con la forma del subjuntivo.

Modelo: *¿Conoces a alguien que sea pelirrojo?*
             Martina es pelirroja.

1. **¿Conoces a alguien de tu familia que tenga tres carros?**
   No conozco a nadie que tenga tres carros en mi familia.

2. **¿Conoces a alguien que vaya de vacaciones a Bolivia?**
   La profesora Rincón va de vacaciones a Bolivia.

3. **¿Conoces a alguien que tenga escáner?**
   No conozco a nadie que tenga escáner.

4. **¿Conoces a alguien que use agenda electrónica?**
   Mi amigo Luis usa agenda electrónica.

5. **¿Conoces personas que entren a salones de charla?**
   Luis, Miguel y Esperanza entran a salones de charla.

3 Un amigo(a) te ha invitado a pasar un mes en Perú. Escríbele un párrafo con preguntas sobre lo que necesitas hacer y llevar. Usa el subjuntivo en tus preguntas. **Answers will vary.**

_____

_____

_____

_____

UNIDAD 5 Lección 1
Gramática C

Gramática adicional *Verbos y preposiciones acompañantes*

¡AVANZA!	**Goal:** Use verbs accompanied with prepositions.

Una preposición es una palabra que crea una relación de lugar (**en** la mesa), tiempo (**para** mañana) o modo (**sin** ella) en el contexto de la oración. Estas son las preposiciones del español: *a, ante, bajo, con, contra, de, desde, en, entre, hacia, hasta, para, por, sin, sobre, tras.*

Ciertos verbos requieren preposiciones específicas. La siguiente tabla te muestra las preposiciones apropiadas que acompañan a los verbos indicados:

Preposición	Verbos que la acompañan
a	acostumbrarse a, aprender a, ayudar a, empezar a, parecerse a, volver a
con	casarse con, contar con, cumplir con, soñar con
de	acabar de, acordarse de, aprovecharse de, ser de, tratar de
en	basarse en, confiar en, entrar en, pensar en, insistir en
por	preocuparse por

1 La abuela Sabrina le habla a sus nietos sobre Bolivia, su país de origen. En el párrafo siguiente, encierra en un círculo los verbos que requieren una preposición y las preposiciones que los acompañan.

—Mi tierra inca cada vez está más lejos. A veces (sueño con) ella y me (preocupo por) toda la gente que dejé allí. ¿Qué (habrá sido de) ellos? (Pienso en) las calles empinadas de La Paz, la capital más alta del mundo, en las palabras quechuas que todavía no olvido. Si no me (hubiera casado con) su abuelo, (habría tratado de) volver hace muchos años.

2 Aunque los nietos de la abuela Sabrina nunca han ido a Bolivia, ellos saben mucho de ese país. Completa la siguiente lista de información sobre Bolivia con las preposiciones que requieren los verbos.

1. Simón Bolívar, el héroe nacional de Bolivia, soñaba ___*con*___ la paz.

2. Los conquistadores españoles se aprovecharon ___*de*___ los indígenas.

3. Bolivia cuenta ___*con*___ más de ocho millones de habitantes.

4. La población indígena de Bolivia insiste ___*en*___ no perder su cultura.

5. Los bolivianos tratan ___*de*___ negociar una ruta al mar.

UNIDAD 5 Lección 1 Gramática adicional

Integración: Hablar

¡AVANZA!	**Goal:** Respond to written and oral passages about requirements.

Lee la lista de requisitos que el Buró Turístico de Perú proporciona a las personas que quieren visitar el país.

Fuente 1 Leer

BOLETÍN de INFORMACIÓN
Buró Turístico de Perú

Requerimientos para entrar a Perú

- La mayoría de los ciudadanos de los países americanos y europeos no necesita visa para visitar Perú.
- Con tal de que la visita no pase de los 90 días, el turista extranjero podrá disfrutar del país sin restricciones.
- En caso de que el turista desee quedarse más tiempo deberá solicitar una prórroga a las autoridades de migración.
- A fin de llevar un control de registro de visitantes, usted recibirá una tarjeta internacional de Embarque y Desembarque en el avión o navío. Consérvela porque usted debe entregarla a su salida del país. En caso de que la pierda, deberá pagar US $4.00

Para más información visite el sitio web:
visiteperú.com

Ahora escucha las recomendaciones de Rosalinda Andrade, una peruana agente de viajes, sobre cómo preparar un buen viaje a Perú. Toma notas. Luego completa la actividad.

Fuente 2 Escuchar

HL CD 2, tracks 1–2

¿Crees que es más fácil para ti visitar Perú que para un peruano visitar Estados Unidos? ¿Qué diferencias hay entre Estados Unidos y Perú en los consejos que has recibido? Formula una respuesta oral a estas preguntas.

Integración: Escribir

> **¡AVANZA!** **Goal:** Respond to written and oral passages about what may or may not happen.

Lee el siguiente artículo tomado de la revista *En VUELO* de Aerolíneas Inca.

Fuente 1 Leer

¡Cuidado con las alturas!

Lo más probable es que si su viaje a Perú es de recreo, usted va a visitar Cuzco o el Lago Titicaca. Por la altitud de estos lugares, muchas personas sufren de dolores de cabeza, falta de apetito, cansancio y vómitos. Si teme que esto le sucederá a usted, hay varios remedios que puede probar con anticipación: primero que nada, no se olvide de descansar y reponerse de las horas de viaje; luego beba suficiente agua y, finalmente, tómese una infusión de coca (un remedio muy peruano). Así, el mal de altura no arruinará sus vacaciones.

REVISTA *En VUELO* | **37**

Escucha la opinión del doctor naturista Enrique Legaspy. Toma notas. Luego completa la actividad.

Fuente 2 Escuchar

HL CD 2, tracks 3–4

Escribe un párrafo con tus opiniones sobre la medicina tradicional y la medicina alternativa. ¿En qué casos tú irías con un médico naturista? ¿Por qué? **Answers will vary.**

_____

_____

_____

_____

_____

Lectura A

¡AVANZA!	**Goal:** Read about personal possessions and requirements.

1 David escribió sobre su experiencia de trabajo durante el verano. Lee el texto y responde a las preguntas de comprensión.

Regalos "Obregón"

Durante las vacaciones de verano fui a trabajar a la tienda de mi tía Irma. Ella necesitaba ayuda para organizar mejor su tienda. A mi me gustó la idea. Llevé mi computadora portátil para comenzar a hacer una lista de todo lo que había en la tienda: bolsas para dama, carteras de piel, monederos, gafas de sol, paraguas y muchas otras cosas. Hasta que hice la lista no me di cuenta de que la tienda era muy grande. Le di muchos consejos a mi tía para que comprara los regalos que más se venden. También nos pusimos de acuerdo para llevar un control de lo que se necesita cada temporada del año. Le dije a mi tía que podría vender agendas electrónicas y juegos de computadoras, porque son regalos que muchos jóvenes quieren recibir. Ella me dijo que lo haría para que mejoraran las ventas.

Mi tía dice que mi ayuda ha sido muy valiosa. Un mes después, se compró una computadora portátil. Ahora asiste al colegio comunitario a fin de que pueda aprender nuevas ideas para mejorar su negocio.

---

2 **¿Comprendiste?** Responde a las siguientes preguntas con oraciones completas. Answers will vary. Possible answers:

1. ¿Crees que fue bueno para David trabajar con su tía Irma? ¿Por qué?

Sí, porque él pudo aplicar sus conocimientos de computación. Probablemente él

también aprendió cosas nuevas sobre cómo administrar una tienda de regalos.

2. ¿Qué hacía David en la tienda?

David hacía listas de regalos, ordenaba los artículos y creaba nuevas ideas para

mejorar la tienda.

3. ¿Crees que David influyó para que su tía Irma fuera al colegio comunitario? ¿Cómo lo sabes?

Sí, David influyó para que su tía Irma fuera al colegio comunitario. Lo sé porque ella se

compró una computadora para mejorar su negocio.

3 **¿Qué piensas?** Escribe una experiencia en la que tus conocimientos hayan ayudado a otra persona. Answers will vary.

_____

_____

_____

_____

Lectura B

> **¡AVANZA!**   **Goal:** Read about personal possessions and requirements.

1 Entérate cómo el abuelito Guillermo decidió comprar una computadora para hacer más útil su vida diaria. Lee la historia y responde a las preguntas de comprensión.

Una computadora para el abuelo

El abuelo Guillermo llega de trabajar y pone su cartera pesada y un viejo paraguas en la mesa. El abuelo Guillermo lleva el paraguas al trabajo aunque no llueva porque piensa que con el clima, nunca se sabe. En la cartera lleva algunos documentos de identidad, recibos y muchas fotos de sus queridos nietos. Algunas de las fotos están un poco maltratadas.

Al ver la cartera del abuelo, Andrea piensa que tal vez a su abuelo le convendría tener una agenda electrónica y le sería más fácil traer ahí las fotos de toda la familia. Le dice que con una computadora portátil y el Internet, él podría ver los resultados de los torneos de fútbol y béisbol en cualquier lugar. También vería información sobre el clima y podría jugar con sus amigos y hasta leer los periódicos.

Al abuelo no le gustan ni las agendas electrónicas ni las computadoras portátiles porque son muy modernas para él, pero las ideas de su nieta le parecen muy valiosas. Así que decide comprarse una computadora después de escuchar a Andrea. Por su parte ella le enseñará a practicar en la computadora de la casa.

---

2 **¿Comprendiste?** Responde a las siguientes preguntas con oraciones completas. **Answers will vary.**
Possible answers:

1. ¿Cómo se informa el abuelo Guillermo acerca del clima? ¿Cómo lo sabes?

El abuelo no se informa sobre el clima. Lo sé porque llevó su paraguas al trabajo por si

acaso llovía.

2. ¿Qué traía el abuelo en su cartera? ¿Qué era lo más valioso para él?

El abuelo traía documentos de identidad, recibos y fotografías. Las fotos de todos sus

nietos son las cosas más valiosas para él.

3. ¿Qué le sugiere Andrea al abuelo?¿Crees que la idea de Andrea es buena? ¿Por qué?

Andrea le sugiere comprarse una computadora. La idea es buena porque puede tener

fotos de sus nietos, buscar información sobre el clima, ver los resultados del fútbol y

del béisbol, entre otras cosas valiosas.

3 **¿Qué piensas?** ¿Alguna vez le has dado a alguien una idea valiosa? ¿Qué pasó? Explica tu respuesta. **Answers will vary.**

_____

_____

UNIDAD 5 Lección 1 Lectura B

Lectura C

| ¡AVANZA! | **Goal:** Read about personal possessions and requirements. |

1 Lee lo que escribió Tatiana en su diario sobre como se conocieron sus padres. Luego responde a las preguntas de comprensión y compara su experiencia con la tuya.

Mis papás y el Internet

Mi padre se llama Tim Stewart y es profesor de español en una universidad en Baltimore, Maryland. Él también da clases de literatura latinoamericana. Mi mamá se llama Úrsula Morente y es peruana. Ella vino a vivir a Estados Unidos después de casarse con mi papá. Su historia tiene mucho que ver con las computadoras.

Hace muchos años una universidad de Lima, Perú, invitó a mi papá a dar una conferencia. Él aceptó, a fin de que sus ideas sobre la literatura de Perú fueran más conocidas. Durante su viaje, visitó una biblioteca en donde trabajaba mi mamá, en el departamento de computación. En esos años, la gente apenas comenzaba a usar el Internet. Mi papá le pidió a mi mamá que, en caso de que fuera posible, le enviara por Internet a los Estados Unidos algunos artículos de periódicos y revistas que iban a publicarse en Lima. Así comenzó la amistad entre ellos. Ellos siguieron escribiéndose correos electrónicos después de que mi papá regresó a Baltimore.

Ella le daba muchas sugerencias acerca de cómo interpretar la literatura peruana y él le enseñaba inglés en sus correos. También pasaban horas conversando en los salones de charlas. En otro viaje que mi papá hizo a Lima, se pusieron de acuerdo para verse nuevamente en la universidad. Poco después se hicieron novios y comenzaron a conocerse mejor a través del Internet. Después de varios viajes de mi papá, comenzaron a planear su futuro juntos, en los Estados Unidos. Mis abuelos conocieron a mi papá y les dio gusto saber que se casarían, aunque les dio tristeza pensar que su hija se iría a vivir muy lejos.

Dos años después de escribirse mensajes a través del Internet todos los días, mis papás se casaron en Lima. Fue una típica boda peruana, muy hermosa. Mis abuelos les dieron su aprobación con tal de que fueran felices. Les sugirieron que hicieran una boda sencilla, para que no gastaran mucho dinero. Mi abuela le dio muchos consejos a mi mamá para que aprendiera a vivir en otro país sin olvidar Perú.

Al año siguiente nací yo. Ahora, mis papás y yo nos comunicamos a través de nuestras computadoras portátiles cuando estamos separados. Nos enviamos mensajes para saber dónde estamos. Mi mamá también envía y recibe mensajes de su familia en Lima. También busca información sobre su trabajo y recetas de cocina. Mi papá publica sus artículos en el sitio Web de su universidad, donde los pueden leer personas de todo el mundo. A mí me encantan los juegos electrónicos y me gusta descargar e imprimir información de mis deportes favoritos. También tenemos agendas electrónicas para organizarnos mejor. Como ves, nuestra familia ha sido siempre, ¡una familia computarizada!

Lectura C   UNIDAD 5 Lección 1

2 **¿Comprendiste?** Responde a las siguientes preguntas.

1. Tatiana dice que la historia de sus padres tiene que ver con las computadoras. ¿Crees que tiene razón? ¿Por qué?

Sí, porque sus papás se conocieron en la biblioteca de una universidad de Lima,

en donde la mamá trabajaba en el departamento de computación. Ella le enviaba

información al papá de Tatiana a través del Internet.

2. ¿Cómo se comunicaban los papás de Tatiana cuando estaban separados?

Ellos se escribían correos electrónicos y conversaban en los salones de charlas.

3. ¿Cómo reaccionaron los abuelos al saber que la madre de Tatiana se casaría y se iría a vivir a los Estados Unidos?

Ellos estaban felices, aunque sentían tristeza de que su hija se fuera a vivir tan lejos.

4. ¿Crees que la familia de Tatiana es "una familia computarizada"? Explica tu respuesta.

El papá, la mamá y Tatiana usan las computadoras en su vida cotidiana. Por ejemplo, el

papá publica sus trabajos en el sitio Web de la universidad. La mamá busca información

sobre su trabajo y recetas de cocina en el Internet. A Tatiana le encantan los juegos

electrónicos, también descarga e imprime información sobre sus deportes favoritos.

3 **¿Qué piensas?** ¿Crees que el mundo de hoy podría vivir sin las computadoras? Explica tu respuesta. Algunos padres no dejan que sus hijos usen una computadora hasta que tengan 10 años o más. ¿Estás de acuerdo o en desacuerdo con esta medida? ¿Por qué?

Answers will vary.

Escritura A

| ¡AVANZA! | **Goal:** Write about travel preparations, personal items, and requirements. |

Tus amigos(as) y tú necesitan buscar información para un viaje al Lago Titicaca.

1 Llena la tabla con la información que encontraste. **Answers will vary.**

¿Dónde está ubicado el lago?	
¿Cuál es el clima de la región?	
¿A qué altura se encuentra el lago?	
¿Quiénes viven en esa área?	
¿Qué ropa debes vestir para visitar ese lugar?	
¿Qué actividades se pueden hacer allí?	
¿Qué objetos personales se pueden llevar?	

2 Escribe tu ensayo corto con la información anterior. Asegúrate de que tu ensayo contenga:
1) introducción, desarrollo y conclusión, 2) oraciones completas, claras y lógicas,
3) recomendaciones para los que viajan con expresiones de subjuntivo, 4) buen uso del
lenguaje y de la ortografía. **Answers will vary.**

_____

_____

_____

_____

3 Evalúa tu ensayo con la información de la tabla:

	Crédito máximo	**Crédito parcial**	**Crédito mínimo**
Contenido	Tu ensayo contiene: introducción, desarrollo y conclusión; oraciones claras y lógicas.	Tu ensayo contiene: dos de las tres partes requeridas. Algunas oraciones no son claras o no son lógicas.	Tu ensayo no contiene las partes requeridas. En general las oraciones no son claras ni lógicas.
Uso correcto del lenguaje	Haces buen uso del subjuntivo, del lenguaje y de la ortografía.	Tienes algunos errores en el uso del subjuntivo, del lenguaje y de la ortografía.	Tienes muchos errores en el uso del subjuntivo, del lenguaje y de la ortografía.

UNIDAD 5 Lección 1
Escritura A

Escritura B

¡AVANZA!	**Goal:** Write about travel preparations, personal items, and requirements.

Manuela y tú preparan un folleto de información turística sobre cómo viajar de Lima a Cuzco. Se conectan al Internet y hacen una búsqueda para imprimir información importante.

1 Organiza la información que encontraron en la siguiente tabla. Usa y subraya las expresiones de subjuntivo. **Answers will vary.**

Modelo: _A menos que_ usted no quiera viajar en autobús, puede hacerlo por tren.

Consejos sobre...

Cómo viajar de Lima a Cuzco	Qué lugares se pueden visitar	Qué cosas puede o no puede llevar	Qué cosas puede o no puede traer

2 Con la información anterior elabora el folleto. El éxito de tu folleto depende de que: 1) la información sea clara, detallada y organizada, 2) la información sea importante y necesaria para los que viajan, 3) la letra sea visible, 4) las expresiones de subjuntivo sean apropiadas, 5) la ortografía sea correcta. **Answers will vary.**

_____

_____

_____

_____

_____

3 Evalúa tu folleto con la siguiente información:

	Crédito máximo	Crédito parcial	Crédito mínimo
Contenido	Tu folleto es claro, detallado y organizado. La información es importante y necesaria. La letra es visible.	A tu folleto le faltan algunos detalles y organización. Alguna información no es importante y necesaria para los viajeros. La letra no es todo visible.	A tu folleto le faltan muchos detalles y organización. Mucha información no es importante ni necesaria. La letra no es visible.
Uso correcto del lenguaje	Haces buen uso de las expresiones de subjuntivo. La ortografía es correcta.	Algunas veces no haces buen uso de las expresiones de subjuntivo. Tienes algunos errores de ortografía.	No haces buen uso de las expresiones de subjuntivo. Tienes muchos errores de ortografía.

Escritura C

> **¡AVANZA!** **Goal:** Write about travel preparations, personal items, and requirements.

1 A tu llegada de Ecuador haces un informe con sugerencias para tus compañeros para que visiten ese país. Organiza tu información sobre el viaje en la tabla. **Answers will vary.**

Lista de cosas necesarias que llevaste	Lugares que visitaste	Actividades que hiciste	Qué comiste	Sugerencias

2 Escribe tu informe teniendo en cuenta la Actividad 1. Empieza con un título. Asegúrate de que tu informe: 1) sea detallado y ameno; 2) las oraciones sean completas y claras; 3) las sugerencias para tus compañeros contengan conjunciones con subjuntivo, por ejemplo: En caso de que llueva, necesitas un paraguas; 5) no tenga errores de ortografía.

Answers will vary.

_____

_____

_____

_____

_____

_____

_____

_____

3 Evalúa tu informe con la información de la tabla:

	Crédito máximo	Crédito parcial	Crédito mínimo
Contenido	Tu informe en general es detallado y ameno. Las oraciones son completas y claras.	A tu informe le faltan algunos detalles, pero es ameno. Algunas oraciones son incompletas o no son claras.	A tu informe le faltan muchos detalles y no es ameno. En general las oraciones no son completas ni claras.
Uso correcto del lenguaje	Haces sugerencias con el subjuntivo. No tienes errores de ortografía.	Haces sugerencias pero no en todas usas el subjuntivo. Tienes algunos errores de ortografía.	No haces sugerencias con el subjuntivo. Tienes muchos errores de ortografía.

UNIDAD 5 Lección 1
Escritura C

Cultura A

| ¡AVANZA! | **Goal:** Discover and know people, places, and culture from Andean countries. |

1 Relaciona los nombres de la primera columna con las definiciones de la segunda. Fíjate bien: Hay una definición que corresponde a dos nombres.

1. __e__ Ingapirca   **a.** capital de Perú
2. __d__ La Paz   **b.** capital de Ecuador
3. __a__ Lima   **c.** ruinas indígenas en Bolivia
4. __b__ Quito   **d.** capital de Bolivia
5. __c__ Tiwanaku   **e.** ruinas indígenas en Ecuador
6. __d__ Sucre

2 Responde de forma breve a las siguientes preguntas.

1. ¿Cuál es el nombre de un gran lago que se encuentra entre Bolivia y Perú?
   El lago que se encuentra entre Bolivia y Perú es el Titicaca.

2. ¿Cuáles son tres comidas típicas de los países andinos? **Answers will vary. Possible answers:**
   Algunas comidas son: llapingachos, ceviche, papas a la huancaína, picante de pollo.

3. Nombra a tres personas famosas de los países andinos. **Answers will vary. Possible answer:**
   Algunas personas andinos famosas son Franklin Briones, Tania Libertad y Mario Vargas Llosa.

4. ¿Qué lenguas indígenas se hablan en los países andinos? **Answers will vary. Possible answer:**
   El aimara y el quéchua son dos lenguas indígenas de los países andinos.

3 Los jóvenes latinoamericanos valoran la amistad. Reunirse y compartir momentos con los amigos es muy importante. ¿Qué importancia tienen para ti y tus amigos? Escribe cuatro oraciones completas diciendo algunas cosas que compartes con tus amigos(as) y otra oración más diciendo qué es lo más importante de la amistad. **Answers will vary. Possible answers:**

Mis amigos y yo compartimos momentos, gustos, cosas.

1. **Me gusta ir al cine con mis amigos.**
2. **Cuando voy de compras, siempre voy con mi mejor amigo.**
3. **Los fines de semana me gusta merendar con mis amigos.**
4. **Lo mejor del fútbol es ir a ver los partidos con un grupo de amigos.**

La amistad es importante.

5. **Lo más importante de la amistad es escuchar y ayudar siempre a los amigos.**

UNIDAD 5 Lección 1   Cultura A

Cultura B

> **¡AVANZA!** **Goal:** Discover and know people, places, and culture from Andean countries.

1 Responde de manera breve a las siguientes preguntas sobre los países andinos.

1. ¿Quiénes son los indígenas que viven junto al lago Titicaca?

Los indígenas que viven junto al lago Titicaca son los aimara.

2. Hace muchos años, los incas vivieron en las montañas donde se encuentra el Titicaca. ¿Qué riquezas obtenían de estas montañas? ¿Qué cultivaban?

Los incas obtenían oro y plata y cultivaban la papa.

3. ¿En qué famoso museo boliviano se pueden observar artefactos de las antiguas civilizaciones de la región?

Se pueden observar artefactos de las civilizaciones de la región en el Museo de Metales Preciosos de La Paz.

4. ¿Cómo es el edificio en el que está ese museo?

El museo es una casa colonial del siglo XV.

2 Las comunidades se organizan para proteger y promocionar sus valores y su cultura. Algunas organizaciones trabajan a nivel local, otras, a nivel internacional, pero todas son importantes. Responde con oraciones completas a las siguientes preguntas.

1. ¿Qué es la OEA y cuál es su misión?

La OEA es la Organización de Estados Americanos. Es una organización que apoya la

democracia y los derechos humanos.

2. ¿Qué hizo la comunidad de Tigua-Chimbaucucho en Ecuador para dar a conocer su arte?

Hizo una galería donde se pueden ver y comprar sus obras de arte.

3 Menciona alguna pintura representante del arte indígena de Tigua, Ecuador. Describe la escena que representa. ¿Cómo es el pueblo? ¿Qué está haciendo la gente? Luego explica cuál crees que es la importancia cultural de esta obra. **Answers will vary. Possible answers:**

Una pintura representante del arte indígena de Tigua es *Día de fiesta en un pueblo quéchua.*
Descripción del cuadro: __La pintura muestra un pueblo de la montaña con casas pequeñas__
y una iglesia. Las personas que aparecen en el cuadro están celebrando una fiesta local
reunidos en la calle. Algunos están tocando instrumentos musicales.

Importancia de la obra: __Este tipo de pintura nos da la visión que tiene una persona del__
pueblo de la fiesta.

UNIDAD 5 Lección 1

Cultura B

Cultura C

¡AVANZA!	**Goal:** Discover and know people, places, and culture from Andean countries.

1 Responde con oraciones completas a las preguntas sobre los países andinos y su cultura.

1. ¿Cómo es el clima en los países andinos?

En las zonas bajas el clima es cálido durante el día y fresco por la noche; en las zonas altas, la temperatura es extremadamente fría.

2. ¿Qué temas refleja la pintura indígena de Tigua?

La pintura indígena refleja la historia, los festivales y las leyendas de su comunidad.

3. Completa la tabla con la profesión y el país de cada una de las siguientes personas.

	profesión	país
Franklin Briones	director de cine	Ecuador
Claudia Cornejo	atleta	Bolivia
Mario Vargas Llosa	escritor	Perú

2 Responde a las siguientes preguntas sobre algunas culturas indígenas.

1. ¿En qué tres lugares se pueden observar importantes ruinas indígenas? ¿En qué país está cada uno de estos lugares?

Se ven ruinas en Machu Picchu, Perú, en Ingapirca, Ecuador y en Tiwanaku, Bolivia.

2. ¿De qué metales están hechos la mayoría de los objetos que ven en el Museo de Metales Preciosos de La Paz? Además de estos objetos, ¿qué piezas de gran valor histórico hay allí?

La mayoría de los objetos que hay en el museo son de oro, plata y cobre. Además de los objetos de metal, también hay cerámicas incaicas y preincaicas de gran valor histórico.

3. ¿Qué es la OEA y cuál es su misión? ¿Qué otras organizaciones conoces y por qué crees que son importantes? ¿Crees que cada país puede garantizar por sí mismo el respeto a los derechos humanos? Responde en un párrafo breve. Answers will vary. Possible answers:

La OEA es una organización internacional que apoya la democracia y los derechos humanos en América. Otra organización que apoya los derechos humanos es la ONU. Algunos países pueden garantizar el respeto a los derechos humanos de sus ciudadanos, pero no ocurre así en todos los países. Es importante que existan organizaciones internacionales que se preocupen por lo que pasa en los países con menos libertad y democracia.

UNIDAD 5 Lección 1   Cultura C

Vocabulario A *Nuevos amigos, nuevas oportunidades*

Level 3 Textbook **pp. 348–350**

¡AVANZA!	**Goal:** Talk about the day's activities.

1 Indica si las siguientes descripciones de las actividades de tiempo de ocio son ciertas (**C**) o falsas (**F**).

1. Se usan fichas para jugar billar. __F__

2. El estreno de una película es la primera vez que se presenta. __C__

3. Las damas es un juego de cuatro personas. __F__

4. Las personas se relajan durante su tiempo de ocio. __C__

2 Escribe una oración completa para describir a qué juegan las siguientes personas durante su tiempo de ocio.

1. Julio y Alejandro   2. Maribel y Carlos   3. Susana y Lisa   4. David   5. Manuel, Miguel y Luis

1. ___Julio y Alejandro juegan al ajedrez.___

2. ___Maribel y Carlos juegan billar.___

3. ___Susana y Lisa juegan a las damas.___

4. ___David juega a los dados.___

5. ___Manuel, Miguel y Luis juegan a los naipes.___

3 Escribe oraciones completas para contestar las siguientes preguntas sobre tus actividades.
Answers will vary.

1. ¿Qué pasatiempos tienes?

_____

2. ¿Qué juegos de mesa te gustan?

_____

3. ¿A qué espectáculos te gusta asistir?

_____

4. ¿Cuándo fue la última vez que intercambiaste opiniones con alguien? ¿De qué hablaron?

_____

_____

Vocabulario A   UNIDAD 5 Lección 2

Vocabulario B *Nuevos amigos, nuevas oportunidades*

Level 3 Textbook pp. 348–350

┌───┐
│ **¡AVANZA!** **Goal:** Talk about the day's activities. │
└───┘

1 Subraya la palabra que no está relacionada con las otras palabras de la lista.

1. dormir la siesta / discutir / debatir / intercambiar opiniones

2. juego de mesa / damas / <u>estreno</u> / ajedrez

3. actuación / <u>resolución</u> / estreno / orquesta

4. ocio / tiempo libre / pasatiempo / <u>trabajo</u>

5. <u>cantar</u> / charlar / relatar / comentar

2 Elige la palabra que corresponda a cada descripción y escríbela en el espacio.

el estreno	la música bailable	el ocio	una reunión	un(a) músico(a) ambulante

1. Una junta de personas para comentar, discutir y resolver cuestiones es _____ una reunión.

2. La primera presentación de un espectáculo es _____ el estreno.

3. Una persona que toca la música en la calle es _____ un(a) músico(a) ambulante.

4. El tipo de música que tocan en las discotecas es _____ la música bailable.

5. El tiempo libre de una persona es _____ el ocio.

3 Escribe cinco actividades que haces durante tu tiempo de ocio y cinco actividades que haces en tu trabajo o escuela. **Answers will vary. Possible answers:**

OCIO	TRABAJO y ESCUELA
1. Juego a ajedrez con mi hermano.	1. Voy a mis clases.
2. Charlo con mis amigos en un café.	2. Hago muchas investigaciones en el Internet.
3. Me conecto al Internet.	3. Estudio para mis exámenes.
4. Me relajo en casa.	4. Discuto la tarea con mis compañeros.
5. A veces duermo la siesta.	5. Trabajo durante los fines de semana en un restaurante.

UNIDAD 5 Lección 2 Vocabulario B

Vocabulario C *Nuevos amigos, nuevas oportunidades*

Level 3 Textbook pp. 348–350

¡AVANZA!   **Goal:**   Talk about the day's activities.

1 Completa las siguientes frases para definir cada concepto.

1. La actuación es *la interpretación de un papel en una obra de teatro o en una película.*

2. La orquesta es *un grupo de músicos que toca en los conciertos de música clásica.*

3. Una recepción es *una junta de personas después de un espectáculo.*

4. Un vendedor ambulante es *una persona que vende cosas en la calle.*

5. El ajedrez es *un juego de mesa con la reina y el rey que requiere estrategia para ganar.*

6. El estreno es *la presentación de un espectáculo por primera vez.*

2 Escribe oraciones completas para describir qué se ofrece en tu comunidad en cuanto al tiempo de ocio, los pasatiempos y los espectáculos. **Answers will vary. Possible answers:**

En mi comunidad....		
El tiempo de ocio	**Los pasatiempos**	**Los espectáculos**
1. *En mi comunidad se puede jugar ajedrez en el parque.*	1. *En mi comunidad mucha gente pasea por el parque.*	1. *En mi comunidad uno puede asistir al teatro.*
2. *En mi comunidad hay muchas discotecas que tocan la música bailable.*	2. *En mi comunidad se puede jugar billar en los cafés.*	2. *La orquesta toca un concierto cada fin de semana.*

3 Escribe un párrafo de cinco oraciones completas para describir a tu familia y las actividades de tu comunidad. **Answer will vary.**

_____

_____

_____

_____

_____

UNIDAD 5 Lección 2

Vocabulario C

Vocabulario adicional La ortografía: g, gu, j

> **¡AVANZA!** **Goal:** Use rules about spelling of words with **g**, **gu** and **j**.

- La letra **g** se pronuncia como la g en la palabra "*game*" si es seguida por la letra **o, u o a**:

  gol

  gato

  gusto

- Para mantener el sonido de la **g** de la palabra "*game*" cuando le siguen las letras **e e i**, hay que agregar una **u** en algunos casos. Mira también las formas verbales de la derecha:

  juguete   pagar ——→Yo pagué.

  amiguito   jugar ——→ jueguen

- La **g** se pronuncia como la *h* en la palabra "*he*" si es seguida por la letra **i o e**:

  gente   **elegimos**

- Para mantener el sonido de la **g** de la palabra "*he*," hay que cambiarla a la **j** en algunas formas verbales:

  elegir ——→ elijo   dirigir ——→ dirijo

- La **j** también se pronuncia como la *h* en la palabra "*he*:"

  jota   **jueves**

1 Indica con una **X** si la ortografía de las palabras en negrita es correcta o incorrecta. Si es incorrecta, corrígela y escríbela.

	Correcta	Incorrecta	Palabra corregida
1. Ayer **jugé** al fútbol.		X	jugué
2. Toda la **gente** es muy amable.	X		
3. **Protego** mis ojos del sol.		X	protejo
4. Espero que ellos **paguen** la factura.	X		
5. **Recogí** la basura de la calle.	X		
6. Él **diriguió** mi película favorita.		X	dirigió
7. Este jueves **tengo** un partido de fútbol.	X		
8. **Eligo** una falda negra.		X	Elijo

Gramática A Conditional Tense

¡AVANZA! **Goal:** Talk about things that you would or would not do.

❶ ¿Qué harían estas personas si ganaran la lotería? Escoge la letra de la forma verbal de la derecha que corresponda con las palabras de la izquierda.

1. Mis padres y yo / una casa nueva __e__   **a.** viajarían
2. Mi mejor amigo(a) / platillos deliciosos __c__   **b.** iría
3. Mis hermanos / por todo el mundo __a__   **c.** comería
4. Yo / a fiestas todos los días. __b__   **d.** haría
5. Mi abuela / obras de caridad __d__   **e.** compraríamos

❷ La vida en la universidad es distinta a la vida en la preparatoria. Completa las oraciones y di qué harían estas personas si fueran a la universidad.

Modelo: Tú _tomarías_ (tomar) clases de japonés y alemán.

1. Javier _____iría_____ (ir) a la universidad en coche.
2. Nosotras _____estudiaríamos_____ (estudiar) mucho más que ahora.
3. Yo _____tendría_____ (tener) menos tiempo libre que ahora.
4. Ustedes _____vivirían_____ (vivir) en un apartamento de la universidad.

❸ Escribe oraciones completas para describir cómo sería la vida de las siguientes personas si no tuvieran que estudiar.

Modelo: Ustedes / tomar / una siesta todas las tardes.

Ustedes tomarían una siesta todas las tardes.

1. Sofía y Mateo / conocer / a muchas personas interesantes en sus viajes

Sofía y Mateo conocerían a muchas personas interesantes en sus viajes.

2. Tomás y yo / ver / películas todas las noches

Tomás y yo veríamos películas todas las noches.

3. Yo / hacer / ejercicio diariamente

Yo haría ejercicio diariamente.

4. Nosotros / practicar / nuestras aficiones

Nosotros practicaríamos nuestras aficiones.

5. Elena / jugar / al ajedrez con sus amigos

Elena jugaría al ajedrez con sus amigos.

Gramática B Conditional Tense

> **¡AVANZA!** **Goal:** Talk about things that you would or would not do.

1 Juliana escribe sobre el futuro. Lee el siguiente párrafo y escribe en los espacios en blanco el condicional del verbo entre paréntesis.

No es fácil decidir lo que quiero ser en el futuro. A mí me encantan los aviones, creo que me **1.** _gustaría_ (gustar) ser ingeniera aeronáutica. Trabajaría en una gran empresa y **2.** _haría_ (hacer) aviones. Al mismo tiempo a Lupe y a mí nos gusta mucho la moda. Creo que **3.** _seríamos_ (ser) buenas diseñadoras. **4.** _Viajaríamos_ a París y a Nueva York y **5.** _seríamos_ (ser) famosas.

2 Usa las pistas para escribir qué harían tus amigos en diferentes situaciones.

Pistas: visitar restaurantes típicos, jugar a los naipes, hacer nuevos amigos, leer libros, hacer surf

Modelo: Juan es muy extrovertido
Juan haría nuevos amigos.

1. Pilar y Rita van a la biblioteca.
Pilar y Rita leerían libros.

2. A Pedro le gustan los deportes acuáticos.
Pedro haría surf.

3. A Ramiro y a mí nos gusta comer bien.
Ramiro y yo visitaríamos restaurantes típicos.

4. A ustedes les gustan los juegos de mesa.
Ustedes jugarían a los naipes.

3 Completa las oraciones para explicar qué harían estas personas en las siguientes situaciones.
Modelo: Si me invitaran a cenar a la Casa Blanca   Answers will vary. Possible answers:
me pondría mi mejor vestido.

1. Si Sonia no tuviera videojuegos, ella *jugaría juegos de mesa.*

2. Si viajáramos a España, nosotros *visitaríamos Barcelona.*

3. Si mis vecinos ganaran la lotería, ellos *se mudarían a otro lugar.*

4. Si yo consiguiera un buen trabajo, yo *compraría un coche nuevo.*

5. Si ustedes fueran muy famosos, ustedes *no podrían vivir tranquilos.*

UNIDAD 5 Lección 2 Gramática B

Gramática C Conditional Tense

¡AVANZA!	**Goal:** Talk about things that you would or would not do.

1 En el siguiente monólogo, Belén Suárez habla de dónde viviría. Completa el párrafo con la forma condicional de los siguientes verbos: **vivir, estar, estudiar, ser, gustar.**

Si viviera en Perú me **1.** ___gustaría___ visitar el Cuzco. **2.** ___Estudiaría___ la cultura incaica

porque me encanta la historia y la antropología. Si viviera en Bolivia, no creo que

3. ___viviría___ con unos tíos que tengo en Santa Cruz; yo **4.** ___preferiría___ vivir en La

Paz. La Paz es una ciudad mágica. También **5.** ___sería___ interesante vivir en Quito,

Ecuador, porque así yo siempre **6.** ___estaría___ en la mitad del mundo.

2 Escribe oraciones completas para decir qué harían estas personas en cada situación. **Answers will vary.**

Modelo: un chico se lastima el tobillo jugando al básquetbol / el doctor Peña **Possible answers:**
El doctor Peña le curaría el tobillo al chico.

1. olvidas la tarea de matemáticas / tú
Tú llamarías a tu mejor amigo(a).

2. Darío y Vanesa pierden la cartera en la cafetería / ustedes
Ustedes les ayudarían a buscarla.

3. Zita se levanta tarde todos los días / su mamá
Su mamá le compraría un despertador.

4. Nosotros ganamos el partido de béisbol / nuestros compañeros
Nuestros compañeros celebrarían la victoria.

3 Escribe un párrafo de cinco oraciones para explicar lo que harías para mejorar el mundo. **Answers will vary.**

_____

_____

_____

_____

_____

Gramática A *Reported Speech*

¡AVANZA!	**Goal:** Give information that someone else has told you.

1 Genaro organizó las notas de la reunión del consejo estudiantil sobre el viaje de estudios al Perú. Marca con una 🕐 si las oraciones son un reporte y con una X si son una cita.

1. Gregorio dijo que buscaría la manera de reunir más dinero para el viaje. ___🕐___

2. Marta Elena prometió: «Estudiaré mucho». ___X___

3. Patricia señaló que Juan no ha pagado las cuotas del torneo de ajedrez. ___🕐___

4. El profesor Solís dijo que la agente de viajes nos hizo descuento. ___🕐___

5. La mamá de Beatriz repitió dos veces: «No hay fondos suficientes». ___X___

2 La señora Hernández habló por teléfono con su hija que estudia en Lima. Cambia los diálogos para saber qué cuenta la señora Hernández a su familia sobre su hija.

Modelo: —Mamá, fui a Trujillo la semana pasada.

Elsa dijo que *fue a Trujillo la semana pasada.*

1. —Mamá, visité el Cuzco.

Elsa dijo que *visitó el Cuzco.*

2. —Compré un suéter de alpaca en el mercado.

Elsa dijo que *compró un suéter de alpaca en el mercado.*

3. —Enseñé un poco de inglés a mi familia del Perú.

Elsa dijo que *enseñó un poco de inglés a su familia del Perú.*

4. —Aprendí mucho de Perú en la clase de historia.

Elsa dijo que *aprendió mucho del Perú en la clase de historia.*

3 Usa el condicional para reportar lo que las personas dijeron que harían en el estreno de la obra.

Modelo: Cecilia / conseguir los disfraces

Cecilia dijo que conseguiría los disfraces.

1. Gloria / instalar la escenografía

Gloria dijo que instalaría la escenografía.

2. Enrique / preparar la recepción para los invitados al estreno

Enrique dijo que prepararía la recepción para los invitados al estreno.

3. Pedro y Arturo / memorizar sus papeles

Pedro y Arturo dijeron que memorizarían sus papeles.

4. La profesora de música / entrenar a la orquesta

La profesora de música dijo que entrenaría a la orquesta.

UNIDAD 5 Lección 2 Gramática A

Gramática B *Reported Speech*

> **¡AVANZA!** **Goal:** Give information that someone else has told you.

1 Reina Meléndez le explica a su padre qué dijeron sus amigos. Escribe en el espacio en blanco la letra que corresponda a la forma verbal en imperfecto de la columna de la derecha.

1. Gonzalo dijo que _____ *c* _____ una mascota exótica.
2. Víctor dijo que _____ *e* _____ una tarta de chocolate riquísima.
3. Nicolás dijo que sus padres _____ *a* _____ tres lenguas.
4. José Carlos dijo que su hermana _____ *d* _____ la reina del baile de corazones.
5. Daniel se quejó de que el entrenador _____ *b* _____ mucho.

a. hablaban
b. exigía
c. tenía
d. era
e. preparaba

2 Completa las oraciones con el subjuntivo del verbo entre paréntesis para expresar lo que unas personas les dicen a otras.

1. Los profesores siempre nos dicen que _____ *estudiemos* _____ (estudiar).
2. Mi madre me dice que _____ *recoja* _____ (recoger) mi habitación.
3. Tus abuelos te dan consejos y te dicen que _____ *cuides* _____ (cuidar) a tu hermana menor.
4. Ana y Pedro les dicen a ustedes que _____ *vayan* _____ (ir) al cine esta noche.
5. Luisa le dice a su hijo que _____ *cocine* _____ (cocinar) con cuidado.

3 Completa las respuestas de Patricia a las preguntas de su madre con el condicional de las frases entre paréntesis.

Modelo: ¿Qué me dijo Margarita esta mañana? (llegar tarde)
*Margarita te dijo que **llegaría** tarde.*

1. ¿Qué le dijo Paco a Ramón? (bajar el volumen al radio)
   Paco le dijo a Ramón que bajaría el volumen al radio.

2. ¿Qué me avisó Teresa hace dos días? (pasar el fin de semana en Bogotá)
   Teresa te avisó que pasaría el fin de semana en Bogotá.

3. ¿Qué me prometió Alan? (levantar su ropa del piso)
   Alan te prometió que levantaría su ropa del piso.

4. ¿Qué me informó Dora ayer? (sufrir de alergias por la lana de la manta)
   Dora te informó que sufriría de alergias por la lana de la manta.

5. ¿Qué dijo Mario en esta nota? (preferir cambiar de habitación)
   Mario dijo que preferiría cambiar de habitación.

Copyright © by McDougal Littell, a division of Houghton Mifflin Company.

Gramática C *Reported Speech*

Level 3 Textbook pp. 356–358

> ┃**¡AVANZA!**┃ **Goal:** Give information that someone else has told you.

1 Berenice resumió algunas notas para su jefa. Escribe en el espacio de la segunda columna una **P** si la oración se refiere a algo que una persona dijo que había hecho, una **F** si es algo que planean hacer, y una **C** si se refiere a algo que harían.

1. María dijo que estuvo enferma la semana pasada. **P**
2. Eduardo señaló que tendría problemas con el retraso de los libros. **C**
3. Ana Belén anunció que iba a faltar hoy porque tiene una cita. **F**
4. Carla dijo que iría a la conferencia si pagamos por ella. **C**
5. René dijo que sacó las copias y las mandó por correo ayer. **P**

2 Usa las pistas para saber las últimas noticias que le cuenta Teresa a Adela. Usa el imperfecto, el pretérito o el condicional para responder. **Answers will vary: Possible answers:**

1. el entrenador / decir que / ganar una medalla en los juegos del verano pasado
   El entrenador dijo que ganó una medalla en los juegos del verano pasado.

2. Sara / presumir que / ir a España / si tiene tiempo
   Sara presumió que iría a España si tiene tiempo.

3. Victoria / prometer que / hablar contigo / si tú querer
   Victoria prometió que hablaría contigo si tú quieres.

4. Jorge / decir que / recibir una beca / jugar fútbol
   Jorge dijo que recibió una beca para jugar fútbol.

5. Sandra / decidir que / dormir una siesta
   Sandra decidió que iba a dormir una siesta.

3 Le cuentas a un(a) amigo(a) la conversación que oíste entre dos personas. Escribe un párrafo donde expliques quién dijo o quién hizo algo. **Answers will vary.**

_____

_____

_____

_____

_____

UNIDAD 5 Lección 2 Gramática C

Gramática adicional
Verbos impersonales: sentido propio y sentido figurado

┌───┐
│ **¡AVANZA!**   **Goal:**   Use impersonal verbs to describe acts of nature. │
└───┘

Los verbos impersonales como **llover**, **nevar**, **anochecer**, **amanecer** y **tronar** describen acciones de la naturaleza. Son impersonales porque se refieren a acciones que no hacen las personas y casi siempre aparecen conjugados en tercera persona singular.

Ejemplos: Llueve mucho en los países tropicales.

Ayer nevó todo el día.

El día amaneció soleado pero con mucho viento.

También se usan los verbos impersonales en sentido figurado, para evocar o ilustrar ciertas imágenes o significados que queremos comunicar. Por ejemplo: Le llovieron ofertas de trabajo. En esta oración "llovieron" lleva el significado de abundancia. Las ofertas de trabajo fueron tan abundantes que nos hacen pensar en las gotas de agua que caen durante la lluvia.

❶ En las siguientes oraciones, escribe en los espacios una "P" si el significado del verbo es propio y una "F" si el significado es figurado.

1. Llovió toda la noche. ___P___

2. Amanecieron muy contentos y listos para ir de vacaciones. ___F___

3. Le llovieron críticas al gobierno local. ___F___

4. Anochece entre las seis y las siete. ___P___

5. Truena y relampaguea cuando hay tormentas fuertes. ___P___

6. Anocheció en mi vida el día que tú te fuiste. ___F___

❷ En las siguientes oraciones, cambia el verbo subrayado por otro verbo o expresión que tenga el mismo significado, si el verbo NO comunica su significado propio. Si comunica su significado propio, escribe "significado propio".

Modelo: Sus ojos relampaguean _brillan_ cuando se le ocurre una buena idea.

1. Tronaron _____Sonaron_____ los augurios de guerra en todo el país.

2. Va a nevar _____significado propio_____ esta semana y nosotros queremos ir a esquiar.

3. Don Quijote amanecía y anochecía _____se levantaba y se acostaba_____ leyendo novelas de caballerías.

4. Amanecía _____significado propio_____ y los pájaros anunciaban la llegada del rey sol.

5. San Francisco es una ciudad muy bonita y le llueve _____tiene mucho_____ turismo.

UNIDAD 5 Lección 2

Gramática adicional

Unidad 5, Lección 2
Gramática adicional
230

¡Avancemos! 3
Cuaderno para hispanohablantes

Conversación simulada

> **¡AVANZA!**   **Goal:**   Respond to written and oral passages about the day's activities.

Vas a participar en una conversación telefónica simulada con tu amiga Yolanda. Primero, lee el bosquejo de la conversación que aparece en la página. Luego, escucha el audio. Tú sólo oirás lo que te dice Yolanda. Entonces escucha el audio de nuevo. Esta vez participarás en la conversación. Responde de forma oral a lo que te dice Yolanda. Una señal te indicará cuando te toque a ti hablar.

[phone rings]

Tú: Contesta el teléfono y pregunta quién llama.

Yolanda: (Ella responde y te hace una pregunta.)

Tú: Dile que fuiste a la biblioteca, pero tuviste que irte pronto.

Yolanda: (Ella te pregunta porqué y te habla de los planes.)

Tú: Dile que todavía no te sientes muy bien.

Yolanda: (Ella te responde y te pregunta qué harás.)

Tú: Pregúntale sobre el regreso.

Yolanda: (Ella te responde y te pregunta por un miembro de tu familia.)

Tú: Contéstale afirmativamente y pregúntale qué ropa se debe de llevar.

Yolanda: (Ella responde y se despide.)

Tú: Despídete y cuelga.

Integración: Escribir

 ¡AVANZA! **Goal:** Respond to written and oral passages discussing activities, skills and abilities.

Lee el siguiente artículo sobre Proyecto Red Chipaya, una organización de jóvenes bolivianos que trabaja para declarar a Chipaya, en Bolivia, patrimonio cultural internacional.

Fuente 1 Leer

Noticias del día

VOLUMEN XL NÚMERO XV EDICIÓN FINAL

CARTA POR CARTA:
Proyecto Red Chipaya

Karen Beltrán

Después de ver un documental sobre la comunidad Chipaya y la lucha a la que se enfrentan por salvar sus tradiciones, Eloy Rodríguez, Adán Sepia y Maritza Agüero decidieron poner manos a la obra. Desde hace tres meses, la carta electrónica que estos jóvenes enviaron pidiendo a veinte amigos unirse en su labor recorre el mundo recolectando firmas. Hasta ahora, más de veinte mil personas se han unido a su petición. «De ser declarado el territorio de los Chipaya patrimonio cultural internacional, la supervivencia de esta legendaria gente estaría asegurada», dijo Agüero en una entrevista telefónica. Los Chipaya, una  comunidad ya varias veces extorsionada por oportunistas, son un grupo reservado. Cada visitante debe informar del propósito de su visita. Su mayor preocupación es mantener la cultura inmune a los daños que acarrea el progreso.

Escucha el mensaje que Sabina Rodríguez, una estudiante de este país, dejó para Guadalupe Vélez, su mejor amiga. Toma notas. Luego completa la actividad.

Fuente 2 Escuchar

HL CD 2, tracks 7–8

Imagina que Sabina y tú se han puesto de acuerdo y quieren ayudar a la comunidad boliviana del artículo arriba. Escribe un párrafo para convencer al director de tu escuela de participar en un proyecto original. ¿Cómo puedes ayudar? ¿Por qué? **Answers will vary.**

_____

_____

_____

UNIDAD 5 Lección 2
Integración: Escribir

Lectura A

¡AVANZA!	**Goal:** Read about a special event.

1 Lee la nota informativa que escribió Olivia acerca de la última reunión vecinal. Luego responde a las preguntas de comprensión.

Gran kermés en Inti Raymi

La Junta Vecinal del complejo de apartamentos Inti Raymi se celebró el lunes 3 de mayo en el comedor de la Casa Vecinal, a las ocho de la noche. La reunión fue dirigida por la Sra. Olga Arévalo, presidenta de la Junta, con la asistencia del 73% de los vecinos. Fue un encuentro amigable en el que se discutió cómo celebrar el décimo aniversario de la fundación del complejo donde vivimos.

El primer punto a discutir fue decidir si en la kermés habría juegos de mesa, como el bingo, las damas, el ajedrez y algunas partidas de naipes. La votación a favor fue casi unánime. También se decidió que se contará con la actuación del grupo musical «Primavera». Si lo desean, los asistentes podrían bailar en la cancha de baloncesto de la Casa Vecinal. Algunos clubes de pasatiempos van a exhibir sus colecciones. La Sra. Gómez invitará a algunas compañeras de su club de artesanías para que exhiban sus tejidos de alpaca. También se presentarán colecciones de estampillas postales, monedas antiguas, fotografías del Cuzco y pinturas modernas. El Sr. Reboredo será el encargado de preparar el lugar adecuado y dará una conferencia sobre la historia de la ciudad.

Todos los vecinos que asistieron a la reunión se inscribieron en los grupos para preparar la comida típica peruana que se venderá en la kermés: anticuchos, cebiche, yuca, pollo a la brasa, papa a la huancaína, quinua y varios entremeses. ¡Todos están invitados!

2 **¿Comprendiste?** Responde a las siguientes preguntas con oraciones completas. **Possible Answers:**

1. ¿Para qué se reunieron los vecinos del complejo Inti Raymi?

Los vecinos se reunieron para decidir cómo celebrar el décimo aniversario de la

fundación del complejo.

2. ¿Qué diversiones se ofrecerán en la kermés?

En la kermés se ofrecerán juegos de mesa, la actuación de un grupo musical y

exhibiciones de clubes de pasatiempos.

3. ¿Qué clubes de pasatiempos exhibirán sus colecciones?

El club de artesanías exhibirá sus tejidos de alpaca; también se presentarán

colecciones de estampillas postales, monedas antiguas, fotografías del Cuzco y

pinturas modernas.

3 **¿Qué piensas?** ¿Asistirías a la kermés que describe Olivia? ¿Por qué sí o por qué no? **Answers will vary.**

Lectura B

¡AVANZA!   **Goal:**   Read about a special event.

1 Lee la crónica que escribió Raúl sobre la celebración del día de la Independencia de su país y compara su experiencia con la tuya.

Crónica del día de la Independencia

Muy temprano salimos mamá, mi hermana Teresa y yo rumbo a la escuela. Íbamos muy elegantes, caminando con paso firme pero ligero. Otros niños con sus padres se acercaban a toda prisa a la escuela. En pocos minutos iba a comenzar el acto cívico para celebrar la independencia de mi país, Bolivia. Mi hermana y yo corrimos a nuestros puestos respectivos en las filas que se formaron en el patio central de la escuela. Los padres de los alumnos se sentaron en sillas que se acomodaron al frente.

A las nueve en punto, el director se paró frente al micrófono y todos guardamos silencio. Entonces les dio a todos la bienvenida e invitó a todos los asistentes a ponerse de pie para cantar el himno nacional. La música de fondo comenzó y todos cantamos con mucho respeto. La parte más esperada del acto cívico fue la actuación de los grupos de danza folclórica de la escuela. La música bailable acompañó a dos grupos, uno que bailó saya y otro que bailó un número de sikuriada. Los compañeros usaron trajes para la ocasión y todo el mundo comenzó a aplaudir y a moverse al compás de la música. Después del baile, el director agradeció a todos por su asistencia. A las diez y media, nuestra escuela había vuelto a la normalidad

2 **¿Comprendiste?** Responde a las siguientes preguntas con oraciones completas:

1. ¿Cómo se siente Raúl durante el día de la independencia de su país? ¿Cómo lo sabes?

Raúl está emocionado. Lo sé porque se despertó temprano y participó en las
actividades con gusto.

2. ¿Por qué se separaron Raúl y su hermana de su mamá en la escuela? ¿Qué hizo su mamá?

Raúl y su hermana corrieron a ocupar sus lugares con sus grupos. Su mamá en cambio
fue a sentarse con los demás padres de familia.

3. ¿Qué pasó a las nueve en punto? ¿Qué fue lo más esperado?

A esa hora comenzó el acto cívico. El director se paró frente al micrófono. Entonces
todos cantaron el himno nacional. La parte más esperada fue el baile de los grupos de
danza de la escuela.

3 **¿Qué piensas?** ¿Qué haces cuando celebras la independencia de tu país? ¿En qué se parece a la celebración de Raúl en Bolivia? Explica tu respuesta. **Answers will vary.**

_____
_____
_____

Lectura C

| ¡AVANZA! | **Goal:** Read about a special event. |

1 Lee el reportaje turístico que Rosario y Mercedes prepararon sobre Guayaquil. Luego responde a las preguntas de comprensión y compara su experiencia con la tuya.

¡Viva Guayaquil!

Si está de visita en Ecuador y quiere divertirse a lo grande... ¡Guayaquil es el lugar indicado! Por algo esta ciudad es la más grande del país. Es además el puerto comercial más importante del Ecuador, lo que lo hace una población grande, diversa y llena de sorpresas. Por su ubicación estratégica, Guayaquil siempre ha sido un punto importante para la navegación y el comercio. En los últimos años se ha desarrollado una gran infraestructura para ofrecer grandes atractivos al turismo internacional.

En el Malecón del Estero Salado, uno de los lugares favoritos de los visitantes, puede disfrutar de muchas opciones: interesantes museos en los que continuamente se ofrecen charlas y conferencias sobre el arte ecuatoriano, jardines, fuentes, centros comerciales, restaurantes, bares, patios de comida, cines que ofrecen los últimos estrenos internacionales, hermosos miradores e importantes muelles desde donde pueden realizarse paseos diurnos y nocturnos por el río Guayas. Esta moderna zona ofrece estacionamiento y es muy segura para los visitantes que buscan opciones divertidas para su tiempo de ocio.

Durante su visita, puede visitar locales que ofrecen espectáculos para todos los bolsillos. Entre ellos, se presentan amenos grupos musicales y talentosos artistas locales cuyas actuaciones son de primer nivel. Para los que prefieren opciones más formales, hay restaurantes que ofrecen un ambiente cómodo y acogedor libre de ruido y gentío. Cada visitante encontrará opciones de su agrado.

Algunos sitios de interés son la Avenida 9 de Octubre, El Parque de la Ciudadela Ferroviaria, el Parque Guayaquil y la Compañía del Estero. Éste último es un centro muy popular de recreación familiar. Por su parte, la plaza Rodolfo Baquerizo Moreno, también conocida como Parque Guayaquil, ha sido renovada para presentar al público exposiciones de todo tipo. Recientemente se inauguró el Parque Lineal Fase II, que abarca desde el paseo de La Fuente hasta los ingresos de la Universidad Católica.

Si le gustan los barrios con estilo y sabor propio, no deje de visitar el Barrio Centenario, lugar en el que tradicionalmente ha vivido la aristocracia de la ciudad. El barrio Guasmo debe su nombre a la especie de árboles que ahí habitan. Este barrio fue en otro tiempo una hacienda, por lo que su arquitectura es muy bella. Las Peñas es el barrio más antiguo de la ciudad. En él se encuentran casas que pertenecieron a personajes históricos relevantes. La Bahía es el nombre de un extenso mercado donde puede adquirirse todo tipo de artículos a precios muy accesibles.

Guayaquil es una ciudad que satisface los gustos de los viajeros más exigentes. Todos sus visitantes quedan encantados con la gran variedad de atractivos que ofrece. Estamos seguras de que usted no será la excepción. Venga a esta bella ciudad conocida como "la Perla del Pacífico" y ¡no se arrepentirá!

❷ ¿Comprendiste? Responde a las siguientes preguntas.

1. ¿Por qué es Guayaquil una ciudad importante del Ecuador?

Guayaquil es una ciudad importante de este país porque es la más grande del país y es

además un puerto comercial ubicado estratégicamente.

2. ¿Por qué dice el reportaje que el Malecón del Estero Salado es una de las atracciones favoritas de los visitantes?

En ese lugar se encuentran muchas atracciones, como museos, jardines, fuentes,

centros comerciales, restaurantes, etc.

3. ¿Adónde pueden acudir quienes buscan un lugar libre de ruido y gentío?

Esas personas pueden ir a restaurantes que ofrecen un ambiente cómodo y acogedor.

4. ¿Qué barrio de Guayaquil tiene mayor relevancia histórica? ¿Por qué?

El barrio con mayor relevancia histórica es el de Las Peñas. Es el barrio más antiguo

de la ciudad y en él se encuentran casas que pertenecieron a personajes históricos

relevantes.

❸ ¿Qué piensas? Después de leer el reportaje turístico, ¿te gustaría visitar Guayaquil? ¿Qué les recomendarías a Rosario y a Mercedes para hacer más atractivo su reportaje? Explica tus respuestas. **Answers will vary.**

Lectura C   UNIDAD 5 Lección 2

Escritura A

¡AVANZA!	**Goal:** Write about what would happen.

1 Le quieres enviar una tarjeta a tu prima Lorena, que vive en Bolivia, para invitarla a hacer un viaje con tu familia. Lee la introducción de tu tarjeta.

> Querida Lorena:
>
> ¿Cómo estás? Mis padres quieren hacer un viaje por Ecuador, Perú y Bolivia. El problema es que todavía no saben si puedan tomar sus vacaciones. Te invitamos a que vengas con nosotros. ¿Te imaginas lo que haríamos?

Escribe ideas en el cuadro sobre lo que podrían hacer tus padres, Lorena y tú durante el viaje.

Excursiones	Comida	Ropa	Actividades

2 Con la información anterior, completa la tarjeta para Lorena con: 1) un párrafo de cinco oraciones y una despedida; 2) oraciones claras y lógicas; 3) el vocabulario de la lección; 4) el condicional y 5) la ortografía correcta.

_____

_____

_____

_____

3 Evalúa tu tarjeta con la siguiente información:

	Crédito máximo	**Crédito parcial**	**Crédito mínimo**
Contenido	Completaste tu tarjeta con cinco oraciones y una despedida; las oraciones son claras y lógicas.	Escribiste menos de cinco oraciones y una despedida pero algunas oraciones no son claras ni lógicas.	Escribiste menos de tres oraciones. Las oraciones no son claras ni lógicas.
Uso correcto del lenguaje	Escribiste oraciones con el condicional y manejaste correctamente la ortografía.	Tuviste algunos errores con el condicional. Tuviste algunos errores de ortografía.	No escribiste el condicional. Tienes muchos errores de ortografía.

Escritura B

> **¡AVANZA!**   **Goal:**   Write about what would happen.

Fuiste a una excursión a Machu Picchu y quedaste muy impresionado con las leyendas que contó el guía.

1 Organiza tus ideas en el cuadro para escribir una leyenda.

título	personajes	lugar(es)	tiempo

2 Con la información anterior escribe tu leyenda. Debes asegurarte de incluir: 1) los datos de la Actividad 1; 2) oraciones claras y lógicas; 3) inicio, desarrollo y conclusión; 4) el pretérito, el imperfecto o el condicional en algunas oraciones y 5) el uso correcto del lenguaje y la ortografía.

_____

_____

_____

_____

_____

3 Evalúa tu leyenda con la siguiente información.

	Crédito máximo	**Crédito parcial**	**Crédito mínimo**
Contenido	Tu leyenda desarrolla oraciones claras y lógicas. Tiene inicio, desarrollo y conclusión.	Tu leyenda desarrolla algunas oraciones claras y lógicas. Tiene inicio, desarrollo y conclusión.	Tu leyenda no desarrolla oraciones claras y con sentido. No tiene inicio, desarrollo y conclusión.
Uso correcto del lenguaje	Usas el pretérito, el imperfecto o el condicional en las oraciones. Hay pocos errores en la gramática y la ortografía.	Usas el pretérito, el imperfecto o el condicional en algunas oraciones. Hay algunos errores en la gramática y la ortografía.	No usas el pretérito, el imperfecto o el condicional en las oraciones. Hay muchos errores en la gramática y la ortografía.

UNIDAD 5 Lección 2

Escritura B

Escritura C

> **¡AVANZA!** **Goal:** Write about what would happen.

❶ Vas a escribir una fábula sobre la llama, un animal que vive en los países andinos.
Organiza la información que necesitas para escribir tu fábula de la siguiente manera:

Características de la llama:

1. La llama vive en _____

2. La llama come _____

3. La llama se usa para _____

Mi fábula:

1. **Título:** _____

2. **Personajes:** _____

3. **Lugar(es):** _____

4. **Trama:** _____

5. **Moraleja:** _____

❷ Escribe tu fábula con los datos anteriores. Incluye: 1) el título; 2) los personajes y el diálogo;
3) las partes de la fábula: inicio, desarrollo, conclusión y moraleja; 4) el pretérito, el
imperfecto o el condicional en algunas oraciones y 5) la ortografía correcta.

_____

_____

_____

_____

❸ Evalúa tu fábula con la siguiente información:

	Crédito máximo	**Crédito parcial**	**Crédito mínimo**
Contenido	Tu fábula incluye inicio, desarrollo, conclusión y moraleja.	Tu fábula incluye alguna información. Tiene inicio, desarrollo, conclusión y moraleja.	Tu fábula no incluye toda la información. No tiene inicio, desarrollo, conclusión o moraleja.
Uso correcto del lenguaje	Tuviste pocos errores o ninguno en la gramática y la ortografía.	Tuviste algunos errores en la gramática y la ortografía.	Tuviste muchos errores en la gramática y la ortografía.

UNIDAD 5 Lección 2 Escritura C

Cultura A

> | ¡AVANZA! | **Goal:** Discover and know people, places, and culture from Andean countries. |

1 Indica si las siguientes afirmaciones son ciertas (C) o falsas (F). Si la oración es falsa, escribe la forma correcta.

1. __C__ Los incas construyeron la ciudad de Machu Picchu.

2. __F__ La zampoña es un instrumento musical hecho del caparazón del armadillo.
El charango es un instrumento hecho del caparazón del armadillo.

3. __F__ En Trujillo se pueden ver unas antiguas pirámides de la cultura inca.
En Trujillo se pueden ver unas antiguas pirámides de la cultura moche.

4. __C__ La independencia de Perú se declaró en 1820.

5. __F__ La independencia de Perú se declaró en la Plaza Central de Lima.
La independencia de Perú se declaró en la Plaza de Armas de Trujillo.

2 Responde con oraciones completas a las siguientes preguntas sobre los países andinos.

1. ¿Qué construcciones o monumentos hay en la Plaza de Armas de Trujillo?
En la Plaza de Armas hay una catedral y el monumento a la independencia.

2. ¿Qué son la zampoña y la quena?
La zampoña y la quena son dos instrumentos musicales andinos, dos tipos de flauta.

3 Explica por qué Machu Pichu es importante. ¿A qué lugar o construcción de importancia histórica en Estados Unidos le dedicarías tú un poema? ¿Por qué? Completa la siguiente ficha con el nombre del lugar y cuatro oraciones con las cosas o hechos que hacen que ese lugar o construcción sea especial. **Answers will vary. Possible answers:**

Machu Pichu es importante por ser un lugar histórico y por su impresionante paisaje.
Pablo Neruda le dedicó un poema. Yo le dedicaría un poema a la Estatua de la Libertad
porque es uno de los símbolos más representativos de Nueva York y de todo el país. La
estatua es el punto al que llegaron muchos emigrantes europeos a principios del siglo
pasado. Es impresionante llegar a Nueva York por mar y ver la estatua. La Estatua forma
parte del paisaje y de la historia de Nueva York y de todo el país.

UNIDAD 5 Lección 2
Cultura A

Cultura B

| ¡AVANZA! | **Goal:** Discover and know people, places, and culture from Andean countries. |

1 Completa el siguiente crucigrama sobre los países andinos.

1. Construcciones indígenas cercanas a Trujillo.

2. Allí está a tumba del Señor de Sipán.

3. Instrumento indígena de viento.

4. Ave de los Andes de gran tamaño.

5. Machu _____, famosa ciudad antigua en las montañas de Perú.

6. Allí se declaró la independencia de Perú.

7. Antigua civilización andina.

8. Antigua civilización andina.

9. Instrumento indígena de cuerda.

Crucigrama:
- 1 horizontal: PIRÁMIDES
- 2 horizontal: CHICLAYO
- 3 horizontal: QUENA
- 4 horizontal: CÓNDOR
- 5 vertical: PICHHU
- 6 vertical: TUJILLO
- 7 vertical: INCA
- 8 vertical: MOCH
- 9 vertical: CHARANG

2 Responde a las siguientes preguntas usando oraciones completas.

1. ¿Cómo se escucha la música andina en ciudades de Estados Unidos y Europa?

En muchas ciudades grandes se ven grupos callejeros de músicos andinos; ellos llevan su música por todo el mundo.

2. ¿Qué famoso poeta dedicó un poema a una antigua ciudad de las montañas de Perú? ¿Cuáles son dos elementos que destaca en el poema?

Pablo Neruda escribió un poema a Machu Picchu en el que destaca la piedra con que se construyo la ciudad y los cóndores que vuelan en las alturas.

3 Describe qué es la zampoña y menciona su importancia. Menciona cómo se toca. Menciona un instrumento típico que también se toca soplando y compáralo con la zampoña.

La zampoña es una especie de flauta. Está formada por varias cañas de diferente tamaño y grosor colocadas una al lado de otra. Cada caña produce un sonido diferente al soplar en ella. En Estados Unidos, la armónica es un instrumento típico de la música country. Como la zampoña, la armónica es un instrumento de viento, pero en lugar de cañas tiene lengüetas metálicas que producen los diferentes sonidos.

UNIDAD 5 Lección 2 Cultura B

Cultura C

> **¡AVANZA!**   **Goal:**   Discover and know people, places, and culture from Andean countries.

❶ Responde con oraciones completas a las siguientes preguntas sobre los países andinos, su historia y su cultura.

1. ¿En qué lugar y en qué año se declaró la independencia de Perú por primera vez?

La independencia de Perú se declaró por primera vez en la Plaza de Armas de Trujillo,

en 1820.

2. ¿Qué famoso poeta le dedicó un poema a Machu Picchu?

El poeta Pablo Neruda le dedicó un poema a Machu Picchu.

3. ¿Cuáles son los tres instrumentos musicales indígenas más conocidos en la región andina?

Los tres instrumentos musicales indígenas más conocidos en la región andina son la

zampoña, la quena y el charango.

❷ Responde a las siguientes preguntas sobre las antiguas civilizaciones andinas y escribe tantos detalles como puedas.

1. ¿Cuáles fueron dos civilizaciones antiguas que dominaron Perú? ¿Cuáles son algunos restos de estas civilizaciones?

Perú estuvo dominado por los incas, que construyeron la ciudad de Machu Picchu, y por

los moche, de quienes quedan dos pirámides cerca de Trujillo.

2. ¿Dónde se encontró la tumba del Señor de Sipán? ¿Por qué fue un descubrimiento de gran importancia científica?

La tumba del Señor de Sipán se encontró en Chiclayo. Su descubrimiento fue muy

importante porque el sitio estaba intacto.

❸ Haz un comentario sobre los músicos callejeros andinos. ¿Crees que las calles son un buen lugar para tocar música o para cualquier otra manifestación cultural? ¿Crees que los artistas callejeros son importantes en el intercambio cultural de las comunidades del mundo? Expresa tu opinión en un párrafo breve.

Los grupos callejeros andinos llevan su música por todo el mundo. Las calles son un buen

lugar para manifestaciones culturales ya que así las personas pueden verlas. Es una buena

forma de dar a conocer la música de otros lugares. Cuando los músicos callejeros tocan la

música de su país en un país que no es el suyo, están dando a conocer el arte de su país a

otra comunidad. Así las personas conocen más cosas sobre la cultura de otros lugares y las

diferentes comunidades se comprenden mejor.

Comparación cultural: Variedad geográfica
Lectura y escritura

Después de leer los párrafos sobre las descripciones de la geografía de los países de Dolores y Antonio, escribe un párrafo sobre la geografía de la región donde vives. Usa la información del organigrama para escribir un párrafo sobre la geografía de la región donde vives.

Paso 1

Completa el organigrama con los detalles sobre la geografía de la región donde vives.

Nombre de la región	Lugar
Características geográficas	

Paso 2

Ahora usa los detalles del organigrama para escribir una oración para cada uno de los temas.

_____

_____

_____

_____

_____

Comparación cultural: Variedad geográfica

Lectura y escritura (seguir)
(continuación)

Paso 3

Ahora escribe tu párrafo usando las oraciones que escribiste como guiá. Incluye una oración de introducción y utiliza las conjunciones **para que, antes de que, hasta que** para describir la geografía de la región donde vives.

_____
_____
_____
_____
_____
_____

Lista de verificación

Asegúrate de que...

☐ incluyes todos los detalles sobre la geografía de la región donde vives.

☐ usas los detalles para describir la geografía de la región donde vives.

☐ utilizas las conjunciones seguidas del subjuntivo.

Tabla

Evalúa tu trabajo con la siguiente tabla.

Criterio de escritura	Excelente	Bueno	Necesita mejorar
Contenido	Tu párrafo incluye todos los detalles sobre la geografía de la región donde vives.	Tu párrafo incluye algunos detalles sobre la geografía de la región donde vives.	Tu párrafo incluye muy poca información sobre la geografía de la región donde vives.
Comunicación	La mayor parte de tu párrafo está organizada y es fácil de entender.	Partes de tu párrafo están organizadas y son fáciles de entender.	Tu párrafo está desorganizado y es difícil de entender.
Precisión	Tu párrafo tiene pocos errores de gramática y de vocabulario.	Tu párrafo tiene algunos errores de gramática y de vocabulario.	Tu párrafo tiene muchos errores de gramática y de vocabulario.

UNIDAD 5

Comparación cultural

Comparación cultural: Variedad geográfica
Compara con tu mundo

Ahora escribe un párrafo comparando la geografía de la región donde vives con la de uno de los estudiantes en la página 323. Organiza la comparación por temas. Primero compara los nombres de las regiones, después escribe algunos detalles sobre esta región y por último escribe algo único que tenga aquella región.

Paso 1

Usa la tabla para organizar la comparación por temas. Escribe los detalles de cada uno de los temas sobre la geografía de la región donde vives y la del (de la) estudiante que elegiste.

	Mi región geográfica	La región geográfica de _____
Nombre de la región		
Detalles		
Algo único		

Paso 2

Ahora usa los detalles de la tabla para escribir la comparación. Incluye una oración de introducción y escribe sobre cada tema. Utiliza las conjunciones **para que**, **antes de que**, **hasta que** seguidas del subjuntivo para describir la geografía de la región donde vives y la del (de la) estudiante que has elegido.

_____

_____

_____

_____

_____

_____

_____

UNIDAD 5 Comparación cultural

Vocabulario A *¿Dónde vivimos?*

| ¡AVANZA! | **Goal:** Talk about your home and neighborhood. |

1 Subraya la palabra correcta del vocabulario para decir adónde ir a hacer las compras.

1. Tenemos que comprar queso y yogur. Vamos a (la bombonería / la oferta / <u>la lechería</u>).

2. Mamá quiere preparar hamburguesas. Pasa por (<u>la carnicería</u> / la ferretería / el buzón).

3. Papá quiere regalarle a mamá algo muy bonito para celebrar su aniversario. Va a (el sello / la verdulería / <u>la florería</u>) para escoger algo especial.

4. ¿En qué (escaparate / <u>pastelería</u> / carnicería) vas a comprar la torta para el cumpleaños de tu hermanito?

5. Voy a (<u>la ferretería</u> / el cajero automático / la bombonería) para comprar las herramientas necesarias para reparar el grifo.

2 Observa los dibujos del barrio de Ramón. Escribe una oración para identificar cada dibujo.

Modelo: 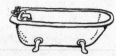 *Es la bañera.*

1.

2.

3.

4.

5.

6.

7.

8.

1. Es un banco.
2. Es un buzón.
3. Es una mesita.
4. Es un sello.
5. Es una fuente.
6. Es un fregadero.
7. Es un horno.
8. Es un balcón.

UNIDAD 6 Lección 1
Vocabulario A

Vocabulario B *¿Dónde vivimos?*

> **¡AVANZA!** **Goal:** Talk about your home and neighborhood.

1 Completa los espacios con la palabra correcta sobre cosas del barrio y de la casa.

kiosco	ofertas	el refrigerador	el balcón	cajero automático	la bañera

Modelo: Necesito sacar dinero en efectivo del *cajero automático.*

1. Desde el _____ **balcón** _____ de mi piso hay una vista bonita del parque.

2. En el almacén «Clarita» siempre tienen grandes _____ **ofertas** _____ .

3. Es mejor que pongas los vegetales en _____ **el refrigerador** _____ para que se conserven frescos.

4. _____ **La bañera** _____ del piso de mis abuelos es muy antigua.

5. Los fines de semana mi papá va al _____ **kiosco** _____ a comprar el periódico.

2 Tu hermanita Rocío es muy curiosa y te hace muchas preguntas sobre el barrio. Contéstale con oraciones completas.

1. ¿Qué es un kiosco?
   Un kiosco es un pequeño lugar donde se venden mapas, periódicos y revistas.

2. ¿Qué es un buzón?
   Un buzón es donde se echan cartas y postales.

3. ¿Qué es un cajero automático?
   Un cajero automático es una máquina donde se hacen transacciones bancarias.

4. ¿Qué significa ir de tapas?
   Ir de tapas significa salir con amigos para comer pequeñas porciones de comida.

5. ¿Qué es la manzana del vecindario?
   La manzana del vecindario es el conjunto de casas y apartamentos en su mayoría

   cuadrangulares y delimitados por calles.

3 El Señor Fernández es un experto en reparar cosas de la casa. Escribe un párrafo con las siguientes frases para hablar de las cosas que repara el señor Fernández: la bañera, la ducha, el grifo, está roto, arreglar, quitar, un lío, desordenar, el lavabo. **Answers will vary.**

_____

_____

_____

_____

UNIDAD 6 Lección 1 Vocabulario B

Vocabulario C ¿Dónde vivimos?

> **¡AVANZA!**   **Goal:**   Talk about your home and neighborhood.

1 Esta noche hay una fiesta. Todavía tú y tu familia tienen muchas compras por hacer antes de que lleguen los invitados. Usa las palabras de la caja para escribir oraciones sobre las compras que tienes que hacer y el lugar adónde las vas hacer.   **Answers will vary. Possible answers:**

| la pastelería | la florería | la carnicería | la frutería | la lechería |

1. Voy a la pastelería a comprar tortas y pasteles para la fiesta.

2. Mamá va a pasar por la florería para comprar flores para decorar el piso.

3. Mi abuelo va a la carnicería a comprar hamburguesas y salchichas para hacer un asado.

4. Mi hermana va a la frutería a comprar manzanas, fresas y piñas.

5. Papá va a la lechería a comprar helado y leche para el postre.

2 Escribe un párrafo para narrar lo que hace Ana cuando sale a hacer los mandados. Narra los hechos a manera de secuencia.

Answers will vary. Possible answer: Ana sale de su piso a la diez de la mañana. Luego...

_____

_____

_____

_____

_____

UNIDAD 6 Lección 1

Vocabulario C

Vocabulario adicional

| ¡AVANZA! | **Goal:** Practice words with letters *c*, *s*, and *z*. |

Palabras con *c, s* y *z*: Usos generales

A continuación encontrarás algunos usos de las letras *c, s* y *z*.

Uso de la *c*	• Las letras *c, q, k* representan el sonido /k/: casa, queso, kilo.
	• Cuando usas la letra c con las vocales *a, o, u*, el sonido es /k/: boca, caballo; cuando la usas con las vocales *e, i*, el sonido es /s/: Cecilia.
Uso de la *s*	• Las letras *c, s* y *z* representan el sonido /s/: soda, ejercicio, buzón.
	• La letra *s* se usa en los adjetivos terminados en *–oso*, como sabroso y maravilloso. En las palabras terminadas en *–ulsión*, *–ísimo* y *–sivo* como emulsión, riquísimo, masivo. En los gentilicios en *–ense* como costarricense, estadounidense.
Uso de la *z*	• En algunos lugares de España, las letras *c* y *z* representan el sonido /Θ/, que se parece al sonido /th/ del inglés: ejercicio, tapiz.
	• Para formar el plural de las palabras terminadas en z, ésta se suprime y se agrega *–ces*: nuez ⟶ nueces, juez ⟶ jueces.

1 Completa las palabras de los versos con la letra *c, s, q* o *z* según corresponda.

a. Soy chiquita, soy redonda, arrugada y misterio**s**a. Todos me llaman nue**z**. ¿Qué cree usted señor jue**z**?

b. Todos están de a**c**uerdo en que soy muy sabro**s**o. En el día o en la noche no hay como un buen bi**z**cocho.

c. Abre la bo**c**a, cierra la bo**c**a, todos los días y a ciertas horas. Entre jalón y jalón todos visitan el bu**z**ón.

d. A **C**e**c**ilia no le gusta, a **S**alvador, más o menos. Yo prefiero no tomarla y mi gato ¡sí qué menos! De la **s**opa mejor no hablemos.

2 Encierra en un círculo las palabras incorrectas. Después escríbelas correctamente en las líneas.

En la (claze) de Cecilia hay un estudiante (surdo) a quien le (guztan) los pasteles de nuez. Por eso un día, él y (Cesilia) fueron a un panadería. Ellos (uzaron) la (meza) y midieron un (quilo) de (asúcar) y otro de harina. Luego (amazaron) y agregaron (nuezes) y chocolates. Al final obtuvieron algo (paresido) a un bizcocho, un poco tostado, un poco (cremozo) ¡pero delicioso!

clase	usaron	amasaron
zurdo	mesa	nueces
gustan	kilo	parecido
Cecilia	azúcar	cremoso

Gramática A *The Past Participle*

Level 3 Textbook pp. 335–339

> **¡AVANZA!**   **Goal:** Use the past participles as adjectives for description.

1 Tu hermano ha decidido presentar su examen para obtener una licencia de conducir. Completa las siguientes descripciones y recomendaciones con los participios pasados correctos.

1. Los altos están _____ marcados _____ (marcar) con una señal roja.

2. El cruce para peatones está _____ señalado _____ (señalar) con una señal amarilla y la figura de un hombre caminando.

3. No te puedes estacionar cuando las banquetas están _____ coloreadas _____ (colorear) de amarillo.

4. Debes quedarte _____ parado _____ (parar) en rojo hasta que la luz cambie a verde. Los límites de velocidad están _____ diseñados _____ (diseñar) para tu seguridad, respétalos.

2 Usa los participios pasados de los siguientes verbos para describir la situación en que se encuentra tu cuarto en este momento.

Modelo:

encender *La luz está encendida.*

   1.   **2.**   **3.**   **4.**   **5.**

1. hacer _____ La cama está hecha. _____

2. apagar _____ La televisión está apagada. _____

3. desordenar _____ Los zapatos están desordenados. _____

4. dormir _____ Las mascotas están dormidas. _____

5. guardar _____ Los libros están guardados. _____

Gramática A   UNIDAD 6 Lección 1

Gramática B The Past Participle

¡AVANZA!	**Goal:** Use the past participles as adjectives for description.

1 Tu vecindario ha decidido hacer una propuesta para un nuevo parque. Explica la situación actual de ese lugar con el participio pasado que mejor completa la oración.

limitar	construir	contaminar	caer	quebrar	descuidar

Modelo: El viejo parque tiene un cupo _limitado_ .

1. Las banquetas están ____quebradas____ .

2. Las plantas están ____descuidadas____ .

3. El monumento está a punto de caerse. Está mal ____construido____ .

4. Hay un gran número de árboles ____caídos____ .

5. El lago está sucio; está muy ____contaminado____ .

2 Escribe oraciones completas para hablar de objetos o lugares con las siguientes palabras como pistas. Usa el participio pasado.   **Answers will vary. Possible answers:**

Modelo: rodear / edificios
*Los edificios **están rodeados** de bellos jardines.*

1. construir / casa
La casa está construida en lo alto de la ciudad.

2. arreglar / balcón
El balcón del piso está arreglado.

3. romper / fregadero
El fregadero de tu casa está roto.

4. limpiar / refrigerador
El refrigerador de mi abuela está limpio.

5. desordenar / terraza
La terraza de tu apartamento está desordenada.

3 Tu abuelo está empeñado en seguir viviendo en su casa del centro de la ciudad. Escribe un párrafo para contar lo que sucede con él. Usa oraciones completas y verbos en participio pasado.

_____

_____

_____

_____

Gramática C *The Past Participle*

> **¡AVANZA!** **Goal:** Use the past participles as adjectives for description.

1 Completa el diálogo con el participio pasado de los verbos en la caja.

encender	abrir	terminar	cerrar	estacionar

Operadora: ¿Ve usted si las ventanas están abiertas?

Vecina: No, las ventanas están ___cerradas___.

Operadora: ¿Las luces están ___encendidas___?

Vecina: No, las luces están apagadas.

Operadora: ¿Y la puerta principal?

Vecina: ¡La puerta principal está ___abierta___!

Operadora: ¿Hay algún coche ___estacionado___ frente a la casa?

Vecina: No, la acera está desocupada. Espere, creo que veo a la señora López por la ventana.

Operadora: Seguramente sus vacaciones están ___terminadas___ y la familia está de regreso.

2 Escribe cinco oraciones con los siguientes verbos en su forma adjetival. **Answers will vary. Possible answers:**

Modelo: aburrir: *Los estudiantes de la clase de historia están aburridos.*

1. romper: ___Unos vidrios de las ventanas de la casa de Ramón están rotos.___

2. abrir: ___Las puertas del teatro están abiertas al público a las ocho de la noche.___

3. desordenar: ___Mi papá siempre se queja de que la cocina está desordenada.___

4. arreglar: ___El piso de la señora Inés siempre está arreglado.___

3 Escribe un relato sobre un hecho curioso que te haya pasado en tu vida: qué pasó, cuándo pasó, quién(es) estaba(n). Escribe oraciones completas y usa los participios pasados como adjetivos. **Answers will vary.**

_____

_____

_____

_____

_____

Gramática C UNIDAD 6 Lección 1

Gramática A *The Present Perfect Tense*

Level 3 Textbook pp. 340–342

> **¡AVANZA!** **Goal:** Use the present perfect to talk about things that have happened in the recent past.

1 Sonia ha viajado por todo el mundo y cuenta sus experiencias. Subraya en el párrafo los usos del presente perfecto.

Cuando uno llega a mi edad, mis queridos nietos, ya lo <u>ha hecho</u> todo, sobre todo si eres una persona aventurera como yo <u>he sido</u>. He viajado por el mundo, <u>he conocido</u> a personas importantísimas, <u>he escrito</u> un libro de poesía y uno de memorias. Pero a pesar de que ahora soy mayor, todavía tengo muchas cosas por hacer porque todavía no <u>he roto</u> el libro de mis planes.

2 Marisela, tu prima española, te pregunta sobre un nuevo parque acuático en tu ciudad. Usa el presente perfecto y los pronombres de complemento en tus respuestas.

Modelo: **Marisela:** ¿Y las focas? (traer)   **Answers will vary. Possible answers:**
Tú: *Ya las han traído.*

Marisela: ¿Y los delfines? (poner)
Tú: Ya los han puesto en la piscina.

Marisela: ¿Y los tiburones blancos? (conseguir)
Tú: Todavía no los han conseguido.

Marisela: ¿Y el restaurante del parque acuático? (abrir)
Tú: Ya lo han abierto. Está buenísimo.

Marisela: Y, ¿os gustó el parque? (visitar)
Tú: Sí, ya lo hemos visitado dos veces.

3 Después de leer el periódico, te das cuenta de que muchas personas han cumplido con sus deberes. Usa el presente perfecto de los siguientes verbos y las pistas para hacer oraciones completas. **Answers will vary. Possible answers:**

1. enseñar / una profesora

   Una profesora del vecindario ha enseñado en una escuela de España.

2. capturar / los policías

   Los policías han capturado al ladrón.

3. curar / la doctora

   La doctora del centro médico ha curado a sus pacientes.

4. cerrar / el dueño

   El dueño de la florería ha cerrado tarde su negocio.

5. hacer / los candidatos

   Los candidatos han hecho campaña hoy.

UNIDAD 6 Lección 1 Gramática A

Gramática B *The Present Perfect Tense*

Level 3 Textbook pp. 340–342

> **¡AVANZA!** **Goal:** Use the present perfect to talk about things that have happened in the recent past.

❶ Los miembros de la familia Carvajal son unas personas muy aventureras. Usa las frases para hacer oraciones completas con el presente perfecto. **Answers will vary. Possible answers:**

Modelo: brincar en paracaídas / Fátima y Lucas
Fátima y Lucas han brincado en paracaídas dos veces.

1. Viajar por España / señora Carvajal
   La señora Carvajal ha viajado sola por España.

2. escalar el Everest / Arturo
   Arturo es montañista pero todavía no ha escalado el Everest.

3. ir de pesca. / señor Carvajal
   El señor Carvajal ha ido de pesca con sus amigos.

4. bucear en el océano / hermanos Carvajal
   Los hermanos Carvajal han buceado en el océano cerca de los tiburones.

❷ La mamá de Juan ha llegado del supermercado y le hace preguntas sobre lo que ha pasado en su ausencia. Escribe una conversación entre ellos y haz uso del presente perfecto. **Answers will vary.**

Modelo: **Mamá:** *Hola hijo, ¿ha llamado alguien?*
Juan: *Sí mamá, han llamado varias veces de...*

Mamá: _____

Juan: _____

Mamá: _____

Juan: _____

Mamá: _____

Juan: _____

❸ Conoces a muchas personas y quieres contar algo que han hecho en sus vidas. Usa el presente perfecto para contar en un párrafo lo que han hecho.

Modelo: *Mi tío Luis y su esposa han viajado al Amazonas dos veces. Una vez en el año...*
Answers will vary.

_____

_____

_____

_____

UNIDAD 6 Lección 1

Gramática B

Gramática C *The Present Perfect Tense*

¡AVANZA!	**Goal:** Use the present perfect to talk about things that have happened in the recent past.

1 Las siguientes personas acaban de hacer algo o les ha sucedido algo. Usa el presente perfecto de los verbos del recuadro para formular una suposición lógica.

ver	correr	escapar	ganar	sufrir

Modelo: Una mujer sale de una tienda de libros con un paquete.

Ha comprado un libro.

1. Un atleta camina por la calle sudando.

   Ha **corrido.**

2. Muchas personas salen de un cine.

   Han **visto una película.**

3. Dos conductores bajan de sus carros y discuten en la esquina.

   Han **sufrido un accidente.**

4. Una mujer corre detrás de un perro.

   Se le ha **escapado su perro.**

5. Un joven grita entusiasmado al ver su billete de lotería.

   Ha **ganado la lotería.**

2 Los vecinos han organizado una venta de garaje para recoger dinero destinado a embellecer el vecindario. Escribe oraciones completas que usen el presente perfecto.

Modelo: *La familia Fernández ha llevado un microondas y dos mesitas.* **Answers will vary.**

1. _____

2. _____

3. _____

4. _____

3 Lees una revista y te informas de lo que pasa en el mundo del espectáculo. Escribe un informe para contar algo que leíste. Usa el presente perfecto en tus oraciones. **Answers will vary.**

Modelo: *El famoso cantante Luis Ponsi ha lanzado su tercer éxito discográfico con muchas canciones relacionadas a la vida y al amor.*

_____

_____

_____

_____

Gramática adicional
Reflexive and Non-reflexive Verbs: Differences in Meaning

| ¡AVANZA! | **Goal:** Use reflexive and non-reflexive verbs to describe what you do for yourself. |

Algunos verbos pueden usarse de manera reflexiva o no reflexiva, pero este cambio puede alterar el significado de lo que quieres decir.

Duermo ocho horas. (*to sleep*)	Me duermo a las ocho. (*to fall asleep*)
Pongo las sartenes en la estufa. (*I put*)	Me pongo el abrigo. (*to put on*)
Voy a España. (*to go*)	Me voy a España. (*to go away*)
Caía granizo. (*to fall*)	Me caí en casa. (*to fall down*)
Salí a bailar. (*to go out*)	Me salí de ahí. (*to leave*)

1 Durante el desayuno en la cafetería, Delia relata lo que pasó esta mañana. Selecciona el verbo correcto para completar lo que cuenta Delia.

1. Cuando salí de casa ____caía____ (se caía / caía) una lluvia torrencial.

2. Mamá me dijo que ____me pusiera____ (pusiera / me pusiera) el impermeable.

3. Mamá ____se puso____ (se puso / puso) preocupada y me iba a pedir que no viniera a la escuela.

4. Como ____nos salimos____ (nos salimos / salimos) de prisa casi nos resbalamos con el pavimento mojado.

5. Yo ____puse____ (puse / me puse) las manos en el pasamanos y me agarré fuerte.

2 Escribe un párrafo corto para contar las cosas que haces para ti mismo(a). Usa ejemplos de verbos reflexivos de la lista de arriba. **Answers will vary.**

Modelo: *Por las noches me duermo temprano porque tengo que ir a la escuela.*

_____

_____

_____

_____

_____

Integración: Hablar

> **¡AVANZA!** **Goal:** Respond to written and oral passages describing a neighborhood.

Lee el siguiente fragmento que viene de un artículo que apareció en un diario de Madrid.

Fuente 1 Leer

El Heraldo

CLIMA: TEMPLADO, SOLEADO   PRIMERA EDICIÓN

Orgullo nacional: la remodelación de barrios en Madrid

por Hermenegildo Castilla

Todo proyecto de esta envergadura requiere no sólo la participación ciudadana sino la de un gobierno abierto y determinado a apoyar. ¿El problema? Durante los años cincuenta del siglo pasado, Madrid inició un crecimiento demográfico substancial que se prolongaría por más de veinte años. Este crecimiento provocó la construcción de viviendas al vapor, pequeñas y de mínimas comodidades. Interesantemente, con el paso del tiempo, estas viviendas que se pensaban provisionales acabaron convirtiéndose en barrios de apariencia triste y desorganizada, entre ellos, los barrios-pueblo (chabolas), algunos

asentamientos de minorías étnicas y los barrios creados por los organismos de vivienda pública. ¿Las razones del cambio? Una gran participación ciudadana y un gran deseo de mejorar las condiciones de vida, un gran presupuesto de ayuda económica, no sólo del gobierno sino de los mismos ciudadanos que pagan por la remodelación de sus casas de acuerdo a los ingresos familiares.

Escucha el mensaje que Pablo Ortiz dejó en el contestador de su hermano Gregorio, un arquitecto. Toma notas. Luego completa la actividad.

Fuente 2 Escuchar

HL CD 2, tracks 9–10

¿Qué opinas de lo que quieren hacer Gregorio y Pablo? ¿Cómo los ayudarías? Explica tu respuesta con información de las dos fuentes. Usa el artículo como una guía de lo que se necesita para tener éxito en una empresa así.

UNIDAD 6 Lección 1   Integración: Hablar

Integración: Escribir

¡AVANZA!	**Goal:** Respond to written and oral passages about the neighborhood.

Lee la columna siguiente de una bitácora de Internet.

Fuente 1 Escribir

Por la calles de Madrid
Salomé Delgado

Esta mañana tomé un paseo por las calles del centro de Madrid. A pesar de la mañana fresca el barrio era un tumulto de personas que iban y venían. Mientras bajaba del piso que alquilé para pasar unos días conociendo esta gran ciudad, me di cuenta que la gran capital española todavía guarda mucho de su pasado pintoresco. A la salida del edificio había una placa que decía que había sido construido hacía más de doscientos años. Mientras caminaba, en las paredes de una bombonería vi un póster que anunciaba una corrida de toros para el 12 de julio de hacía más de sesenta años. Claro, estaba descolorido pero me dieron unas ganas enormes de despegarlo y llevarlo conmigo. La gente apresurada me hizo seguir caminando y abandonar el póster que colgaría en mi sala mil veces mejor que donde estaba. En fin, en la primera esquina entré a una taberna para desayunar. La dueña acababa de barrer las banquetas y rociaba la entrada a su negocio con una cubeta de agua. Olía a fresco y el tabaco que los españoles fuman a tan temprana hora. Pero eso que me hubiera molestado terriblemente en Chicago, aquí fue otra cosa…

Escucha los comentarios que un turista madrileño hizo en un programa de radio. Toma notas. Luego completa la actividad.

Fuente 2 Escuchar

HL CD 2, tracks 11–12

¿Cómo crees que es la vida en Madrid? Escribe un párrafo en el que lo compares con la vida en tu ciudad. **Answers will vary.**

_____
_____
_____
_____
_____
_____

UNIDAD 6 Lección 1

Integración: Escribir

Lectura A

> **¡AVANZA!** **Goal:** Describe places and things.

1 Rosa y su mamá se mudan y quieren vivir en un piso que quede cerca del colegio de Rosa. Lee su conversación. Responde a las preguntas de comprensión y compara su experiencia con la tuya.

El piso en alquiler

ROSA: Mamá, aquí en el periódico dice que alquilan un piso cerca de aquí. Es un piso amoblado. La sala y el comedor tienen mucho espacio. La cocina tiene un fregadero grande.

MAMÁ: Sí, pero el refrigerador está dañado, el microondas está roto y a la estufa le faltan partes.

ROSA: Puedes hablar con el dueño para dejar eso arreglado.

MAMÁ: Creo que tenemos que ver otros pisos antes de tomar una decisión.

ROSA: ¡Mamá! Pero este piso queda cerca del colegio y de la estación del metro. Además yo puedo hacer los mandados. La lechería y la panadería están a dos cuadras. Además hay un banco con cajero automático y muchos lugares para ir de tapas.

MAMÁ: Está bien, Rosita. Me convenciste. Nos espera mucho trabajo.

---

2 **¿Comprendiste?** Responde a las siguientes preguntas con oraciones completas.

1. ¿Qué problemas tiene el piso que piensan alquilar Rosa y su mamá?

El refrigerador está dañado, el microondas está roto y a la estufa le faltan

algunas partes.

2. ¿Qué pensaba hacer la mamá de Rosa? ¿Cómo la convenció Rosa?

La mamá de Rosa pensó buscar otros pisos. Rosa le dijo que el piso quedaba cerca

de la estación de metro y del colegio. También le dijo que le iba a ayudar a hacer los

mandados.

3 **¿Qué piensas?** ¿Dónde hacen los mandados en tu casa? ¿Te gustaría vivir en el nuevo barrio de Rosa y su mamá? ¿Por qué? **Answers will vary.**

_____

_____

_____

UNIDAD 6 Lección 1 Lectura A

Lectura B

¡AVANZA!	**Goal:** Describe places and things.

1 Lee la carta que Pedro le escribió a su profesora. Después responde a las preguntas de comprensión y compara su experiencia con la tuya.

Una carta desde Madrid

Estimada profesora López:

Estoy en Madrid. Llegué hace cinco días. Madrid es una ciudad muy grande y antigua. He visitado varios lugares y barrios interesantes en Madrid. Mis lugares favoritos son el Parque del Retiro y la Plaza Mayor. El Parque del Retiro es uno de los parques más grandes de Madrid. Los árboles y el lago son muy hermosos. Hoy había bailarines y cantantes de música española en la plaza. Aprendí a bailar un poco de flamenco.

Ayer fui al Museo del Prado. Es un lugar impresionante que tiene como tres mil pinturas en total. He visto pinturas de El Greco, Diego Velásquez y Francisco de Goya. Mañana iré al museo Reina Sofía. Sé que tienen pinturas de Picasso.

El Barrio de las Letras está muy cerca del Museo del Prado. En este barrio vivieron muchos escritores importantes del Siglo de Oro. He visto la casa de Cervantes, el autor de Don Quijote de la Mancha, también la casa de Lope de Vega y de Góngora. Las casas estaban cerradas, pero las visitaremos en otro momento.

Bueno, hasta pronto, profesora.

Un abrazo,
Pedro

---

2 **¿Comprendiste?** Responde a las siguientes preguntas con oraciones completas.

1. ¿Qué lugares interesantes ha visitado Pedro en Madrid?
Pedro ha visitado el Parque del Retiro, la Plaza Mayor, el Museo del Prado y el Barrio de las Letras.

2. ¿Cómo es el Museo del Prado y qué vio Pedro en este lugar?
El Museo del Prado es un lugar impresionante que tiene una colección numerosa de arte. Pedro ha visto las pinturas de El Greco, Diego Velásquez y Francisco de Goya.

3. ¿Por qué es famoso el Barrio de las Letras? El Barrio de las Letras es famoso porque en este barrio han vivido muchos escritores importantes del Siglo de Oro español, como Cervantes, el autor de Don Quijote de la Mancha, Góngora y Lope de Vega.

3 **¿Qué piensas?** Cuando viajas, ¿mandas tarjetas postales o cartas a tu familia y amigos? ¿Te gusta recibir tarjetas postales de tus amigos y familiares cuando ellos viajan? ¿Por qué?
Answers will vary.

UNIDAD 6 Lección 1   Lectura B

Lectura C

| ¡AVANZA! | **Goal:** Describe places and things. |

1 Lee el siguiente poema sobre el barrio de Sara. Luego responde a las preguntas de comprensión y da tu opinión sobre el tema.

El barrio del movimiento

Vivo en el barrio del movimiento
hay diversión en todo momento.

Por la mañana hago el mandado
y hago las compras en el mercado.

Chicos y chicas corren apurados,
los abuelitos caminan cansados.

A pocas manzanas está la frutería
abierta en la mañana y todos los días.

Fresas, naranjas y algunas bananas
compro mucha fruta para la semana.

Luego recuerdo que debo comprar
carne y verduras para cocinar.

Compro la carne en la carnicería
lechuga y tomates en la verdulería.

Tengo varias cartas que debo enviar,
a México, España y América Central.

El correo ha cerrado, ¡no hay solución!
pero a pocos metros está el buzón.

Casas y pisos que están en alquiler
Y muchas viviendas para escoger.

Pisos amoblados son los más caros
pisos con terraza son los más raros.

Chicos y grandes compran sus boletos
y muy apurados se suben al metro.

Vivo en el barrio del movimiento
Vivimos aquí de lo más contentos.

2 **¿Comprendiste?** Responde a las siguientes preguntas:

1. ¿Qué quiere decir Sara cuando expresa que vive en el barrio del movimiento?

Ella quiere decir que su barrio es muy divertido y que siempre hay actividad.

2. ¿A qué lugares fue Sara para hacer el mandado?

Ella fue al mercado, a la frutería, a la carnicería y a la verdulería.

3. ¿Cómo solucionó Sara el problema del correo cerrado?

Sara solucionó el problema del correo cerrado echando las cartas en el buzón.

4. ¿Cómo son los pisos en el barrio de Sara?

Los pisos en el barrio de Sara son caros si están amoblados y raros si tienen terraza.

3 **¿Qué piensas?** ¿Qué otras cosas harías tú en el barrio de Sara? Escribe seis versos con rima sobre las cosas que a ti te gustaría hacer en este barrio. **Answers will vary.**

_____

_____

_____

_____

_____

_____

Escritura A

¡AVANZA!	**Goal:** Write about what has happened.

Tu familia ha comprado un apartamento pequeño en Madrid. Ayúdales a tus padres a identificar dónde hay problemas en el apartamento y dónde no los hay.

1 Escribe en cada columna tres cosas o lugares del apartamento que estén en las siguientes condiciones:

está dañado	está arreglado	está sucio	está ordenado

2 Usa las notas anteriores para escribir una carta de reclamo a la señora Leal, la persona que les vendió el apartamento. Toma en cuenta que tu papá está un poco enojado por las cosas que no están en buen estado en el apartamento. Asegúrate de: 1) escribir oraciones completas y lógicas; 2) usar el vocabulario de la lección; 3) usar el participio pasado como adjetivo y 4) usar la ortografía correcta.

_____

_____

_____

_____

_____

_____

_____

_____

3 Evalúa tu carta con la siguiente información

	Crédito máximo	**Crédito parcial**	**Crédito mínimo**
Contenido	Tu carta contiene oraciones completas y lógicas; usas el vocabulario de la lección.	Algunas oraciones no son completas o lógicas. Algunas veces usas el vocabulario de la lección.	La mayoría de las oraciones no son completas ni lógicas. Rara vez usas el vocabulario de la lección.
Uso correcto del lenguaje	Haces buen uso del participio pasado como adjetivo. La ortografía es correcta.	Tienes algunos errores con el uso del participio pasado como adjetivo. Tienes algunos errores de ortografía.	Tienes muchos errores al usar el participio pasado como adjetivo. Tienes muchos errores de ortografía.

Escritura B

¡AVANZA!	**Goal:** Write about what has happened.

Escribes un artículo sobre las preparaciones de la boda de tu prima Julieta y su novio Joaquín para la página social del periódico de tu ciudad.

1 Para escribir tu artículo necesitas organizar en el recuadro lo que los novios y sus familias han preparado para el día de la boda. Escribe tres puntos en cada columna:

la novia	el novio	la familia de ella	la de él
ha adelgazado			

2 Con los datos anteriores escribe el artículo. Ten en cuenta: 1) la concordancia entre las oraciones; 2) la claridad en la descripción del acontecimiento; 3) el uso del vocabulario de la lección; 4) el uso del presente perfecto; 5) la ortografía correcta.

_____

_____

_____

_____

_____

_____

_____

_____

_____

_____

_____

3 Evalúa tu artículo con la siguiente información.

	Crédito máximo	**Crédito parcial**	**Crédito mínimo**
Contenido	Hay concordancia entre las oraciones; hay claridad; usas el vocabulario de la lección.	Hay concordancia en algunas oraciones; a veces falta claridad; a veces usas el vocabulario de la lección.	No hay concordancia en las oraciones; falta claridad; rara vez usas el vocabulario de la lección.
Uso correcto del lenguaje	Haces buen uso del presente perfecto y la ortografía.	Tienes errores al usar el presente perfecto y la ortografía.	Tienes muchos errores al usar el presente perfecto y la ortografía.

UNIDAD 6 Lección 1

Escritura B

Escritura C

¡AVANZA!	**Goal:** Write about what has happened.

Te han invitado para ser locutor(a) por un día en la oficina de noticias de tu escuela.

❶ Completa el cuadro con información que refleje lo que sucede en tu comunidad.

Acción	¿Quién(es)?	¿Qué? o ¿cuándo?
Ha(n) descubierto		
Ha(n) escrito		
Ha(n) dicho		

❷ Escribe tres noticias cortas. Asegúrate de que: 1) la información sea clara y esté bien organizada; 2) cada noticiá dé la información concreta y suficiente; 3) uses el presente perfecto; 4) el vocabulario y la ortografía sean correctos.

Noticia una: _____

_____

_____

Noticia dos: _____

_____

_____

Noticia tres: _____

_____

_____

❸ Evalúa tus noticias con la siguiente información.

	Crédito máximo	**Crédito parcial**	**Crédito mínimo**
Contenido	La información es clara y está bien organizada.	Alguna información no es clara o no está bien organizada.	En general, la información de tus noticias no es clara y no está bien organizada.
Uso correcto del lenguaje	Haces buen uso del presente perfecto; el vocabulario y la ortografía son correctos.	Tienes algunos errores al usar el presente perfecto, el vocabulario y la ortografía.	Tienes muchos errores al usar el presente perfecto, el vocabulario y la ortografía.

Cultura A

> **¡AVANZA!**　**Goal:**　Discover and know people, places, and culture from Spain.

1 Relaciona cada elemento de la primera columna con la palabra correspondiente de la segunda.

1. __c__ Poeta y dramaturgo español　　　　**a.** islas
2. __d__ Antonio Gaudí　　　　　　　　　　**b.** balompié
3. __f__ Parque diseñado por Gaudí　　　　　**c.** Federico García Lorca
4. __e__ grupo musical flamenco　　　　　　**d.** arquitecto
5. __g__ Lugar donde nació Lorca　　　　　　**e.** Ojos de brujo
6. __b__ Otra forma de decir fútbol　　　　　**f.** Güell
7. __a__ Baleares y Canarias　　　　　　　　**g.** Granada

2 Responde de forma breve a las siguientes preguntas sobre la vida y la cultura en España.

1. ¿Qué es el flamenco? ___El flamenco es un género musical y un baile tradicional de España.___

2. ¿Cuáles son dos platos españoles que se hacen con pescado y mariscos?
   ___Dos platos españoles que se hacen con pescado y mariscos son la cazuela y la paella.___

3. ¿Qué son las tapas? ___Las tapas son pequeños platos de diferentes comidas.___

4. ¿En qué ciudad española pueden verse muchas obras de Gaudí?
   ___Se pueden ver muchas obras de Gaudí en Barcelona.___

3 ¿Qué contrastes muestra la arquitectura de algunas ciudades de España? ¿En qué ciudad de tu región se puede observar un contraste similar? ¿Cómo son las construcciones? ¿Dónde se encuentran? Escribe oraciones sobre las características de cada tipo de construcción y luego escribe otra oración dando tu opinión sobre este contraste. **Answers will vary. Possible answers:**

___La arquitectura de algunas ciudades de España muestra un gran contraste entre edificios___

___antiguos y construcciones modernas.___

Contrastes en ___Baltimore, MD.___	
Edificios antiguos	**Edificios modernos**
Ubicación: ___Existen muchos edificios antiguos en el centro y cerca del puerto.___	Ubicación: ___Los edificios modernos más importantes están cerca del puerto.___
Aspecto: ___Muchos edificios son casas de dos plantas de ladrillo; también hay iglesias, edificios públicos y fábricas.___	Aspecto: ___Hay edificios modernos de cristal y metal y rascacielos.___
Lo que a mí me gusta más: ___La combinación de lo nuevo y lo antiguo en el mismo lugar hacen de Baltimore un sitio especial.___	

UNIDAD 6 Lección 1　Cultura A

Copyright © by McDougal Littell, a division of Houghton Mifflin Company.

Cultura B

¡AVANZA!	**Goal:** Discover and know people, places, and culture from Spain.

1 Responde brevemente a las siguientes preguntas sobre España.

1. ¿Cómo se llaman los dos grupos de islas españolas?

   Los Baleares y Las Canarias son dos grupos de islas de España.

2. ¿Con qué dos países europeos tiene fronteras España?

   Francia y Portugal son los dos países que tienen fronteras con España.

3. ¿Cuáles son dos equipos importantes del fútbol español?

   El Madrid y el Barça son dos equipos importantes del fútbol español.

4. ¿Cómo se les llama a los cantantes de flamenco?

   A los cantantes de flamenco se les llama cantaores.

2 El flamenco es un estilo de música tradicional de España que en los últimos tiempos ha evolucionado y recibido influencias de otros estilos. Responde a las siguientes preguntas sobre esta música usando oraciones completas.

1. Nombra a un artista o un grupo que haya mezclado el flamenco con otro estilo de música y di con qué estilo o estilos lo mezcló. **Answers will vary. Possible answer:**

   La cantante Rosario ha mezclado el flamenco con el rock.

2. ¿Cuál es la cultura en la que se encuentran las raíces del flamenco y qué otras culturas han influido en este estilo de música?

   Las raíces del flamenco están en la cultura gitana de Andalucía; también recibió

   influencias de las culturas árabe y judía.

3 ¿Qué sabes sobre el parque Güell en Barcelona? ¿Por qué es especial este parque? ¿Qué construcción o edificio de Estados Unidos crees que es especial? ¿Por qué? Escribe el nombre del edificio o construcción y dos oraciones para expresar algunas características que lo hacen especial. **Answers will vary. Possible answers:**

El parque Güell: Fue diseñado por Antoni Gaudí, un famoso arquitecto con mucha fantasía porque los edificios, bancos, murallas y otras superficies están decorados con mosaicos de colores brillantes.

En Estados Unidos: Un edificio especial de Estados Unidos es el edificio Chrysler, en Nueva York. Este edificio, que fue durante unos meses el más alto del mundo, se construyó en muy poco tiempo. Su decoración es especial y original, sobre todo en la torre.

UNIDAD 6 Lección 1 Cultura B

Cultura C

¡AVANZA!	**Goal:** Discover and know people, places, and culture from Spain.

1 Responde con oraciones completas a las siguientes preguntas sobre España y su geografía.

1. ¿Cuáles son los mares que bañan las costas españolas?

Los mares de España son el océano Atlántico, el mar Cantábrico y el mar

Mediterráneo.

2. Además de Madrid, que es la capital, ¿qué otras cinco ciudades españolas puedes nombrar? Answers will vary. Possible answer:

Además de Madrid, otras ciudades españolas son Barcelona, Bilbao, Granada,

Salamanca y Valencia.

3. ¿Qué lenguas se hablan en España?

En España se habla castellano o español, y además, catalán, gallego y vascuence.

2 Todas las manifestaciones culturales de un país son importantes, desde el arte hasta la cocina. Responde a las siguientes preguntas sobre la cultura española. Da todos los detalles posibles.

1. ¿Quién fue Antoni Gaudí y en dónde se pueden ver algunas de sus obras?

Antoni Gaudí fue un famoso arquitecto catalán. En Cataluña se pueden ver muchos

edificios diseñados por él. Gaudí diseñó también un parque en Barcelona, el parque

Güell, que es una maravilla de la fantasía.

2. La cocina española es muy sabrosa. ¿Cuáles son los ingredientes principales en muchos de sus platos? ¿Cuáles son algunos platos populares?

El pescado y los mariscos son dos ingredientes presentes en muchos de los platos de

la cocina española, como la paella y la cazuela de mariscos, que son dos platos muy

populares. Otros platos populares son el pulpo a la gallega y la tortilla española.

3 ¿Qué significa la frase «El flamenco es música que se toca y se canta con el corazón»? ¿Qué otro tipo de música conoces que «se toque y se cante con el corazón»? ¿Cómo es esa música? ¿Qué es lo que más te gusta de ella? Expresa tus opiniones en un párrafo breve.

Answers will vary. Possible answer: La música flamenca expresa los deseos y las emociones

más íntimas de sus intérpretes; hay mucho sentimiento en ella.

Answers will vary for the second part of the question.

Cultura C   UNIDAD 6 Lección 1

Vocabulario A *Fuera de la ciudad*

> **¡AVANZA!** **Goal:** Talk about experiences and places outside the city.

1 Ayuda a Marcos a organizar palabras del vocabulario en categorías.

el andén	la vía	la muralla	el río	la vista
antiguo	el vagón	el mirador		el tapiz

Disfrutar el paisaje	Viajar en tren	Visitar el castillo
el río	el andén	la muralla
la vista	la vía	antiguo
el mirador	el vagón	el tapiz

2 En el pasado, la familia Ruiz no ha disfrutado mucho los viajes fuera de la ciudad. Usa el vocabulario para decirles qué deben hacer en su próximo viaje. **Answers will vary. Possible answers:**

Modelo: Teresa Ruiz se ha perdido en el castillo. (visita guiada)

En el futuro, Teresa debe hacer una visita guiada.

1. La señora Ruiz se ha sentado del lado del pasillo y no ha visto el paisaje. (la ventanilla)

La Sra. Ruiz debe pedir un asiento del lado de la ventanilla.

2. Ana y Ramón Ruiz han tenido mucha hambre. (especialidades de la región)

Ana y Ramón Ruiz deben probar las especialidades de la región.

3. Ramón Ruiz se ha perdido explorando los callejones de la ciudad. (direcciones)

Ramón Ruiz debe pedir direcciones.

4. El señor Ruiz no ha aprendido sobre la historia de la ciudad. (centro histórico)

El Sr. Ruiz debe visitar el centro histórico.

5. Los señores Ruiz, Ramón y yo hemos tenido mucha sed. (algo)

Nosotros debemos tomar algo.

3 Explícale a un turista qué hacer en el lugar donde vives. Dile qué sitios visitar, en qué medio de transporte viajar y qué comer o hacer para disfrutar la región. Usa el vocabulario de la lección y escribe un párrafo con oraciones completas.

Answers will vary.

_____

_____

_____

_____

Vocabulario B *Fuera de la ciudad*

> **¡AVANZA!**   **Goal:**   Talk about experiences and places outside the city.

1 Completa la siguiente narración con el vocabulario correspondiente.

La familia Salas ha salido de viaje fuera de la ciudad. Se han ido en el **1.** (andén /(tren)
para disfrutar del bello **2.** ((paisaje)/ mirador) entre el centro histórico y la fortaleza
medieval adonde se dirigen. Ana Salas camina rumbo al **3.** ((asiento numerado)/ río).
Cuando llega, se sienta del lado de la ventanilla y contempla feliz la **4.** (entrada /(vista))
del castillo a lo lejos. Desde el vagón se ve el **5.** (puente /(río)) que rodea la fortaleza.
Ana, Teresa, los niños y toda la familia van a disfrutar la visita a este lugar tan antiguo.

2 El hermano menor de José Antonio quiere saber todo sobre la ciudad que visitan. Usa el
vocabulario de la lección para contestar las siguientes preguntas.

> **Modelo:**   ¿Dónde encuentras un tapiz antiguo?   **Answers will vary. Possible answers:**
> *Yo encuentro un tapiz antiguo en un castillo.*

1. ¿Dónde esperas la llegada del tren?
   Yo espero la llegada del tren en el andén.

2. ¿En qué consiste una fortaleza?
   Una fortaleza consiste en murallas fuertes, puentes y un río.

3. ¿Cuando viajas prefieres hacer una visita guiada o explorar el lugar a solas?
   Cuando viajo prefiero hacer una visita guiada.

4. ¿Qué haces si te pierdes en una ciudad?
   Si me pierdo en una ciudad pido direcciones.

3 Estás de visita en una ciudad bella e histórica. Escríbeles una postal a tus amigos hablándoles
de tu viaje. Usa el vocabulario de la lección. Menciona qué has hecho, las especialidades de
la región y tu opinión de la experiencia vivida.

   Answers will vary.

_____

_____

_____

_____

_____

UNIDAD 6 Lección 2   Vocabulario B

Vocabulario C *Fuera de la ciudad*

> **¡AVANZA!** **Goal:** Talk about experiences and places outside the city.

1 Las palabras subrayadas hacen falsas las siguientes oraciones. Reescríbelas y hazlas verdaderas con las palabras correctas del vocabulario.

Modelo: Saco mi billete de tren en la ventanilla.

Saco mi billete de tren en la taquilla.

1. Espero la llegada del tren en la vía.

Espero la llegada del tren en el andén.

2. El tren cruza el río por el vagón.

El tren cruza el río por el puente.

3. Las vías rodean las fortalezas antiguas.

Las murallas rodean las fortalezas antiguas.

4. El visitante hace la ruta en la biblioteca nacional.

El visitante hace una visita guiada en la biblioteca nacional.

5. Cuando me pierdo en un lugar extraño, pruebo las especialidades.

Cuando me pierdo en un lugar extraño, pido direcciones.

2 Es la primera vez que tu amigo viaja en tren y no entiende bien el proceso. Escribe oraciones completas con las siguientes palabras del vocabulario para explicarle, en orden cronológico, lo que debe hacer. **Answers will vary. Possible answers:**

la ruta	la taquilla	el andén	el asiento numerado	el paisaje

1. Primero, **busca la ruta de viaje.**

2. Segundo, **saca el billete en la taquilla.**

3. Entonces, **espera el tren en el andén.**

4. Después, **encuentra tu asiento numerado.**

5. Por último, **descansa mientras observas el paisaje.**

3 Eres un(a) guía que dirige visitas en un castillo famoso. Explica a los turistas todo lo que ven a su alrededor en cinco oraciones completas. Usa las palabras del vocabulario.

Answers will vary. Possible answer: Estoy encantado de mostrarles este castillo tan

famoso. Es muy antiguo. En el pasado, sirvió como la fortaleza principal de esta región.

Las murallas son muy altas. Estamos ahora en la gran entrada. Pueden ver muchos

tapices que están en estos salones. Aquí hay dos cuadros de los primeros habitantes del

castillo, Don Juan y Doña Carmen Castillo Rico.

Vocabulario adicional

| ¡AVANZA! | **Goal:** Practice words with letters *ll* and *y*. |

Palabras con *ll* y *y*

La letra **ll** se usa en las palabras que terminan en: *-illa* (ventanilla), *-elle* (muelle), *-ello* (bello), *-illo* (castillo) y *-alle* (calle). También se usa para formar diminutivos, como por ejemplo: pepino-pepin*illo*, banano-banan*illo*. Debes tener en cuenta que hay excepciones; por esto es que puedes encontrar palabras como Pop*eye*, etop*eya*, pleb*eyo* o pleb*eya*.

La letra **y** (llamada también "i griega") se usa como: vocal (re**y**, esto**y**); como consonante (desa**y**uno, ensa**y**o); o como conjunción: Esteban **y** Marina. Es fácil distinguir la diferencia por la pronunciación de las palabras.

A continuación encontrarás algunas palabras que se escriben con **ll** y con **y**.

Se escriben con ll		Se escriben con y	
pasillo	bello	rey	lacayo
billete	anillo	muy	hoyo
taquilla	tornillo	joya	ayer
brillo	callado	hoy	proyecto
ladrillo	arrolló	arroyo	

1 Escribe la letra **ll** o la letra **y** para completar las palabras de la anécdota rimada siguiente según corresponda.

A **1.** <u>y</u> er en la mañana tomé el desa **2.** <u>y</u> uno y salí de prisa hacia la calle Pepini **3.** <u>ll</u> o, pues allí es donde se encuentra el casti **4.** <u>ll</u> o del re **5.** <u>y</u> Banani **6.** <u>ll</u> o. Cuando llegué a la taqui **7.** <u>ll</u> a, saqué de mi bolsi **8.** <u>ll</u> o el bi **9.** <u>ll</u> ete de entrada a tan be **10.** <u>ll</u> o sitio. Todo estaba mu **11.** <u>y</u> ca **12.** <u>ll</u> ado, especialmente el pasi **13.** <u>ll</u> o y al final se veía un extraño bri **14.** <u>ll</u> o. ¡Cuál sería mi sorpresa! Cuando vi un ho **15.** <u>y</u> o en el piso y ahí encontré mil jo **16.** <u>y</u> as y un gran ani **17.** <u>ll</u> o de bri **18.** <u>ll</u> antes. Corrí rápidamente a dar aviso a un laca **19.** <u>y</u> o que pasaba. Como no quiso escucharme, volví a casa pensativo: sin duda en ese casti **20.** <u>ll</u> o a la gente le falta un torni **21.** <u>ll</u> o.

UNIDAD 6 Lección 2
Vocabulario adicional

Gramática A *The Past Perfect Tense*

> **¡AVANZA!** **Goal:** Use the past perfect to talk about events that had taken place before other events.

❶ El abuelo de Ernesto Rosas habla con su nieto de los cambios en la ciudad. Subraya en el párrafo siguiente las ocasiones en las que usa el pasado perfecto.

Cuando yo tenía tu edad por aquí no <u>había llegado</u> el tren, mucho menos <u>habían construido</u> el aeropuerto. En este barrio nada <u>había cambiado</u>: el lugar era una lechería enorme, con vacas finísimas que mugían todo el día. Cuando tu papá nació, todavía nadie <u>había imaginado</u> que todo sería tan moderno. Y es que las casitas que nos <u>habían costado</u> tanto esfuerzo y dinero, pronto fueron compradas por compañías constructoras. Y lo que <u>había sido</u> un campo hermoso, lleno de flores y de olor a árboles de pino se convirtió en un mar de calles y aceras.

❷ Las siguientes personas viven la vida a mil por hora. Completa las siguientes oraciones usando el imperfecto y el pasado perfecto de los verbos entre paréntesis apropiadamente.

Modelo: Todavía no _era_ (ser) la hora y la empleada ya _había cerrado_ (cerrar) la zapatería.

1. Todavía no ___cumplía___ (cumplir) veinte años y mi abuela ya ___se había casado___ (casarse).

2. Todavía no ___llamaban___ (llamar) a los pasajeros y César ya ___se había subido___ (subirse) al tren.

3. Todavía no ___trabajaba___ (trabajar) y Paco ya ___había comprado___ (comprar) una casa.

4. El profesor todavía no ___asignaba___ (asignar) la tarea y nosotros ya ___habíamos terminado___ (terminar) la clase.

5. Todavía no ___nacía___ (nacer) yo, y mis padres ya me ___habían dado___ (dar) el nombre.

❸ Combina las oraciones sobre la quinta de Lorena Barrios para formar una oración que use el pasado perfecto.

Modelo: Primero: Cantaron los gallos. Luego: Ladraron los perros.

Cuando los perros ladraron, ya habían cantado los gallos.

1. Primero: Rosa ordeñó las vacas. Luego: Javier trajo la pastura.
   Cuando Javier trajo la pastura, Rosa ya había ordeñado las vacas.

2. Primero: Ana corrió una milla. Luego: Maricruz se levantó.
   Cuando Maricruz se levantó, Ana ya había corrido una milla.

3. Primero: Todos tomamos café. Luego: Lorena sirvió el desayuno.
   Cuando Lorena sirvió el desayuno, ya todos habíamos tomado café.

4. Primero: Exploramos los alrededores. Luego: Nos trajeron un guía.
   Cuando nos trajeron un guía, ya habíamos explorado los alrededores.

UNIDAD 6 Lección 2 Gramática A

Gramática B The Past Perfect Tense

Level 3 Textbook pp. 361–363

> **¡AVANZA!** **Goal:** Use the past perfect to talk about events that had taken place before other events.

1 Completa el párrafo sobre los trabajos por computadora con el pasado perfecto.

Nunca **1.** ___había sido___ (ser) tan fácil trabajar en casa. Hace treinta años las

personas no **2.** ___habían pensado___ (pensar) que podrían vivir en San Francisco y

trabajar en Dallas. O que podrían asistir a una junta cinco minutos después del timbre del

despertador. Es que la tecnología no se **3.** ___había desarrollado___ (desarrollar) al grado

de hoy. Pocas personas tenían computadoras y si **4.** ___habían oído___ (oír) la

palabra telecomunicaciones era porque eran ingenieros o científicos. Hoy, mi abuelo, que

no **5.** ___había tocado___ (tocar) una tecla en su vida, da clases de jardinería por

Internet. ¿No les parece fantástico?

2 Usa el pasado perfecto para expresar en un párrafo qué habían hecho las siguientes personas cuando llegaste a clase.

Modelo: el profesor / pasar / exámenes

Cuando llegué a clase, _el profesor ya había pasado los exámenes._

1. tu vecino de pupitre / empezar el examen
2. tu mejor amigo(a) / no llegar
3. Mario / aburrirse
4. el director / asomarse tres veces
5. los alumnos / hacer preguntas

___Cuando llegué a clase mi vecino de pupitre ya había empezado el examen, mi mejor amigo no___

___había llegado, Mario ya se había aburrido, el director ya se había asomado tres veces y los___

___alumnos ya habían hecho preguntas.___

3 Usa el pasado perfecto para expresar aspectos que desconocías de las siguientes personas. Escoge un verbo de la caja y úsalo en la oración apropiada.

advertir	subirse	conocer	ir	comer

1. Aunque nos ___habíamos conocido___ por tres años, Marina nunca me dijo que hablaba tres idiomas.

2. Aunque nunca se ___había subido___ a un avión, la abuela de Paco no tenía la menor intención de hacerlo.

3. A pesar de que ___habían comido___ en ese restaurante por más de diez años, mis abuelos dejaron de ir la primera vez que les cobraron de más.

4. Aunque le ___había advertido___ por mucho tiempo que mi perro era feroz, Ana le puso la mano en la boca.

5. Dora no ___había ido___ (ir) de compras en tres años porque no le gustaba gastar.

Copyright © by McDougal Littell, a division of Houghton Mifflin Company.

UNIDAD 6 Lección 2 Gramática B

Gramática C The Past Perfect Tense

> **¡AVANZA!** **Goal:** Use the past perfect to talk about events that had taken place before other events.

1 Usa el pasado perfecto para expresar las cosas que habías hecho o no antes de entrar a la secundaria. Escribe oraciones completas. **Answers may vary. Possible answers:**

Modelo: estudiar español *Antes de entrar a la secundaria, no había estudiado español.*

1. tomar clases de gimnasia (No) había tomado clases de gimnasia.

2. tener novio(a) (No) había tenido novio.

3. desvelarse (No) me había desvelado.

4. viajar al extranjero (No) había viajado al extranjero.

5. escribir mis primeros poemas (No) había escrito mis primeros poemas.

2 Usa las pistas para expresar lo que «el testigo de un asalto» nos relató sobre el evento. Escribe oraciones completas con el pasado perfecto del verbo subrayado.

Modelo: hombre / decir / reconocer / inmediatamente

El hombre dijo que lo *había reconocido* inmediatamente.

1. hombre / decir / no tener / tiempo / llamar / policía.
   El hombre dijo que no había tenido tiempo de llamar a la policía.

2. también / explicar / ponerse / nervioso
   También explicó que se había puesto nervioso.

3. aunque / asaltante / actuar / cortésmente / clientes / café / entregar / carteras
   Aunque el asaltante había actuado cortésmente, los clientes del café entregaron sus carteras.

4. finalmente / dueño del café / confesar / ser / broma / día de los inocentes
   Finalmente, el dueño del café confesó que había sido una broma del día de los inocentes.

3 Usa el pasado perfecto para escribir un párrafo que exprese cinco cosas que hiciste el último verano que no habías hecho hasta entonces. **Answer will vary.**

Modelo: *Antes del último verano yo nunca había conocido a mis primos de California. Tampoco...*

_____

_____

_____

_____

_____

UNIDAD 6 Lección 2 Gramática C

Gramática A The Future Perfect Tense

Level 3 Textbook pp. 366–368

> **¡AVANZA!** **Goal:** Use the future perfect to describe what will have happened.

1 Georgina habla con su mejor amiga Maika de las cosas que habrá hecho antes de terminar la secundaria. Subraya en el párrafo siguiente las ocasiones en las que usa el futuro perfecto.

Maika: Hola Gina. ¿Cómo estás?

Georgina: Bien, gracias. ¿Y tú?

Maika: Muy bien. Contando los días para las vacaciones. Para ese día ya <u>habré recibido</u> mi pasaporte y <u>habré ahorrado</u> suficiente dinero para los billetes.

Georgina: ¡Qué bien! ¿Ya sabes qué país vas a visitar?

Maika: Todavía no. Pero te aseguro que para entonces <u>habremos leído</u> todas las guías turísticas y yo <u>habré tomado</u> una decisión entre visitar España o Portugal.

Georgina: ¿<u>Habremos leído</u>? ¿Con quién vas a viajar?

Maika: Mi mamá y yo, claro. ¿No <u>habrás pensado</u> que lo iba a hacer sola?

2 La madre de Víctor especula sobre las preparaciones de su hijo para una excursión a Barcelona. Rellena los espacios en blanco con el futuro perfecto para completar las oraciones.

1. ¿ _____Habrá usado_____ (usar) Víctor el efectivo para pagar los billetes de tren?

2. ¿Le _____habrán dado_____ (dar) sus amigos mi última recomendación?

3. ¿No le _____habrás dicho_____ (decir) tú que no nos llamara al llegar? Sabes que es muy importante.

4. Y vosotras, ¿le _____habréis recordado_____ (recordar) de la visita a la tía Aranxa? Ella está tan decidida a ir con estos jovencitos a Las Ramblas que no pude decirle que no.

5. ¿Y yo? ¿Le _____habré entregado_____ (entregar) el mapa? ¿Dónde tengo la cabeza que no me acuerdo de nada?

3 Escribe oraciones completas con el futuro perfecto para expresar lo que habrá sucedido en cada situación. **Answers will vary. Possible answers:**

1. Si guardo mi dinero ahora, en diez años _____habré ahorrado mucho dinero._____

2. Si estudio mucho ahora, en cinco años _____habré obtenido un título._____

3. Si promovemos la paz ahora, en diez años _____habremos hecho un mundo mejor._____

4. Si hago mucho ejercicio ahora, en un año _____habré perdido diez libras._____

5. Si hago toda mi tarea ahora, mañana _____habré cumplido con mis obligaciones._____

UNIDAD 6 Lección 2
Gramática A

Gramática B *The Future Perfect Tense*

Level 3 Textbook pp. 366–368

> **¡AVANZA!** **Goal:** Use the future perfect to describe what will have happened.

1 Completa el párrafo sobre la sorpresa que la señora Rojas prepara para su esposo. Usa el futuro perfecto de los verbos entre paréntesis.

Para cuando el señor Rojas regrese de Madrid, **1.** __habrán sucedido__ (suceder) muchas cosas en su casa. La señora Rojas le **2.** __habrá comprado__ (comprar), el asador de seis parrillas que el señor Rojas siempre ha querido para su patio. La señora Rojas **3.** __habrá echado__ (echar) la casa por la ventana en la renovación del exterior de su casa. Los trabajadores **4.** __habrán construido__ (construir) la nueva piscina y **5.** __habrán plantado__ (plantar) el nuevo jardín.

2 Las personas que tomaron la supercarretera esta mañana llegarán tarde a sus trabajos. Usa el futuro perfecto para completar sus especulaciones mientras esperan nerviosamente que mejore el tránsito.

Modelo: la enfermera / hospital ⟶ el doctor Martínez / hacer visitas

Cuando la enfermera llegue al hospital, el doctor Martínez ya habrá hecho las visitas a sus pacientes.

1. el universitario / universidad ⟶ las clases / empezar

Cuando el universitario llegue a la universidad, las clases ya habrán empezado.

2. la estilista / salón ⟶ la clienta / irse

Cuando la estilista llegue al salón, la clienta ya se habrá ido.

3. Magali / casa ⟶ su mejor amiga / enojarse

Cuando Magali llegue a su casa, mi mejor amiga ya se habrá enojado.

4. el cocinero / restaurante ⟶ su jefe / cocinar

Cuando el cocinero llegue al restaurante, su jefe ya habrá cocinado.

5. el bombero / estación ⟶ dos casas / quemarse

Cuando el bombero llegue a la estación, dos casas ya se habrán quemado.

3 Escribe un párrafo sobre tu futuro y las cosas que habrás hecho en cinco años. Usa temas como la escuela, los viajes, las compras y el lugar donde vivirás.

Modelo: *En cinco años, habré visitado Europa.*

Answers will vary. Possible answer: Dentro de cinco años, habré terminado la escuela. Me

habré casado. Mis padres me habrán regalado un carro. Mis amigos y yo habremos visitado

España.

Gramática C *The Future Perfect Tense*

> **¡AVANZA!**　**Goal:** Use the future perfect to describe what will have happened.

❶ Completa el párrafo sobre la importancia de cuidar nuestro planeta. Usa los verbos en el recuadro en futuro perfecto.

contaminar	dejar	acabar	ensuciar	agotar

Si no nos preocupamos por el planeta, para dentro de pocos años **1.** ___*habremos agotado*___ los recursos naturales que más nos hacen falta. **2.** ___*Habremos contaminado*___ el agua de los lagos y los ríos con los productos químicos que vaciamos en ella. La polución **3.** ___*habrá ensuciado*___ el aire y la selva del Amazonas **4.** ___*habrá dejado*___ de ser refugio de animales que viven en ella. ¿Qué haremos entonces? ¿Habrá solución o nos **5.** ___*habremos acabado*___ el mundo en su totalidad?

❷ Martín nunca asume responsabilidad por sus acciones. Escribe oraciones completas con el futuro perfecto para responder a las siguientes situaciones con las que lo confronta su mamá.

Modelo:　Se acabaron los chocolates de la caja. (comer/ Teresa)

　　　　　¿Habrá comido Teresa algún chocolate?

1. Se descompuso la lavadora. (lavar tapetes del carro/ papá)
　　¿Habrá lavado mi papá los tapetes del carro?

2. Me faltan diez dólares en la cartera. (sacar/ el perro)
　　¿Los habrá sacado el perro?

3. Hay una mancha de mermelada en la alfombra. (hacer/el gato)
　　¿La habrá hecho el gato?

4. Hay goma de mascar pegada bajo la mesa. (poner/ mi tía Juana)
　　¿La habrá puesto mi tía Juana?

5. Mis zapatos están en la basura. (tirar/ Paquito)
　　¿Los habrá tirado Paquito?

❸ Escribe un párrafo de cinco oraciones para describir el estado del planeta en diez años. Usa el futuro perfecto. **Answers will vary.**

_____

_____

_____

_____

_____

Gramática adicional *El uso de la voz pasiva*

¡AVANZA!	**Goal:** Practice the formation and use of the passive voice.

La voz pasiva puede dar un tono más formal a lo que escribes. Úsala en los dos casos siguientes:

1) Para destacar quién o qué realizó la acción del verbo:

La Mona Lisa fue pintada por Leonardo Da Vinci.

2) Para destacar la acción sin identificar quién o qué la realizó:

La Mona Lisa fue pintada durante el Renacimiento.

Para formarla usa la conjugación correspondiente del verbo ser + el participio pasado de la acción. En este caso, el participio pasado es un adjetivo con género y número.

Las camisas fueron diseñadas por mi madre.

El escenario fue construido por mi padre.

La voz pasiva puede usarse en todos los tiempos verbales.

1 Arturo Maldonado estudia cine. Cambia a la voz pasiva las notas que tomó para un reporte.

1. Muchas personas inventaron el cine.

El cine fue inventado por muchas personas.

2. Edison diseñó los primeros cinematógrafos en 1890.

Los primeros cinematógrafos fueron diseñados en 1890 por Edison.

3. Los hermanos Lumière presentaron los primeros cortometrajes a finales de 1895, en París.

Los primeros cortometrajes fueron presentados a finales de 1895, en París, por los

hermanos Lumière.

4. Georges Méliès filmó las primeras ficciones.

Las primeras ficciones fueron filmadas por Georges Méliès.

5. Edwin Porter inauguró las películas del viejo oeste en 1903.

Las películas del viejo oeste fueron inauguradas en 1903 por Edwin Porter.

2 Escribe cinco oraciones en voz pasiva para destacar qué o quién hizo cosas importantes.

Modelo: *América fue descubierta por Cristóbal Colón.*

Answers will vary, but students should be able to demonstrate the use of the passive

voice.

_____

_____

_____

Conversación simulada

¡AVANZA!　　**Goal:**　Respond to a conversation talking about the history of a place.

Vas a participar en una conversación telefónica simulada con tu amigo Roy. Primero, lee el bosquejo de la conversación que aparece en la página. Luego, escucha el audio. Tú sólo oirás lo que te dice Roy. Entonces escucha el audio de nuevo. Esta vez participarás en la conversación. Responde de forma oral a lo que te dice Roy. Una señal te indicará cuando te toque a ti hablar.

[phone rings]

Tú: Contesta el teléfono y pregunta quién llama.

Roy: (Él responde y te saluda.)

Tú: Tú le preguntas cómo ha sido su viaje hasta ahora.

Roy: (Él te responde y te dice qué piensa.)

Tú: Pregúntale cómo es el lugar donde vive.

Roy: (Él te responde y te pide tu opinión.)

Tú: Respóndele y pregúntale qué piensa hacer.

Roy: (Él te responde y te habla de lo que piensa hacer.)

Tú: Contéstale y pregúntale cómo es la casa donde vive.

Roy: (Él responde y se despide.)

Tú: Despídete y cuelga.

UNIDAD 6 Lección 2

Conversación simulada

Unidad 6, Lección 2
Conversación simulada

280

¡Avancemos! 3
Cuaderno para hispanohablantes

Integración: Escribir

> **¡AVANZA!** **Goal:** Respond to written and oral passages about the history of a place.

Lee el siguiente cartel para promover el turismo rural en Andalucía.

Fuente 1 Leer

¿Te atrae el senderismo?
¿Practicas la bicicleta de montaña?

La casa rural Azulejos en el pueblo de Alfernate, Málaga, podría ser tu destino estas vacaciones. ¿Eres uno de esos turistas que buscan la historia y las tradiciones, el encuentro con la España que pocos conocen? La gente amable de Andalucía recibe a todos con los brazos abiertos. A sólo 14 kilómetros de la costa norteafricana, la historia de Andalucía está fuertemente ligada a ese continente. Visítanos hoy y hospédate con nosotros. *En una casa rural, Andalucía te queda más cerca.*

Ahora vas a escuchar el mensaje que Constancia Roldán dejó en el teléfono celular de su esposo Marcelo. Toma notas. Luego completa la actividad.

Fuente 2 Escuchar

HL CD 2, tracks 15–16

Imagina que vas a hacer un viaje a España. ¿Cuál de las dos posibilidades de viaje te atrae más? Escribe un párrafo en el que le digas a Marcelo o a Constancia la opción que tú prefieres y por qué. Explica tus razones claramente. **Answers will vary.**

_____

_____

_____

_____

Lectura A

Goal:	Read about an excursion.

1 Lee el diario de Fernanda. Luego responde a las preguntas de comprensión y escribe tu opinión sobre el tema.

El viaje inolvidable

Había llegado el día. Mis hermanas y yo habíamos planeado un viaje en tren hasta Málaga. Teresa, mi hermana mayor, había querido comprar boletos con asientos numerados, sin embargo, cuando llegó a la taquilla le dijeron que se habían agotado. Todas nos quedamos tristes. En ese momento, vimos a nuestro vecino José. Él nos dijo que había comprado boletos para Málaga en un vagón sin asientos numerados. Nos pusimos muy contentas y Teresa compró los boletos.

Nunca habíamos visto un paisaje tan hermoso. Desde la ventanilla, veíamos unas fortalezas antiguas y unos castillos espectaculares. De pronto, a la mitad de la ruta, el tren se detuvo. El conductor nos avisó que una vía se había roto. Pasaron muchos minutos, hasta que finalmente, el tren volvió a andar.

Por fin llegamos a la estación de Málaga. Teresa había traído el plano de la ciudad y lo sacó para saber a dónde ir. Primero, hicimos una visita guiada por el centro histórico. Luego pasamos por los Jardines de Pedro Luis Alonso. Después, el guía nos llevó a la Plaza de la Merced. ¡Parecía un lugar muy divertido! Había restaurantes de tapas y de comida típica malagueña.

2 **¿Comprendiste?** Responde a las siguientes preguntas con oraciones completas.

1. ¿Adónde fueron Fernanda y sus hermanas?
   Fernanda y sus hermanas fueron de viaje en tren hasta Málaga.

2. ¿Cómo solucionó Teresa el problema de los boletos agotados?
   Teresa compró los boletos en un vagón sin asientos numerados.

3. ¿Qué paso a la mitad del camino? ¿Qué les dijo el conductor?
   El tren paró la marcha. El conductor les dijo que una de las vías se había roto.

4. ¿Qué lugares conocieron Fernanda y sus hermanas cuando llegaron a su destino?
   Cuando llegaron a su destino, Fernanda y sus hermanas hicieron una visita guiada por
   los alrededores. Conocieron los Jardines de Pedro Luis Alonso y la Plaza de la Merced.

3 **¿Qué piensas?** ¿Alguna vez viajaste en tren? ¿Adónde fuiste? Si no lo has hecho, ¿te gustaría viajar en tren? ¿Adónde te gustaría viajar? *Answers will vary.*

_____

_____

_____

_____

UNIDAD 6 Lección 2
Lectura A

Lectura B

| ¡AVANZA! | **Goal:** Read about an excursion. |

❶ José y Manuela hacen planes para pasear en Segovia. Lee su conversación. Luego responde a las preguntas de comprensión y compara su experiencia con la tuya.

Vamos a Segovia

JOSÉ: Manuela, vamos a Segovia. Mañana hará buen tiempo y tendrán una feria de artesanías en la plaza principal. Cada año se organiza esta feria.

MANUELA: ¿Y habrán llegado las nuevas artesanías de los pueblos?

JOSÉ: ¡Por supuesto! Ya habrán llegado y podremos verlas y comprar las que queramos. Calculo que habremos terminado de hacer las compras hacia las once de la mañana y habrá tiempo para probar las especialidades del lugar y visitar algunos lugares interesantes.

MANUELA: Me pregunto si habrán abierto la Casa-Museo de Antonio Machado. El año pasado la habían cerrado porque la estaban reparando.

JOSÉ: Ya la han abierto otra vez. También han abierto el Museo del Palacio Episcopal. Tenemos que estar de regreso a las nueve de la noche. Habremos hecho un recorrido muy lindo por Segovia.

MANUELA: ¡Qué buena idea tuviste José! ¡Pasar todo el día en Segovia me parece muy divertido!

---

❷ **¿Comprendiste?** Responde a las siguientes preguntas con oraciones completas.

1. ¿Por qué quiere José pasar el día en Segovia?
   José quiere ir a la feria de artesanías con Manuela.

2. ¿Qué quiere saber Manuela sobre la feria?
   Manuela quiere saber si habrán llegado las nuevas artesanías de los pueblos.

3. ¿Qué quiere saber Manuela sobre la Casa-Museo de Antonio Machado? ¿Por qué?
   Manuela quiere saber si habrán abierto la Casa-Museo de Antonio Machado. El año

   pasado, la habían cerrado por reparaciones.

❸ **¿Qué piensas?** Cuando sales de paseo con tu familia a un pueblo o ciudad cercana, ¿aprovechan para visitar algunos lugares interesantes? ¿Qué lugares han visitado? ¿Qué lugares les gustaría visitar? ¿Por qué? **Answers will vary.**

_____

_____

_____

_____

Lectura C

| ¡AVANZA! | **Goal:** Read about an excursion. |

1 Ramón y Teresa se irán de excursión. Lee lo que les habrá ocurrido durante su viaje en el siguiente poema. Luego responde a las preguntas de comprensión.

Una excursión con mi amigo Ramón

Mañana Ramón y yo habremos salido de excursión,

y habremos tenido momentos de diversión.

A las ocho de la mañana el tren habrá llegado a la estación,

y Ramón y yo ocuparemos el último vagón.

Después de cuatro horas habremos llegado a nuestro destino,

estaremos en Granada, ¡un lugar histórico y divino!

Al llegar, echaremos monedas en el pozo de los deseos,

y después habremos visitado galerías y museos.

En un museo habrá llegado una nueva exhibición,

los cuadros de Picasso causarán gran sensación.

Luego visitaré la casa de un escritor muy famoso,

García Lorca, quien fue un poeta maravilloso.

A continuación, haremos una visita guiada,

y habremos aprendido sobre la historia de Granada.

Exploraremos las iglesias y mezquitas,

la catedral, y algunas estatuas muy bonitas.

Para el mediodía habremos caminado y caminado,

y Ramón y yo estaremos un poco agotados.

Habremos comprado recuerdos para todos,

para mamá, papá y mi hermano Alfonso.

Para mamá habré comprado una artesanía,

para papá discos con algunas melodías

y para Alfonso un cuadro con paisajes de las serranías.

¡Mis regalos causarán mucha alegría!

UNIDAD 6 Lección 2
Lectura C

❷ ¿Comprendiste? Responde a las siguientes preguntas:

1. ¿A qué hora planean salir los amigos para su excursión?

   Ellos planean salir a las ocho de la mañana de la estación.

2. ¿Adónde habrán llegado Ramón y Teresa luego del viaje?

   Ramón y Teresa habrán llegado a Granada, un lugar histórico y divino.

3. ¿Qué actividades interesantes habrán hecho los amigos al llegar a la ciudad?

   Ellos habrán visitado galerías y museos, habrán visto la exposición de Picasso y

   habrán recorrido iglesias y mezquitas.

4. ¿Cuáles son los regalos que piensa comprar Teresa para su familia?

   Teresa habrá comprado a su madre algunas artesanías, para su papá algunos discos

   de música y para Alfonso un cuadro con paisajes de serranías.

5. ¿Por qué crees que el autor decidió contar esta historia en verso?

   Answer will vary. Possible answer: El autor quizás pensó que era chistoso ir con

   Ramón a una excursión y decidió rimar toda la historia.

❸ ¿Qué piensas? ¿A qué lugares te gusta ir cuando vas de excursión? ¿Cómo son esos lugares? Describe alguno de estos lugares y escribe detalles que te gusten de tu excursión.

   Answers will vary.

_____

_____

_____

_____

_____

UNIDAD 6 Lección 2   Lectura C

Escritura A

¡AVANZA!	**Goal:** Write what happened on an excursion.

En una excursión en Segovia perdiste tu mochila y todo lo que había en ella. Para encontrar la mochila con tus pertenencias, decides publicar un anuncio en el periódico local.

1 Haz una descripción de tu mochila y de las cosas que guardas dentro de ella. **Answers will vary.**

Mi mochila es...	
Color(es)	
Marca	
¿Qué tiene adentro?	
¿Dónde crees que la perdiste?	

2 Escribe el anuncio para el periódico. Para ello:1) incluye la información recolectada en la Actividad 1; 2) escribe oraciones claras y con sentido; 3) usa el vocabulario de la lección y 4) haz un uso correcto del lenguaje, de los verbos y de la ortografía. **Answers will vary.**

_____

_____

_____

_____

_____

_____

3 Evalúa tu anuncio con la siguiente información:

	Crédito máximo	**Crédito parcial**	**Crédito mínimo**
Contenido	Incluiste la información de la Actividad 1. Escribiste oraciones claras y con sentido. Usaste el vocabulario de la lección.	Incluiste poca información de la Actividad 1. Escribiste oraciones sin claridad o sin sentido. Usaste poco vocabulario de la lección.	No incluiste información de la Actividad 1. Escribiste muchas oraciones sin claridad o sin sentido. No usaste vocabulario de la lección.
Uso correcto del lenguaje	Tuviste un buen manejo del lenguaje, de los verbos y de la ortografía.	Tuviste algunos errores en el manejo de lenguaje, verbos y ortografía.	Tuviste muchos errores en el manejo de lenguaje, verbos y ortografía.

UNIDAD 6 Lección 2

Escritura A

Unidad 6, Lección 2
Escritura A

286

¡Avancemos! 3
Cuaderno para hispanohablantes

Escritura B

> **¡AVANZA!** **Goal:** Write what happened on an excursion.

1 Hiciste una visita guiada por la ciudad de Madrid. Organiza tus ideas para presentar un informe. Escribe dos adjetivos para describir a cada persona o cosa que viste y en el orden en que los viste: **Answers will vary.**

Cosas y/o personas	¿Cómo eran?

2 Escribe tu informe. Incluye: 1) la información del punto anterior; 2) oraciones claras, completas y lógicas 3) la estructura de inicio, desarrollo y conclusión; 4) el vocabulario de la lección; 5) buen uso del lenguaje y de la ortografía.

Answers will vary.

_____

_____

_____

_____

_____

3 Evalúa tu informe con la siguiente información:

	Crédito máximo	Crédito parcial	Crédito mínimo
Contenido	Utilizaste la información del punto uno. Escribiste tu informe con oraciones completas, claras y lógicas. Incluiste la estructura de inicio, desarrollo y conclusión. Utilizaste el vocabulario de la lección.	Utilizaste alguna información del punto uno. Tuviste algunos errores en la construcción de oraciones completas, claras y lógicas. Olvidaste incluir una de las partes del informe (inicio, desarrollo o conclusión).	No incluiste la información del punto uno. En general, las oraciones no son completas, son muy poco claras o no tienen sentido. Tu informe no muestra una estructura de inicio, desarrollo y conclusión.
Uso correcto del lenguaje	Hiciste un buen uso del lenguaje y de la ortografía.	Tuviste algunos errores en el uso del lenguaje y algunos errores de ortografía.	Tuviste muchos errores en el uso del lenguaje y la ortografía.

UNIDAD 6 Lección 2 Escritura B

Escritura C

¡AVANZA!	**Goal:**	Write what happened on an excursion.

1 Estudiaste español por un año en Salamanca. Preparas una presentación escrita sobre cómo fue tu estancia en esa ciudad y organizas tus ideas en este gráfico. **Answers will vary.**

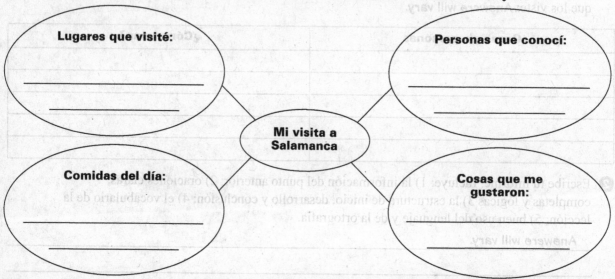

Lugares que visité:

Personas que conocí:

Mi visita a Salamanca

Comidas del día:

Cosas que me gustaron:

2 Ahora escribe un ensayo corto. No olvides: 1) desarrollar las ideas de la Actividad 1 en tres o más párrafos; 2) escribir oraciones claras, completas y lógicas; 3) estructurar la presentación escrita con: inicio, desarrollo y conclusión; 4) usar el vocabulario de la lección y 5) hacer un buen manejo del lenguaje, de los verbos y de la ortografía.

3 Evalúa tu ensayo con la siguiente información:

	Crédito máximo	**Crédito parcial**	**Crédito mínimo**
Contenido	Desarrollaste las ideas de la Actividad 1 en tres o más párrafos. Escribiste oraciones claras, completas y lógicas. Estructuraste la presentación escrita con inicio, desarrollo y conclusión. Usaste el vocabulario de la lección.	Desarrollaste las ideas de la Actividad 1 en dos párrafos. Algunas oraciones no son claras, completas o lógicas. Se identifican sólo dos partes de la presentación escrita. Algunas veces usaste el vocabulario de la lección.	Desarrollaste las ideas de la Actividad 1 en un párrafo. En general, las oraciones no son completas, muy poco claras o no tienen lógica. No se identifican las partes de la presentación escrita. Rara vez hiciste uso del vocabulario de la lección.
Uso correcto del lenguaje	Hiciste un buen manejo del lenguaje, de los verbos y de la ortografía.	Tuviste algunos problemas con el manejo del lenguaje, de los verbos y tuviste errores de ortografía.	Tuviste problemas con el manejo del lenguaje, de los verbos y muchos errores de ortografía.

UNIDAD 6 Lección 2

Escritura C

Cultura A

> | ¡AVANZA! | **Goal:** Discover and know people, places, and culture from Spain. |

① Relaciona los nombres y conceptos de la primera columna con los de la segunda.

1. __c__ Constitución
2. __e__ origen de la división regional
3. __d__ euskera
4. __a__ Isabel y Fernando
5. __b__ Toledo

a. unificación territorial
b. El Greco
c. autonomías o regiones autónomas
d. País Vasco
e. antiguos reinos de la península

② Responde de forma breve a las siguientes preguntas sobre España.

1. ¿En qué lugar de España se encuentra Potes?

   Potes se encuentra al norte de España.

2. ¿Con qué otro nombre se conoce a Doménikos Theotokópoulos?

   Se le conoce como El Greco.

3. ¿Por qué razones las comunidades autónomas tienen una identidad individual?

   Tienen identidad individual por razones culturales, geográficas y, en muchos casos, lingüísticas.

4. ¿Cuál es una de las características de las obras de Doménikos Theotokópoulos?

   Una de las características de sus obras es el uso de los colores vivos.

③ ¿Cómo se divide el gobierno español en relación a sus diferentes regiones geográficas? ¿En qué se parece esto a la situación en Estados Unidos? Escribe una oración comparando la situación en los dos países y luego piensa en dos ventajas de un gobierno descentralizado.

Answers will vary. Possible answers:

En Estados Unidos y en España **el país se divide en varias zonas (50 estados en EE.UU. y 17 comunidades autónomas en España) con un gobierno propio ligado al gobierno central.**

Dos ventajas de un gobierno descentralizado son:

1. **Los gobiernos de los estados y las autonomías conocen mejor sus necesidades que los gobiernos centrales.**

2. **La división en estados y autonomías permite que haya una mayor diversidad en el país y eso aporta riqueza cultural al país.**

UNIDAD 6 Lección 2   Cultura A

Cultura B

| ¡AVANZA! | **Goal:** Discover and know people, places, and culture from Spain. |

1 Indica si las siguientes afirmaciones son ciertas (C) o falsas (F). Si son falsas, escribe la forma correcta.

1. ___F___ La nueva Constitución española creó las autonomías en 1998.
La nueva Constitución española creó las autonomías en 1978.

2. ___C___ Las comunidades autónomas tienen sus propios cuerpos legislativos pero están unidos al gobierno central.

3. ___F___ España está dividida en 15 regiones autónomas.
España está dividida en 17 regiones autónomas.

4. ___F___ El Greco fue un pintor que usó colores suaves en sus obras.
El Greco fue un pintor que usó colores vivos en sus obras.

5. ___C___ El Greco pintaba de forma alargada las manos y las caras de las personas.

2 Responde a las siguientes preguntas con oraciones completas.

1. ¿Cuál es el origen de la división regional de España?
El origen de la división regional de España está en los antiguos reinos de la península.

2. ¿Qué trataron de hacer los reyes Isabel y Fernando para unificar España?
Para unificar España, los reyes Isabel y Fernando trataron de disminuir las diferencias regionales.

3 ¿Cómo se relaciona El Greco con su cuadro *Vista de Toledo*? ¿Cómo ves tú tu ciudad? Si fueras a pintarla, ¿qué parte de tu ciudad pintarías? ¿Qué momento del día escogerías? ¿Qué estación del año? ¿Qué colores emplearías? ¿Qué sentimiento esperas provocar en las personas que miren el cuadro? Responde en un párrafo breve. Answers will vary. Possible answers:
Toledo era la ciudad donde vivía El Greco y la pintó tal como él la veía. Si fuera a pintar mi ciudad, pintaría una vista del centro con los jardines y los edificios modernos. La pintaría un mediodía de primavera, con colores claros y alegres. La gente al mirar el cuadro sentiría que mi ciudad es bonita, moderna y llena de vida.

UNIDAD 6 Lección 2   Cultura B

Cultura C

> **¡AVANZA!**   **Goal:**   Discover and know people, places, and culture from Spain.

1 Responde con oraciones completas a las siguientes preguntas sobre la vida y obra de El Greco.

1. ¿En qué año se fue El Greco a vivir a Toledo?

En 1577 El Greco se trasladó a vivir a Toledo.

2. ¿Cuál es la obra más famosa de El Greco que se puede ver en Toledo?

La obra más famosa de El Greco en Toledo es El entierro del Conde de Orgaz.

3. ¿Cuáles son algunas características de la obra de El Greco?

Algunas características de la obra de El Greco son el uso de colores vivos y sombras

dramáticas y la representación de personas con manos y caras alargadas.

2 Responde con oraciones completas a las siguientes preguntas sobre las comunidades
autónomas de España.

1. ¿En qué comunidades autónomas de España se hablan idiomas diferentes al castellano o
español? ¿Cuáles son los idiomas que se hablan en estas autonomías?

En Galicia, País Vasco, Cataluña, Valencia y Baleares, además del español, se hablan

idiomas regionales. En Galicia se habla gallego, en el País Vasco, euskera y en

Cataluña, Valencia y Baleares, se hablan el catalán y sus dialectos.

2. La división regional en España, ¿es reciente o antigua? Explica brevemente su evolución.

La división regional tiene su origen en los antiguos reinos de la península. Después,

los reyes Isabel y Fernando trataron de disminuir las diferencias regionales para

unificar el país. Finalmente, la Constitución de 1978 creó las autonomías.

3 Crees que la existencia y el uso de varios idiomas diferentes en un mismo país es una ventaja
o un inconveniente? ¿Por qué? ¿Crees que cambiaría algo en Estados Unidos si en algunos
estados se hablara un idioma diferente del inglés? Explica.   Answers will vary. Possible answer:

El uso de varios idiomas en un mismo país tiene la ventaja de aportar una riqueza cultural,

pero por otro lado, tiene el inconveniente de que puede hacer la comunicación más

complicada. Si en Estados Unidos se hablara otro idioma además del inglés, sería posible

que casi todas las personas hablaran dos idiomas, pero quizá habría más división y más

distancia entre los estados con un idioma diferente.

Comparación cultural: Lo moderno y lo tradicional
Lectura y escritura

Después de leer los párrafos sobre los elementos modernos y tradicionales de la ciudad
donde viven Montse y Ramón, escribe un párrafo sobre la ciudad o el estado donde vives.
Usa la información del organigrama para escribir un párrafo sobre la ciudad o el estado
donde vives.

Paso 1

Completa el organigrama con los detalles sobre la ciudad o el estado donde vives.

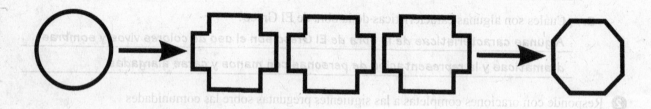

Paso 2

Ahora usa los detalles del organigrama para escribir una oración para cada uno de los temas.

_____

_____

_____

_____

_____

_____

Comparación cultural: Lo moderno y lo tradicional

Lectura y escritura

(continuación)

Paso 3

Ahora escribe tu párrafo usando las oraciones que escribiste como guía. Incluye una oración de introducción y utiliza las conjunciones **pues**, **además**, **aparte**, **también** para describir la ciudad o el estado donde vives.

_____

_____

_____

_____

_____

_____

Lista de verificación

Asegúrate de que...

☐ incluyes todos los detalles del organigrama sobre la ciudad o el estado donde vives en el párrafo;

☐ usas los detalles para describir la ciudad o el estado donde vives;

☐ utilizas las conjunciones.

Tabla

Evalúa tu trabajo con la siguiente tabla.

Criterio de escritura	Excelente	Bueno	Necesita mejorar
Contenido	Tu párrafo incluye todos los detalles sobre la ciudad o el estado donde vives.	Tu párrafo incluye algunos de los detalles sobre la ciudad o el estado donde vives.	Tu párrafo incluye muy poca información sobre la ciudad o el estado donde vives.
Comunicación	La mayor parte de tu párrafo está organizada y es facil de entender.	Partes de párrafo están organizadas y son fáciles de entender.	Tu párrafo está desorganizada y es difícil de entender.
Precisión	Tu párrafo tiene pocos errores de gramática y vocabulario.	Tu párrafo tiene algunos errores de gramática y de vocabulario.	Tu párrafo tiene muchos errores de gramática y de vocabulario.

UNIDAD 6 Comparación cultural

Comparación cultural: Lo moderno y lo tradicional
Compara con tu mundo

Ahora escribe un párrafo comparando la ciudad o el estado donde vives con la de uno de los estudiantes de la página 383. Organiza la comparación por temas. Primero, compara los nombres de las ciudades, después describe tres aspectos importantes de tu ciudad o estado y por último da tu opinión.

Paso 1

Usa la tabla para organizar la comparación por temas. Escribe los detalles de cada uno de los temas sobre la ciudad donde vives y los detalles de la ciudad del (de la) estudiante que elegiste.

	Mi ciudad o estado	**La ciudad o el estado de _____**
Nombre de la ciudad		
Aspectos		
Mi opinión		

Paso 2

Ahora usa los detalles de la tabla para escribir la comparación. Incluye una oración de introducción y escribe sobre cada tema. Utiliza las conjunciones **pues, además, aparte, también** para describir la ciudad o el estado donde vives y la del (de la) estudiante que has elegido.

_____

_____

_____

_____

_____

_____

Vocabulario A *Recuerdos*

> **¡AVANZA!**   **Goal:** Discuss school and after-school activities.

1 Marcos y su mamá hablan sobre las actividades y eventos de la escuela. Escoge la letra de la frase de la derecha que corresponda a la actividad o evento de la izquierda.

1. __c__ la graduación
2. __a__ el comité estudiantil
3. __b__ el recuerdo
4. __d__ el rato libre
5. __e__ el coro

a. el grupo de estudiantes que representa a todos los compañeros/as en la escuela
b. la memoria de las actividades y eventos pasados
c. la ceremonia al final del curso escolar
d. el horario de descanso para los estudiantes
e. grupo de estudiantes que cantan simultáneamente una misma música

2 Escoge la palabra correcta para completar las oraciones sobre las actividades.

1. Necesito solicitar (una beca / un código) para la universidad.
2. No hay ningún código de (vestimenta / graduación) en mi escuela.
3. El (anuario / comienzo) escolar tiene fotos de todas las clases.
4. El día de Acción de Gracias es un día (parcial / feriado) en la escuela.

3 Contesta las preguntas relacionadas al trabajo con oraciones completas. Usa al menos una palabra por oración.

el (la) cajero(a)	el (la) salvavidas	los impuestos	el (la) niñero(a)

1. ¿Cómo se llama la persona que cuida niños?
   La persona que cuida niños se llama el (la) niñero(a).

2. ¿Qué persona tiene un trabajo importante en la playa?
   La persona que tiene un trabajo importante en la playa es el (la) salvavidas.

3. ¿Qué persona trabaja en una tienda o un almacén?
   La persona que trabaja en una tienda o almacén es el (la) cajero(a).

4. ¿Cuál es la parte del sueldo que toma el gobierno federal?
   La parte del sueldo que toma el gobierno federal son los impuestos.

Vocabulario B *Recuerdos*

¡AVANZA! **Goal:** Discuss school and after-school activities.

1 Escoge la palabra correcta para identificar la actividad de cada persona. Escribe oraciones completas con la forma apropiada de la palabra.

el (la) vice-presidente(a)	el (la) redactor(a)
el (la) diseñador(a)	el (la) tesorero(a)

1. Antonio crea páginas Web.
   Él es un diseñador.

2. Delia es la segunda líder del club de español.
   Ella es la vice-presidenta.

3. Marta cuida el dinero de la sociedad honoraria.
   Ella es la tesorera.

4. Raquel escribe los textos del anuario.
   Ella es la redactora.

2 Contesta estas preguntas personales con oraciones completas. Usa al menos una palabra por oración. **Answers will vary. Possible answers:**

nutritivo(a)	chatarra	estresado(a)	una dieta balanceada

1. ¿Qué tipo de comida comes generalmente?
   Generalmente como comida nutritiva.

2. ¿Qué haces para no engordar?
   Siempre sigo una dieta balanceada.

3. ¿Qué tipo de comida comes en los lugares de comida rápida?
   En los lugares de comida rápida como comida chatarra.

4. Si trabajas demasiado, ¿cómo te sientes?
   Estoy estresado(a)/ Me siento estresado(a).

3 Quieres solicitar una beca porque deseas estudiar para profesor(a) de música. Escribe una lista de actividades que realizas para incluirlas en tu currículum vítae. Haz la lista con oraciones completas que incluyan el vocabulario de la lección. **Answers will vary. Possible answers:**

Modelo: *Soy miembro de la sociedad honoraria.*

Participo en la ceremonia de graduación de la escuela. Sirvo de presidente del coro

escolar. Trabajo en una tienda de música a tiempo parcial. Dirijo un coro de niños en

mi templo / iglesia.

Vocabulario B   UNIDAD 7 Lección 1

Vocabulario C *Recuerdos*

Level 3 Textbook **pp. 394–396**

> **¡AVANZA!** **Goal:** Discuss school and after-school activities.

1 Estas son las preguntas y respuestas que se oyeron en una entrevista. Lee las preguntas y subraya la respuesta correcta.

1. Después de tu graduación en la preparatoria, ¿qué vas a hacer? Voy a solicitar (una beca / el sueldo) para la universidad.

2. ¿Cuál es tu recuerdo favorito del coro del colegio hasta ahora? Es el del premio que ganó el coro en (el comité de eventos / la ceremonia de graduación).

3. ¿Qué te gusta hacer en la computadora en tus ratos libres? Me gusta hacer (diseños de páginas Web / los impuestos).

4. ¿De qué organización escolar eres miembro? Soy miembro del (comité estudiantil / club de cajeros).

2 Completa las actividades que necesitas hacer para mejorar tu salud emocional y física. Debes usar una de las siguientes palabras por oración. **Answers will vary. Possible answers:**

comida chatarra	club escolar	dieta balanceada	rato libre

1. Necesito *seguir una dieta balanceada.*

2. Debo *dejar de comer la comida chatarra.*

3. Es esencial que *me ponga en forma con más ejercicio en mi rato libre.*

4. Es importante que *tome parte en un club escolar.*

3 Tu hermano(a) menor busca un trabajo de medio tiempo. Escríbele unos consejos que debe seguir para encontrar y mantener su empleo. Escribe oraciones completas con cada una de las siguientes palabras. **Answers will vary. Possible answers:**

una solicitud de empleo	el sueldo	el empleo	los impuestos	cuenta de ahorros

Modelo: *Debes llenar una solicitud de empleo.*

Debes ahorrar el sueldo.

Debes cuidar el empleo.

Debes pagar los impuestos a tiempo.

Debes abrir una cuenta de ahorros.

UNIDAD 7 Lección 1 **Vocabulario C**

Vocabulario adicional *Los títulos profesionales*

> ⊳ **¡AVANZA!**   **Goal:** Expand your vocabulary with words to describe female professionals.

Anteriormente, algunos títulos de las profesiones se referían al género masculino, por ejemplo: el médico o el piloto. Hoy en día el lenguaje refleja la igualdad entre los hombres y las mujeres en estas profesiones. Por ejemplo, es muy común escuchar hablar de la médica o la doctora. Aquí hay otros ejemplos:

el juez ⟶ **la juez** o **la jueza**

el presidente ⟶ **la presidente** o **la presidenta**

el senador ⟶ **la senadora**

el farmacéutico ⟶ **la farmacéutica**

el embajador ⟶ **la embajadora**

el empresario ⟶ **la empresaria**

el ministro ⟶ **la ministra**

el poeta ⟶ **la poetisa**

el actor ⟶ **la actriz**

❶ Contesta las preguntas con oraciones completas. Usa las palabras de la lista en su forma femenina. **Answers will vary. Possible answers:**

1. ¿Qué profesional toma decisiones legales?
   La profesional que toma las desiciones legales es la jueza.

2. ¿Qué profesional trabaja como la representante de su país en otro?
   La embajadora trabaja como la representante de su país en otro.

3. ¿Qué profesional contrata a diferentes empleados para trabajar en su empresa?
   La empresaria contrata a diferentes empleados para trabajar en su empresa.

❷ Escribe oraciones con las descripciones de los títulos de las profesiones femeninas siguientes. **Answers will vary. Possible answers:**

1. Rosario actúa en una telenovela famosa.
   Ella es una actriz de telenovela famosa.

2. Mercedes estudió para trabajar en un laboratorio de medicamentos.
   Ella es una farmacéutica que trabaja en un laboratorio.

3. A Caridad la eligieron como representante del gobierno de su estado en el senado.
   Ella es senadora.

Gramática A *The imperfect subjunctive*

¡AVANZA!	**Goal:**	Use the imperfect subjunctive to express doubts, hopes, emotions and opinions in the past.

1 Subraya la forma correcta del verbo para completar las oraciones sobre el trabajo.

1. Era importante que yo (trabajara / trabaje) un turno de medio tiempo.

2. Mis padres querían que mis hermanos y yo (tomemos / tomáramos) decisiones sobre nuestra vida profesional.

3. Mi familia esperaba que mi hermano (se graduara / se graduaran) con honores para poder encontrar un trabajo bueno.

4. Mi abuela no quería que mis hermanos (dejaron / dejaran) de estudiar.

2 Escribe la forma correcta del verbo entre paréntesis para completar las oraciones sobre Alicia y sus aspiraciones.

1. Los padres de Alicia le recomendaron que _____buscara_____ (buscar) trabajo.

2. Ella prefería que sus padres _____dejaran_____ (dejar) de estresarla sobre su futuro.

3. Ella me pidió que la _____ayudara_____ (ayudar) a llenar las solicitudes de empleo.

4. Yo insistía en que ella _____sirviera_____ (servir) de presidenta del comité estudiantil en vez de buscar trabajo.

3 Escribe oraciones completas para describir qué les recomendaron los alumnos a las siguientes personas para mejorar su experiencia en la escuela.

Modelo: la administración / arreglar los edificios

Los alumnos le recomendaron a la administración que arreglara los edificios.

1. los maestros / dar más tarea

Los alumnos les recomendaron a los maestros que dieran más tarea.

2. tú / servir en el comité de eventos

Los alumnos te recomendaron que sirvieras en el comité de eventos.

3. nosotros / planificar la ceremonia de la graduación

Los alumnos nos recomendaron que planificáramos la ceremonia de la graduación.

4. yo / ser miembro del comité estudiantil

Los alumnos me recomendaron que fuera miembro del comité estudiantil.

UNIDAD 7 Lección 1 Gramática A

Gramática B   *The imperfect subjunctive*

> **¡AVANZA!**   **Goal:**   Use the imperfect subjunctive to express doubts, hopes, emotions and opinions in the past.

1 Elena y Mateo hablan de los planes para la ceremonia de la graduación. Completa el diálogo con la forma correcta de los verbos en paréntesis.

Elena: Hola Mateo, ¿Qué te dijeron los profesores?

Mateo: Pues, nos dijeron que _____nos decidiéramos_____ (decidir) ya en un tema para la graduación.

Elena: ¿Qué sugirieron que _____hiciera_____ (hacer) el comité de eventos?

Mateo: Pues, insistieron en que el presidente del comité estudiantil _____preparara_____ (preparar) un discurso para la ceremonia.

Elena: ¡Qué bien! ¿Estuvieron contentos de que tú _____fueras_____ (ir) a la reunión de profesores?

Mateo: Claro. Aunque, yo dudaba que ellos _____quisieran_____ (querer) planear la ceremonia sin el comité estudiantil.

2 Completa las siguientes oraciones sobre lo que recuerda Julio de la escuela. Usa las expresiones en el cuadro. **Answers will vary. Possible answers:**

actuar en un drama	repartir periódicos	entregar la tarea	comunicarse con los profesores

1. Mis padres querían que yo _____repartiera periódicos._____

2. Los maestros insistían en que los alumnos _____entregaran la tarea._____

3. La maestra de teatro siempre le decía a mi hermano que _____actuara en un drama._____

4. El comité estudiantil esperaba que el presidente _____se comunicara con los profesores._____

3 Contesta las siguientes preguntas sobre tus experiencias de niño(a) con oraciones completas. **Answers will vary.**

1. ¿Qué querían tus padres que estudiaras?

_____

2. ¿Qué esperabas tú que pasara en la vida?

_____

3. ¿Qué decían tus maestros que hicieras para ser buen(a) alumno(a)?

_____

4. ¿Qué esperaban tus amigos que hicieras en los veranos?

_____

UNIDAD 7 Lección 1

Gramática B

300

Unidad 7, Lección 1
Gramática B

¡Avancemos! 3
Cuaderno para hispanohablantes

Gramática C *The imperfect subjunctive*

> **¡AVANZA!** **Goal:** Use the imperfect subjunctive to express doubts, hopes, emotions and opinions in the past.

❶ Escribe oraciones completas para describir lo que querían los abuelos de Alfredo que hicieran las siguientes personas.

Modelo: nosotros / hacer la tarea a tiempo

Querían que nosotros hiciéramos la tarea a tiempo.

1. yo / ir a la escuela todos los días

Querían que yo fuera a la escuela todos los días.

2. mis hermanos / participar en las actividades de la escuela

Querían que mis hermanos participaran en las actividades de la escuela.

3. la familia / saber lo que está pasando en el mundo

Querían que mi familia supiera lo que estaba pasando en el mundo.

❷ ¿Qué recomendaron los profesores? Escribe oraciones completas con elementos de cada columna para explicarles a tus padres lo que los profesores recomendaron en la reunión de orientación de la escuela. **Answers will vary. Possible answers:**

Modelo: *Los profesores recomendaron que era importante que participáramos en los eventos.*

Era importante	los alumnos	participar en los eventos
Era necesario	nosotros	asistir a las reuniones
Era bueno	yo	ir a la graduación
Era imprescindible	cada alumno	estar listo para trabajar

1. **Los profesores recomendaron que era bueno que yo fuera a la graduación.**

2. **Era necesario que los alumnos asistieran a las reuniones.**

3. **Era imprescindible que cada alumno estuviera listo para trabajar.**

❸ ¿Qué te aconsejaron los miembros de tu familia que hicieras para cada una de las siguientes situaciones? Escribe un párrafo que use verbos en el pasado de subjuntivo.

la escuela / mi mamá   **el trabajo / mi papá**   **el tiempo libre / mi hermana**

Answer will vary.

_____

_____

_____

_____

_____

Gramática A *Subjunctive of perfect tenses*

Level 3 Textbook pp. 402–404

> **¡AVANZA!** **Goal:** Use the subjunctive of perfect tenses to express doubts, hopes, emotions and opinions of events that happened recently or had happened.

1 ¿Necesitas trabajo? Escribe oraciones completas para que te enteres de los comentarios que hizo un gerente después de entrevistar a los candidatos.

Modelo: Es bueno / muchos candidatos tener experiencia

Es bueno que muchos candidatos hayan tenido experiencia.

1. Es necesario / tú / llenar una solicitud de empleo

Es necesario que hayas llenado una solicitud de empleo.

2. Es probable / nosotros / encontrar un buen candidato

Es probable que nosotros hayamos encontrado un buen candidato.

3. Es malo / algunas personas / no prepararse para las entrevistas

Es malo que algunas personas no se hayan preparado para las entrevistas.

4. Es imprescindible / el solicitante / trabajar con dinero

Es imprescindible que el solicitante haya trabajado con dinero.

2 Usa los siguientes dibujos para escribir oraciones completas que describan las cosas que no ocurrieron. Usa el subjuntivo de los tiempos perfectos. **Answers will vary. Possible answers:**

Modelo: María   **1. Gerardo**   **2. La Sra. Ramírez**   **3. Arturo**   **4. Teresa**

Modelo: *Con todo el tiempo del mundo, María hubiera estudiado para sacar una A en el examen.*

1. Con mucho esfuerzo, Gerardo hubiera ahorrado dinero.

2. Con mucha dedicación, la señora Ramírez hubiera ganado la carrera.

3. Con mucho estudio, Arturo se hubiera graduado con honores.

4. Con una buena campaña, Teresa hubiera ganado las elecciones.

Gramática B *Subjunctive of perfect tenses*

> **¡AVANZA!**   **Goal:** Use the subjunctive of perfect tenses to express doubts, hopes, emotions and opinions of events that happened recently or had happened.

❶ Subraya la forma correcta del verbo para completar las oraciones sobre las vacaciones recientes.

   1. Espero que (hubieras / hayas) tenido unas lindas vacaciones.

   2. Yo dudaba que ustedes se (hayan / hubieran) ido de viaje sin planear acitividades divertidas.

   3. Esperemos que tu hermano no se (hubiera / haya) olvidado de su cámara.

   4. Era importante que tu familia (haya / hubiera) tomado unas vacaciones en la playa.

❷ Escribe las reacciones a lo que ha pasado y lo que había pasado con el trabajo de los miembros de la familia Gómez.

Reacciones a lo que ha pasado	Reacciones a lo que había pasado
Modelo: Es importante que todos hayan estudiado.	*Era importante que todos hubieran estudiado.*
1. Dudamos que hayas trabajado y estudiado a la vez.	Dudábamos que hubieras trabajado y estudiado a la vez.
2. Esperamos que ellos hayan podido encontrar trabajo de medio tiempo.	Esperábamos que ellos hubieran podido encontrar trabajo de medio tiempo.
3. Es importante que toda la familia haya ido a la escuela.	Era importante que toda la familia hubiera ido a la escuela.
4. Ojalá que hayamos ganado un buen sueldo.	Ojalá que hubiéramos ganado un buen sueldo.

❸ Escribe oraciones completas para expresar las reacciones de tu familia a tus comentarios sobre diferentes situaciones asociadas a la búsqueda de trabajo.

   Modelo: Es bueno / tú / llenar las solicitudes de empleo

       Es bueno que hayas llenado las solicitudes de empleo.

   1. Es importante / los alumnos / buscar trabajo durante el verano

       Es importante que los alumnos hayan buscado trabajo durante el verano.

   2. Es posible / la gente / mentir en sus solicitudes de empleo

       Es posible que la gente haya mentido en sus solicitudes de empleo.

   3. Es imprescindible / todos tener experiencia previa

       Es imprescindible que todos hayan tenido experiencia previa.

   4. Era imposible / el candidato / no trabajar en este campo

       Era imposible que el candidato no hubiera trabajado en este campo.

UNIDAD 7 Lección 1 Gramática B

Gramática C *Subjunctive of perfect tenses*

> | **¡AVANZA!** | **Goal:** | Use the subjunctive of perfect tenses to express doubts, hopes, emotions and opinions of events that happened recently or had happened. |

❶ Completa las oraciones sobre las reacciones de los maestros a las actividades de los alumnos.

Modelo: Esperaban / los alumnos / tener experiencia con el trabajo

Esperaban que los alumnos hubieran tenido experiencia con el trabajo.

1. Esperaban / nosotros / participar en muchas actividades.
Esperaban que nosotros hubiéramos participado en muchas actividades.

2. Era necesario / los alumnos / seguir el código de vestimenta
Era necesario que los alumnos hubieran seguido el código de vestimenta.

3. No creen / yo / estudiar para los exámenes
No creen que yo haya estudiado para los exámenes.

4. Es bueno / ustedes / tener tiempo para estudiar y trabajar
Es bueno que ustedes hayan tenido tiempo para estudiar y trabajar.

❷ Como el año pasado fue el primero en la universidad, los padres de Javier estaban sorprendidos de su progreso. Escribe oraciones para expresar sus reacciones. Usa las pistas en el cuadro.

| encontrar trabajo
aprender mucho en poco tiempo | estar listo para los exámenes
escribir toda la tarea |

Answers will vary. Possible answers:

1. Están sorprendidos de que Javier hubiera aprendido mucho en poco tiempo.

2. Es imposible que haya estado listo para los exámenes.

3. Dudábamos que hubiera escrito toda la tarea.

4. Es bueno que haya encontrado trabajo.

❸ Encuentras una caja de recuerdos. Escribe un párrafo de cinco oraciones con tus reacciones a los artículos dentro de ella. Usa el subjuntivo de los tiempos perfectos. **Answers will vary.**

Possible answers:

- Un periódico escolar con un artículo escrito por tu madre
- Un anuario con una foto de tu padre como presidente del comité estudiantil
- Una solicitud de empleo para actriz de tu abuela
- Una foto tuya cuando eras niño llorando

Me sorprende que mi madre haya escrito un artículo para el periódico. Era bueno que mi

padre hubiera sido presidente del comité estudiantil porque tiene ideas muy buenas. No

creía que mi abuela hubiera solicitado un empleo como actriz. Era malo que yo hubiera

llorado tanto de niño.

Gramática adicional *El dequeísmo y el queísmo*

| **¡AVANZA!** | **Goal:** | Learn about dequeísmo and queísmo, two common phenomena in the Spanish of native speakers. |

El dequeísmo es un fenómeno común en el habla de los hispanohablantes. Consiste en la inserción errónea de la palabra "de" antes de una cláusula subordinada:

El dequeísmo	El español estándar
Juan dijo de que me llamaría mañana.	Juan dijo que me llamaría mañana.
¿Oíste de que vienen mis padres de visita?	¿Oíste que vienen mis padres de visita?
Creo de que me van a llevar al centro.	Creo que me van a llevar al centro.

Al contrario, **el queísmo** se refiere a la omisión de la preposición "de" en contextos obligatorios:

El queísmo	El español estándar
Me alegro que hayan venido.	Me alegro de que hayan venido.
Me di cuenta que no tenía mi reloj.	Me di cuenta de que no tenía mi reloj.
Se olvidaron que había tarea para hoy.	Se olvidaron de que había tarea para hoy.

1 Indica con una **X** si las siguientes oraciones son correctas o incorrectas.

	Correcta	Incorrecta
1. Nos acordamos que vamos a una fiesta este sábado	X	
2. Recuérdame de que tengo que envolver el regalo.		X
3. Me alegro de que quieras acompañarme a la fiesta.	X	
4. Dudo de que llueva el sábado por la tarde.		X

2 Escribe frases completas sobre tus planes para este fin de semana. Usa elementos de cada columna y decide si tus oraciones requieren el uso de **de que** o **que**.

Answers will vary. Possible answers:

Modelo: *Mi mamá dijo que vamos a un concierto este fin de semana.*

escuchar	de que	ir a un concierto
alegrarse	que	jugar al fútbol
darse cuenta		comer en un restaurante
preocuparse		ir en taxi
tener ganas		ir en un grupo

1. Escuché que vamos a comer en un restaurante.

2. Tienen ganas de que juguemos al fútbol esta tarde.

3. Me alegro de que vayamos en taxi.

4. Juan se dio cuenta de que vamos en un grupo de ocho personas.

Integración: Hablar

¡AVANZA!	**Goal:** Respond to written and oral passages remembering school activities.

Lee la página siguiente del diario de memorias de Romelia Holguín, una científica colombiana.

Fuente 1 Leer

La mesa directiva de estudiantes donó los fondos del anuario a las víctimas del incendio forestal. Aquí estamos todos, el comité de eventos en primera fila. Al centro yo. Hubiera sido presidenta de estudiantes este año pero Ricardo me ganó por tres votos. Mi mejor amiga Malena y yo queríamos ser actrices y participamos en la puesta en escena de «La dama boba». Yo hubiera solicitado una beca al Instituto de Bellas Artes pero ese año descubrí mi amor por la biología. Mi vida hubiera sido muy distinta.

Ahora vas a escuchar el aviso de Emily Peralta. Toma notas. Luego completa la actividad.

Fuente 2 Escuchar

HL CD 2, tracks 17–18

Usa la información de estas dos fuentes para explicar de manera oral por qué es importante o no mantener un nexo con el pasado.

Integración: Escribir

> **¡AVANZA!** **Goal:** Respond to written and oral passages about school activities.

Lee el siguiente fragmento de la bitácora web de Eva Mejía Ramos, una periodista venezolana.

Fuente 1 Leer

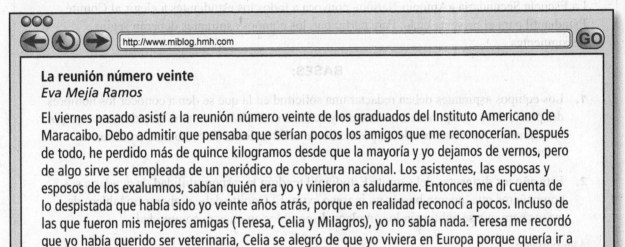

La reunión número veinte
Eva Mejía Ramos

El viernes pasado asistí a la reunión número veinte de los graduados del Instituto Americano de Maracaibo. Debo admitir que pensaba que serían pocos los amigos que me reconocerían. Después de todo, he perdido más de quince kilogramos desde que la mayoría y yo dejamos de vernos, pero de algo sirve ser empleada de un periódico de cobertura nacional. Los asistentes, las esposas y esposos de los exalumnos, sabían quién era yo y vinieron a saludarme. Entonces me di cuenta de lo despistada que había sido yo veinte años atrás, porque en realidad reconocí a pocos. Incluso de las que fueron mis mejores amigas (Teresa, Celia y Milagros), yo no sabía nada. Teresa me recordó que yo había querido ser veterinaria, Celia se alegró de que yo viviera en Europa porque quería ir a visitarme, y Milagros se sorprendió de que yo me hubiera puesto en forma. ¿Quién era la mujer que ellas recordaban? …

Ahora vas a escuchar el discurso de Abel Solórzano durante la reunión número diez de su escuela. Toma notas. Luego completa la actividad.

Fuente 2 Escuchar

HL CD 2, tracks 19–20

¿Cuál de los dos relatos te pareció más emotivo? ¿Por qué? Escribe un párrafo en el que expliques cuál de los dos testimonios te gustó más y por qué. **Answers will vary.**

_____

_____

_____

_____

_____

_____

_____

Lectura A

¡AVANZA!	**Goal:** Read about work and school activities.

1 Lee la convocatoria publicada en la escuela «Antonio Nariño». Luego responde a las preguntas de comprensión y compara este evento con lo que ocurre en tu escuela.

> La Escuela Secundaria «Antonio Nariño» convoca a todos los estudiantes a elegir al Comité Estudiantil para el presente ciclo. Para participar, los equipos aspirantes deberán seguir las siguientes
>
> ### BASES:
>
> 1. Los equipos aspirantes deben redactar una solicitud en la que se den a conocer los nombres del presidente, vice-presidente, tesorero y secretario. Podrán ser miembros de estos equipos los alumnos que hayan tenido un promedio de calificaciones de 8.0 o más en el curso anterior.
>
> 2. Este año los dirigentes del Comité Estudiantil tendrán la responsabilidad de ayudar a sus compañeros que quieran buscar un ingreso extra. El Comité debe preparar un tablero de avisos para que se publiquen los empleos disponibles en nuestra comunidad.
>
> Atentamente,
> La Dirección
> Santa Fe de Bogotá, 30 de julio

2 **¿Comprendiste?** Responde a las siguientes preguntas con oraciones completas. **Answers will vary.**

Possible answers:

1. ¿Cuál es el propósito de la convocatoria?
   El propósito de la convocatoria es invitar a los alumnos a formar equipos para participar en las elecciones del nuevo Comité Estudiantil.

2. ¿Por qué crees que tener buenas calificaciones es un requisito para participar?
   Probablemente piensen que los alumnos con buenas calificaciones son responsables.

3. ¿Qué debe hacer el Comité Estudiantil para ayudar a los estudiantes a buscar empleo?
   El Comité Estudiantil debe preparar un tablero de avisos para que se publiquen los empleos disponibles en la comunidad.

3 **¿Qué piensas?** ¿Tiene tu escuela un comité estudiantil? ¿Cuáles son sus funciones? Escribe otros requisitos importantes para formar parte de un comité estudiantil. **Answers will vary.**

_____

_____

_____

_____

Lectura B

> **¡AVANZA!** **Goal:** Read about work and school activities.

① Lee la siguiente escena de la obra de teatro «La vida en serio». Luego responde a las preguntas de comprensión y compara la experiencia de Sebastián con la tuya.

La vida en serio **Escena 3**

ALBA: Espero que hayas disfrutado esta tarde de diversión porque no habrán muchas más. Tienes que buscar un trabajo, hijo.

SEBASTIÁN: Ya he llenado solicitudes de empleo en el periódico local y en el campamento de verano para chicos de primaria. Tengo experiencia redactando el anuario de la escuela y sé organizar gente gracias a mi cargo de vice-presidente del comité estudiantil. ¿Qué les parece?

ALBA: Pues espero que tus planes te salgan bien. No me gusta ver que pasas tus ratos libres sin hacer nada. Quisiera que reflexionaras más acerca de tu futuro.

SUSANA: ¡Ay, hijo! No vayas a descuidar tus estudios. Tal vez puedas trabajar solamente durante las vacaciones y los días feriados.

ALBA: ¡Mamá! Tú lo consientes demasiado. Ya es hora de que Sebastián comience a tomarse la vida en serio. A mí me hubiera gustado comenzar a trabajar más joven para tener más experiencia. Ya lo verás, hijo, ¡no te arrepentirás!

---

② **¿Comprendiste?** Responde a las siguientes preguntas.

1. ¿Quién inicia el diálogo? ¿Cuál es el problema que plantea esa persona?
   Lo inicia Alba, la madre de Sebastián. Ella quiere que su hijo encuentre un trabajo.

2. ¿Qué ha hecho Sebastián para resolver el problema?
   Sebastián ha llenado solicitudes en un periódico y en un campamento de verano.

3. ¿Por qué dice la mamá de Sebastián que la abuela Susana consiente a su hijo?
   Alba lo dice porque Susana no quiere que Sebastián trabaje mientras estudia.

③ **¿Qué piensas?** ¿Qué trabajo te gustaría hacer? ¿Cuántas horas a la semana le dedicarías a tu trabajo? ¿Qué habilidades crees que te ayudarán a encontrar un empleo? Explica tus respuestas. Answers will vary.

_____
_____
_____
_____
_____

Lectura C

Copyright © by McDougal Littell, a division of Houghton Mifflin Company.

> **¡AVANZA!** **Goal:** Read about work and school activities.

1 Lee el discurso que Azucena preparó para darles la bienvenida a los alumnos de la nueva generación. Luego contesta a las preguntas.

○ ¡Bienvenidos, compañeros, a su escuela secundaria «Simón Bolívar»! Mi nombre es Azucena López y soy la presidenta del Comité Estudiantil. Con mucho gusto los recibimos en esta escuela que será como su segundo hogar. Aquí encontrarán la oportunidad de participar en maravillosas experiencias y encontrarán a sus mejores amigos. Esta escuela nos ofrece la oportunidad de participar en todo tipo de actividades para nuestro crecimiento.

A quienes les guste dirigir grupos para mejorar la escuela y la comunidad, los invitamos a participar en el Comité Estudiantil. A quienes les guste organizar fiestas, pueden unirse al Comité de Eventos. Uno de los eventos más importantes de este comité es la graduación, ¡no deben perdérsela! Y para quienes busquen obtener las mejores notas y solicitar becas en las mejores universidades del país, está la Sociedad Honoraria. Para aquellos que quieran integrarse a los talleres de imprenta, tenemos el Comité del Anuario. ¿Todos queremos salir muy bien, verdad? Si les guste cantar, el coro de la escuela es una gran oportunidad. Nuestro coro ha ganado muchos premios en los concursos estatales y nacionales.

○ El Club de Teatro «Rómulo Gallegos» de nuestra escuela goza de un gran prestigio. Su especialidad son las obras dramáticas. Cómo quisiera que ustedes hubieran estado aquí el año pasado: la actuación de este grupo fue memorable. Por otra parte, nuestro club de ajedrez ha obtenido importantes premios en Caracas y otras ciudades del país. Y por último, los invitamos a nuestro Club de Acción Social, que se ha distinguido por brindar una gran ayuda a la comunidad. Ha ayudado a personas que tienen problemas para leer y escribir a llenar sus solicitudes de empleo y a redactar sus declaraciones de impuestos.

Formar parte de esta escuela es más que venir a clases y hacer tareas. Es integrarse con la comunidad y ayudar a los demás. ¿Les gustaría estar al frente de algún Comité o de algún Club? ¡Necesitamos su ayuda!

A nombre de todos los maestros y alumnos de la escuela secundaria «Simón Bolívar», ¡sean todos bienvenidos! ¡Los recibimos con los brazos abiertos!

○

UNIDAD 7 Lección 1
Lectura C

Unidad 7, Lección 1
Lectura C

310

¡Avancemos! 3
Cuaderno para hispanohablantes

2 **¿Comprendiste?**

1. ¿Por qué crees que Azucena dijo en su discurso que la escuela será como un segundo hogar para los estudiantes de la nueva generación? Explica tu respuesta. **Possible answer:**

   Los alumnos pasarán mucho tiempo y tendrán experiencias muy agradables en la

   escuela, al igual que en la casa.

2. ¿Cuál es la diferencia entre el Comité de Eventos y la Sociedad Honoraria?

   El Comité de Eventos organiza fiestas, como la graduación. La Sociedad Honoraria

   agrupa a los mejores alumnos y los ayuda a obtener becas en las mejores

   universidades del país.

3. ¿Qué invitación hace Azucena a los alumnos al final del discurso?

   Azucena los invita a integrarse a la comunidad. También los invita a unirse a algún

   comité o club de la escuela.

4. ¿Crees que el discurso de Azucena hubiera convencido a los alumnos de nuevo ingreso de participar en las actividades de la escuela? Explica tu respuesta.

   Possible answer: Sí, el discurso de Azucena los hubiera convencido. El discurso de

   Azucena describe con entusiasmo todas las actividades y les da a los alumnos una

   calurosa bienvenida.

3 **¿Qué piensas?** ¿Alguna vez has escrito o has escuchado un discurso? ¿Cuál fue la respuesta del público? Si nunca has escrito un discurso, ¿qué dirías para convencer al público de que tu escuela es la mejor? Explica tu respuesta. **Answers will vary.**

_____

_____

_____

_____

_____

_____

UNIDAD 7 Lección 1 **Lectura C**

Escritura A

¡AVANZA!	**Goal:** Express past assumptions and emotions.

Se acerca tu graduación y debes escribir para el anuario de tu escuela una breve anécdota de cuando eras niño(a).

1 Para escribir tu anécdota, organiza algunas de tus ideas a continuación: Answers will vary.

¿Qué ocurrió y cómo sucedió?	¿En qué fecha?	¿Quiénes estaban alrededor o cerca?	¿Qué reacciones produjo?

2 Escribe tu anécdota en un párrafo que contenga diez oraciones completas. Asegúrate de que: 1) la información esté bien organizada; 2) la información sea detallada y fácil de comprender; 3) el uso del lenguaje y los verbos sea el adecuado; 4) la ortografía sea correcta.

Answers will vary.

_____

_____

_____

_____

_____

_____

2 Evalúa tu actividad con la siguiente información.

	Crédito máximo	Crédito parcial	Crédito mínimo
Contenido	La información de tu párrafo está bien organizada; la información es detallada y fácil de comprender.	Alguna información de tu párrafo no está bien organizada; le faltan algunos detalles y a veces no es fácil de comprender.	Al párrafo le falta organización; le faltan detalles y no es fácil de comprender.
Uso correcto del lenguaje	El uso del lenguaje y los verbos es el adecuado; la ortografía es correcta.	Tienes algunos problemas con el uso del lenguaje y los verbos; tienes algunos errores de ortografía.	Tienes muchos problemas con el uso del lenguaje y los verbos; tienes muchos errores de ortografía.

UNIDAD 7 Lección 1

Escritura A

Escritura B

¡AVANZA!	**Goal:** Express past assumptions and emotions.

Es el primer día de clases en tu escuela y debes escribir sobre algunas experiencias que tuviste durante tus vacaciones.

1 Para ayudarte escribir sobre tus vacaciones, organiza tus ideas con la siguiente tabla. **Answers will vary.**

¿Qué lugares visitaste?	
¿Quiénes estuvieron contigo?	
¿Qué ocurrió y cómo sucedió?	
¿Te gustó o no te gustó? ¿Por qué?	

2 Con tus ideas, escribe un párrafo sobre tu experiencia con oraciones completas. Asegúrate de escribir con: 1) información clara, ordenada y detallada; 2) buen uso del lenguaje; 3) ortografía correcta. **Answers will vary.**

_____

_____

_____

_____

_____

_____

_____

_____

_____

_____

3 Evalúa tu párrafo con la siguiente información.

	Crédito máximo	**Crédito parcial**	**Crédito mínimo**
Contenido	La información de tu párrafo está bien organizada, es detallada y fácil de comprender.	Alguna información de tu párrafo no está bien organizada, le faltan detalles y a veces no es fácil de comprender.	Al párrafo le faltan organización y detalles; y no es fácil de comprender.
Uso correcto del lenguaje	El uso del lenguaje y los verbos es el adecuado, la ortografía es correcta.	Tienes algunos problemas con el uso de los verbos; tienes algunos errores de ortografía.	Tienes muchos problemas con el uso del lenguaje; tienes muchos errores de ortografía.

UNIDAD 7 Lección 1   **Escritura B**

Escritura C

¡AVANZA!	**Goal:** Express past assumptions and emotions.

Has sido seleccionado para presentar el discurso de despedida en la ceremonia de graduación de tu escuela.

1 Organiza tus ideas sobre lo que le vas a decir a la comunidad escolar. **Answers will vary.**

¿A quiénes va dirigido?	
¿Qué cosas quieres resaltar?	
Escribe tres consejos:	
Una reflexión final para todos:	
Agradecimientos:	

2 Escribe un discurso con tus ideas. Asegúrate de: 1) incluir la información de la Actividad 1; 2) exponer tus ideas de manera clara y organizada; 3) hacer buen uso del lenguaje y de los verbos; 4) usar la ortografía correcta. **Answers will vary.**

_____

_____

_____

_____

_____

_____

_____

_____

3 Evalúa tu discurso con la siguiente información.

	Crédito máximo	**Crédito parcial**	**Crédito mínimo**
Contenido	En tu discurso incluyes la información de la Actividad 1; expones tus ideas de manera clara y organizada.	En tu discurso incluyes alguna de la información de la Actividad 1; tienes errores al exponer tus ideas.	En tu discurso rara vez incluyes información de la Actividad 1; tienes muchos errores al exponer tus ideas.
Uso correcto del lenguaje	Tienes un buen uso del lenguaje y de los verbos; haces un uso correcto de la ortografía.	Tu discurso tiene errores en el uso del lenguaje y de los verbos; tienes errores de ortografía.	Tienes muchos errores en el uso del lenguaje y de los verbos; tienes muchos errores de ortografía.

Cultura A

> **¡AVANZA!** **Goal:** Discover and know people, places, and culture from Venezuela and Colombia.

1 Elige la opción que mejor completa cada oración.

1. Dos ciudades importantes de Colombia son...

a. Bucaramanga y Medellín. **b.** Barranquilla y Maracaibo. **c.** Cali y Caracas.

2. Colombia exportó café por primera vez en...

a. 1828. **b.** 1838. **c.** 1918.

3. La bandera de Venezuela tiene tres colores y siete estrellas. Los colores son...

a. amarillo, azul y rojo. **b.** rojo, verde y azul. **c.** blanco, rojo, y verde.

4. El origen del nombre Venezuela es:

a. pequeña Venezuela. **b.** pequeña Victoria. **c.** pequeña Venecia.

2 Responde brevemente a las siguientes preguntas sobre Colombia y Venezuela.

1. ¿Cuál es la capital de Colombia? ¿Y la de Venezuela?

La capital de Colombia es Bogotá y la de Venezuela es Caracas.

2. ¿Cuáles son algunos platos típicos de Colombia y Venezuela?

Algunos platos típicos de Colombia y Venezuela son las arepas, el sancocho y el plato paisa.

3. ¿Qué programas de la televisión venezolana son populares en muchos países?

Los programas más populares son las telenovelas.

3 ¿Qué evento famoso se celebra en Barranquilla, Colombia? ¿Cuál es su origen? ¿Qué celebraciones culturales hay en tu estado o región? ¿Cuál es su origen? ¿Cuáles son sus características? Escribe el nombre de la celebración y una oración completa sobre cada uno de los aspectos que se indican. **Answers will vary. Possible answers:**

En Barranquilla se celebra un carnaval muy famoso. Es un festival cultural de origen

religioso.

Nombre de la celebración: Arkansas Rice Festival.

Origen: El festival tiene su origen en las fiestas campesinas para celebrar el final de la recolección del arroz.

Fecha de celebración: El evento se celebra cada año el segundo fin de semana de octubre.

En qué consiste: El festival sirve para celebrar y para promocionar el arroz de Arkansas. Hay degustaciones de arroz, desfiles, música, artesanías, elección de reina de las fiestas y muchas diversiones.

Lo más interesante: Algo muy especial del festival es ver trillar el arroz de forma tradicional.

Cultura B

¡AVANZA!	Goal:	Discover and know people, places, and culture from Venezuela and Colombia.

1 Responde brevemente a las siguientes preguntas sobre Venezuela y Colombia.

1. ¿Cómo es la bandera de Venezuela?

La bandera de Venezuela tiene tres colores —amarillo, azul y rojo— y siete estrellas

que representan 7 provincias.

2. ¿Qué celebración colombiana fue declarada Patrimonio de la Humanidad por la UNESCO?

El carnaval de Barranquilla fue declarado por la UNESCO Patrimonio de la Humanidad.

3. Escribe las profesiones de los siguientes personajes.

Venezuela		Colombia	
personaje	profesión	personaje	profesión
Oscar de León	música	Shakira	música
Gabriela Spanic	actuación	Gabriel García Márquez	literatura
Rómulo Gallegos	literatura	Juan Pablo Montoya	automovilismo

2 Responde con oraciones completas a las siguientes preguntas.

1. ¿Dónde nace y dónde termina el río Orinoco?

El Orinoco nace cerca de la frontera entre Venezuela y Brasil y termina en un delta o

conjunto de islas cerca del mar Caribe.

2. Las telenovelas venezolanas son populares incluso fuera de Venezuela. ¿Qué se hace para que otros países puedan trasmitirlas? ¿En qué países son populares?

Las telenovelas se doblan en varios idiomas para poder transmitirlas a otros países.

Además de verse en Latinoamérica y Estados Unidos, se ven en Turquía, Mongolia,

Egipto, Israel y muchos otros países.

3 ¿Qué se celebra en Venezuela el 12 de marzo? ¿Qué celebración hay en tu estado en homenaje a la bandera de Estados Unidos? ¿Cuándo tiene lugar? ¿Cómo se celebra? ¿Qué significado tiene ese día para la comunidad? Escribe cuatro oraciones describiendo esta celebración. **Answers will vary. Possible answer:**

Venezuela celebra el 12 de marzo el Día de Bandera. El 14 de junio se celebra el día de

homenaje a la bandera de Estados Unidos. En mi comunidad es un día muy importante.

Mucha gente participa en los desfiles y los actos para mostrar respeto a la bandera como

símbolo de nuestro país. Hay conciertos y espectáculos en honor de la bandera en los que

participan muchos jóvenes.

UNIDAD 7 Lección 1

Cultura B

Cultura C

| ¡AVANZA! | **Goal:** | Discover and know people, places, and culture from Venezuela and Colombia. |

1 Responde con oraciones completas a las siguientes preguntas sobre Venezuela y Colombia.

1. ¿Cómo es el clima de la región en la que se encuentran Venezuela y Colombia?
   El clima de la región es caliente en la costa y frío en las montañas.

2. ¿Cuál el principal producto de exportación de Colombia? ¿En qué año comenzó a exportarse?
   El principal producto de exportación de Colombia es el café, que empezó a exportarse

   en 1835.

3. ¿Qué es el carnaval de Barranquilla?
   El carnaval de Barranquilla es un festival cultural con orígenes religiosos.

4. ¿Qué reconocimiento otorgó la UNESCO al carnaval de Barranquilla y en qué año?
   La UNESCO declaró el carnaval de Barranquilla como Patrimonio de la Humanidad

   en el año 2003.

2 La historia de un país puede reflejarse en muchas cosas como en su bandera, sus fiestas e incluso su nombre. Responde con oraciones completas a las siguientes preguntas relacionadas con Colombia y Venezuela. Da todos los detalles posibles.

1. Explica el significado o el origen de los nombres de Colombia y Venezuela.
   Colombia recibió su nombre en honor a Cristóbal Colón. Venezuela es un diminutivo de

   pequeña Venecia.

2. ¿Cómo es la bandera venezolana? ¿Qué colores tiene? ¿Qué significan las estrellas de la bandera?
   La bandera venezolana tiene los tres colores primarios: rojo, azul y amarillo. También

   tiene siete estrellas que representan las siete provincias que habían declarado la

   independencia de Venezuela en 1811.

3 ¿Qué quiere decir la frase «Las telenovelas son las ventanas de Venezuela al mundo»? ¿Estás de acuerdo con esta frase? ¿Por qué? ¿Cuáles crees que son las «ventanas de Estados Unidos al mundo»? ¿Por qué? Answers will vary. Possible answer:
   Las telenovelas venezolanas se exportan a países de todo el mundo y a través de ellas, estos

   países conocen Venezuela, sus costumbres, sus gentes y sus ciudades.

   Answers will vary for the second part of the question.

UNIDAD 7 Lección 1 Cultura C

Vocabulario A *Nuevos principios*

> **¡AVANZA!** **Goal:** Discuss future careers and necessary skills.

1 ¿Qué sabes sobre las profesiones? Escribe la letra de la descripción que se relaciona a cada profesión.

1. el (la) abogado(a) __d__   a. las decisiones legales
2. el (la) arquitecto(a) __c__   b. los idiomas
3. el (la) contador(a) __e__   c. los edificios
4. el (la) juez(a) __a__   d. el derecho
5. el (la) traductor(a) __b__   e. la contabilidad
6. el (la) profesor(a) __f__   f. las clases

2 Escribe la palabra correcta para completar las oraciones sobre el trabajo y actividades relacionadas al mismo.

1. Un(a) agente de bolsa puede preparar __un plan financiero__ (un plan financiero / un título).

2. Voy a estudiar computación en una escuela __técnica__ (de gerentes / técnica).

3. Carlos necesita contratar a muchos empleados para su nueva __empresa__ (curso / empresa).

4. Hay fotos de todos los estudiantes en el __anuario__ (anuario / comienzo).

5. Mi hermana es __dueña__ (dueña / enfermera) de su propia empresa.

3 Usa la palabra indicada para escribir oraciones completas sobre las buenas cualidades de profesionales que conoces. **Answers will vary. Possible answers:**

Modelo: animado(a) / relaciones públicas:
Toñita Ruíz, de relaciones públicas, es una señora muy animada.

1. puntual / profesor:
   El profesor Sánchez siempre llega a la clase a tiempo porque es puntual.

2. educado(a) / doctora:
   La doctora Linares es muy educada pues trata muy bien a sus pacientes.

3. honesto(a) / abogada:
   La señora Herrero es una abogada honesta.

4. versátil / peluquero:
   Gerardo es un peluquero muy versátil, pues conoce muchos estilos.

5. eficiente / ingeniero:
   El ingeniero Serrato es muy conocido por ser un hombre eficiente.

UNIDAD 7 Lección 2 Vocabulario A

Vocabulario B *Nuevos principios*

Level 3 Textbook **pp. 420–422**

> **¡AVANZA!** **Goal:** Discuss future careers and necessary skills.

1 La lista de profesiones de Enrique está incompleta. Dile quiénes son los prefesionales que describe.

Modelo: Enseña en una escuela: *Es un(a) profesor(a).*

1. Defiende a los acusados: ___Es un(a) abogado(a).___

2. Se especializa en los asuntos (*matters*) financieros: ___Es un(a) contador(a).___

3. Expresa un idioma en términos de otro: ___Es un(a) traductor(a).___

4. Toma decisiones legales en un tribunal (*court*): ___Es un(a) juez(a).___

5. Trabaja en las construcciones: ___Es un(a) ingeniero(a).___

2 Completa las oraciones para describir las cualidades que deben tener las personas profesionales. **Answers will vary. Possible answers:**

Modelo: Un(a) enfermero(a) necesita ser *eficiente porque tiene mucho que hacer.*

1. Un(a) profesor(a) debe ser ___paciente porque trabaja con niños.___

2. Un(a) contador(a) debe ser ___honesto(a) porque trabaja con el dinero de otras personas.___

3. Un(a) peluquero(a) debe ser ___versátil porque las personas quieren diferentes estilos.___

4. Un agente de bolsa debe ser ___cualificado porque toma decisiones difíciles sobre el dinero.___

5. Un vendedor debe ser ___flexible porque trabaja con el público.___

3 Contesta estas preguntas con oraciones completas. **Answers will vary.**

1. ¿Qué carrera te gustaría seguir?

   _____

2. ¿Por qué te gustaría seguir esa carrera?

   _____

3. ¿Qué carrera no te gustaría seguir?

   _____

4. ¿Por qué no te gustaría seguir esa carrera?

   _____

UNIDAD 7 Lección 2 Vocabulario B

Vocabulario C *Nuevos principios*

> **¡AVANZA!** **Goal:** Discuss future careers and necessary skills.

1 Todos tenemos un talento especial. Identifica con oraciones completas la carrera que debe seguir cada persona.

Modelo: Antonieta es fiable y le gusta cuidar a la gente.
Antonieta debe ser enfermera.

1. Ramón es honesto y se interesa en los números.
   Ramón debe ser contador.

2. Dámaso es paciente y se interesa en los niños.
   Dámaso debe ser profesor.

3. Estrella es flexible y se interesa en los idiomas.
   Estrella debe ser traductora.

4. María es honrada y se interesa en el derecho.
   María debe ser abogada.

5. Vicente es eficiente y se interesa en el diseño.
   Vicente debe ser arquitecto.

2 Eres dueño(a) de una empresa y estás haciendo tu plan anual. Escribe una oración completa con la palabra que se te proporciona para el plan. **Answers will vary. Possible answers:**

1. producto **Necesito mejorar el producto que ofrezco al público.**

2. estrategias **Es esencial tener buenas estrategias para vender mi producto.**

3. plan financiero **Debo tener un plan financiero en caso de que no gane mucho al comienzo.**

4. empleados **Tengo que entrevistar y contratar a tres nuevos empleados.**

5. relaciones públicas **Es importante llamar a una agencia de relaciones públicas para los anuncios.**

3 Contesta estas preguntas personales en un párrafo de al menos cinco oraciones completas. Usa el vocabulario de la lección. **Answers will vary. Possible answers:**

1. ¿Qué carrera quieres seguir?

2. ¿Qué título quieres ganar (licenciatura, maestría, doctorado)?

3. ¿En qué vas a especializarte en la universidad o la escuela técnica?

4. ¿Cuál es la característica que más te gusta de ti mismo(a)?
   Yo quiero obtener un doctorado. Me gustaría ser médico. Soy una persona educada.

Vocabulario adicional

¡AVANZA!	**Goal:** Expand your vocabulary with common *siglas*.

Las siglas en español

Las siglas son palabras que se forman con las letras iniciales de una expresión compleja. Por ser tan cortas son muy útiles cuando escribes o hablas. Fíjate que las letras se escriben con mayúscula. Aquí tienes algunos ejemplos:

Significado en español	Significado en inglés
ONU (Organización de Naciones Unidas)	UN (United Nations)
CEE (Comunidad Económica Europea)	EEC (European Economic Community)
OVNI (Objeto Volador No Identificado)	UFO (unidentified flying object)
SIDA (Síndrome de Inmunodeficiencia Adquirida)	AIDS (acquired immune deficiency syndrome)
OTAN (Organización del Tratado del Atlántico Norte)	NATO (North Atlantic Treaty Organization)

1 Escribe cinco oraciones completas con las siglas que se te indican. **Answers will vary. Possible answers:**

1. ONU _La oficina central de la ONU está en Nueva York._

2. OVNI _No se han encontrado evidencias que comprueben la existencia de los OVNIS._

3. CEE _La CEE tomó la decisión de usar el euro en casi toda Europa._

4. SIDA _Los científicos continúan buscando una cura contra el SIDA._

5. OTAN _Francia es un miembro de la OTAN._

2 Ahora te toca a ti. Escribe cuatro siglas que conozcas. Pueden ser en español o en inglés, pero en ambos casos escribe su significado en español. **Answers will vary.**

_____

_____

_____

_____

_____

UNIDAD 7 Lección 2 Vocabulario adicional

Gramática A *Si clauses*

> ¡AVANZA! **Goal:** Use **si** clauses to talk about hypothetical situations.

1 Escribe la letra de cada frase que mejor completa cada oración.

1. Si llamo a mis padres, __e__

2. Si ellos fueran arquitectos, __a__

3. Si tienes tiempo, __b__

4. Si Juan tuviera su propia empresa, __c__

5. Si ellos visitan el monumento, __d__

a. construirían un edificio moderno en el centro.

b. me acompañarás a la peluquería.

c. haría un plan financiero.

d. tomarán muchas fotos.

e. les hablaré de mis planes profesionales.

2 Completa las siguientes oraciones con la forma correcta de los verbos en paréntesis.

1. Si pudieras viajar a un lugar exótico, ¿adónde _____irías_____ (ir)?

2. Si Juan tiene tiempo mañana, _____visitará_____ (visitar) los monumentos.

3. Si nosotros _____tuviéramos_____ (tener) más dinero, podríamos comprar un auto nuevo.

4. Si ustedes van a la biblioteca, _____verán_____ (ver) una exhibición de arte moderno.

5. Si ellos fueran traductores, _____hablarían_____ (hablar) más de un idioma.

3 Escribe oraciones completas para describir qué harían las siguientes personas en cada situación.

Modelo: yo / tener más tiempo libre / poder leer más libros
Si yo tuviera más tiempo libre, podría leer más libros.

1. Edgardo / tener un millón de dólares / comprar la casa de sus sueños
Si Edgardo tuviera un millón de dólares, compraría la casa de sus sueños.

2. yo / ser presidente / cambiar las leyes
Si yo fuera presidente, cambiaría las leyes.

3. tú / poder ir a una isla tropical / ir a Hawai
Si tú pudieras ir a una isla tropical, irías a Hawai.

4. Los señores Álvarez / viajar a otro país / ir a Rusia
Si los señores Álvarez viajaran a otro país, irían a Rusia.

5. Ángelica / ser arquitecta / construir un rascacielos
Si Ángelica fuera arquitecta, construiría un rascacielos.

Gramática B   *Si clauses*

Level 3 Textbook pp. 423–427

¡AVANZA!	**Goal:** Use **si** clauses to talk about hypothetical situations.

1 Escribe oraciones para decir cómo sería la vida de estas personas si fueran diferentes.

Modelo: Guillermo / estudiar más / sacar buenas notas.

Si Guillermo estudiara más, sacaría buenas notas.

1. tú / comer más frutas / estar más saludable

Si tú comieras más frutas, estarías más saludable.

2. nosotros / dormir ocho horas / no estar tan cansados

Si nosotros durmiéramos ocho horas, no estaríamos tan cansados.

3. yo / trabajar a tiempo completo / tener más dinero

Si yo trabajara a tiempo completo, tendría más dinero.

4. Ustedes / establecer una empresa / ser los dueños

Si ustedes establecieran una empresa, serían los dueños.

2 Soñaste con las siguientes situaciones. Completa cada oración.

1. Si tuviéramos dos semanas de vacaciones, _____ *Answers will vary but should include conditional.*

2. Si voy al centro, _____ *Answers will vary but should include future tense.*

3. Si mis amigos y yo fuéramos famosos, _____ *Answers will vary but should include conditional.*

4. Si tuviera mi propia empresa, _____ *Answers will vary but should include conditional.*

5. Si yo fuera abuelo(a), _____ *Answers will vary but should include conditional.*

3 Lee lo que les pasó a las siguientes personas. Después escribe una oración completa para describir qué pasaría si la situación fuera diferente. **Answers will vary. Possible answers:**

Modelo: Juan no sacó una A en su examen.

Si tuviera más tiempo para estudiar, sacaría mejores notas.

1. Elisa no ganó la lotería.

Si Elisa ganara la lotería, dejaría su trabajo.

2. Carlos no encontró su chaqueta.

Si Carlos encontrara su chaqueta, no tendría frío.

3. Nosotros no conocimos a nuestro deportista favorito.

Si conociéramos a nuestro deportista favorito, nos tomaríamos muchas fotos con él / ella.

4. Mis amigos no van a la playa este verano.

Si ellos fueran a la playa este verano, se divertirían.

UNIDAD 7 Lección 2   Gramática B

Gramática C *Si clauses*

¡AVANZA! **Goal:** Use **si** clauses to talk about hypothetical situations.

① Escribe oraciones para decir lo que estas personas harían en cada situación.

Modelo: Carolina quiere llamar a Leticia por teléfono pero no tiene su número.
Si Carolina tuviera el número de teléfono de Leticia, la llamaría.

1. Clara quiere ir al museo pero no tiene tiempo.
Si Clara tuviera tiempo, iría al museo.

2. Marta y José quieren comprar un auto nuevo pero no tienen suficiente dinero.
Si ellos tuvieran suficiente dinero comprarían un auto nuevo.

3. Tú quieres dormir la siesta pero tienes demasiado trabajo.
Si no tuvieras demasiado trabajo, dormirías la siesta.

4. Nosotros queremos quedarnos en casa pero tenemos que ir a la escuela.
Si no tuviéramos que ir a la escuela, nos quedaríamos en casa.

5. Yo quiero relajarme, pero estoy estresada.
Si no estuviera estresada, me relajaría.

② Contesta las preguntas sobre lo que harías en cada situación. Escribe oraciones completas.
Answers will vary. Possible answers:
1. ¿Qué harías si fueras dueño(a) de tu propia empresa?
Si fuera dueño de mi propia empresa, contrataría a gente inteligente.

2. ¿Qué harías si no tuvieras que preocuparte por el dinero?
Si no tuviera que preocuparme por el dinero, viajaría mucho.

3. ¿A quién conocerías si pudieras conocer a alguien famoso?
Conocería a Michael Jordan porque lo admiro.

4. ¿Qué harías si te quedaras en casa?
Vería la televisión toda la tarde.

③ Estás montando una campaña para ser presidente del comité estudiantil de tu escuela. Escribe
cinco oraciones completas para decir lo que harías si fueras presidente.

_____

_____

_____

_____

_____

Gramática C UNIDAD 7 Lección 2

Gramática A *Sequence of tenses*

> **¡AVANZA!** **Goal:** Practice sequence of tenses for verbs in the indicative and subjunctive to talk about what you want or wanted others to do.

1 Indica con una X si las siguientes oraciones sobre una fiesta de cumpleaños están en el presente o en el pasado.

	Presente	Pasado
Modelo: Yo le dije que viniera a las ocho en punto.		X
1. Nosotros esperábamos que salieran antes de medianoche.		X
2. Era importante que me hubieran felicitado.		X
3. Insisto en que compres el regalo.	X	
4. Ellos han pedido que traigamos el pastel.	X	
5. Es probable que la fiesta sea muy divertida.	X	

2 Completa las siguientes oraciones con la forma correcta de los verbos en paréntesis.

1. El papá de Mía quiso que ella ___*estudiara*___ (estudiar) medicina.

2. Mis padres insisten en que yo ___*me especialice*___ (especializarse) en ingeniería.

3. Será mejor que nosotros ___*nos graduemos*___ (graduarse) con honores.

4. Estoy feliz de que ellos ___*contraten / hayan contratado*___ (contratar) a un buen contador.

5. El profesor prohibió que nosotros ___*usáramos*___ (usar) los libros durante el examen.

3 Escribe oraciones para describir lo que quería la gente antes y lo que prefiere ahora.

Modelo: mis hermanos / antes: yo comprarle muchos regalos / ahora: yo pasar más tiempo con ellos

Antes mis hermanos querían que yo les comprara muchos regalos, pero ahora prefieren que yo pase más tiempo con ellos.

1. Mi familia / antes: nosotros participar en muchas actividades / ahora: nosotros seguir una carrera interesante

___Antes mi familia quería que nosotros participáramos en muchas actividades, pero ahora prefieren que sigamos una carrera interesante.___

2. Yo / antes: mi hermana sacar buenas notas / ahora: mi hermana graduarse con honores

___Antes yo quería que mi hermana sacara buenas notas, pero ahora prefiero que mi hermana se gradúe con honores.___

UNIDAD 7 Lección 2 Gramática A

Gramática B *Sequence of tenses*

Goal: Practice sequence of tenses for verbs in the indicative and subjunctive to talk about what you want or wanted others to do.

1 Encierra con un círculo la opción que mejor completa cada oración.

1. Fue bueno que Juan...

   a. tiene cuatro clases más antes de graduarse.

   b. tenga cuatro clases más antes de graduarse.

   (**c.**) hubiera tenido cuatro clases más antes de graduarse.

   d. haya tenido cuatro clases más antes de graduarse.

2. Los profesores quieren que los alumnos...

   a. fueron a la universidad.

   (**b.**) vayan a la universidad.

   c. van a la universidad.

   d. fueran a la universidad.

3. Es probable que los dueños de las empresas...

   a. hubieran tenido que aprender mucho.

   b. tuvieran que aprender mucho.

   c. han tenido que aprender mucho.

   (**d.**) hayan tenido que aprender mucho.

4. Ojalá que yo...

   a. puedo estudiar lo que quiero.

   b. podría estudiar lo que quiero.

   (**c.**) pueda estudiar lo que quiero.

   d. podré estudiar lo que quiero.

2 Escribe de nuevo las siguientes oraciones sobre las especializaciones. Si la oración está en el pasado, escríbela de nuevo en el presente. Si la oración está en el presente, escríbela en el pasado. **Answers will vary. Possible answers:**

Presente	Pasado
Modelo: *Prefieren que ellos contraten a un contador.*	Preferían que ellos contrataran a un contador.
1. Insisto en que el jefe pague bien al traductor.	**Insistí en que el jefe pagara bien al traductor.**
2. Es improbable que Alfredo saque malas notas en la escuela.	Era improbable que Alfredo hubiera sacado malas notas en la escuela.
3. Te recomiendo que te establezcas como gerente de la empresa.	**Te recomendé que te establecieras como gerente de la empresa.**
4. Ojalá que Alina se haya especializado en la informática.	Ojalá que Alina se hubiera especializado en la informática.

UNIDAD 7 Lección 2

Gramática B

Gramática C *Sequence of tenses*

> **¡AVANZA!** **Goal:** Practice sequence of tenses for verbs in the indicative and subjunctive to talk about what you want or wanted others to do.

1 El Señor Martínez les habla a los alumnos durante una reunión de orientación profesional. Completa el párrafo de sus consejos con el tiempo y la forma correctos de los verbos en paréntesis.

Espero que ustedes **1.** ___*hayan tenido*___ (tener) una orientación profesional interesante. A partir de ahora, les aconsejo que **2.** ___*investiguen*___ (investigar) las carreras antes de tomar decisiones. Cuando yo era joven no era usual que todos **3.** ___*tomaran*___ (tomar) las decisiones de su carrera tan temprano. Sin embargo, mis padres insistían en que yo **4.** ___*decidiera*___ (decidir), pero yo prefería esperar. Por eso yo les sugiero a ustedes que **5.** ___*piensen*___ (pensar) en sus objetivos profesionales con anticipación.

2 Completa las oraciones sobre las aspiraciones y proyectos profesionales. Usa el vocabulario de la lección y el verbo entre paréntesis. **Answers will vary. Possible answers:**

1. Ahora, para establecer una empresa, es necesario que... (tener)

___la empresa tenga un buen plan financiero.___

2. Para la graduación sería bueno que... (poder)

___toda la familia pudiera asistir.___

3. Por ahora es importante que... (tomar)

___tomemos las decisiones con calma.___

4. En diez años será imprescindible que... (estudiar)

___la gente haya estudiado mucho para estar preparada para su carrera.___

5. Las universidades buenas exigían que... (seguir)

___los alumnos siguieran un plan académico difícil.___

3 Escribe cinco oraciones sobre cómo sería tu vida si pudieras establecer tu propia empresa. Ten en cuenta las siguientes preguntas: ¿Qué características insistirías que tuvieran tus empleados? ¿Qué les recomendarías que hicieran los que quieren solicitar empleo? ¿Qué harías si fueras el/la directora(a) de la empresa? **Answers will vary.**

_____

_____

_____

_____

_____

Gramática adicional   *Errores comunes con los verbos*

> **¡AVANZA!**   **Goal:**   Identify common errors made with verbs.

Hay varios errores comunes que se cometen con algunos verbos en español.
Mira los siguientes ejemplos:

Incorrecto:	Correcto:
1. Busco para mi suéter.	Busco mi suéter.
2. Esperamos por el autobús.	Esperamos el autobús.
3. Juan escucha a la música.	Juan escucha la música.
4. Me recuerdo que tengo un examen mañana.	Me acuerdo que tengo un examen mañana. Recuerdo que tengo un examen mañana.

1 Indica con una X si las siguientes oraciones son correctas o incorrectas.

	Correcta	Incorrecta
1. ¿Te recuerdas del número de teléfono de Juan?		X
2. Recuérdame del cumpleaños de Marcos.	X	
3. Pregunté por Juan.	X	
4. Le pregunté por 5 dólares.		X
5. Escuchamos a mi madre.	X	

2 Escribe las siguientes oraciones de nuevo con el uso correcto del verbo.

Modelo: Escuchamos a la radio.
   Escuchamos la radio.

1. No me recuerdo si la fiesta es hoy o mañana.
   No recuerdo si la fiesta es hoy o mañana.
   _____

2. Todos los días esperamos por el autobús.
   Todos los días esperamos el autobús.
   _____

3. Tienes que buscar para tus guantes.
   Tienes que buscar tus guantes.
   _____

4. ¿Cuánto dinero preguntaste por?
   ¿Cuánto dinero pediste?
   _____

UNIDAD 7 Lección 2
Gramática adicional

Conversación simulada

> **¡AVANZA!** **Goal:** Respond to a conversation hypothesizing about career possibilities.

Vas a participar en una conversación telefónica simulada con el señor Pedroza, un consejero estudiantil. Primero, lee el bosquejo de la conversación que aparece en la página. Luego, escucha el audio. Tú sólo oirás lo que te dice el señor Pedroza. Entonces escucha el audio de nuevo. Esta vez participarás en la conversación. Responde de forma oral a lo que te dice el señor Pedroza. Una señal te indicará cuando te toque a ti hablar.

[phone rings]

Tú: Contesta el teléfono y pregunta quién llama.

El señor Pedroza: (Él responde y te saluda.)

Tú: Tú le respondes y le preguntas el motivo de su llamada.

El señor Pedroza: (Él te responde y te hace una pregunta.)

Tú: Dile por qué no quieres ser veterinario.

El señor Pedroza: (Él te responde y te pide tu opinión.)

Tú: Respóndele y pregunta si hay otras opciones.

El señor Pedroza: (Él te responde y te pregunta qué piensas.)

Tú: Contéstale y dile lo que realmente quieres hacer.

El señor Pedroza: (Él responde y se despide.)

Tú: Despídete y cuelga.

Integración: Escribir

> **¡AVANZA!** **Goal:** Respond to written and oral passages about job interviews.

Lee la siguiente página web que te dice qué cosas no hacer para tener una entrevista de trabajo exitosa.

Fuente 1 Leer

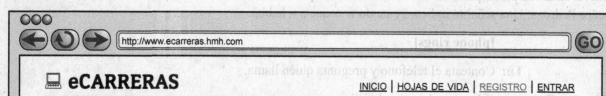

eCARRERAS

INICIO | HOJAS DE VIDA | REGISTRO | ENTRAR

http://www.ecarreras.hmh.com

Las 10 tragedias más comunes en las entrevistas de trabajo

1. Vestirse de manera informal.
2. Llegar tarde.
3. Saludar con un beso.
4. Moverse demasiado en la silla.
5. Sacar el pañuelo para limpiarse el sudor de la frente.
6. Olvidar copias de tu currículum.
7. No hacer preguntas sobre el trabajo o la empresa.
8. Anunciar que el salario es muy bajo.
9. Hacer preguntas personales a los entrevistadores.
10. No preguntar cuándo tomarán una decisión.

Ahora vas a escuchar el mensaje que Carola Henríquez le dejó a su esposo. Toma notas. Luego completa la actividad.

Fuente 2 Escuchar

HL CD 2, tracks 23–24

¿Qué consejos le darías a Carola para su próxima entrevista? Escríbele una nota electrónica diciéndole las cosas que hizo mal y lo que debe hacer para prepararse mejor. **Answers will vary.**

_____

_____

_____

_____

_____

_____

_____

_____

Lectura A

| ¡AVANZA! | **Goal:** Read about career possibilities. |

1 Lee el siguiente artículo sobre la elección de una carrera profesional. Luego responde a las preguntas de comprensión.

Si yo fuera rico...
Silvia Toledo

A veces pensamos que para ser ricos necesitamos ganar el premio mayor de la lotería o encontrar la gallina de los huevos de oro. Sin embargo, ser «ricos» es algo que puede estar al alcance de nuestras manos si tomamos las decisiones correctas.

Muchas personas no trabajan al ciento por ciento en sus empleos porque no están motivados o porque no les gustan sus trabajos. Esta situación se originó en uno de los momentos más importantes de nuestra vida: la elección de nuestra carrera profesional. La mayoría de los jóvenes que asisten a cursos de orientación profesional tienen que tomar esta decisión cuando aún son muy jóvenes y no cuentan con toda la información necesaria. El resultado: toman malas decisiones que afectan toda su vida.

El primer paso para elegir una carrera es conocerse bien a uno mismo: ¿Cómo soy? ¿Prefiero el trabajo aislado en una oficina? ¿Qué es lo que me apasiona? El segundo paso es conocer a profesionales que se desempeñen con éxito en sus trabajos. Si analizamos lo que hacen y en qué se han especializado, podemos tener una idea más clara de lo que queremos y no queremos hacer. Recuérdelo: si muchas de las personas que conocemos hubieran elegido bien su carrera, ahora serían ricos en dinero y en satisfacciones. Invierta un poco de tiempo en elegir su carrera, ¡vale la pena!

2 **¿Comprendiste?** Responde a las siguientes preguntas con oraciones completas. **Answers will vary. Possible answers:**

1. Según la autora de este artículo, ¿quién es un profesional «rico»?
   Un profesional «rico» es el que trabaja en lo que le gusta.

2. ¿Por qué muchos profesionales no trabajan motivados o no les gustan sus trabajos?
   Estos profesionales no contaron con la información necesaria para elegir su carrera.

3. ¿Cuáles son los dos pasos para elegir una carrera?
   El primer paso es conocerse bien uno mismo. El segundo paso es conocer a
   profesionales que se desempeñen con éxito en sus trabajos.

3 **¿Qué piensas?** ¿Alguna vez has tenido un problema por tomar una mala decisión? ¿Cuáles fueron las consecuencias de esa decisión que tomaste? Escribe un breve párrafo en el que narres lo que pasó y cómo podías haberlo evitado. **Answers will vary.**

_____

_____

_____

_____

Lectura B

¡AVANZA!	**Goal:** Read about career possibilities.

1 ¿Crees en el destino? Lee este cuento breve de Soledad Montoya. Luego contesta las siguientes preguntas.

Volver a palacio

Susana Acosta y Álvaro Herrera se conocieron en Caracas aunque los dos vivían en Valencia. Habían viajado a la capital a conocer al presidente de la república en el Palacio de Miraflores. Ahí, recibieron una medalla al mérito por ser estudiantes distinguidos de sus respectivas universidades. Nadie los presentó, apenas se vieron el uno al otro en la ceremonia. Sin embargo, al día siguiente se encontraron en la estación de autobuses. Él la ayudó a subir el equipaje, se sentaron juntos y conversaron todo el viaje. Primero, hablaron de los lugares de la capital que más les habían gustado. A Álvaro le había encantado El Capitolio y El Museo de Arte Colonial Quinta Arauco. Susana dijo que sus favoritos eran la Basílica de Santa Teresa y el Paseo El Calvario. Los dos dijeron que si hubieran tenido tiempo, habrían ido juntos a la Catedral de Caracas. Susana le contó a Álvaro que había estudiado para ser abogada y que su sueño era convertirse en juez. Álvaro acababa de terminar la carrera de contabilidad. Quería especializarse en planes financieros y establecer una firma de agentes de bolsa eficiente y fiable. Cuando llegaron a Valencia intercambiaron tarjetas de negocios, animados y deseosos de volver a verse. Veinticinco años más tarde, Álvaro y Susana regresaron al Palacio de Miraflores. Venían a acompañar a su hija Daniela, quien había sido seleccionada por la Universidad de Carabobo para visitar al presidente de la república. Daniela se había graduado de médica y había obtenido su título con honores. Tomados de la mano y muy satisfechos, Álvaro y Susana recordaron aquella vez en que apenas intercambiaron miradas mientras paseaban por ese hermoso lugar.

---

2 **¿Comprendiste?** Responde a las siguientes preguntas con oraciones completas: **Answers will vary. Possible answers:**

1. ¿Qué clase de estudiantes eran invitados a conocer al presidente de Venezuela?

Los mejores alumnos de cada universidad eran invitados a conocerlo.

2. ¿Qué tenían en común Susana Acosta y Álvaro Herrera cuando se conocieron?

Ambos eran estudiantes distinguidos y tenían muchos planes para sus carreras

profesionales. Además, pensaban que Caracas era una de las ciudades más hermosas.

3. ¿Qué pasó después de que Susana y Álvaro intercambiaron sus tarjetas de negocios?

Susana y Álvaro volvieron a verse y comenzaron a conocerse. Tal vez después se hicieron

novios y se casaron.

3 **¿Qué piensas?** ¿Conoces alguna pareja que se haya conocido mientras estudiaba o en un viaje de estudios? Escribe cómo se conocieron. Si no conoces a ninguna de estas parejas, ¿crees que este cuento podría haber pasado en la vida real? Explica tu respuesta. **Answers will vary.**

Lectura B UNIDAD 7 Lección 2

Lectura C

> **¡AVANZA!**   **Goal:**   Read about career possibilities.

1 Margarita Saldaña va a inaugurar su agencia de relaciones públicas. Lee esta conversación entre ella y Miguel Robles, su asistente. Luego responde a las preguntas de comprensión.

MARGARITA:	Bueno, el gran día se acerca. La inauguración de nuestra agencia debe ser el evento del año. Lo primero que tenemos que hacer es la lista de invitados. Vamos a hacerla juntos.
MIGUEL:	¡Listo! ¿A quién vamos a invitar?
MARGARITA:	En primer lugar, a Rosario Martínez. Es una mujer de negocios muy conocida en Miami. Además, vendrá con su amigo Poncho Torres, quien es el dueño de muchas empresas del estado.
MIGUEL:	Muy bien. ¿Qué te parece si invitamos a Tony Mercado? Su despacho de arquitectos es muy famoso. Acaba de regresar de Boston de especializarse en la construcción de rascacielos.
MARGARITA:	¡Fabuloso! Anota también a Fernando Tavares, el peluquero. Conoce a toda la ciudad. Es uno de los artistas más versátiles que conozco. Además de atender su estética, también diseña vestidos de novia.
MIGUEL:	¡No lo sabía! Esta fiesta será todo un éxito. ¿A quién más debemos invitar?
MARGARITA:	Bueno, a la contadora Tita Alonso, por supuesto. Quiero que su despacho lleve la contabilidad de la agencia. Su honestidad es de todos conocida. Además, ella es una mujer educada y encantadora.
MIGUEL:	¡Yo también había pensado en ella! Si dejamos a alguien importante fuera de la fiesta, perderemos muchos contactos.
MARGARITA:	Anota también a Marina Arévalo, mi dentista. Ella siempre hace que las fiestas estén muy animadas.
MIGUEL:	¿Qué te parece si invitamos a Roy Carrillo, el agente de bolsa? Podemos decirle que traiga a unos cuantos amigos de su agencia de finanzas. Así las chicas tendrán con quien bailar.
MARGARITA:	¡Excelente idea! ¡Ya quiero que llegue el día de la fiesta! Si no te hubiera pedido consejo, me habría olvidado de muchísima gente.
MIGUEL:	Para eso estamos los amigos. Además, me apasionan las fiestas.
MARGARITA:	Además eres un asistente muy eficiente. Siempre estás muy motivado y tomas la iniciativa.
MIGUEL:	Es que mi trabajo me encanta. ¡Soy muy afortunado!

2 **¿Comprendiste?** Responde a las siguientes preguntas.

1. ¿Qué quieren hacer Margarita y Miguel para que su fiesta sea el evento del año?

Margarita y Miguel quieren invitar a mucha gente importante y conocida en Miami.

2. ¿Por qué crees que Margarita menciona en primer lugar a Rosario Martínez?

Margarita menciona en primer lugar a Rosario Martínez porque es una mujer de

negocios muy conocida en Miami. Además, invitará a Poncho Torres, quien es dueño de

muchas empresas en el estado.

3. ¿Por qué pensaron Margarita y Miguel que Tita Alonso debería llevar la contabilidad de la agencia?

Tita Alonso es una persona muy conocida por su honestidad.

4. ¿Por qué piensa Miguel que es muy afortunado?

Miguel piensa que él es muy afortunado porque trabaja en algo que le encanta.

3 **¿Qué piensas?** ¿Alguna vez has organizado una fiesta? ¿A qué tipo de gente invitarías si tuvieras que organizar una fiesta? ¿Por qué? Explica tus respuestas. **Answers will vary.**

UNIDAD 7 Lección 2

Lectura C

Escritura A

> **¡AVANZA!** **Goal:** Write about career possibilities.

Una estación de radio muy popular en Bogotá ha sorteado entre sus oyentes un viaje para dos personas, con todos los gastos pagados, al Carnaval de Barranquilla.

1 Ganaste el concurso. Ahora viene lo más difícil: convencer a tus padres que te den permiso de ir con uno de tus hermanos(as) o de tus amigos(as). Para evitar los nervios, has decidido escribir el borrador de un discurso que les dirás hoy después de la cena. **Answers will vary.**

Razones para ir al Carnaval de Barranquilla	Cosas buenas que he hecho o haré en el futuro
1.	1.
2.	2.
3.	3.

2 Usa la información anterior para escribir un discurso que contenga al menos cinco argumentos para convencer a tus padres a que te den permiso de ir. Asegúrate de:
1) Usar el condicional, por ejemplo: Si ustedes me dejaran ir, yo les prometería llamarlos todas las noches; 2) escribir oraciones claras, completas y lógicas y 3) hacer un uso correcto del lenguaje y de la ortografía.

    Answers will vary.

_____

_____

_____

_____

_____

_____

3 Evalúa tus argumentos con la siguiente información:

	Crédito máximo	Crédito parcial	Crédito mínimo
Contenido	Usaste el condicional en tus argumentos. Escribiste oraciones claras, completas y lógicas.	No usaste el condicional en todos tus argumentos. Algunas oraciones no son claras, completas o lógicas.	No usaste el condicional en tus argumentos. Tus oraciones no son claras, completas ni lógicas.
Uso correcto del lenguaje	Hiciste un uso correcto del lenguaje y de la ortografía.	Tuviste algunos errores en el uso del lenguaje y de la ortografía.	Tienes muchos errores en el uso del lenguaje y de la ortografía.

UNIDAD 7 Lección 2 Escritura A

Escritura B

¡AVANZA!	**Goal:** Write about career possibilities.

Quieres solicitar una beca en una universidad de Barquisimeto en Venezuela. Haces una búsqueda en Internet y encuentras que como requisito debes escribir un ensayo corto sobre la carrera que te gustaría estudiar.

1 Para empezar, escribe de tres carreras que más te gusten. Escribe dos argumentos en cada una sobre por qué las estudiarías. **Answers will vary.**

Carreras	Argumentos
	Argumento 1:
	Argumento 2:
	Argumento 1:
	Argumento 2:
	Argumento 1:
	Argumento 2:

2 Ahora escoge la carrera que más te llama la atención y escribe el ensayo corto. Asegúrate de: 1) escoger la carrera de acuerdo con los mejores argumentos; 2) hacer oraciones claras y completas; 3) escribir el ensayo con una introducción, un desarrollo y una conclusión; 4) hacer un uso apropiado del lenguaje y de los verbos y 5) usar la ortografía correcta.

Answers will vary.

_____

_____

_____

_____

3 Evalúa tu ensayo con la siguiente información:

	Crédito máximo	**Crédito parcial**	**Crédito mínimo**
Contenido	Usaste buenos argumentos al describir tu carrera. Escribiste oraciones claras y completas. En el ensayo se reconocen la introducción, el desarrollo y la conclusión.	Pudiste tener mejores argumentos al escoger tu carrera. Algunas oraciones no son claras o completas. Al ensayo le falta una de estas partes: introducción, desarrollo o conclusión.	No usaste argumentos lógicos para escoger tu carrera. En general, las oraciones no son claras ni completas. En el ensayo no se identifican estas partes: introducción, desarrollo y conclusión.
Uso correcto del lenguaje	Tuviste un uso apropiado del lenguaje y de los verbos. Usaste la ortografía correcta.	Tuviste algunos errores en el uso del lenguaje y de los verbos. Tuviste algunos errores de ortografía.	Tuviste muchos errores en el uso del lenguaje y de los verbos. Tuviste muchos errores de ortografía.

UNIDAD 7 Lección 2

Escritura B

Escritura C

¡AVANZA!	**Goal:** Write about career possibilities.

Colombia tiene universidades muy reconocidas. Hay muchas ofertas de carreras y profesiones para solicitar en el país.

1 Escoge una profesión que te gustaría estudiar en Colombia. Completa el cuadro con la información necesaria. **Answers will vary.**

Profesión	
Cualidades importantes	
Requisitos	
Trabajo a realizar	

2 Con la información anterior, elabora un anuncio en el que una empresa exitosa busque a un profesional de la carrera que elegiste. El éxito de tu anuncio depende de: 1) que incluyas la información que organizaste en el punto anterior e información adicional; 2) que las frases sean claras, completas y lógicas; 3) que la información sea importante y que esté organizada; 4) que hagas un buen uso de los verbos y 5) que uses la ortografía correcta.

Answers will vary.

_____

_____

_____

_____

3 Evalúa tu anuncio de trabajo con la siguiente información:

	Crédito máximo	**Crédito parcial**	**Crédito mínimo**
Contenido	Utilizaste la información del punto uno e información adicional. Las oraciones son claras, completas y lógicas. Además la información es importante y organizada.	Utilizaste alguna información del punto uno e información adicional. Algunas oraciones no son claras ni lógicas. Algunos detalles de tu anuncio no son importantes y no están organizados.	No usaste la información del punto uno o información adicional. En general, las oraciones no son claras ni lógicas. No hay detalles en tu anuncio.
Uso correcto del lenguaje	Hiciste un buen uso de los verbos y de la ortografía.	Tuviste algunos errores con el uso de los verbos. Tuviste algunos errores de ortografía.	Tuviste muchos errores con el uso de los verbos. Tuviste muchos errores de ortografía.

Cultura A

> **¡AVANZA!** **Goal:** Discover and know people, places, and culture from Colombia.

❶ Indica si las siguientes afirmaciones son ciertas (C) o falsas (F). Si son falsas, escribe la forma correcta.

1. __C__ Venezuela logró su independencia en 1811.
_____

2. __F__ Colombia fue una colonia española desde el siglo XV hasta el XIX.
Colombia fue una colonia española desde el siglo XVI hasta el XIX.

3. __F__ La primera universidad de Colombia se estableció en Bogotá.
La primera universidad de Colombia se estableció en Bucaramanga.

4. __C__ Una característica de la obra de Botero es el uso de formas exageradas.
_____

5. __F__ El tema principal de la obra de Botero son escenas fantásticas.
El tema principal de la obra de Botero son retratos de personas.

❷ Responde de forma breve a las siguientes preguntas sobre Colombia y su cultura.

1. ¿Qué hicieron los colonos españoles en Colombia para que sus hijos no tuvieran que viajar a Europa para estudiar?
Los colonos fundaron escuelas y universidades.

2. Además de cuadros, ¿qué otro tipo de obras artísticas hace Botero?
Además de cuadros, Botero hace esculturas.

3. ¿Cuáles son algunas profesiones que Botero representa en su obra?
Botero representa a militares, políticos, hombres de negocios, peluqueros y jardineros.

❸ Describe el *Autorretrato* de Fernando Botero. ¿Cómo es el cuadro? ¿Cómo se representa a sí mismo el autor? ¿Qué formas usa? Escribe tres oraciones para describirlo. Luego explica si este cuadro está dentro del estilo general de su autor. **Answers will vary. Possible answers:**

El cuadro: **En este cuadro el autor se representa a sí mismo pintando. Las únicas imágenes que hay en el cuadro son el artista, el lienzo y los útiles de pintura. Botero se pinta a sí mismo con formas exageradas y redondas.**

Su estilo: **El estilo de este cuadro es como el del resto de su obra: representa personas de distintas profesiones y las formas son voluminosas y exageradas.**

Cultura B

> **¡AVANZA!** **Goal:** Discover and know people, places, and culture from Colombia.

1 Responde de forma breve a las siguientes preguntas.

1. ¿En qué año consiguió la independencia Colombia?

Colombia se independizó en 1819.

2. ¿Cuál es el tema principal de las pinturas de Botero?

El tema central de las pinturas de Botero es la gente de su país.

3. ¿Por qué Botero usa formas exageradas en las figuras que representa en su obra?

A Botero le gustan estas formas de gran volumen.

2 Responde con oraciones completas a las siguientes preguntas sobre la educación en Colombia.

1. En la época de la colonia, ¿qué hicieron los colonizadores en Colombia para que sus hijos no viajaran a Europa a estudiar?

Los colonizadores fundaron buenas escuelas y universidades.

2. ¿Cuál es uno de los objetivos actuales de los directores de la Universidad de Santo Tomás?

Uno de los objetivos de los directores es que la universidad siga ofreciendo una gran

variedad de programas académicos.

3 ¿Cuál es la universidad más antigua de Colombia? Y en los Estados Unidos, ¿cuál es la universidad más antigua de tu estado o región? ¿Cuáles son algunos de los programas académicos que ofrece? ¿Por qué es famosa o conocida esa universidad? Responde en un párrafo breve. Answers will vary. Possible answer:

La universidad más antigua de Colombia es la Universidad de Santo Tomás. En mi estado,

Massachusetts, la universidad más antigua es Harvard, que es también la universidad

más antigua del país. Harvard ofrece, entre otros, estudios de arte, ciencias, medicina,

salud pública, educación, teología, política y derecho. Esta universidad es famosa por su

antigüedad, por el prestigio que ha logrado a lo largo de su historia y por las personas

influyentes que han estudiado allí.

UNIDAD 7 Lección 2 Cultura B

Cultura C

| ¡AVANZA! | **Goal:** Discover and know people, places, and culture from Colombia. |

1 Responde con oraciones completas a las siguientes preguntas relacionadas con Colombia y su cultura.

1. ¿Durante qué época fue Colombia una colonia española?
   Colombia fue colonia española desde el siglo XVI hasta el siglo XIX.

2. ¿Cuáles son algunas de las profesiones de las personas que aparecen en las obras de Botero?
   Botero pintó personas de distintas profesiones, como militares, políticos, hombres de
   negocios, peluqueros y jardineros.

3. ¿Cuál es una característica que se destaca en la obra de Botero?
   Una de las principales características de la obra de Botero son las figuras
   voluminosas, con proporciones exageradas.

2 Responde a las siguientes preguntas sobre la enseñanza en Colombia. Da todos los detalles posibles.

1. La Universidad de Santo Tomás es la más antigua de Colombia. ¿Cuándo y dónde fue fundada?
   La Universidad de Santo Tomás fue fundada en 1580 en Bucaramanga.

2. ¿Por qué los colonos españoles se preocuparon por establecer buenas escuelas y universidades en América?
   Los españoles establecieron buenas escuelas y universidades en América para que
   sus hijos no tuvieran que ir a Europa para estudiar.

3 ¿Cuál es una de las principales prioridades de la Universidad de Santo Tomás en Colombia? ¿Es bueno que una universidad ofrezca muchos programas académicos o es mejor que se especialice en algunas enseñanzas determinadas? ¿Por qué? Expresa tu opinión en un párrafo breve. **Answers will vary. Possible answer:**

Una de las principales prioridades de la Universidad de Santo Tomás en Colombia es ofrecer

una gran variedad de programas académicos. Pienso que es mejor que una universidad

ofrezca una gran variedad de programas académicos. También es importante que dentro de

estos programas estén los de los estudios nuevos que surgieron en los últimos años. Al

haber distintas enseñanzas, profesores y alumnos tienen más facilidad para intercambiar

ideas e incluso colaborar con personas que estudian otras disciplinas. La variedad es

enriquecedora.

UNIDAD 7 Lección 2

Cultura C

Comparación cultural: Educación especializada
Lectura y escritura

Después de leer los párrafos sobre los aspectos interesantes de las escuelas del lugar donde viven Estela y Álvaro, escribe un párrafo sobre las escuelas del lugar donde vives. Usa la información de tu tabla para escribir un párrafo sobre las escuelas del lugar donde vives.

Paso 1

Completa la tabla con los detalles sobre los aspectos interesantes de las escuelas que hay donde vives.

Introducción	Detalles interesantes	Conclusión

Paso 2

Ahora usa los detalles de la tabla para escribir una oración para cada uno de los temas.

_____

_____

_____

_____

_____

_____

Comparación cultural: Educación especializada

Lectura y escritura
(continuación)

Paso 3

Ahora escribe un párrafo usando las oraciones que escribiste como guía. Incluye una oración de introducción y utiliza palabras **cualificado**, **destacado**, **motivado** para describir aspectos interesantes de las escuelas del área donde vives.

_____

_____

_____

_____

_____

_____

Lista de verificación

Asegúrate de que...

☐ incluyes todos los detalles de la tabla sobre los aspectos interesantes de las escuelas donde vives;

☐ usas los detalles para describir las escuelas donde vives;

☐ utilizas las palabras que describen las cualidades personales.

Tabla

Evalúa tu trabajo con la siguiente tabla.

Criterio de escritura	Excelente	Bueno	Necesita mejorar
Contenido	Tu párrafo incluye todos los detalles sobre los aspectos interesantes de las escuelas donde vives.	Tu párrafo incluye algunos de los detalles sobre los aspectos interesantes de las escuelas donde vives.	Tu párrafo incluye muy poca información sobre los aspectos interesantes de las escuelas donde vives.
Comunicación	La mayor parte de tu párrafo está organizada y es fácil de entender.	Partes de tu párrafo están organizadas y son fáciles de entender.	Tu párrafo está desorganizado y es difícil de entender.
Precisión	Tu párrafo tiene pocos errores de gramática y de vocabulario.	Tu párrafo tiene algunos errores de gramática y de vocabulario.	Tu párrafo tiene muchos errores de gramática y de vocabulario.

UNIDAD 7

Comparación cultural

Comparación cultural: Educación especializada
Compara con tu mundo

Ahora escribe un párrafo comparando tu escuela o una escuela de tu región con la de uno de los estudiantes en la página 443. Organiza tu comparación por temas. Primero compara los aspectos interesantes de tu escuela, después la especialidad y por qué te gustaría asistir a esa escuela. Por último escribe una conclusión.

Paso 1

Usa la tabla para organizar la comparación por temas. Escribe los detalles de cada uno de los temas sobre los aspectos interesantes de las escuelas donde vives y los detalles del estudiante que elegiste.

	Mi escuela	La escuela de _____
Aspectos de la escuela		
Especialidad		
Por qué		
Conclusión general		

Paso 2

Ahora usa los detalles de la tabla para escribir una comparación. Incluye una oración de introducción y escribe sobre cada tema. Utiliza palabras como **cualificado**, **destacado**, **motivado** para describir los aspectos interesantes de las escuelas de tu región y la del (de la) estudiante que has elegido.

_____

_____

_____

_____

_____

_____

Vocabulario A *Cuentos y poesía*

¡AVANZA!	**Goal:** Talk about different types of literature.

1 Escribe la letra del término literario que corresponda a cada definición.

1. la persona que escribe o inventa una obra ___c___
2. historia de la vida escrita por uno(a) mismo(a) ___e___
3. una obra narrativa corta ___a___
4. clases en que se ordenan las obras literarias según sus rasgos comunes ___b___
5. división que se hace en el libro para ordenarlo y entenderlo mejor ___d___
6. línea de una poesía que tiene rima o ritmo ___f___

a. el cuento
b. el género literario
c. el autor / la autora
d. el capítulo
e. la autobiografía
f. el verso

2 Lee las siguientes listas de palabras y subraya la que esté menos relacionada con las otras palabras del grupo.

1. cuento romántico / <u>metáfora</u> / policíaco / autobiografía
2. rima / estrofa / <u>acto</u> / verso
3. <u>protagonista</u> / antecedentes / clímax / desenlace
4. <u>punto de vista</u> / ensayo / novela / poema
5. protagonista / capítulo / <u>poema</u> / novela

3 Eres un escritor. Responde con oraciones completas a las siguientes preguntas. **Answers will vary. Possible answers.**

1. ¿Qué género literario escogerías para escribir sobre tu vida? ¿Por qué?
   Escogería la autobiografía, porque es el género apropiado.

2. ¿Qué género literario usarías para escribir en verso?
   Usaría la poesía.

3. ¿Qué imagen literaria usarías para comparar una cosa con otra? Escribe un ejemplo describiendo tu vida.
   Usaría la metáfora. Mi vida es una goma de mascar.

4. ¿Qué género literario usarías para escribir una obra para niños? ¿Por qué?
   Usaría el cuento, porque es corto.

Vocabulario B *Cuentos y poesía*

Level 3 Textbook pp. 454–456

> **¡AVANZA!** **Goal:** Talk about different types of literature.

❶ Escribe la palabra que corresponda a cada definición de los términos literarios.

1. A este género pertenecen los cuentos de detectives y crímenes: ___**policiaco**___

2. Es una forma de escritura que no está en verso: ___**prosa**___

3. Es la historia de la vida de una persona: ___**biografía**___

4. Son categorías de escritura: novela, biografía, ensayo: ___**género**___

5. Es una comparación poética en sentido figurado: Tus ojos son dos luceros: ___**metáfora**___

❷ Indica con una X si cada término es un género literario o una técnica del autor.

	Género	Técnica
1. el cuento romántico	X	
2. la sátira	X	
3. la rima		X
4. el drama	X	
5. el símil		X
6. la metáfora		X
7. el ritmo		X
8. la autobiografía	X	

❸ Escribe un cuento breve. Inventa un título, crea los protagonistas con sus caracterizaciones, un tema y escribe algunas metáforas para tus descripciones. Answers will vary.

_____

_____

_____

_____

_____

_____

Vocabulario C *Cuentos y poesía*

¡AVANZA!	**Goal:** Talk about different types of literature.

1 Escribe definiciones para los siguientes conceptos y da un ejemplo de cada uno. **Answers will vary.**

Possible answers:

1. metáfora

Una metáfora es una comparación poética en sentido figurado: la luna de queso.

2. género literario

El género es una categoría para clasificar las obras literarias, por ejemplo, el cuento.

3. desenlace

El desenlace es la resolución de una obra: «y vivieron felices para siempre».

4. punto de vista

El punto de vista es la perspectiva con la que una obra está escrita: 1ra persona, etc.

5. protagonista

El protagonista es el personaje principal o el héroe de una obra: Don Quijote.

2 Piensa en el relato «Caperucita Roja». Completa la siguiente tabla para identificar los elementos del cuento. Escribe oraciones completas. **Possible answers:**

Término	Elementos de «Caperucita Roja»
1. Género	El género literario es el cuento de hadas.
2. Protagonistas	Los protagonistas son: Caperucita Roja, la abuela y el lobo feroz.
3. Tema	El tema es la seguridad contra los peligros.
4. Clímax	El clímax del cuento ocurre cuando el lobo se come a Caperucita Roja.
5. Desenlace	El desenlace ocurre cuando el cazador salva a los protagonistas.

3 Contesta las siguientes preguntas sobre tus gustos literarios con oraciones completas.

Answers will vary.

1. ¿Cuál es tu género literario favorito? ¿Por qué?

_____

2. ¿Qué género literario no te gusta? ¿Por qué no?

_____

3. ¿Quién es tu escritor(a) favorito(a)?

_____

4. ¿Cómo se titula tu poema favorito?

_____

UNIDAD 8 Lección 1

Vocabulario C

Vocabulario adicional *Los acortamientos de palabras*

> **¡AVANZA!**   **Goal:**   Use words that can be reduced in informal speech.

Una característica del español informal es el acortamiento de algunas palabras largas y el mantenimiento de las primeras dos sílabas:

película	peli	computadora	compu
cinematógrafo	cine	bicicleta	bici
automóvil	auto	profesor	profe
fotografía	foto	televisión	tele

El mismo proceso se observa en los nombres propios:

Javier	Javi	Cecilia	Ceci
Teresa	Tere	Carolina	Caro
Rafael	Rafa	Patricia	Pati
Isabel	Isa	Juan Carlos	Juanca

1 Lee las siguientes oraciones y adivina cuál es la palabra que corresponda a cada acortamiento subrayado. Escribe la palabra en los espacios.

1. Necesito una nueva <u>compu</u> para poder hacer mi tarea de informática. _____ *computadora*

2. Vamos al cine para ver la <u>peli</u> nueva con mi actor favorito. _____ *película*

3. El <u>profe</u> de ciencias es muy inteligente. _____ *profesor*

4. ¿Viste el nuevo programa en la <u>tele</u> anoche? _____ *televisión*

5. Todos los días monto en <u>bici</u> para ir al colegio. _____ *bicicleta*

2 ¿Cuáles crees que son los acortamientos de las siguientes palabras? Escribe la palabra nueva en el espacio. Escoge tres palabras y escribe oraciones completas con ellas.

1. microondas _____ *micro*

2. deprimido _____ *depre*

3. policía _____ *poli*

4. milicia _____ *mili*

5. supermercado _____ *súper*

Answers will vary.

_____

_____

_____

Gramática A *The Past Progresive Tense*

| ¡AVANZA! | **Goal:** | Discuss events in the past focusing on the actions that were in progress at a certain time. |

1 Ayer Boris Esparza dirigió el taller de escritores jóvenes. Marca con una ⏰ si las oraciones describen una interrupción o con una **X** si indican la continuación de la acción.

__X__	Ayer estábamos hablando de la importancia de la puntuación.
__X__	También nos quedamos practicando los diálogos por varias horas.
__⏰__	Demetrio estaba leyendo el poema cuando llegó Inés.
__X__	Inés se quedó esperando a que la dejáramos hablar.
__⏰__	Boris estaba dando instrucciones cuando sonó el teléfono.

2 La preparatoria de Emir Rivas realiza un simulacro en caso de fuego. Cambia los verbos en **negrita** al pasado progresivo para recontar la historia.

Es el día del simulacro. Las secretarias **desayunan** en la cafetería. Desde su oficina, la directora **observa** todo. Los maestros, muy ocupados, **dictan** sus clases. Los alumnos **estudian** en sus aulas para el examen de historia. La enfermera **cuida** y **le da** su medicina a Rita. Cuando suena el timbre, todos salen en orden al patio. El simulacro es un éxito.

Ayer fue el día del simulacro. Las secretarias
1. __estaban desayunando__ en la cafetería. Desde su oficina, la directora 2. __estaba observando__ todo. Los maestros, muy ocupados 3. __estaban dictando__ sus clases. Los estudiantes 4. __estaban estudiando__ en sus aulas. La enfermera 5. __estaba cuidando y dándole__ medicina a Rita. Cuando sonó el timbre todos salieron en orden al patio. El simulacro fue un éxito.

3 Martín Pliego fue al cine ayer y tuvo una experiencia singular. Usa el pasado progresivo para escribir oraciones completas que describan lo que le sucedió a Martín.

Modelo: Juan y Pedro / hablar / durante toda la película

*Juan y Pedro **estuvieron hablando** durante toda la película.*

1. El celular de Rosa María / sonar / durante los comerciales
El celular de Rosa María estuvo sonando durante los comerciales.

2. Dos señoras / contar / lo que iba a suceder
Dos señoras estuvieron contando lo que iba a suceder.

3. La actriz principal / fingir / un acento inglés que no le salía muy bien
¡La actriz principal estuvo fingiendo un acento inglés que no le salía muy bien.

4. El proyector / fallar / durante la partes más importantes
El proyector estuvo fallando durante las partes más importantes.

Gramática B The Past Progresive Tense

Level 3 Textbook pp. 457–459

> **¡AVANZA!** **Goal:** Discuss events in the past focusing on the actions that were in progress at a certain time.

1 Escribe en el espacio la forma verbal en el pasado progresivo para saber lo que estaban haciendo los miembros del periódico estudiantil cuando se cortó la electricidad.

1. Tina y yo __estábamos imprimiendo__ (imprimir) el periódico.

2. Ana __estaba corrigiendo__ (corregir) la ortografía de los artículos.

3. Jeremías y Gino __estaban revelando__ (revelar) las fotografías.

4. Tú __estabas repasando__ (repasar) el diseño.

5. Yadira y Brad __estaban discutiendo__ (discutir) la próxima edición.

2 A Rosario le encantan los cuentos. Ayúdala a usar el pasado progresivo para completar las descripciones de los siguientes sucesos.

Modelo: *El suéter **estaba apretando** al hombre para asfixiarlo y él no podía hacer nada.*

ver	vivir	soñar	leer	transcurrir	apretar

1. El protagonista __estaba viendo__ la isla desde el avión cuando sucedió el accidente.

2. La trama __estaba transcurriendo__ rápidamente en el cuento.

3. Las dos víctimas __estaban viviendo__ tranquilamente en el bosque cuando los extraños invadieron la casa.

4. El hombre __estaba leyendo__ el libro cuando se dio cuenta de que era la historia de su propia boda.

5. El motociclista __estaba soñando__ con su viaje a Fantasía.

3 Adriana siempre ayuda a sus amigos en problemas. Usa el pasado progresivo en oraciones que reflejen las excusas que ella inventa. **Answers will vary. Possible answers.**

Modelo: Estanislao no terminó la tarea de español.
Él estuvo estudiando toda la noche para el examen de inglés.

1. Sonia no regresó el libro de computación a la biblioteca a tiempo.
   Ella estuvo leyéndolo hasta la semana pasada.

2. Aura y Roberto olvidaron la llave de la gaveta del club de fotografía.
   Ellos estuvieron revelando fotos hasta muy tarde.

3. Adriana y Carlos llegaron tarde a clase de historia esta mañana.
   Ellos estuvieron esperando el autobús hasta las ocho.

4. Ricardo sacó una nota mala en cálculo.
   Él estuvo practicando hasta el cansancio.

UNIDAD 8 Lección 1 Gramática B

Gramática C *The Past Progresive Tense*

¡AVANZA!	**Goal:**	Discuss events in the past focusing on the actions that were in progress at a certain time.

1 La Dra. Esperanza Zapatero habla de su amor por la literatura argentina. En el siguiente párrafo escribe los verbos en el pasado progresivo que usa en su relato.

Era una estudiante en la universidad y me inscribí en una clase de literatura argentina porque necesitaba los créditos. Cuando entré a la clase por primera vez, el profesor

1. _____ **estaba hablando** _____ (hablar) sobre La Pampa y los estudiantes

2. _____ **estaban oyéndolo** _____ (oír) atentamente. Su descripción hablaba de desiertos y planicies calurosas con hombres rústicos. Yo entré y me senté. Mientras me

3. _____ **estaba acomodando** _____ (acomodar), él me 4. _____ **estuvo mirando** _____

(mirar) fijamente. Luego me preguntó si yo era una nueva estudiante de literatura y yo le dije que no, que la literatura me gustaba pero que prefería una carrera que me diera más dinero. Él se rió y me dijo: —Por su apariencia, 5. _____ **estaba preguntándome** _____ (preguntar) si usted era una mujer de negocios y mire, no me equivoqué.

2 El señor Leopoldo Soler habla de lo que estaba haciendo cuando supo que había ganado un premio de la lotería. Completa su narración con los verbos en el pasado progresivo según correspondan.

entrar	Ayer, cuando sonó el teléfono, mi esposa 1. _____ **estaba sirviendo** _____ los platos de la comida. Mi hijo Manuel corrió a contestar porque pensaba que su
servir	novia 2. _____ **estaba llamando** _____ . Manuel le dio el teléfono a su madre y
esperar	ella, tras unas palabras, empezó a gritar. Luego soltó el teléfono y empezó a correr por la cocina. 3. _____ **Estaba llorando** _____ y apenas podía hablar. Como
llorar	yo estaba atorado en la mesa y Ximena 4. _____ **estaba entrando** _____ , ella
llamar	la alcanzó antes que yo. Aunque 5. _____ **estábamos esperando** _____ un golpe de suerte, nunca pensamos que iba a ser tan grande.

3 ¿Recuerdas lo que estabas haciendo la última vez que te sucedió algo espectacular? Escribe una composición corta para contar qué estabas haciendo tú, tus amigos o tu familia en ese momento.

Answers will vary.

_____

_____

_____

_____

UNIDAD 8 Lección 1

Gramática C

Gramática A
The Subjunctive After Conjunctions

Level 3 Textbook pp. 462–464

¡AVANZA!	**Goal:**	Practice the subjunctive with conjunctions that may or may not trigger its use.

1 Estas notas aparecen en la agenda de una traductora de novelas. Marca una **X** si las oraciones usan una conjunción que requiere el subjuntivo o si usan una conjunción ambivalente.

Oraciones con...	conjunciones que requieren el subjuntivo.	conjunciones que usan el subjuntivo o el indicativo.
Debo presentar el capítulo de la novela de Isabel Allende a fin de que su agente me autorice la traducción.	X	
Después de que lo haga, debo llamar a la editorial.		X
Tan pronto como me den una respuesta, iniciaré la traducción.		X
Recuerda no hacer nada hasta que los abogados tengan todo listo.		X
A menos que termine no podré enfocarme en los poemas de Gabriela Mistral.	X	

2 Francisco Pedraza habla sobre su vida de escritor. Completa las siguientes oraciones con el presente del subjuntivo o indicativo de los verbos entre paréntesis.

1. Escribiré más en cuanto mis padres me _____**compren**_____ (comprar) una computadora.

2. Completaré una novela antes de que _____**cumpla**_____ (cumplir) veinticinco años.

3. Cuando _____**leo**_____ (leer) buenos libros siempre me inspiro.

4. No escribiré hasta que _____**haya**_____ (haber) visitado Argentina.

5. Tan pronto como _____**pueda**_____ (poder), viajaré a ese país de grandes escritores.

3 La escritora Shantal Roca da una conferencia sobre cómo escribir una novela. Completa lo que dice. Pon atención a las conjunciones. **Answers will vary. Possible answers:**

1. No debes escribir nada hasta que ___**tengas una idea de qué es lo que vas a escribir.**___

2. Desarrolla un argumento. En caso de que ___**sea muy difícil, piensa en tu vida.**___

3. En mi caso, tan pronto como ___**conozco a una persona, pienso en el personaje que puede inspirarme.**___

4. En cuanto puedo ___**le hago todo tipo de preguntas sobre su vida.**___

5. Nunca te acuestes sin que ___**escribas por lo menos una página.**___

UNIDAD 8 Lección 1   Gramática A

Gramática B   The Subjunctive After Conjunctions

¡AVANZA! **Goal:** Practice the subjunctive with conjunctions that may or may not trigger its use.

1 Ana acaba de leer un cuento. Marca una X en **F** si la conjunción en el enunciado se refiere a algo que va a pasar en el futuro; en **P** si se refiere al pasado y en **H** si es algo que sucede habitualmente.

Oraciones	F	P	H
Cuando sucedió el accidente, el motociclista fue hospitalizado.		X	
Cuando los aztecas ofrecen sacrificios, matan a sus prisioneros en un altar.			X
Cuando el hombre despierte, se dará cuenta que está viviendo en su fantasía.	X		
No supe cuál era la realidad hasta que terminé de leer.		X	

2 La poeta Vanessa Sierra habla de las cosas que dijo que quería hacer cuando era niña, Cambia las oraciones para reflejar lo que diría después de veinte años.

Modelo: Voy a escribir poemas hasta que me publiquen un libro.

Escribí poemas hasta que me publicaron un libro.

1. Estudiaré literatura en caso de que no tenga éxito como poeta.

   Estudié literatura en caso de que no tuviera éxito como poeta.

2. Cuando me publiquen un libro, viajaré a todos los países de habla hispana.

   Cuando me publicaron un libro, viajé a todos los países de habla hispana.

3. Después de que gane un premio importante, dejaré de enseñar.

   Después de que gané un premio importante, dejé de enseñar.

4. Leeré poesía hasta que escriba una poesía verdadera.

   Leí poesía hasta que escribí poesía verdadera.

5. Tan pronto como deje de soñar, me pondré a escribir.

   Tan pronto como dejé de soñar, me puse a escribir.

3 ¿Qué harías tú? Usa las conjunciones como pista para completar oraciones que reflejen tus planes. **Answers will vary. Possible answer:**

1. Cuando termine la preparatoria, yo **viajaré a Europa** .

2. En cuanto ahorre mil dólares, yo **compraré un carro** .

3. Tan pronto como sepa manejar, yo **presentaré mi examen de conducir** .

4. En caso de que quiera ser poeta, yo **parcticaré la rima** .

5. A fin de que el mundo sea un lugar mejor, yo **empezaré a ser una mejor persona** .

Gramática B   UNIDAD 8 Lección 1

Gramática C *The Subjunctive After Conjunctions*

Level 3 Textbook pp. 462–464

> ¡AVANZA! **Goal:** Practice the subjunctive with conjunctions that may or may not trigger its use.

1 El profesor Moreno habla de la importancia de la literatura. Elige las conjunciones apropiadas del cuadro para completar su explicación.

tan pronto como	a fin de que	hasta que	cuando

La literatura, como todas las artes, a veces no es apreciada. **1.** _____*A fin de que*_____ los estudiantes entiendan que los libros nos enseñan tanto o más que la televisión, es importante motivarlos. **2.** _____*Cuando*_____ un estudiante no lee, no ejercita su imaginación. Pero **3.** _____*tan pronto como*_____ descubre el tesoro de los libros, descubre también que su cerebro produce mejores efectos especiales que el cine. Por eso, en esta clase, leeremos **4.** _____*hasta que*_____ nuestros ojos se cansen y los libros vivan en la pantalla de nuestra imaginación.

2 Este año, Adriana y sus amigos decidieron que iban a leer más. Usa las conjunciones entre paréntesis para unir las siguientes oraciones. Haz todos los cambios que sean necesarios.

1. (a fin de que) Adriana quiere que Miguel lea a Borges / ella ordenarle un libro por Internet
   A fin de que Miguel lea a Borges, Adriana le ordenó un libro por Internet.

2. (antes de que) Adriana quiere compartir sus poemas / todos sus amigos mudarse
   Antes de que sus amigos se muden, Adriana quiere compartir sus poemas.

3. (para que) sus amigos conocer a Gabriela Mistral / Adriana hacer una velada poética.
   Para que sus amigos conozcan a Gabriela Mistral, Adriana hará una velada poética.

4. (cuando) Adriana alegrarse / Miguel terminar el libro ayer
   Adriana se alegró cuando Miguel terminó el libro ayer.

5. (tan pronto como) Adriana saber de Manuel Puig / preguntar a Miguel si quería leer una de sus novelas.
   Tan pronto como Adriana supo de Manuel Puig, le preguntó a Miguel si quería leer una de sus novelas.

3 Escribe una composición corta para expresar cuál es tu relación con la literatura, cuánto lees, qué te gusta leer, cuáles son tus escritores preferidos y por qué. Usa las conjunciones de tiempo y los tiempos verbales necesarios de la lección. **Answers will vary.**

_____

_____

_____

UNIDAD 8 Lección 1 Gramática C

Gramática adicional Pronombres relativos

| ¡AVANZA! | **Goal:** Practice relative pronouns to talk about literature. |

Pronombres relativos

Los pronombres relativos relacionan dos cláusulas en una oración. El pronombre relativo más común es *que*. *Que* puede referirse a personas, lugares, ideas, etc.

El maestro lleva gafas. El maestro me cae bien.

- El maestro *que* lleva gafas me cae bien.

Cuando la primera cláusula de la oración incluye una preposición, es necesario usar *quien* o *quienes* si el pronombre hace referencia a una persona.

- El maestro *de quien* te hablé me cae bien.
- Las chicas *a quienes* busco no viven aquí.

El pronombre *cuyo*, en todas sus formas, es un relativo que indica posesión.

- Este es el libro *cuyas* fuentes son muy conocidas.

1 Celina Pérez habla de su amor por los libros. Completa los espacios en blanco con el pronombre relativo correcto.

Don Quijote es el libro **1.** ___que___ más veces he leído. Miguel de Cervantes es el autor a **2.** ___quien___ le debo mi amor por la literatura. Me he enterado que todas las personas a **3.** ___quienes___ les gusta Don Quijote han dejado de dormir y hasta de comer. Definitivamente, Don Quijote es una obra **4.** ___cuya___ lectura recomiendo a todos los amantes de la literatura.

2 Eva Sierra habla de sus películas favoritas. Usa los pronombres relativos para combinar las siguientes oraciones en una.

1. Ayer compré el DVD de King Kong. King Kong es una película espectacular.

   Ayer compré el DVD de King Kong, que es una película espectacular.

2. Los efectos especiales son excelentes. Los efectos especiales me conmovieron.

   Los efectos especiales que me conmovieron son excelentes.

3. King Kong se enamoró de la protagonista. La protagonista era una actriz rubia.

   La protagonista de quien King Kong se enamoró era una actriz rubia.

4. King Kong es un monstruo. El corazón de King Kong es tierno.

   King Kong, cuyo corazón es tierno, es un monstruo.

UNIDAD 8 Lección 1
Gramática adicional

Unidad 8, Lección 1
Gramática adicional

354

¡Avancemos! 3
Cuaderno para hispanohablantes

Integración: Hablar

Lee con cuidado la siguiente reseña.

Fuente 1 Leer

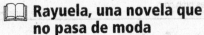

📖 Rayuela, una novela que no pasa de moda

Sofía Armendáriz

Publicada en 1963, «Rayuela», de Julio Cortázar, fue una de las novelas experimentales que acrecentó el interés mundial por la literatura latinoamericana. Según su autor, los capítulos de esta novela podían leerse en cualquier orden resultando siempre en una obra distinta. Aunque el autor sugiere un orden alternativo para leer, el lector puede también hacerlo de la manera tradicional. Los personajes de esta novela se enfrentan a una crisis existencial: quiénes son, cuáles son sus propósitos en la vida, de dónde son. Es una novela abierta a que el lector encuentre en ella su propio camino. Cortázar desafió las convenciones literarias para invitarnos, quizás, a evaluar la linealidad de nuestra propia existencia.

Escucha un fragmento de la transmisión por radio Internet que hizo Amapola Peralta, una novelista chilena. Toma notas. Luego completa la actividad.

Fuente 2 Escuchar

HL CD 2, tracks 25–26

Prepara una respuesta oral corta donde compares los dos puntos de vista que se reflejan en las fuentes. ¿Estás de acuerdo con uno de ellos? ¿Cuál? ¿Por qué?

Integración: Escribir

> | ¡AVANZA! | **Goal:** Respond to written and oral passages discussing and critiquing literature. |

Lee el siguiente fragmento tomado del sitio web *Cómo ser un buen escritor*.

Fuente 1 Leer

Cómo escribir el cuento perfecto

José Augusto Menéndez

Escribir un cuento no es tan difícil como parece. Lo primero que necesitas es definir estas preguntas: ¿Qué? ¿Quién? ¿Cuándo? ¿Cómo? Si ya tienes respuestas para estas interrogantes, entonces estamos a punto de empezar.

La segunda fase es lo que yo llamo el proceso creativo. Es decir, ¿cómo puedo hacer que mis personajes sean interesantes para un lector? ¿En qué contexto los voy a situar? Estos detalles son importantes porque el lector no quiere enfrentarse a personajes aburridos. ¿Cuál es la crisis a la que se enfrentan? ¿En qué país viven? Claro, lo más importante es escribir sobre lo que conoces bien. Si nunca has visitado Roma, entonces no escribas un cuento que pasa en Roma. Si lo piensas bien, todos los lugares son interesantes para las personas que no los conocen. Así que no te desanimes si vives en un pueblo de cien personas y nunca has viajado: escribe sobre eso, porque resultará interesante para algún lector en algún lugar.

Ahora vas a escuchar el anuncio de radio de un taller para escritores. Toma notas. Luego completa la actividad.

Fuente 2 Escuchar

HL CD 2, tracks 27–28

Escribe un párrafo que responda a la siguiente pregunta: Los escritores, poetas y dramaturgos, ¿nacen o se hacen? Explica tu respuesta. **Answers will vary.**

_____

_____

_____

_____

_____

_____

UNIDAD 8 Lección 1

Integración: Escribir

Lectura A

> **¡AVANZA!** **Goal:** Read, discuss and critique literature.

1 Ana, una nueva escritora, comparte con nosotros sus experiencias para publicar su libro. Lee su relato y responde a las preguntas de comprensión. Luego da tu opinión sobre el tema.

Mi nuevo libro

La semana pasada estaba escribiendo un poema cuando sonó el teléfono. Era Paco, mi editor. Paco me contó que una editorial quería publicar mi libro de poemas. Les interesaba mucho porque buscaban una escritora joven. Me puse muy contenta. Después de que me dio la buena noticia, Paco me confesó que algunos editores estaban revisando mis poemas. Me explicó que los editores estaban cambiando palabras de las poesías. La idea me pareció absurda y me enojé. Yo había trabajado muchísimo en cada poema y había pensado cada símil y cada metáfora. Por suerte, Paco entendió mi punto de vista y me apoyó en todo. A él le habían encantado mis poemas. Al día siguiente fui a la editorial para hablar con el señor Martínez, el jefe del equipo editorial. Estaba enojada pero no perdí la paciencia. Saqué mi manuscrito y leí en voz alta uno de mis poemas. El señor Martínez quedó sorprendido, se dio cuenta del ritmo que había en mis poemas. Me dijo que no había necesidad de cambiar mis poesías. Esa misma tarde, llamé a Paco para celebrar.

2 **¿Comprendiste?** Responde a las siguientes preguntas con oraciones completas.

1. ¿Por qué se puso contenta Ana?

Ana se puso contenta porque una editorial quería publicar su nuevo libro de poesías.

2. ¿Qué le confesó Paco a Ana? ¿Por qué?

Paco le confesó a Ana que el equipo editorial estaba haciendo cambios a sus poemas.

3. ¿Cómo reaccionó Ana? ¿Qué le explicó a Paco?

Ana se enojó mucho y le explicó a Paco que había trabajado en cada metáfora y símil.

4. ¿Cómo reaccionó el señor Martínez luego de escuchar a Ana?

El señor Martínez aceptó que no era necesario cambiar las poesías.

3 ¿Qué piensas? Si publicaras tu primer libro de poemas, ¿cómo te sentirías? ¿Sobre qué o quiénes escribirías? ¿Por qué? Answers will vary.

_____

_____

_____

_____

_____

_____

UNIDAD 8 Lección 1 Lectura A

Lectura B

> **¡AVANZA!**   **Goal:**   Read, discuss and critique literature.

1 Lee el cuento de Patricia y responde a las preguntas de comprensión. Luego da tu opinión sobre el tema.

La decisión

Era una tarde primaveral. Andrea miraba el jardín desde su ventana y estaba pensando en Pedro. Pedro le había prometido visitarla y Andrea lo estaba esperando. De pronto Andrea escuchó la voz de su hermana Teresa, quien la estaba llamando para que fueran a la casa de la abuela. Andrea había prometido a su hermana que irían juntas a visitar a la abuela. Andrea bajó las escaleras y fue en busca de Teresa.

Andrea le contó a su hermana que la noche anterior había conocido a un muchacho muy guapo. Se llamaba Pedro, tenía quince años y era de la ciudad. Sus padres se estaban divorciando y por eso él estaba viviendo en la casa de unos tíos. Pedro le prometió visitarla esa tarde para conocerse mejor. Después de escuchar a Andrea, Teresa le dijo: «De modo que por esperar a Pedro no piensas visitar a la abuela». Andrea asintió y Teresa le dijo a su hermana: «No hemos visto a la abuela desde hace más de un mes. A Pedro lo puedes ver mañana». Andrea estaba pensando en las palabras de su hermana cuando llegó Pedro. Andrea le contó que tenía que visitar a su abuela. Pedro le dijo: «Si quieres yo voy contigo para conocer a tu abuelita». Andrea no lo podía creer; definitivamente había conocido al joven de sus sueños y era el día más feliz de su vida.

---

2 **¿Comprendiste?** Responde a las siguientes preguntas:

1. ¿Por qué estaba ansiosa Andrea?

Andrea estaba ansiosa porque esperaba la llegada de Pedro.

2. ¿Qué tenían que hacer Andrea y su hermana esa tarde?

Esa tarde Andrea y su hermana tenían que ir a visitar a la abuela.

3. ¿Cómo era Pedro? ¿Por qué estaba viviendo en el campo?

Pedro era un muchacho de quince años, muy guapo que era de la ciudad. Estaba

viviendo en casa de unos tíos porque sus padres se estaban divorciando.

4. ¿Qué sorpresa le dio Pedro a Andrea? ¿Cuál fue la reacción de Andrea?

Pedro le dijo a Andrea que podían ir juntos a visitar a la abuela. Andrea estuvo feliz con

la decisión de Pedro.

3 **¿Qué piensas?** ¿Te gustó el cuento que escribió Patricia? Escríbele una pequeña nota a Patricia y cuéntale tus impresiones acerca de su cuento. **Answers will vary.**

_____

_____

Lectura C

> ¡AVANZA! **Goal:** Read, discuss and critique literature.

❶ Lee la siguiente entrevista que le hizo un periodista al escritor Sergio Rozzin. Luego responde a las preguntas de comprensión y escribe sobre tu experiencia con este género.

Entrevista a Sergio Rozzin

Sergio Rozzin, (Tucumán, Argentina, 1920) nos visita en la Feria Internacional del Libro. A continuación, éstas son algunas de sus declaraciones.

PERIODISTA: Nos gustaría que empezara por recordar qué estaba haciendo cuando empezó a escribir su novela «La Tertulia». ¿Qué edad tenía cuando la escribió?

ROZZIN: Recuerdo que estaba trabajando en unas oficinas de Montevideo. Había entrado como ayudante de oficina y llegué a ser gerente. Cuando empecé a escribir esta novela ya estaba casado y tendría 25 años.

PERIODISTA: La novela está ambientada en la vida de empleados de las oficinas. Cuando escribió su novela, ¿estaba pensando en escribir una biografía?

ROZZIN: No. Aunque parezca una biografía, es un cuento romántico que creo que no es cursi. Un día yo estaba haciendo la contabilidad y observé que mi jefe estaba muy contento. Le pregunté: «Don Raúl, ¿qué le pasa que está tan bien últimamente?»

PERIODISTA: Y, ¿qué le contestó su jefe?

ROZZIN: Me invitó a tomar un café y me confesó que se estaba enamorando de una muchachita que tenía la mitad de su edad. Él tenía 40 y ella 20 años. Así nació la idea de los protagonistas de mi novela.

PERIODISTA: ¿Cómo era el ambiente literario en la época que escribió su novela?

ROZZIN: En esa época los escritores estábamos escribiendo mucho y cosas muy distintas. Algunos estaban escribiendo drama, a otros les estaba gustando escribir poesía sin rima y muy pocos escritores estaban inventándose cuentos policíacos.

PERIODISTA: «La tertulia», ¿fue la primera novela que escribió?

ROZZIN: No, la primera fue donde la historia está relatada con el punto de vista de tres personajes diferentes. Son tres versiones de una relación de pareja.

PERIODISTA: Al público le gustó mucho esa novela.

ROZZIN: Sí, fue muy popular.

PERIODISTA: Ahora que han pasado tantos años, ¿qué piensa de «La tertulia»?

ROZZIN: No entiendo el éxito de «Tertulia»; tiene como 150 ediciones. Creo que mi mejor novela es «El chico de goma». Es la única que es un poco autobiográfica. El protagonista es inventado, pero vive en los barrios donde yo viví.

---

2 **¿Comprendiste?** Responde a las siguientes preguntas con oraciones completas.

1. ¿De dónde es Sergio Rozzin y por qué es importante?

Rozzin era de Uruguay y era un novelista y escritor famoso.

2. ¿Qué estaba haciendo Sergio Rozzin cuando escribió su novela «La tertulia»?

Él estaba trabajando para unas oficinas de Montevideo.

3. ¿Cómo se le ocurrió a Sergio Rozzin escribir su novela más exitosa?

Un día, el escritor estaba trabajando en la oficina y observó que su jefe estaba muy

contento. Su jefe le confesó que se estaba enamorando de una mujer que era mucho

menor que él.

4. ¿Qué contestó Sergio Rozzin sobre el ambiente literario en la época que escribió «La Tertulia»?

Sergio Rozzin dijo que en esa época los escritores estaban escribiendo cosas muy

distintas. Algunos escritores estaban escribiendo drama, otros estaban escribiendo

poesía sin rima y muy pocos estaban inventándose cuentos policíacos.

3 **¿Qué piensas?** ¿Conoces a algún escritor o escritora en tu localidad? ¿Crees que puedas inventar una entrevista o conversación con esta persona? ¿Qué preguntas te gustaría hacerle a esta persona? Formula cinco preguntas a tu escritor o escritora y respóndelas como si fueras él o ella. **Answers will vary.**

_____

_____

_____

_____

_____

_____

Escritura A

¡AVANZA!	**Goal:** Express emotions through various literary genres.

1 Visitaste dos países del Cono Sur con algunos miembros de tu familia. Organiza en el recuadro los lugares que más te llamaron la atención.

País	Lugares y paisajes	Descripción general

2 Con la información anterior escribe un poema dedicado a estos países. Asegúrate de que tu poema tiene: 1) título; 2) dos estrofas de cuatro versos cada una; 3) figuras literarias como el símil y la metáfora; 4) rima y ritmo y 5) uso correcto de los verbos y la ortografía.

_____
_____
_____
_____
_____
_____
_____
_____

3 Evalúa tus versos con la siguiente información.

	Crédito máximo	**Crédito parcial**	**Crédito mínimo**
Contenido	Tu poema contiene: 1) título; 2) dos estrofas de cuatro versos cada una; 3) figuras literarias; 4) rima y ritmo.	A tu poema le falta una de las siguientes partes: 1) título; 2) dos estrofas de cuatro versos cada una; 3) figuras literarias; 4) rima y ritmo.	A tu poema le faltan más de dos de las siguientes partes: 1) título; 2) dos estrofas de cuatro versos cada una; 3) figuras literarias; 4) rima y ritmo.
Uso correcto del lenguaje	Haces buen uso de los verbos; la ortografía es correcta.	Tienes algunos errores al usar los verbos y la ortografía en tu poema.	Tienes muchos errores al usar los verbos y la ortografía en tu poema.

UNIDAD 8 Lección 1   Escritura A

Escritura B

¡AVANZA!	**Goal:** Express emotions through various literary genres.

1 Uno de tus pasatiempos favoritos es leer biografías. Haz un folleto para presentar la vida de un(a) escritor(a) famoso(a). Escribe en la tabla diferentes aspectos del personaje.

Personaje	
Género al que pertenecen sus obras	
Fecha de nacimiento y de su muerte	
Datos importantes por los que se destacó	

2 Escribe un resumen de la biografía de tu personaje en el folleto. Asegúrate de: 1) tener en cuenta los datos de la Actividad 1; 2) presentar información detallada, clara y organizada; 3) escribir oraciones completas y lógicas y 4) hacer buen uso de los verbos y de la ortografía.

_____

_____

_____

_____

_____

_____

_____

_____

_____

3 Evalúa tu biografía con la siguiente información.

	Crédito máximo	**Crédito parcial**	**Crédito mínimo**
Contenido	Tu biografía tiene en cuenta los datos de la Actividad 1; la información es detallada y tiene un sentido lógico.	Tu biografía no tuvo en cuenta los datos de la Actividad 1; a la información le faltan detalles, claridad u organización.	Tu biografía no tuvo en cuenta todos los datos de la Actividad 1; a la información le falta claridad y sentido lógico.
Uso correcto del lenguaje	Haces buen uso de los verbos y de la ortografía.	Tienes algunos errores al usar los verbos y algunos errores de ortografía.	Tienes muchos errores al usar los verbos y muchos errores de ortografía.

UNIDAD 8 Lección 1

Escritura B

Unidad 8, Lección 1
Escritura B

362

¡**Avancemos! 3**
Cuaderno para hispanohablantes

Escritura C

Goal: Express emotions through various literary genres.

1 Tienes un gran talento para la escritura y vas a participar en el concurso nacional de cuento corto. El tema de este certamen es sobre las experiencias durante las vacaciones pasadas. Organiza algunas ideas que te ayudarán a escribir tu cuento.

Título	
Personajes	
Lugar(es)	
Espacio(s)	
Situaciones	

2 Escribe tu cuento y fíjate que contenga: 1) las ideas de la Actividad 1; 2) oraciones completas, claras y con sentido; 3) un inicio, un clímax y un desenlace; 4) buen uso de los verbos y 5) ortografía correcta.

_____

_____

_____

_____

_____

_____

_____

_____

3 Evalúa tu cuento corto con la siguiente información:

	Crédito máximo	**Crédito parcial**	**Crédito mínimo**
Contenido	Tu cuento contiene las ideas de la Actividad 1; oraciones completas, claras y con sentido; inicio, clímax y desenlace.	Tu cuento no tiene en cuenta las ideas de la Actividad 1; tuviste errores en la construcción de oraciones completas.	Tu cuento no tiene en cuenta las ideas de la Actividad 1; las oraciones son muy poco claras o no tienen sentido.
Uso correcto del lenguaje	Haces buen uso de los verbos y de la ortografía.	Tienes algunos errores al usar los verbos y algunos errores de ortografía.	Tienes muchos errores con el uso de los verbos y muchos errores de ortografía.

Cultura A

| ¡AVANZA! | **Goal:** Discover and know people, places, and culture from the Southern Cone. |

1 Responde de forma breve a las siguientes preguntas sobre la geografía del Cono Sur.

1. La cordillera de los Andes separa dos países del Cono Sur. ¿Cuáles son?

La cordillera de los Andes separa Chile y Argentina.

2. ¿Cómo se llaman las cataratas que se encuentran entre Argentina, Paraguay y Brasil?

Se llaman las cataratas del Iguazú.

3. ¿Cuál es la población que está más al sur de Argentina?

Ushuaia es la población que está más al sur de Argentina.

4. Completa la tabla siguiente con los nombres de las capitales del Cono Sur y el nombre del Océano que baña cada país; si el país no tiene costa, pon una **X**.

	Argentina	**Chile**	**Paraguay**	**Uruguay**
Capital	Buenos Aires	Santiago	Asunción	Montevideo
Océano	Atlántico	Pacífico	X	Atlántico

2 Responde con oraciones completas a las siguientes preguntas sobre la cultura en el Cono Sur.

1. ¿Quién fue Roberto Matta Echaurren?

Roberto Matta Echaurren fue un pintor chileno.

2. ¿Quién escribió la novela en la que se basa la película americana *De amor y de sombra*?

Isabel Allende escribió la novela en la que se basa la película *De amor y de sombra*.

3 ¿Qué significado tiene la fotografía de tu libro de unos jóvenes en una feria de libro? ¿Hay otros lugares donde pueden conseguir libros? ¿Has visitado alguna vez un sitio de éstos? ¿Dónde compras libros? Escribe dos razones para comprar libros en una librería y otras dos razones para comprar libros en una feria o un mercado o tienda de libros usados.

En una librería		**En una feria, un mercado o una tienda de libros usados**
1. Se pueden encontrar todos los libros recientes que más se venden.	**1.**	Se pueden encontrar libros raros y libros antiguos que no se venden en las librerías.
2. Las librerías suelen estar en sitios de acceso cómodo como los centros comerciales.	**2.**	Se pueden conseguir precios más baratos.

Cultura B

> **¡AVANZA!**   **Goal:**   Discover and know people, places, and culture from the Southern Cone.

❶ Responde de forma breve a las siguientes preguntas sobre los países del Cono Sur.

1. ¿Qué tipos de paisajes se encuentran en el Cono Sur?

En el Cono Sur se encuentran desiertos, cordilleras, bosques, glaciares y llanuras.

2. ¿Qué idiomas indígenas se hablan en el Cono Sur?

En el Cono Sur se hablan idiomas indígenas como el quechua y el guaraní.

3. ¿Cuáles son algunos de los platos típicos de los países del Cono Sur?

Algunos platos son el asado, las empanadas, la parrillada y el locro.

4. ¿Cuál es la moneda de Argentina? ¿Y la de Paraguay?

La mondeda de Argentina es el peso argentino y la de Paraguay el guaraní.

❷ Responde a las siguientes preguntas usando oraciones completas.

1. ¿Dónde están las cataratas del Iguazú y cómo son?

Las cataratas del Iguazú están entre Argentina, Paraguay y Brasil; son más de 200

saltos de agua que se originan en el río Iguazú.

2. ¿Cuál es la plaza principal de Buenos Aires? ¿Qué edificios importantes hay allí?

La Plaza de Mayo es la plaza principal de Buenos Aires; allí están edificios importantes

como la Casa Rosada, el Banco Nación, la Catedral y el Cabildo.

❸ ¿En qué se basa la película *De Amor y de Sombra*? ¿De qué se trata? ¿Te parecen interesantes las películas basadas en libros? ¿Qué película has visto que se base en un libro? ¿Qué te gustó más, la película o el libro? ¿Por qué? Answers will vary. Possible answer:

La película se basa en una novela de la autora chilena Isabel Allende que narra una historia

de amor durante una época de sucesos políticos dramáticos en Chile. Algunas veces los

libros son más interesantes que las películas y otras veces es al contrario. Una película que

vi que está basada en un libro es *Harry Potter y el cáliz de fuego*. Antes de ver la película

había leído el libro; en el libro se explican cosas que luego no se ven en la película. Además,

algunas escenas yo me las imaginaba de otra forma. De todos modos, la película me resultó

muy interesante y divertida. No sé si prefiero la película o el libro.

UNIDAD 8 Lección 1   Cultura B

Cultura C

> **¡AVANZA!** **Goal:** Discover and know people, places, and culture from the Southern Cone.

1 Completa el siguiente crucigrama sobre los países del Cono Sur.

1. Moneda de varios países del Cono Sur
2. La Casa _____ es la casa de gobierno de Argentina.
3. Apellido de un famoso pintor argentino
4. Apellido de una famosa escritora chilena
5. Idioma indígena del Cono Sur
6. Capital de Chile
7. Plato de carne típico del Cono Sur
8. Cordillera que separa Chile de Argentina
9. Inspiran a Matta Echaurren

```
                          6   7
                          S 1 P E S O
              2 R O S A D A
                          N   R         9
                          T   R   8     S
              3 S O L D I   I   A     U
                    4 A L L E N D E     N
                          G   L   D     Ñ
                          O   A   E     O
                              D   S     S
              5 Q U E C H U A
```

2 Responde a las siguientes preguntas con oraciones completas.

1. ¿Qué es el Cabildo de la Plaza de Mayo?

   El Cabildo es el edificio donde se reunían los gobernantes de la época colonial.

2. ¿De qué trata la novela *De amor y de sombra* escrita por Isabel Allende?

   Es un homenaje a la libertad y narra una historia de amor durante una época de

   sucesos políticos dramáticos en Chile.

3. ¿Cuál es la diferencia entre la obra de Matta Echaurren y la de otros surrealistas?

   La diferencia es que Matta Echaurren usaba imágenes de sus sueños en sus cuadros.

3 ¿Qué representa el cuadro *El Ónix de Electra* pintado por Roberto Matta Echaurren? Observa y analiza el cuadro y escribe un comentario sobre él. ¿Cómo logra en este cuadro dar la impresión de irrealidad? ¿Con las figuras e imágenes? ¿Con los colores? Por último, expresa tu opinión personal. ¿Te parece interesante este tipo de pintura? ¿Por qué? Answers will vary. Possible answer:

El Ónix de Electra representa un mundo irreal, una imagen de un sueño. Todo contribuye a

la sensación de irrealidad: las figuras e imágenes con formas extrañas, las líneas rectas

que producen una sensación de profundidad, como un pasillo que no se sabe hacia donde

va, y los colores pálidos que a veces se mezclan en transparencias y sombras. Este tipo de

pintura es interesante porque permite varias interpretaciones.

Cultura C UNIDAD 8 Lección 1

Vocabulario A *El drama*

> **¡AVANZA!** **Goal:** Talk about theater and plays.

1 Escribe la letra de la palabra que completa cada uno de los siguientes conceptos.

1. La persona que escribe el guión es __e__ .
2. La persona que representa un papel es __a__ .
3. La persona que desea tener muchas riquezas es __b__ .
4. La persona que no tiene miedo a tomar riesgos es __c__ .
5. La persona que indica dónde debe sentarse uno en el cine o teatro es __d__ .

a. el/la actor (actriz)
b. codicioso(a)
c. atrevido(a)
d. el/la acomodador(a)
e. el/la guionista

2 Escoge la palabra que corresponda a cada definición.

1. La persona que escribe la obra de teatro es __el/la dramaturgo(a)__ (el/la dramaturgo(a) / el/la directora(a)).

2. El lugar donde los actores se cambian la ropa, se aplican el maquillaje y se preparan para actuar es __el camerino__ (el escenario / el camerino).

3. Los actores practican su diálogo en voz alta durante __el ensayo__ (el intermedio / el ensayo).

4. El texto que indica lo que los actores deben hacer es __el guión__ (el diálogo / el guión).

5. La persona que ayuda y guía a los actores a interpretar sus papeles es __el/la director(a)__ (el/la acomodador(a) / el/la directora(a)).

3 Completa las oraciones para explicar en qué orden ocurren los sucesos durante una obra de teatro. Usa las expresiones del cuadro. **Answers will vary. Possible answers:**

aplausos	levantar el telón	intermedio
primer acto	cerrar el telón	el acomodador

1. Primero __el acomodador acompaña a la gente a sus asientos__ .
2. Después __se levanta el telón__ .
3. Luego los actores __hacen su entrada para el primer acto__ .
4. Entre los actos __hay un intermedio__ .
5. Terminada la obra __se cierra el telón__ .
6. Al final de la obra __se oyen los aplausos__ .

UNIDAD 8 Lección 2 **Vocabulario A**

Vocabulario B *El drama*

> **¡AVANZA!** **Goal:** Talk about theater and plays.

1 Clasifica las siguientes palabras según las categorías con las que más se asocian. Escribe las palabras en los espacios de la tabla.

| el maquillaje | el vestuario | el escenario | los actores | los accesorios |
| el dramaturgo | | el director | el telón | el guión |

Las personas	El teatro	Las herramientas de los actores
el dramaturgo	el escenario	el guión
los actores	el telón	el maquillaje
el director	el vestuario	los accesorios

2 Completa las frases para formar definiciones sobre las características siguientes. **Answers will vary. Possible answers:**

Modelo: Una persona singular *no es como las otras personas; es única* .

1. Una persona persistente __no se detiene hasta conseguir lo que quiere__ .

2. Una persona codiciosa __desea tener muchas riquezas__ .

3. Una persona atrevida __no tiene miedo a tomar riesgos__ .

4. Una persona farsante __finge lo que siente para engañar a los demás__ .

5. Un suceso insólito __es un suceso inusual__ .

3 Marcos habla sobre su experiencia en el teatro. Completa el párrafo con sus ideas. **Answers will vary. Possible answers:**

Después de que el acomodador nos sienta, **1.** __se levanta el telón.__ . Los actores entran al escenario y comienzan a actuar; **2.** __ese es el primer acto de la obra__ . Luego hay un intermedio entre actos. En el camerino, los actores se cambian el vestuario para el siguiente acto. La obra de teatro no es compleja pero **3.** __el guión es original__ . El guión del dramaturgo **4.** __es sencillo pero chistoso__ . Cuando la obra termina, los actores saludan y traen al director al escenario. Al final de la obra **5.** __se cierra el telón__ .

Vocabulario C El drama

> **¡AVANZA!** **Goal:** Talk about theater and plays.

1 Escribe oraciones completas para definir los siguientes términos relacionados con el teatro.
Answers will vary. Possible answers:

1. acomodadores _Son las personas que sientan a los espectadores_.

2. vestuario _Es el lugar donde los actores se visten_.

3. accesorios _Son los objectos que llevan los actores para vestirse mejor_.

4. dramaturgo _Es el autor de una obra de teatro_.

5. intermedios _Son los descansos entre los actos de una obra_.

6. actos _Son las divisiones en que se organiza la obra_.

2 Hoy el grupo de teatro de la escuela estrena una obra. Contesta las siguientes preguntas con oraciones completas. Answers will vary. Possible answers:

1. ¿Cuál es el título de la obra?
   El título de la obra es...

2. ¿Quién es el/la director(a) de la obra?
   El / la director(a) de la obra es...

3. ¿Quiénes son los personajes principales?
   Los personajes principales son...

4. ¿Cuáles son los sucesos más importantes de la obra?
   Los sucesos más importantes de la obra son...

5. ¿Cómo es el final de la obra?
   La obra tiene un final...

3 ¿Qué es necesario para que una obra de teatro tenga éxito? Escribe cinco oraciones completas e incluye en tus comentarios cómo deben ser el guión, los actores, la escenografía, el vestuario y los accesorios, el director y el dramaturgo. **Answers will vary.**

_____

_____

_____

_____

_____

Vocabulario adicional Los neologismos en el español

¡AVANZA!	**Goal:** Practice Spanish words borrowed from English.

Existen muchos préstamos lingüísticos y asimilaciones del idioma inglés al español. El resultado es la creación y adaptación de nuevas palabras. Las siguientes palabras entraron al español a través del inglés y se asimilaron a la gramática y fonética del español. Cuando una palabra se asimila al español las reglas del español se aplican:

estrés ——→ estresante   escanear ——→ escaneé la foto

estándar ——→ estandarización   formatear ——→ formateo el documento

Hay otras palabras o préstamos del inglés que se usan entre los hispanohablantes y no se adaptaron al sistema gramatical del español.

look	trailer	camping	fax	surfing
chat	jeans	clic	email	software

❶ Define en español los siguientes conceptos: **Answers will vary. Possible answers:**

1. camping ___Es pasar unos días al aire libre o dormir en una tienda de campaña.___

2. jeans ___Son unos pantalones vaqueros.___

3. software ___Es un programa de computadora.___

4. un chat ___Es una conversación en línea.___

5. hacer clic ___Es apretar el botón del ratón de la computadora.___

6. fax ___Es mandar una copia de un documento a través de la computadora o del teléfono.___

❷ Ahora piensa en otras palabras que vinieron del inglés al español y completa la tabla. ¿Cuáles son algunas palabras que se asimilaron al español? ¿Cuáles son otras palabras del inglés que entraron al español como préstamos? **Answers will vary.**

Palabras asimiladas	Préstamos
1.	1.
2.	2.
3.	3.
4.	4.
5.	5.

UNIDAD 8 Lección 2

Vocabulario adicional

Gramática A *The Impersonal Pronoun Se + Indirect Object Pronouns*

Level 3 Textbook pp. 483–485

> **¡AVANZA!** **Goal:** Practice how to express accidental or unplanned occurrences using **se** and indirect object pronouns.

1 Durante la presentación de una obra teatral, el grupo de teatro estudiantil tuvo varios problemas. Empareja con una raya los problemas y las consecuencias que originaron.

A la actriz se le olvidaron los diálogos.

Al iluminador se le rompió una lámpara.

Al escenógrafo se le cayó una pared.

A la maquillista se le perdió una peluca.

Al encargado de sonido se le borró la cinta.

El asistente improvisó un apoyo.

Los actores tuvieron que cantar.

El teatro quedó a oscuras.

El público soltó una carcajada.

El actor tuvo que salir sin peluca.

2 El primer año del grupo teatral Unicornio fue un desastre. Usa el pronombre impersonal **se** y las pistas para saber lo que ocurrió.

Modelo: Tina / olvidar / diálogos / primera función

A Tina se le olvidaron los diálogos en la primera función.

1. directora / perder / libretos originales

A la directora se le perdieron los libretos originales.

2. Ernesto / quedar / el guión en casa

A Ernesto se le quedó el guión en casa varias veces.

3. profesora Barrios / enfermar / un hijo

A la profesora Barrios se le enfermó un hijo.

4. teatro / quemar / los vestidores

Al teatro se le quemaron los vestidores.

3 Diana describe a sus compañeros del club de mímica. Usa las descripciones de Diana para hacer oraciones con el pronombre impersonal **se.** Answers will vary. Posible answers:

Modelo: Teresa es muy olvidadiza. *A Teresa se le olvida todo* .

1. Marta es una manos de lumbre. A Marta se se le rompe todo

2. Patricia y Sonia no saben cargar objetos pesados. A Patricia y Sonia se les cae todo

3. Diego descompone todo lo que toca. A Diego se le descompone todo

4. Jesús siempre tropieza con todo. A Jesús se le atraviesa todo

5. Marta siempre está buscando sus cosas. A Marta se le pierde todo

UNIDAD 8 Lección 2 Gramática A

Gramática B The Impersonal Pronoun Se + Indirect Object Pronouns

Level 3 Textbook pp. 483–485

> **¡AVANZA!** **Goal:** Practice how to express accidental or unplanned occurrences using **se** and indirect object pronouns.

1 Escribe en el espacio la letra que corresponda a la frase para completar las oraciones que explican lo que ocurrió durante la presentación de «La dama boba».

1. A María y Sara, las cajeras, ___d___
2. A Manuela, la escenógrafa, ___b___
3. A José y a Pedro, los galanes, ___c___
4. Al profesor Soto ___a___

a. se le dio mucha ovación.
b. se le cayó un cuadro en el escenario.
c. se les perdieron las espadas.
d. se les olvidaron los boletos.

2 Las siguientes consecuencias son el resultado de un suceso inesperado. Usa las pistas para escribir una oración y explicar lo que ocurrió.

Modelo: Elena no va a encontrar su cartera. (metro / perder)

Se le perdió en el metro.

1. Javier va a llegar tarde a la escuela. (despertador / olvidar)
   Se le olvidó poner el despertador.

2. El señor González no va a poder arrancar la motocicleta. (carretera / descomponer)
   Se le descompuso en la carretera.

3. La bailarina no va a poder actuar en el estreno. (pierna / romper)
   Se le rompió la pierna.

4. El florero de Aminta va a estallar en mil pedazos. (piso / caer)
   Se le cayó al piso.

3 Teresa es una reportera del periódico estudiantil. Usa los comentarios que Pita Hinojosa, una poeta argentina, hace sobre su niñez para escribir una pregunta con el pronombre impersonal **se**. **Answers will vary. Possible answers:**

Modelo: Yo era muy olvidadiza.

¿Se le olvidaban los libros en casa?

1. Yo era muy distraída. Nunca sabía dónde dejaba las cosas.
   ¿Se le perdía todo?

2. También era enfermiza y me fracturaba huesos con frecuencia.
   ¿Se le rompió la pierna alguna vez?

3. Me llamaban Pita «manos de seda». Nada se quedaba en mis manos mucho tiempo.
   ¿Se le resbalaba todo?

4. En un viaje a Tucumán, una vez llegué sin las maletas.
   ¿Se le quedaba todo en casa?

UNIDAD 8 Lección 2
Gramática B

Unidad 8, Lección 2
Gramática B

372

¡Avancemos! 3
Cuaderno para hispanohablantes

Gramática C The Impersonal Pronoun Se + Indirect Object Pronouns

Level 3 Textbook pp. 483–485

| ¡AVANZA! | **Goal:** | Practice how to express accidental or unplanned occurrences using **se** and indirect object pronouns. |

1 Martín le cuenta a Ana lo que soñó y cree que sus sueños se harán realidad. Completa las predicciones que hace con el pronombre de complemento indirecto correcto y la conjugación apropiada del verbo entre paréntesis. **Answers will vary. Possible answers:**

Modelo: A la secretaria _se le quedarán las llaves dentro del coche_ . (quedar)

1. A la niña Celia _se le caerán dos dientes esta noche_ . (caer)

2. Al profesor Eusebio _se le perderá la computadora_ . (perder)

3. A ti _se te descompondrá el carro en la calle Olmo_ . (descomponer)

4. A nosotros _se nos hará tarde con tanta gente_ . (hacer tarde)

5. A las maestras _se les olvidarán sus libros en la cafetería_ . (olvidar sus libros)

2 En la fiesta de fin de año, Laura Cisneros reflexiona sobre lo que le ocurrió a ella y a otras personas el año pasado. Completa sus reflexiones con la conjugación correcta del verbo entre paréntesis y luego escribe otra oración que explique por qué le sucedieron esas cosas. **Answers will vary.**

Modelo: A mí se me _averió_ (averiar) el carro _porque se me olvidó ponerle aceite_ .

1. A mi tía rica se le _____ (romper) tres antigüedades _____
   _____

2. A mi pobre abuelo se le _____ (caer) las gafas en una alcantarilla
   _____

3. A mi papá se le _____ (acabar) el dinero _____
   _____

4. A mi hermana se le _____ (perder) mi gato _____
   _____

5. A nosotros se nos _____ (pasar) el aniversario de mis padres
   _____

3 ¿Recuerdas cómo eras de niño? Escribe una composición corta para explicar qué cosas te sucedían sin que tú las planearas. Usa un mínimo de cinco oraciones con **se** impersonal. **Answers will vary.**

_____
_____
_____
_____
_____

UNIDAD 8 Lección 2 Gramática C

Gramática A *Subjunctive Review*

> **¡AVANZA!** **Goal:** Review the various contexts in which to use the subjunctive.

1 La escritora favorita de Alejandra Cázares es Isabel Allende. Subraya los verbos en el subjuntivo en el siguiente párrafo que Alejandra escribió sobre ella.

Los libros de Isabel Allende siempre me han fascinado. Quiero leer *Paula*, la novela que escribió sobre la muerte de su hija. Leeré el libro tan pronto como termine éste que leo ahora, *Eva Luna*. Ojalá que todos pudieran alguna vez leer algo de ella. Si te gustan las historias largas, te recomiendo que leas *La casa de los espíritus*. Es interesantísima. Sería fabuloso que vieras también la película.

2 Los amigos de Felipe Mar se enfrentan a situaciones difíciles. Usa el subjuntivo de los verbos entre paréntesis para completar lo que dice Felipe.

Modelo: A Martina se le descompuso el coche otra vez. (comprar)

Ojalá que _compre_ uno nuevo.

1. A Cristian no le fue muy bien en el examen de matemáticas. (estudiar)

Espero que _estudie_ más para el próximo examen.

2. Paloma no llegó a tiempo a la audición del musical. (levantarse)

Le recomiendo que _se levante_ más temprano.

3. Juanita perdió la cartera en el tranvía. (estar)

Me entristece que Juanita _esté_ sin dinero.

4. El grupo de poesía no podrá publicar el anuario poético este año. (publicar)

¡Qué lástima que no lo _publiquen_!

5. Mario se fracturó la rodilla en la práctica de danza. (poder)

Es dudoso que _pueda_ salir en la representación.

3 Completa las preguntas que los organizadores de una representación teatral hacen en la sesión de voluntarios. Usa el subjuntivo o el indicativo de los verbos entre paréntesis según corresponda. **Answers will vary. Possible answers:**

Modelo: ¿Hay _alguien aquí que sepa de escenografía_? (saber / escenografía)

1. ¿Tenemos _una persona que baile tango_? (bailar / tango)

2. ¿Quién _es un buen declamador_? (ser / declamador)

3. ¿Conocen _a alguien que tenga vestuarios del Renacimiento_? (tener / vestuarios del Renacimiento)

4. ¿Quién de _ustedes ya tiene experiencia actuando_? (tener / experiencia actuando)

5. ¿Saben de _alguien a quien le guste cantar_? (gustar / cantar)

Gramática B Subjunctive Review

> **¡AVANZA!**   **Goal:** Review the various contexts in which to use the subjunctive.

❶ Jimena Cañal es una crítica de teatro muy exigente. Rellena los espacios en blanco con el subjuntivo de los verbos entre paréntesis para completar sus perspectivas.

Modelo: Quiero ir a los camerinos para que el actor principal _*oiga*_ mis opiniones.

1. Espero ver la obra para que mis apuntes ___*tengan*___ (tener) sentido.

2. Les ofrezco críticas a los actores en caso de que las ___*necesiten*___ (necesitar).

3. También, les doy recomendaciones antes de que ___*salgan*___ (salir) al escenario.

4. Con tal de que me ___*hagan*___ (hacer) caso, soy clara y concisa.

5. Hoy hablaré con ellos tan pronto como ___*termine*___ (terminar) la representación.

❷ Los estudiantes de la clase de teatro reflexionan sobre la última representación. Usa las pistas para completar oraciones completas. Haz todos los cambios necesarios.

Modelo: ser / necesario / que / practicar / más
         Era necesario que practicáramos más.

1. ser / triste / que / olvidar / diálogos
   Fue triste que olvidáramos los diálogos.

2. que lástima / que / irse / público / antes / final
   ¡Qué lástima que se fuera el público antes del final!

3. ser / horrible / que / terminar / obra / teatro / vacío
   Fue horrible que terminara la obra con el teatro vacío.

4. al menos / ser / positivo / que / directora / premiar / esfuerzo
   Al menos fue positivo que la directora premiara el esfuerzo.

❸ ¿Es la literatura importante en tu vida? Responde a las siguientes preguntas con oraciones completas y con subjuntivo. **Answers will vary. Possible answers:**

1. ¿Qué lecturas te gusta que te asignen los profesores?
   Me gusta que me asignen lecturas de horror.

2. ¿Qué te agrada de los libros?
   Me agrada que sean cortos y devertidos.

3. ¿Qué te molesta de las novelas?
   Me molesta que tengan personajes bobos.

4. ¿Qué te agrada o no de los resúmenes de libros en Internet?
   Me agrada que existan porque son fáciles.

Gramática C *Subjunctive Review*

> **¡AVANZA!** **Goal:** Express opinions, wishes, and doubts about artistic contexts.

1 Antonia Botello es una cantante de ópera. Completa las cosas que recuerda su infancia con el pasado de subjuntivo de los verbos entre paréntesis.

1. Era necesario que yo no _____**faltara**_____ a mis clases de canto. (faltar)

2. Mis padres querían que yo _____**tomara**_____ un té con miel de abeja todas las mañanas. (tomar)

3. Aunque había otras cosas que me fascinaban, mis padres quisieron que yo _____**estudiara**_____ canto desde muy chica. (estudiar)

4. Como eran muy estrictos, mis maestros les recomendaron que me _____**dejaran**_____ tener otras distracciones. (dejar)

5. Cuando descubrí la ópera, no hubo nada que me _____**apartara**_____ del canto. (apartar)

2 El mundo del teatro no ha cambiado mucho en los últimos años. Cambia las oraciones del pasado al presente para que veas que las mismas cosas tienen sentido.

1. Los actores de teatro querían que el público los ovacionara.

   Los actores de teatro quieren que el público los ovacione.

2. Era interesante que hubiera géneros como la comedia y la tragedia.

   Es interesante que haya géneros como la comedia y la tragedia.

3. Los directores pedían que los actores los obedecieran.

   Los directores piden que los actores los obedezcan.

4. El público prefería que las obras fueran divertidas.

   El público prefiere que las obras sean divertidas.

5. El miedo de los actores era que el público les lanzara tomates.

   El miedo de los actores es que el público les lance tomates.

3 ¿Qué hace una buena obra de teatro? Escribe una composición corta donde expliques en qué consiste una buena obra de teatro. Usa un mínimo de cinco oraciones que empleen el subjuntivo. **Answers will vary.**

_____

_____

_____

_____

_____

Gramática C   UNIDAD 8 Lección 2

Gramática adicional *Más pronombres relativos*

| ¡AVANZA! | **Goal:** Use the relative pronouns in conversations. |

Como sabes, los pronombres relativos relacionan dos cláusulas en una oración. Si la cláusula incluye una preposición y el pronombre no hace referencia a una persona, usa **el que, el cual, la que, la cual** y sus plurales.

> La película **por la que** vine al cine estuvo aburrida.

> El automóvil **del cual** te conté está carísimo. **Nota:** de + el = del

Lo que y lo cual son pronombres relativos que se refieren a ideas previamente conocidas por quien habla o escribe la oración.

> **Lo que** me dijiste ayer es verdad. María no me invitó. **Por lo cual**, no iré a la fiesta.

1 Diana Mar produce obras de teatro. Subraya los pronombres relativos que usa en el siguiente párrafo que describe su amor por las comedias del Siglo de Oro.

Lo que descubrí al leer las comedias del Siglo de Oro es una explosión de situaciones cómicas que tenía que compartir con el público de hoy. De los dramaturgos, el que más me gusta es Lope de Vega, lo cual no es una sorpresa porque escribió mas de dos mil comedias divertidísimas. También compuso tragedias, las cuales son serias y por lo cual no las he puesto en escena. Mi compañía se especializa en situaciones cómicas.

2 Cruz Pedraza es un actor de teatro con mucha experiencia. Usa los pronombres relativos para combinar en una oración sus comentarios sobre el teatro.

1. Me gustó mucho el papel de Romeo. Gané un premio por el papel de Romeo.

Me gustó mucho el papel de Romeo por el que gané un premio.

2. La profesión de actor es difícil. Hablé a los estudiantes de la profesión de actor.

La profesión de actor, de la cual hablé a los estudiantes, es difícil.

3. Los sacrificios valen la pena. Sufres mucho por algunos sacrificios.

Los sacrificios, por los cuales sufres mucho, valen la pena.

4. El público es de Zaragoza. Por ese público volvería al escenario.

El público por el que volvería al escenario es el de Zaragoza.

3 ¿Has asistido o actuado en una obra de teatro? Escribe un párrafo para describir cómo fue tu experiencia. Usa pronombres relativos en tu escritura. **Answers will vary.**

_____

_____

_____

_____

Conversación simulada

> **¡AVANZA!** **Goal:** Respond to a conversation talking about unplanned occurrences.

Vas a participar en una conversación telefónica simulada con tu amiga Gabriela. Primero, lee el bosquejo de la conversación que aparece en la página. Luego, escucha el audio. Tú sólo oirás lo que te dice Gabriela. Entonces escucha el audio de nuevo. Esta vez participarás en la conversación. Responde de forma oral a lo que te dice Gabriela. Una señal te indicará cuando te toque a ti hablar.

[phone rings]

Tú: Contesta el teléfono y pregunta quién llama.

Gabriela: (Ella responde y te cuenta qué le pasa.)

Tú: Tú le preguntas por qué.

Gabriela: (Ella te responde y te pregunta qué opinas.)

Tú: Pregúntale qué hizo.

Gabriela: (Ella te cuenta qué pasó después y te pregunta si lo crees.)

Tú: Pregúntale si se le ocurrió cancelar su presentación.

Gabriela: (Ella te responde y te pregunta qué habrías hecho tú.)

Tú: Contéstale y pregúntale si ahora le va mejor.

Gabriela: (Ella responde y se despide.)

Tú: Despídete y cuelga.

UNIDAD 8 Lección 2
Conversación simulada

378

Unidad 8, Lección 2
Conversación simulada

¡Avancemos! 3
Cuaderno para hispanohablantes

Integración: Escribir

> ▶ **¡AVANZA!** **Goal:** Respond to written and oral passages about unplanned occurrences.

Lee el siguiente fragmento que aparece en un manual de ayuda personal.

Fuente 1 Leer

Y CÓMO RESOLVER LO INESPERADO

¿Se le rompe el tacón del zapato
en plena avenida? ¿Se le acaba la
gasolina en medio de la carretera?
¿Se le pone la cara morada de
vergüenza cuando no le aceptan la tarjeta de crédito?
Si usted es una de esas personas a quienes siempre les
ocurre lo inesperado, las siguientes estrategias podrán
ayudarle a ir por el mundo con más calma.

La palabra clave: Planeación

Primer paso: Identifique las razones por las que a usted le
ocurren estas cosas. Le aseguro que no es un problema de
suerte ni un problema médico. Simple y sencillamente,
en la mayoría de los casos es la falta de organización.

Segundo paso: Una cosa después de la otra. No empiece
nada sin haber terminado lo que hacía antes. Si está
lavando la ropa no empiece a doblarla mientras cena.
Evalúe las consecuencias de la simultaneidad de tareas.
Aunque el mundo de los negocios le requiera hacer
muchas cosas a la vez, no todas son compatibles.

Tercer paso: Deje de soñar lo imposible y de tratar
de complacer a todos. ¿Por qué se le quedó el carro
sin gasolina en la carretera? Analice la situación.
Los descuidos son consecuencia de la falta de tiempo
y de planeación.

ESPERE LO INESPERADO   45

Escucha el mensaje que Cristóbal Quiñones, un joven uruguayo, dejó en el contestador de su
padre. Toma notas. Luego completa la actividad.

Fuente 2 Escuchar

HL CD 2, tracks 31–32

Escribe un párrafo para aconsejarle a Cristóbal qué hacer para que no vuelva a ocurrirle lo
mismo. ¿Qué haces tú para evitar los percances? Explica tu respuesta y da un ejemplo. **Answers will vary.**

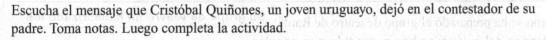

_____

_____

_____

_____

Lectura A

| ¡AVANZA! | **Goal:** Express opinions about a text. |

1 Raúl y su grupo se preparan para interpretar un pequeño drama en la escuela. Lee el diálogo entre Raúl y un amigo. Luego responde a las preguntas de comprensión y escribe tus opiniones.

La función de teatro con Raúl

CARLOS: Hola Raúl, ¿ya tienes todo listo? El estreno de la obra es mañana.

RAÚL: Ya sé, no me pongas más nervioso. Tengo algunos problemas. Se me olvidaron los cables para la iluminación del escenario.

CARLOS: El año pasado guardamos algunos accesorios de teatro en el baúl.

RAÚL: Los buscaré ahí. ¿Sabes? Estoy un poco nervioso. Nos hemos preparado, hemos memorizado los diálogos del guión y nos hemos aprendido nuestros papeles.

CARLOS: Sí, los nervios a veces traicionan en el escenario.

RAÚL: Espero que no se me olviden mis líneas. Además temo que se me olvide seguir las direcciones de la escenografía.

CARLOS: ¿Y por qué se te pueden olvidar?

RAÚL: Porque la semana pasada se me olvidaron los cambios de la directora.

CARLOS: ¿Y qué papel te toca hacer?

RAÚL: Me toca hacer el papel de un escritor que quiere escribir una novela perfecta.

CARLOS: Te deseo suerte, Raúl. Estoy seguro de que cuando baje el telón el público aplaudirá.

---

2 **¿Comprendiste?** Responde a las siguientes preguntas con oraciones completas.

1. ¿Para qué se prepara Raúl? ¿Qué problema tiene? *Raúl se prepara para el estreno de una obra de teatro en su escuela. A él se le olvidaron los cables para la iluminación.*

2. ¿Cómo se ha preparado el grupo de teatro de Raúl? *Su grupo de teatro ha memorizado los diálogos del guión y se han aprendido sus papeles.*

3. ¿Cuáles son los temores de Raúl? *Raúl confiesa que teme que se le olviden sus líneas y que se le olvide seguir las direcciones de la escenografía.*

3 **¿Qué piensas?** ¿Actuaste alguna vez en una obra teatral de tu escuela? ¿Qué papel representaste o te gustaría representar? ¿Por qué? **Answers will vary.**

_____

_____

_____

UNIDAD 8 Lección 2 · Lectura A

Lectura B

¡AVANZA!   **Goal:**   Express opinions about a text.

1 Lee la carta que Roberto le escribe a su maestra de teatro. Luego responde a las preguntas de comprensión.

Las excusas de Roberto

Querida maestra:

   Le pido excusas porque ayer llegué tarde al ensayo del grupo de teatro. Como se nos descompuso el auto de mi papá tuve que esperar el autobús para que me trajera hasta el teatro. Cuando llegó, a este se le pinchó un neumático y no pudo continuar con su ruta. No la llamé por teléfono porque se acabaron las baterías de mi celular. Busqué un teléfono público pero por más que lo busqué no lo encontré por ninguna parte. Caminé hasta el teatro pero no pude entrar porque se me olvidó traer mi identificación de estudiante. Por suerte alguien que estaba en la puerta y que me conocía me ayudó a entrar.

   Cuando llegué al escenario y la saludé, usted respondió sin levantar la vista. Luego, durante el ensayo, usted me llamó la atención por no seguir las direcciones de la coreografía. Se me habían olvidado los cambios que tenía que hacer. A mí se me ocurrieron algunas ideas maravillosas pero a nadie le gustó mi improvisación coreográfica. Después tuve que inventar el diálogo porque se me quedó el guión en casa. Perdóneme maestra, le prometo que la próxima vez, no se me olvida y lo traigo para el ensayo.

Gracias por todo,

Roberto

---

2 **¿Comprendiste?** Responde a las siguientes preguntas con oraciones completas.

   1. ¿Por qué llegó Roberto tarde al ensayo? ¿Por qué no llamó para avisar que llegaba tarde?

   Roberto llegó tarde al ensayo porque se le descompuso el auto. Él no llamó para avisar

   que llegaba tarde porque se le acabaron las baterías de su teléfono celular.

   2. ¿Qué problema tuvo Roberto con la coreografía?

   A Roberto se le olvidaron los cambios de la coreografía y a nadie le gustó su

   improvisación coreográfica.

   3. ¿Qué ocurrió cuando Roberto quiso decir sus líneas?

   Roberto tuvo que inventar el diálogo porque se le quedó el guión en casa.

3 **¿Qué piensas?** ¿Piensas que Roberto le dijo la verdad a su maestra? ¿Qué crees que le diría la profesora? Escribe la respuesta de la profesora. **Answers will vary.**

_____

_____

Lectura C

> **¡AVANZA!** **Goal:** Express opinions about a text.

1 Un periodista escribe en su columna una crítica de la obra de teatro que se presentó en el auditorio de la universidad. Lee con atención sus comentarios. Luego responde a las preguntas de comprensión.

Butaca teatral

Después de meses de preparación, el viernes 5 de julio a las 7:30 p.m. en el Auditorio de la Universidad de Buenos Aires, el grupo E.A.T. (Estudiantes Aficionados al Teatro), bajo la dirección de José Gallardo, presentó la obra del dramaturgo argentino Osvaldo Dragún, «Historia de un hombre que se convirtió en perro». Con esta puesta en escena, el director Gallardo hizo un excelente trabajo y mostró el talento desconocido de su elenco. Sin duda el éxito de esta obra también se debe a la calidad de los actores y actrices, todos estudiantes de la universidad. No cabe duda que sorprendieron al público con su talento histriónico y participación conmovedora.

La historia es una metáfora de la deshumanización del hombre contemporáneo. Cuenta cómo un hombre que se ha quedado sin trabajo decide aceptar el único empleo que encuentra: como perro del velador. La incomprensión, la indiferencia y falta de humanidad de la sociedad le demostrarán que la dignidad es algo pasajero. Poco a poco terminará sin diferenciar su trabajo de la realidad y la vida le demostrará, que finalmente, deberá convertirse literalmente en un perro de cuatro patas para sobrevivir. El guión, de una calidad extraordinaria, presenta una novedosa y renovada puesta en escena. Es evidente que la escenografía y el vestuario desempeñaron un papel importante, sin embargo el mérito también lo tuvieron el juego de luces y el maquillaje. Las luces provocaron un efecto trágico durante la obra y el maquillaje sirvió para destacar los rasgos más sobresalientes de los personajes. Aunque algunos estudiantes estaban haciendo todo lo posible por arruinar la puesta en escena con su bulla, ruido e interrupciones de aparatos digitales, la obra cautivó al público en general. No fue sorprendente que al terminar la función, los espectadores aplaudieran de pie al director y a los actores.

Recomiendo que no se pierdan este magnífico evento teatral, que estará entre nosotros por una semana más. Vayan a ver «Historia del hombre que se convirtió en perro», no se arrepentirán.

---

2 **¿Comprendiste?** Responde a las siguientes preguntas:

1. ¿Cómo se llama la obra que presentaron los estudiantes universitarios y a quién pertenece?

La obra se llama «Historia del hombre que se convirtió en perro» y pertenece al

dramaturgo argentino Osvaldo Dragún.

2. Según el columnista, ¿cuáles elementos fueron importantes para el éxito de la obra de teatro?

La actuación del elenco, el guión, el juego de luces y el maquillaje fueron importantes

para el éxito de la obra de teatro.

3. ¿Qué fue lo que no le gustó al periodista durante la puesta en escena?

A él no le gustaron la bulla, el ruido y las interrupciones que hacían algunos muchachos

durante la puesta en escena.

4. En general, ¿qué opinión tuvo el periodista sobre la obra teatral?

Él piensa que es una obra bien hecha y lograda y que vale la pena ver.

3 **¿Qué piensas?** ¿Has leído alguna vez críticas sobre obras teatrales o cinematográficas en el periódico o en alguna revista? ¿Piensas que esas críticas fueron objetivas? ¿Sí? ¿No? ¿Por qué opinas así? Escribe tus comentarios. **Answers will vary.**

_____

_____

_____

_____

_____

_____

Escritura A

¡AVANZA!	**Goal:** Express opinions.

1 Todas las personas hemos pasado por situaciones accidentales. Escribe cinco ejemplos de situaciones por las que tú o alguien que conoces haya pasado. **Answers will vary.**

Modelo: _Cuando Teresa estaba comiendo se le cayó la cuchara en la falda._

_____

_____

_____

2 Escoge una de las situaciones del punto anterior y escribe la anécdota. Ten en cuenta: 1) Qué pasó, cuándo pasó, dónde pasó, a quién(es) afectó, cuál fue la reacción de los presentes; 2) el inicio, el problema y el desenlace; 3) las oraciones claras completas y lógicas y 4) el buen manejo de los verbos y de la ortografía. **Answers will vary.**

_____

_____

_____

_____

_____

_____

_____

3 Evalúa tu anécdota con la siguiente información:

	Crédito máximo	**Crédito parcial**	**Crédito mínimo**
Contenido	En tu anécdota se describe muy bien: Qué pasó, cuándo pasó, dónde pasó, a quién(es) afectó, cuál fue la reacción de los presentes; hay inicio, problema y desenlace; las oraciones son claras y lógicas.	Hay algunos problemas al describir: Qué pasó, cuándo pasó, dónde pasó, a quién(es) afectó, cuál fue la reacción de los presentes; te falta el inicio, el problema o el desenlace; algunas oraciones no son claras o lógicas.	Tienes muchos problemas para describir: Qué pasó, cuándo pasó, dónde pasó, a quién(es) afectó, cuál fue la reacción de los presentes; no es claro cuál es el inicio, el problema y el desenlace; muchas oraciones no son claras ni lógicas.
Uso correcto del lenguaje	Tienes buen manejo de los verbos y de la ortografía.	Tienes algunos problemas con los verbos y la ortografía.	Tienes muchos problemas con los verbos y la ortografía.

Escritura B

¡AVANZA!	**Goal:** Express opinions.

Elaboras la página Web de una obra que presenta un grupo de teatro. **Answers will vary.**

1 Escribe en la siguiente tabla algunos datos importantes que incluirás en tu página Web:

Nombre de la obra	
Escritor(es)	
Director	
Actores principales	
Personajes	
Tema	
Lugar y Fecha	

2 Realiza tu página Web y asegúrate de: 1) usar la información anterior; 2) hacer una página llamativa; 3) construir oraciones claras; 4) hacer buen uso del lenguaje y de los verbos y 5) utilizar la ortografía correcta. **Answers will vary.**

_____

_____

_____

_____

_____

3 Evalúa tu página Web con la siguiente información:

	Crédito máximo	**Crédito parcial**	**Crédito mínimo**
Contenido	Tu página Web usa la información del punto uno; es llamativa. Hiciste oraciones claras.	Tu página Web usa alguna información del punto uno. Pudo ser más llamativa. Tuviste errores al construir las oraciones.	No usaste la información del punto uno. La información no es llamativa. Tuviste muchos errores en la creación de oraciones.
Uso correcto del lenguaje	Hiciste buen uso del lenguaje. La ortografía es correcta.	Tuviste errores con el lenguaje y la ortografía.	Tuviste muchos errores con el uso del lenguaje y la ortografía.

UNIDAD 8 Lección 2

Escritura B

Escritura C

¡AVANZA!	**Goal:** Express opinions.

1 En el periódico estudiantil quieren que escribas una reseña breve de una obra de teatro. Organiza tus ideas en el siguiente cuadro: **Answers will vary.**

Título	
Personajes	
Escenario	
Tiempo	
Situación	

2 Escribe tu reseña. No olvides: 1) incluir la información de la actividad uno; 2) escribir oraciones completas, claras y lógicas; 3) hacer uso correcto del lenguaje y de los verbos y 4) usar buena ortografía. **Answers will vary.**

_____

_____

_____

_____

_____

_____

_____

_____

_____

_____

3 Evalúa tu reseña con la siguiente información:

	Crédito máximo	**Crédito parcial**	**Crédito mínimo**
Contenido	Incluiste la información del punto uno. Hiciste oraciones claras, completas y lógicas.	Incluiste parte de la información del punto uno. Tuviste errores al construir oraciones claras, completas y lógicas.	No incluiste suficientes datos del punto uno. Tuviste muchos errores en la creación de oraciones claras, completas y lógicas.
Uso correcto del lenguaje	Hiciste uso correcto del lenguaje y de los verbos. La ortografía es correcta.	Tuviste errores en el lenguaje, los verbos y la ortografía.	No hiciste un buen uso del lenguaje, de los verbos ni de la ortografía.

UNIDAD 8 Lección 2

Escritura C

Cultura A

> **¡AVANZA!** **Goal:** Discover and know people, places, and culture from the Southern Cone.

1 Elige la opción que mejor completa cada oración.

1. Los tablados del carnaval de Montevideo son...

   a. grupos de artistas. **(b.)** espectáculos. **c.** desfiles.

2. El Teatro Colón de Buenos Aires es de estilo...

   a. español. **(b.)** italiano. **c.** ingles

3. El Teatro Colón de Buenos Aires terminó de construirse en el año...

   a. 1898. **(b.)** 1908. **c.** 1928.

2 Responde de forma breve a las siguientes preguntas.

1. ¿Qué tipo de manifestaciones artísticas son los tablados de Montevideo?

   Los tablados son espectáculos musicales callejeros, un tipo de teatro popular.

2. ¿Con qué tipo de pintura realizó Raúl Soldi la decoración de la cúpula del teatro Colón de Buenos Aires?

   Raúl Soldi realizó la decoración con pintura al óleo.

3 ¿Que significado tiene la fotografía de tu libro de unos jóvenes argentinos que preparan un obra de teatro? ¿Hay un grupo de teatro en tu escuela? ¿Quiénes forman parte de él? ¿Qué obras representa? Si no hay grupo de teatro en tu escuela, ¿te gustaría que hubiera uno? ¿Qué obras de teatro te gustaría ver en tu escuela? Escribe dos oraciones completas sobre cada uno de los puntos siguientes. **Answers will vary. Possible answer:**

La foto muestra el interés que tienen los jóvenes argentinos por el teatro. Es tan importante

que muchas escuelas tienen grupos de teatro.

El grupo: **En mi escuela hay un grupo de teatro que se llama «Acción». El grupo está**

formado por alumnos de los dos últimos cursos.

Las obras: **El grupo «Acción» representa muchas obras clásicas porque a todos los**

miembros del grupo les gusta la literatura. También representa obras que escriben

ellos mismos u otros estudiantes de la escuela. Estas obras casi siempre son muy

interesantes.

Cultura B

> **¡AVANZA!**　**Goal:** Discover and know people, places, and culture from the Southern Cone.

1 Indica si las siguientes afirmaciones son ciertas (C) o falsas (F). Si son falsas, escribe la forma correcta.

1. __F__ El Carnaval en Uruguay es una celebración que dura un día.
El Carnaval en Uruguay es una celebración muy larga.

2. __C__ Los tablados se acompañan con las formas musicales que más se escucharon durante el año.

3. __F__ Es típico que los temas de los tablados rindan homenaje a personas famosas.
Es típico que los temas de los tablados critiquen la sociedad y la política.

4. __C__ El Teatro Colón de Buenos Aires comenzó a construirse en 1888.

5. __F__ Soldi decoró la cúpula del Teatro Colón y donó su obra al gobierno argentino.
Soldi decoró la cúpula del Teatro Colón y donó su obra a la ciudad de Buenos Aires.

2 Responde a las siguientes preguntas usando oraciones completas.

1. ¿Qué son los tablados de Montevideo?
Los tablados son espectáculos musicales callejeros; son un tipo de teatro popular.

2. Los tablados tienen dos requisitos que los participantes tienen que cumplir ¿Cuáles son?
Los temas tienen que repasar los sucesos más notables del año y las obras deben

acompañarse por alguna de las formas musicales que más se escucharon durante el año.

3 ¿Qué tipo de espectáculos se representan en el Carnaval de Uruguay? Y en los EE.UU., ¿qué espectáculos callejeros o populares son tradicionales? ¿Dónde tienen lugar? ¿Cuándo? ¿En qué consisten? ¿Te gusta ver este tipo de espectáculo? ¿Por qué? **Answers will vary. Possible answer:**
En el Carnaval de Uruguay se representan espectáculos musicales callejeros. En muchas

ciudades grandes en Estados Unidos pueden verse espectáculos callejeros, sobre todo los

fines de semana y en verano. La mayoría de estos espectáculos son actuaciones musicales,

pero también hay teatro, magia, narraciones de cuentos para los niños, etc. Me gusta

ver estos espectáculos porque la calle es un ambiente más relajado y más amplio que un

teatro.

UNIDAD 8 Lección 2

Cultura B

Cultura C

> **¡AVANZA!** **Goal:** Discover and know people, places, and culture from the Southern Cone.

❶ Responde a las siguientes preguntas usando oraciones completas.

1. ¿Cuál es un elemento importante del carnaval de Montevideo y en qué consiste?

Un elemento importante del carnaval de Montevideo son los tablados, que son

espectáculos musicales callejeros.

2. ¿Qué personas o grupos de personas intervienen en los tablados?

En los tablados intervienen murgas, dramaturgos, actores y directores.

3. ¿Qué requisito han de cumplir los temas de los tablados?

Los temas de los tablados deben repasar los sucesos más notables del año.

4. ¿Qué requisito han de cumplir la música de los tablados?

Debe usarse las formas musicales que más se escucharon durante el año.

❷ Responde a las siguientes preguntas con todos los detalles posibles.

1. ¿Cuál es el estilo del edificio del Teatro Colón? ¿Y el de sus adornos?

El Teatro Colón es un edificio de estilo italiano y tiene adornos franceses.

2. ¿Qué técnica usó Raúl Soldi en la decoración de la cúpula del teatro Colón de Buenos Aires?

Raúl Soldi usó una técnica especial basada en la pintura al óleo: primero realizó la

pintura al óleo sobre tela y después la pasó al muro.

❸ ¿Conoces algún edificio famoso como el Teatro Colón de Buenos Aires? Di qué edificio has visto que te haya impresionado por sus adornos y decoración? ¿Dónde se encuentra? ¿Para qué se usa el edificio? ¿Cómo es? ¿Qué es lo que más te gusta de él?

El edificio que más me ha impresionado de Estados Unidos es la Catedral Nacional de

Washington en Washington D.C. Es una catedral construida al estilo de las antiguas

catedrales europeas que se usa para ceremonias de todas las religiones. Los adornos de la

Catedral son muchos y muy variados, todos son impresionantes, pero lo que más me gusta

son los rosetones con vidrieras y las terminaciones de las torres.

UNIDAD 8 Lección 2 **Cultura C**

Comparación cultural: Cuna de autores famosos
Lectura y escritura

Después de leer los párrafos sobre los autores más notables del país de Aníbal y Rafaela,
escribe un párrafo sobre dos escritores notables de tu país. Usa la información de la tabla
para escribir ideas generales. Luego, escribe un párrafo sobre dos escritores notables de tú
país.

Paso 1

Completa la tabla con los detalles sobre dos escritores notables de tu país.

Nombre	Obras	Temas	Género	Premios
Carl Sandburg, Illinois, 1878	*Poemas de Chicago y Abraham Lincoln*	historia	poesía, cuentos	Premio Pulitzer

Paso 2

Ahora usa los detalles de la tabla para escribir unas oraciones generales sobre cada autor.

_____

_____

_____

_____

_____

_____

UNIDAD 8

Comparación cultural

Comparación cultural: Cuna de autores famosos
Lectura y escritura
(continuación)

Paso 3

Ahora escribe un párrafo usando las oraciones que escribiste como guía. Incluye una oración de introducción y utiliza las frases **aunque, en cuanto, tan pronto como, después de que** para describir las características más importantes de los dos escritores notables de tu país.

_____

_____

_____

_____

_____

_____

Lista de verificación

Asegúrate de que...

☐ incluyes todos los detalles de la tabla para describir a dos escritores notables de tu país;

☐ usas los detalles sobre dos escritores notables de tu país;

☐ utilizas las conjunciones y las frases para conectar ideas y eventos.

Tabla

Evalúa tu trabajo con la siguiente tabla.

Criterio de escritura	Excelente	Bueno	Necesita mejorar
Contenido	Tu párrafo incluye todos los detalles sobre dos escritores notables de tu país.	Tu párrafo incluye algunos de los detalles sobre dos escritores notables de tu país.	Tu párrafo incluye muy poca información sobre dos escritores notables de tu país.
Comunicación	La mayor parte de tu párrafo está organizada y es fácil de entender.	Partes de tu párrafo están organizadas y son fáciles de entender.	Tu párrafo está desorganizado y es difícil de entender.
Precisión	Tu párrafo tiene pocos errores de gramática y de vocabulario.	Tu párrafo tiene algunos errores de gramática y de vocabulario.	Tu párrafo tiene muchos errores de gramática y de vocabulario.

UNIDAD 8 Comparación cultural

Comparación cultural: Cuna de autores famosos
Compara con tu mundo

Ahora escribe un ensayo comparando a tus dos autores notables con los autores notables de uno de los estudiantes de la página 503. Organiza la comparación por temas. Primero compara el nombre del autor y sus obras, después escribe sobre los temas y los géneros literarios, y por último escribe tus reflexiones.

Paso 1

Usa la tabla para organizar la comparación por temas. Escribe los detalles de cada uno de los temas sobre los dos autores notables de tu país y los del (de la) estudiante que elegiste.

	Mis autores	**Los autores de _____**
Nombre del autor		
Sus obras		
Temas y géneros		
Tus reflexiones		

Paso 2

Ahora usa los detalles de la tabla para escribir la comparación. Incluye una oración de introducción y escribe sobre cada tema. Utiliza las frases **aunque**, **en cuanto**, **tan pronto como**, **después de que** en tu comparación.

_____

_____

_____

_____

_____

_____

_____

UNIDAD 8
Comparación cultural

392

Unidad 8
Comparación cultural

¡Avancemos! 3
Cuaderno para hispanohablantes

Talk About Yourself and Your Friends

PEOPLE AND ACTIVITIES

el actor	actor
la actriz	actress
avanzado(a)	advanced
la cámara digital	digital camera
la ciencia ficción	science fiction
el mensajero instantáneo	instant messaging

MORE ACTIVITIES

acampar	to camp
dibujar	to draw
dar una caminata	to hike
estar en línea	to be online
hacer una excursión	to go on a day trip
pescar	to fish
regatear	to bargain
tomar fotos	to take photos
visitar un museo	to visit a museum

Talk About Places and People You Know

PLACES

el almacén	department store
el barrio	neighborhood
el edificio	building
la farmacia	pharmacy
la joyería	jewelry store
la librería	bookstore
la panadería	bakery
la parada de autobús	bus stop
la película	film
el rascacielos	skyscraper
el teatro	theater
la tienda	store
la zapatería	shoe store

EMOTIONS

Estoy muy emocionado(a).	I am overcome with emotion.
Me hace reír.	It makes me laugh.
Me hace llorar.	It makes me cry.
Me / te / le da miedo.	It scares (me, you, him / her).
Me encantaría.	I would love to.
¡Qué lástima!	What a shame!

Make Comparisons

FOOD

el ajo	garlic
desayunar	to have breakfast
cenar	to have dinner
la especialidad	specialty
la merienda	afternoon snack
la papa	potato
el pescado	fish
la pimienta	pepper
el pollo asado	roasted chicken
el postre	dessert
la sal	salt
la sopa	soup
las verduras	vegetables

ADJECTIVES

agrio(a)	sour
amable	kind
cocido(a)	cooked
crudo(a)	raw
dulce	sweet
hervido(a)	boiled
frito(a)	fried
lento(a)	slow
picante	spicy, hot
sabroso(a)	tasty
salado(a)	salty

What You Know How To do

competir (i, i)	to compete
contar (ue)	to tell (a story)
hacer ejercicio	to exercise
jugar en equipo	to play on a team
meter un gol	to score a goal
montar a caballo	to ride a horse
musculoso(a)	muscular
el premio	prize, award
rápido(a)	fast

Describe Your Daily Routine

acostarse (ue)	to go to bed
activo(a)	active
bañarse	to take a bath
cepillarse los dientes	to brush one's teeth
despertarse (ie)	to wake up
ducharse	to take a shower
lavarse (la cara, las manos)	to wash oneself (one's face, one's hands)
levantarse	to get up
ponerse la ropa	to put on clothes
secarse	to dry oneself
vestirse (i, i)	to get dressed

Describe a Camping Trip

al aire libre	outdoors
el albergue juvenil	youth hostel
la camioneta	SUV, truck
la cantimplora	water bottle, canteen
el descuento	discount
el equipo	the equipment
la estufa (de gas)	(gas) stove
el fósforo	match
la fogata	campfire
la guía	guide
el kayac	kayak
la olla	pot
el saco de dormir	sleeping bag
la tarifa	fare
la tienda de campaña	tent
el transporte público	public transportation
hacer una caminata	take a walk

Talk About What You Did with Friends

ahorrar	to save (money, time)
conseguir	to get, to find
divertirse (ie)	to enjoy, to have fun
encender	to light (a match), to make a fire, to turn on
escalar montañas	to climb mountains
hacer una excursión	to go on an excursion, guided tour
llenar	to fill up
meterse en	to go into
montar	to put up
navegar por rápidos	to go whitewater rafting
navegar	to navigate, to sail
observar	to observe
ofrecer	to offer
remar	to row
seguir	to follow
utilizar	to use

Talk About Nature

el agua dulce	fresh water
la araña	spider
el árbol	tree
el bosque	forest, woods
la flor	flower
la mariposa	butterfly
la naturaleza	nature
el pájaro	bird
el pez	fish
el río	river
la selva	jungle
el sendero	path
la serpiente	snake

Other Words and Phrases

agotador	exhausting
inolvidable	unforgettable
al extranjero	abroad
con anticipación	in advance
frente a	facing
fuera (de)	outside (of)
junto a	next to
sin	without
dentro	inside

Talk About Family Vacations

FAMILY RELATIONSHIPS	
el apellido	last name
el (la) bebé	baby, infant
el (la) bisabuelo(a)	great-grandfather / great-grandmother
el (la) biznieto(a)	great-grandson / great-granddaughter
el (la) cuñado(a)	brother-in-law / sister-in-law
el esposo(a)	husband; wife; spouse
la madrina	godmother
el matrimonio	marriage; married couple
el (la) nieto(a)	grandson / granddaughter
el (la) novio(a)	boyfriend / girlfriend, fiancé / fiancée
la nuera	daughter-in-law
el padrino	godfather
el pariente	relative
el (la) sobrino(a)	nephew / niece
el (la) suegro(a)	father-in-law / mother-in-law
el yerno	son-in-law

Talk About What You Did with Friends

la canoa	canoe
el chaleco salvavidas	life jacket
la moto acuática	personal watercraft
el (la) surfista	surfer
la tabla de surf	surfboard
el velero	sailboat
el voleibol playero	beach volleyball
en absoluto	not at all
juntarse	to get together with
mantener (el equilibrio)	to keep (the balance)
marearse	to get seasick / to become dizzy
merendar	to have a snack
pararse	to stand up
parecerse a (alguien)	to look like (someone)
recoger	to pick up
recostarse	to lie down
refrescarse	to cool down
refugiarse	to take refuge from
reunirse	to get together, to meet

Describe a Place and its Climate

la arena	sand
la brisa	breeze
el calor agobiante	stifling heat
el caracol	shell
hacer fresco	to be cool (weather)
la orilla	shore
el puerto	port
la sombrilla	parasol
ver el amanecer	to watch the sunrise
ver la puesta del sol	to watch the sunset

Trips and Transportation

el carro	car
la casa rodante	RV
conducir	to drive
la cubierta	deck (of a boat)
la escapada	get away
hacer un crucero	to go on a cruise

REPASO Preterite Tense of Regular Verbs

Add the following endings to the stems of regular verbs.

-ar verbs			-er / -ir verbs		
-é	-amos		-í	-imos	
-aste	-asteis		-iste	-isteis	
-ó	-aron		-ió	-ieron	

Verbs ending in **-car**, **-gar**, and **-zar** have a spelling change in the **yo** form.

practicar → yo practiqué
navegar → yo navegué
organizar → yo organicé

REPASO Irregular Preterites

These verbs have irregular stems in the preterite.

i-Stem	u-Stem	uv-Stem	j-Stem
hacer hic-/hiz-	haber hub-	andar anduv-	decir dij-
querer quis-	poder pud-	estar estuv-	traer traj-
venir vin-	poner pus-	tener tuv-	conducir conduj-
	saber sup-		

- **Ser** and **ir** have the same irregular conjugations.

fui	fuimos
fuiste	fuisteis
fue	fueron

- **Dar** and **ver** have regular **-er/-ir** endings but with no written accent marks.

Stem-changing verbs in the preterite.

Verbs ending in **-ir** that have a stem change in the present tense change from **o → u** or **e → i** in the form s of **usted/él/ella** and **ustedes/ellos/ellas** in the preterite.

dormir (ue, u)

Nosotros **dormimos** en casa.
Ellas **durmieron** al aire libre.

REPASO Imperfect Tense

Add the following endings to the stems of **regular verbs.**

-ar verbs			-er / -ir verbs		
-aba	-ábamos		-ía	-íamos	
-abas	-abais		-ías	-íais	
-aba	-aban		-ía	-ían	

irregular verbs					
ir:	iba	ibas	iba	íbamos	ibais	iban
ser:	era	eras	era	éramos	erais	eran
ver:	veía	veías	veía	veíamos	veíais	veían

REPASO Preterite vs. Imperfect

Use the **preterite tense** for:
- actions completed in the past
- actions that interrupt
- the main event

Use the **imperfect tense** to describe:
- the time or weather
- ongoing actions or states of being
- background information

The verbs saber and conocer.

Saber and **conocer** take on different meanings in the preterite. **Saber** means *found out* and **conocer** means *met.*

Hoy **supe** que vamos a pasar dos semanas de vacaciones en la playa.
Today I found out that we're going to spend two weeks of vacation at the beach.

El último día del viaje, **conocí** a un surfista que se llama Santiago.
The last day of the trip, I met a surfer named Santiago.

Describe Volunteer Activities

los ancianos	the elderly
la bolsa de plástico	plastic bag
el comedor de beneficencia	soup kitchen
el envase	container
la gente sin hogar	the homeless
los guantes de trabajo	work gloves
el hogar de ancianos	nursing home
el hospital	hospital
la lata	metal can
la pobreza	poverty
el proyecto de acción social	social action project
el (la) voluntario(a)	volunteer
tirar basura	to litter
trabajar de voluntario	to volunteer

Persuade or Influence Others

la agencia de publicidad	ad agency
el anuncio	announcement, ad
el artículo	article
la campaña	campaign
el canal de televisión	T.V. channel
la creatividad	creativity
el diseño	design
la emisora (de radio)	radio station
el lema	motto
el letrero	sign, poster
las noticias	news
el periódico	newspaper
la prensa	press
la publicidad	publicity
la revista	magazine

Organize People to do a Project

apoyar	to support
el cheque	check
colaborar	to collaborate
contar con los demás	to count on others
la cooperación	cooperation
cumplir	to fulfill, to carry out
de antemano	beforehand
delegar	to delegate
elegir (i)	to choose
gastar	to spend
juntar fondos	to fundraise
organizar	to organize
la planificación	planning
prestar	to lend
el presupuesto	budget
la prioridad	priority
recaudar fondos	to raise funds
reciclar	to recycle
solicitar	to ask for, to request

Talk About the Media

el acceso	access
el anuncio clasificado	classified ad
el anuncio personal	personal ad
el artículo de opinión	editorial
la cita	quotation
la columna	column
el cortometraje	short documentary
la cuestión	issue, question
los dibujos animados	cartoons
el (la) editor(a)	editor
la entrevista	interview
la fecha límite	deadline
el (la) fotógrafo(a)	photographer
el grabador	tape recorder
la gráfica	graphic
el largometraje	feature, full-length movie
el noticiero	news broadcast
la publicidad por correo	mailing
el público	audience
la reseña	review
la subtitulación para sordos	closed captioning for the hearing impaired
el (la) telespectador(a)	TV viewer
la teletón	telethon
el titular	headline

Express Opinions

el debate	debate
describir	to describe
estar / no estar de acuerdo con	to agree / disagree with
explicar	to explain

Talk About the Community

a beneficio de	to the benefit of
donar	to donate
la obra caritativa	charitable work
otorgar	to grant
patrocinar	to sponsor
el (la) patrocinador(a)	sponsor
el programa educativo	educational program
los volantes	flyers

Actions

distribuir	to distribute
emitir	to broadcast
entrevistar	to interview
investigar	to investigate
presentar	to present
publicar	to publish
traducir	to translate

REPASO Tú Commands

Regular **affirmative *tú* commands** are the same as the **usted/él/ella** form in the present tense.

The following verbs are irregular:

decir: di	hacer: haz	ir: ve	poner: pon
salir: sal	ser: sé	tener: ten	venir: ven

You form **negative *tú* commands** by changing the **yo** form of the present tense.

For -ar verbs: **-o → -es.**

For -er/-ir verbs: **-o → -as.**

The following verbs are **irregular:**

dar: no des	estar: no estés
ir: no vayas	ser: no seas

REPASO Other Command Forms

Command Forms

Usted	Ustedes	Nosotros
¡(No) tire!	¡(No) tiren!	¡(No) tiremos!
¡(No) haga!	¡(No) hagan!	¡(No) hagamos!
¡(No) elija!	¡(No) elijan!	¡(No) elijamos!

To say *let's go,* use **vamos.**

To say *let's not go,* use **no vayamos.**

Verbs ending in **-car, -gar,** and **-zar** require a spelling change (**c → qu, g → gu, z → c**) in **usted, ustedes,** and **nosotros** command forms.

Polite Requests.

Many Spanish speakers avoid direct commands and look for a way of making indirect requests.

podrías/ podría/ podríais/ podrían + verb infinitive

¿Podrías **aprobar el plan?** *Could/Would you approve the plan?*

REPASO Pronouns with Commands

Affirmative

attaches

Dámelo.

Negative

before

No **se lo des a ella.**

If both **object pronouns** begin with the letter **l,** change the **le** or **les** to **se.**

The **reflexive pronoun** always comes before the **object pronoun.**

before

¡**Póntelas!**

before

¡No **te las pongas!**

With the **nosotros** command, drop the **-s** of the ending before adding the **reflexive pronoun** *nos.*

¡Organicemos una reunión!   ¡Organicémonos!

REPASO Impersonal Expressions + Infinitive

To state an opinion, or to suggest that something should be done, use an **impersonal expression** plus an **infinitive**

Impersonal Expression		
Es		
Fue	+ adjective	+ infinitive
Era		
Va a ser		

Es malo presentar información falsa.

It's bad to present false information.

Impersonal constructions with se.

If an infinitive or a singular noun follows **se,** you use the **usted/él/ella** form. If a plural noun follows **se,** use the **ustedes/ellos/ellas** form.

Se **habla** español aquí.   Se **publican** todas las entrevistas.

Spanish is spoken here.   *All the interviews are published.*

Express Environmental Concerns and Possibilities

el aire puro	clean air
el basurero	garbage container
la biodiversidad	biodiversity
la capa de ozono	ozone layer
el clima	climate
la contaminación	pollution, contamination
la deforestación	deforestation
el efecto invernadero	greenhouse effect
la erosión	erosion
las especies en peligro de extinción	endangered species
la inundación	flood
el medio ambiente	environment
no renovable	nonrenewable
el petróleo	oil
el planeta	planet
el recurso natural	natural resource
la responsabilidad	responsibility
el riesgo	risk
la sequía	drought
el smog	smog
el suelo	ground, soil
el temblor	earthquake
ACTIONS	
dañar	to harm
destruir	to destroy
disminuir	to diminish, to decrease
fomentar	to foment, to support
proteger	to protect
respirar	to breath
reutilizar	to reuse
valorar	to value

Impact of Technology

apreciar	to appreciate
complejo(a)	complex
desarrollar	to develop
el desarrollo	development
la innovación	innovation
el invento	invention
la investigación	research
mejorar	to improve
reemplazar	to replace

Make Predictions

amenazar	to threaten
el derrumbe	landslide
extinguirse	to become extinct
informarse	to keep informed
el porvenir	future
responsable	responsible
la transformación	transformation
volar	to fly
votar	to vote

Discuss Obligations and Responsibilities

SOCIAL AWARENESS	
el (la) ciudadano(a)	citizen
el compromiso	commitment
la conciencia social	social awareness
encargarse de	to take charge of; to make oneself responsible for
la irresponsabilidad	irresponsibility
penalizar	to penalize
la política	politics
el principio	principle
respetar	to respect
satisfacer	to satisfy
la sociedad	society
la unidad	unity
MISTAKES AND PERSISTENCE	
advertir(ie)	to warn
cometer	to make (a mistake)
emprender	to undertake
error	mistake, error
insistir	to insist
luchar	to struggle
persistir	to persist
progresar	to progress
prosperar	to prosper
seguir adelante	to continue on, to carry on
solucionar	to solve
superar	to overcome
INVENTIONS	
comercializar	to market
invertir(ie)	to invest
novedoso(a)	novel, original
la patente	patent
el producto	product

Other Words

OTHER WORDS	
la advertencia	warning
el fracaso	failure
la mejora	improvement
el obstáculo	obstacle
el sufrimiento	suffering

Present and Support an Opinion

criticar	to criticize
evaluar	to evaluate
es imprescindible que	it is indispensable / imperative that . . .
es raro que...	it is strange that. . . .
por un lado...	on one hand . . .
por el otro lado...	on the other hand. . . .

Future Tense

Future Endings		
Infinitive +	-é	-emos
	-ás	-éis
	-á	-án

Irregular Future Stems

Infinitive	Stem	Infinitive	Stem
haber	habr-	salir	saldr-
poder	podr-	tener	tendr-
querer	querr-	venir	vendr-
saber	sabr-	decir	dir-
poner	pondr-	hacer	har-

You can also use the **future tense** to wonder or make a guess about something.

Por and Para

Use **por** to indicate...
- passing through
- general location
- how long
- cause
- exchange
- in place of
- means

Use **para** to indicate...
- for whom
- destination
- recipient
- purpose
- opinion
- comparison
- deadline

Present Subjunctive of Regular Verbs

hablar	tener	escribir
hable	tenga	escriba
hables	tengas	escribas
hable	tenga	escriba
hablemos	tengamos	escribamos
habléis	tengáis	escribáis
hablen	tengan	escriban

Spelling Changes

	becomes
criticar	critique
investigar	investigue
penalizar	penalice
proteger	proteja
extinguir	extinga

More Subjunctive Verb Forms

Irregular Subjunctive Forms

dar	estar	ir	saber	ser
dé	esté	vaya	sepa	sea
des	estés	vayas	sepas	seas
dé	esté	vaya	sepa	sea
demos	estemos	vayamos	sepamos	seamos
deis	estéis	vayáis	sepáis	seáis
den	estén	vayan	sepan	sean

The subjunctive of **haber** is **haya.**

- Verbs ending in -ar and -er change e → ie or o → ue in all forms except **nosotros** and **vosotros.**
- Verbs ending in -ir that change e → ie or o → ue have a different change (e → i or o → u) in the **nosotros** and **vosotros** forms.
- Verbs that change e → i have the same stem change in all forms.

Describe People

la conducta	behavior
comportarse bien / mal	to behave well / badly
destacarse por...	to be remarkable for, to stand out (from others) for...
idealizar (a alguien)	to idealize (someone)
imitar	to imitate
personificar	to personify
representar	to represent

PERSONAL CHARACTERISTICS

atrevido(a)	daring
comprensivo(a)	understanding
considerado(a)	considerate
dedicado(a)	dedicated
desagradable	disagreeable
fiel	faithful
generoso(a)	generous
impaciente	impatient
razonable	reasonable
modesto(a)	modest
orgulloso(a)	proud
paciente	patient
popular	popular
presumido(a)	presumptuous
ingenioso(a)	clever
sincero(a)	sincere
sobresaliente	outstanding
tímido(a)	shy
vanidoso(a)	vain

PROFESSIONS

el (la) astronauta	astronaut
el (la) científico(a)	scientist
el (la) detective	detective
el (la) electricista	electrician
el (la) empresario(a)	businessperson
el (la) entrenador(a)	trainer, coach
el (la) mecánico(a)	mechanic
el (la) obrero(a)	laborer
el (la) piloto	pilot
el (la) programador(a)	programmer
el (la) trabajador(a) social	social worker

Tell Others What To Do

aconsejar que	to advise that
dejar que	to allow that
exigir que	to demand that
mandar que	to order, command that
prohibir que	to prohibit that
sugerir (ie) que	to suggest that

Describe People and Things

DESCRIPTIONS

auténtico(a)	authentic
práctico(a)	practical, down-to earth
realista	realistic
sorprendente	surprising
verdadero(a)	real, true, sincere

PROFESSIONS

el (la) artista	artist
el (la) bombero(a)	firefighter
el (la) carpintero(a)	carpenter
el (la) cartero(a)	mail carrier
el (la) músico(a)	musician
el (la) periodista	journalist
el (la) policía	police officer
el (la) político(a)	politician
el (la) secretario(a)	secretary
el (la) técnico(a)	technician, repairperson
el (la) vecino(a)	neighbor
el (la) veterinario(a)	veterinarian

Express Positive and Negative Emotions

alegrarse de que	to be happy that
dudar que	to doubt that
es dudoso que	it is doubtful that
es improbable que	it is improbable / unlikely that
no creer que	not to believe that
no es cierto que	it is not certain that
no es verdad que	it is not true that
no estar seguro(a) (de) que	not to be sure that
sentir (siento) que	to be sorry that, to feel
sorprenderse de que	to be surprised that

Actions

actuar	to act
aparecer	to appear
arriesgarse	to risk
convertirse en	to turn into
figurar en	to appear in
lograr	to attain, to achieve

Other Words

la amistad	friendship
el deber	duty
la fama	fame
el honor	honor
la imagen	image
el logro	achievement, success
la meta	goal
por eso	for that reason, that's why
por lo tanto	therefore
el propósito	purpose, aim
el sacrificio	sacrifice
sin embargo	nevertheless, however
la valentía	bravery

Subjunctive with Ojalá and Verbs of Hope

Verbs of Hope + **que** + **different subject** + *subjunctive*

Verbs of Hope
desear
esperar
querer

Ella **quiere** que **su hijo** *se comporte* bien.

Use the *infinitive* and omit **que** if there is no change of subject.

El niño *quiere* **comportarse** bien.

Ojalá can be used with or without **que**. It is always used with the subjunctive.

Ojalá que no llueva mañana.

Subjunctive with Verbs of Influence

Verbs of Influence		
aconsejar	insistir	prohibir
dejar	mandar	recomendar
exigir	pedir	sugerir

verb of influence + **que** + **different subject** + **subjunctive**

indicative → *subjunctive*

Sugiero que *llegues* temprano.
I suggest that you arrive early.

Suffixes.

Many adjectives can be changed to nouns by adding common suffixes. **-Cia, -ez, -dad,** and **-cion** create feminine nouns.

Adjective	Noun
paciente	la paciencia
patient	*patience*
sincero	la sinceridad
sincere	*sincerity*

Subjunctive with Doubt

expression of doubt + **que** + **different subject** + **subjunctive**

Marta **no está segura de** que *tengamos* tiempo para ver la película.

Note that the word **no** can affect whether or not you need to use the **subjunctive**.

expresses certainty → *indicative*

No dudamos que él **tiene** talento.
We do not doubt that he has talent.

Subjunctive with Emotion

expression of emotion + **que** + **different subject** + **subjunctive**

Nos alegramos de que tú *actúes* con honor.
We're happy that you act with honor.

No **me sorprendo de** que *sea* difícil.
I'm not surprised that it's difficult.

Superlatives.

Follow this formula to talk about superlatives:

el / la / los / las + noun + más + adjective *(agrees with article and noun)*

Ana María es **la artista más famosa** que conozco

Ana María is the most famous artist I know.

Talk About Person Items

PERSONAL POSSESSIONS	
la agenda electrónica	personal organizer
los ahorros	savings
la bolsa	bag, handbag
la cartera	wallet
distinto(a)	distinct, different
el documento (de identidad)	identification
las gafas (de sol)	(sun)glasses
el monedero	change purse
el paraguas	umbrella
precioso(a)	precious
sin valor	worthless
valioso(a)	valuable

ACTIONS	
disfrutar de	to enjoy
esconder	to hide
estar ilusionado(a)	to be excited, to be thrilled
evitar	to avoid
guardar	to keep, to put away

COMPUTERS, E MAIL, ONLINE CHATS	
la búsqueda	search
la computadora portátil	portable / laptop computer
conectarse al Internet	to connect to the Internet
la contraseña	password
descargar	to download
el enlace	link
enviar	to send
el escáner	scanner
imprimir	to print
los juegos de computadora	computer games
el salón de charlas	chat room
el sitio web	Web site

Talk About Requirements

a fin de que...	in order that
a menos que...	unless
antes de que...	before
con tal (de) que...	as long as
dar consejos	to give advice
dar una sugerencia	to make a suggestion
en caso de que...	in case
hasta que...	until
para que...	in order that
ponerse de acuerdo	to agree
sin que...	without

Other Phrases

darse cuenta de	to realize
sospechar que	to suspect that
temer que	to be afraid that

Talk About the Day's Activities

asistir a un espectáculo	to attend a show
dormir una siesta	to take a nap
encontrarse con	to meet up with
pasar un buen rato	to have a good time
relajarse	to relax
el ajedrez	chess
el billar	billiards
los dados	dice
las damas	checkers
el estreno	debut, premiere
la ficha	game piece
el grupo musical	music group
el juego de mesa	board game
la manta	blanket
la música bailable	dance music
la orquesta	orchestra
los naipes	cards
el pasatiempo	pastime
el ocio	leisure

Report What Someone Said

asistir a una reunión	to attend a meeting
charlar	to chat
comentar	to comment on, to talk about
concluir	to conclude, to finish
debatir	to debate
el encuentro	encounter
intercambiar opiniones	to exchange opinions
relatar	to relate, to tell

Other Words and Actions

acogedor(a)	cozy, welcoming
la actuación	acting
el ambiente	atmosphere
discutir	to discuss, to argue
formal	formal
informal	informal, casual
el (la) músico(a) callejero(a)	street musician
la resolución	resolution
resolver	to solve
el ruido	noise
el (la) vendedor(a) ambulante	street vendor

Subjunctive with Conjunctions

Conjunctions used with Subjunctive		
a fin de que	con tal (de) que	para que
a menos que	en caso de que	sin que
antes de que		

No gastes tus ahorros **a menos que** *sea* necesario.
*Don't spend your savings **unless** it's necessary.*
Without **que,** the verb that follows must be in the *infinitive* form.
Tendrás que comer **antes de salir.**
You'll have to eat before leaving.

Subjunctive with the Unknown

Verbs like **buscar, querer,** or **necesitar** plus **que** are used with the **subjunctive.**

Quiero una computadora portátil **que** no **cueste** mucho.
I want a laptop computer that does not cost that much.
Use the **subjunctive** to ask about something that may not exist, or to say that something does not exist.
¿**Tienes** un teléfono **que toque** música?
Do you have a phone that plays music?
No conozco a nadie **que publique** poesía.
I don't know anyone who publishes poetry.
To talk about things that do exist, use the **indicative.**
Hay un sitio web que **tiene** la información.
*There is a Web site that **has** the information.*

Expressions with sea.
If you are not sure about the details of who, when, what or where, you can use the following expressions with **sea** to indicate your uncertainty.

a la hora que **sea**	at whatever time that may be
donde **sea**	wherever that may be
lo que **sea**	whatever that may be
cuando **sea**	whenever that may be
quien **sea**	whoever that may be
como **sea**	however that may be

Conditional Tense

Add the **conditional** endings directly to the **infinitive** of regular verbs.

Infinitive		Conditional endings	
llevar	+	-ía	-íamos
resolver		-ías	-íais
discutir		-ía	-ían

Infinitive	Stem	Infinitive	Stem
haber	**habr-**	poner	**pondr-**
poder	**podr-**	salir	**saldr-**
querer	**querr-**	tener	**tendr-**
saber	**sabr-**	venir	**vendr-**
decir	**dir-**	hacer	**har-**

Yo **pondría** el escáner aquí. Así lo **tendríamos** al lado de la computadora.

Reported Speech

The second verb in a sentence with **reported speech** can use the preterite, the imperfect, or the conditional.
Nico **dijo que** *fue* al teatro.
*Nico **said that he went** to the theater.*
Nico **dijo que** *iba* al teatro.
*Nico **said that he was going** to the theater.*
Nico **dijo que** *iría* al teatro.
*Nico **said that he would go** to the theater.*
Remember that if you use **decir** to express what someone told *another* person to do, you use the **subjunctive** for the second verb.
Nico **dice que** *vayas* al teatro.
*Nico **says that you should go** to the theater.*

Qué and Cuál

Both **qué** and **cuál** can mean *what* in English. **Cuál** can also mean *which.* Use **qué** if you want to *define* or *describe* something. Use **cuál** if you want someone to *select* or *identify* something.
¿**Qué** juego vamos a jugar hoy?
What game are we going to play?
¿**Cuál** de estas tres fichas prefieres?
Which o[f] these three game pieces do you prefer?

Talk About The Neighborhood

el banco	bench
el buzón	mailbox
el cajero automático	ATM
el correo	post office
el escaparate	display window
el kiosco	kiosk
la bombonería	candy store
la carnicería	butcher shop
la estación de metro	subway station
la ferretería	hardware store
la florería	flower shop
la frutería	fruit stand
la fuente	fountain
la lechería	dairy store
la manzana	(city) block
la oferta	offer
la pastelería	pastry shop
la verdulería	vegetable stand
(sacar) el billete	(to buy) a ticket
(subir/bajar) el metro	(to get on/to get off) the subway
la terraza	terrace
romper	to break
roto(a)	broken
el lío	mess

Say What Has Happened

(abrir/cerrar) el grifo	(to turn on/to turn off) the faucet
(tocar) el timbre	(to ring the doorbell)
aprovechar	to take advantage (of something)
arreglar	to repair
dar una vuelta	to take a walk
dejar	to leave (behind)
enterarse de	to find out about
hacer los mandados	to do errands
ir de tapas	to go out to eat
ordenar	to organize
quitar	to take away

Describe Places and Things

desordenar	to mess up
el balcón	balcony
el fregadero	kitchen sink
el horno	oven
el lavabo	bathroom sink
el microondas	microwave
el piso	apartment
el refrigerador	refrigerator
el sello	stamp
ensuciar	to get dirty
la bañera	bathtub
la ducha	shower
la entrada	entrance
la mesita	nightstand, end table

Describe an Excursion

el andén	platform
el asiento numerado	numbered seat
caerse	to fall down
callado(a)	quiet
el callejón	alley
el (la) conductor(a)	conductor
el cuadro	painting
la entrada	entrance
explorar	to explore
el mirador	outlook, lookout
el paisaje	landscape
el pasillo	aisle
el plano	city map
el puente	bridge
el río	river
ruidoso(a)	noisy
la ruta	route
la sala de espera	waiting room
el tapiz	tapestry
la taquilla	ticket window
el vagón, (railroad) car	wagon, (railroad) car
hacer una visita guiada	to take a guided tour
la ventanilla	train window
la vía	track
la vista	view
meterse en problemas	to get into trouble
pedir direcciones	to ask for directions
perder	to miss
perderse (ie)	to get lost
probar (ue) las especialidades	to try the specialties
tomar algo	to drink something

Talk About History

analizar	to analyze
el castillo	castle
el centro histórico	historical center
en conclusión	in conclusion
consecutivo(a)	consecutive, in a row
la fortaleza	fortress
la muralla	wall
en orden cronológico	in chronological order

Other Words and Phrases

a pesar de que	in spite of, despite
además	in addition, additionally
pues	so, well
tratarse de	to be about

Past Participles as Adjectives

To form the **past participle**, drop the infinitive ending and add **-ado** to **-ar** verbs or **-ido** to **-er** and **-ir** verbs.

arreglar → arreglado
esconder → escondido
pedir → pedido

When the past participle is used as an adjective, the ending agrees in number and gender with the noun it describes.

← agrees →
El **horno** está **arreglado.**

← agrees →
Las **tapas** están **pedidas.**

Infinitive	Past Participle	Infinitive	Past Participle
abrir	abierto	ir	ido
decir	dicho	morir	muerto
poner	puesto	escribir	escrito
freír	frito	romper	roto
hacer	hecho	ver	visto
imprimir	impreso	volver	vuelto

Present Perfect Tense

haber	
he	hemos
has	habéis
ha	han

\+ past participle

Ella ya **ha ido** de tapas.
She has already gone out to eat.

When you use **object** or **reflexive pronouns** with the present perfect, you put them *before* the conjugated form of **haber.**

¿Alberto **te ha comprado** el billete?
Sí, **me lo ha comprado.**

There is a written accent over the i in the past participle of **-er** and **-ir** verbs with a stem that ends in **a, e,** or **o.**

traer → traído   oír → oído   leer → leído

Past Perfect Tense

haber	
había	habíamos
habías	habíais
había	habían

\+ past participle

Yo **había visitado** Toledo antes.
I had visited Toledo before.

When used with another verb, the action expressed with the **past perfect** occurred before the other **past action.**

Cuando Felipe **volvió,** sus tíos ya **se habían ido.**

Ya and **todavía** are often used with the **past perfect.**

Irma ya **había salido** cuando Alberto llegó.
Irma had already left when Alberto arrived.

Maite **todavía** no **había comprado** el pan cuando la panadería cerró.
Maite still hadn't bought the bread / hadn't bought the bread yet when the bakery closed.

Future Perfect Tense

haber	
habré	habremos
habrás	habréis
habrá	habrán

\+ past participle

El lunes, **habremos visto** el famoso cuadro de El Greco.
On Monday, we will have seen El Greco's famous painting.

The **future perfect** is often used with **para** or **dentro de** a time reference.

Dentro de tres meses **habré aprendido** mucho.

You also use the **future perfect** tense to speculate about the past.

¿Cómo **se habrá roto** el brazo Miguel?
How could Miguel have broken his arm?

No sé. **Se habrá caído.**
I don't know. He must have fallen.

Discuss Work and School Activities

SCHOOL ACTIVITIES AND EVENTS

el anuario	yearbook
la ceremonia	ceremony
el código de vestimenta	dress code
el comienzo	beginning, start
el comité de eventos	events committee
el comité estudiantil	student government
el coro	the choir
el día feriado	holiday
la graduación	graduation
el rato libre	free time
el recuerdo	memory
la reunión	meeting
la sociedad honoraria	honor society
el (la) tesorero(a)	treasurer
el (la) vice-presidente(a)	vice president

ACTIONS

actuar en un drama	to act in a play
graduarse	to graduate
irle bien (a alguien)	to do well (in a class)
redactar	to edit
reflexionar	to reflect, to look back
salir bien	to turn out well
ser miembro de	to be a member of
servir de presidente(a)	to be / to serve as president
solicitar una beca	to apply for a scholarship
tomar parte en	to participate, to take part in

REMEMBER

la cuenta de ahorros	savings account
cuidar niños	to baby-sit
el (la) diseñador(a) de páginas web	Web page designer
el empleo	job
el (la) empleado(a)	employee
llenar una solicitud de empleo	to fill out a job application
los impuestos	taxes
el (la) niñero(a)	babysitter
repartir periódicos	to deliver newspapers
el sueldo	salary
trabajar a tiempo parcial	to work part-time
trabajar de cajero(a)	to work as a cashier
trabajar de salvavidas	to work as a lifeguard

WORK

Express Past Assumptions and Emotions

anticipar	to anticipate
la esperanza	hope
el estrés	stress
estresado(a)	stressed

Relate what Others Wanted you to do

dirigir	to lead, to direct
ponerse en forma	to get in shape
tomar decisiones	to make decisions
la comida chatarra	junk food
decidir	to decide
dejar de	to quit, to give up
la dieta balanceada	balanced diet

Talk About Career Possibilities

el (la) abogado(a)	lawyer
el (la) agente de bolsa	stockbroker
el (la) arquitecto(a)	architect
el (la) contador(a)	accountant
el (la) dentista	dentist
el (la) enfermero(a)	nurse
el (la) gerente	manager
el hombre de negocios	businessman
el (la) ingeniero(a)	engineer
el (la) juez(a)	judge
el (la) médico(a)	doctor
la mujer de negocios	businesswoman
el (la) peluquero(a)	hairdresser
el (la) profesor(a)	teacher
el (la) traductor(a)	translator
la administración de empresas	business administration
la contabilidad	accounting
el curso	course
el derecho	law
la escuela técnica	technical school
la especialidad	major, specialization
especializarse en	to major in
la facultad	school department
el idioma	language
la ingeniería	engineering
las relaciones públicas	public relations
seguir una carrera	to pursue a career
el título	degree
la universidad	university

STARTING A BUSINESS

contratar	to hire
el (la) dueño(a)	owner

la empresa	company
establecer	to establish
la estrategia	strategy
la iniciativa	initiative
el plan financiero	financial plan

SKILLS, INTERESTS, AND VALUES

animado(a)	animated, upbeat
apasionado(a)	passionate
cualificado(a)	qualified
destacado(a)	outstanding
educado(a)	educated; polite
eficiente	efficient
fiable	dependable
flexible	flexible
honesto(a)	honest, sincere
honrado(a)	honest, honorable
motivado(a)	motivated
puntual	punctual
versátil	versatile

Imperfect Subjunctive

Expressions of hope, doubt, emotion, or opinion in the past are followed by verbs in the **imperfect subjunctive**.

To form the **imperfect subjunctive**, remove the **-ron** ending of the **ustedes / ellos(as)** preterite form and add the imperfect subjunctive endings.

Infinitive	Preterite		Endings	
tomar	tomaron		-ra	-´ramos
saber	supieron	drop **-ron** +	-ras	-rais
pedir	pidieron		-ra	-ran

The endings are the same for all **-ar**, **-er**, and **-ir** verbs.

Subjunctive of Perfect Tenses

Use the **present perfect subjunctive** after a verb in the present tense. You form it as follows:

haya	hayamos		
hayas	hayáis	+	past participle
haya	hayan		

Use the **past perfect subjunctive** after a verb in the past tense. You form it as follows:

hubiera	hubiéramos		
hubieras	hubierais	+	past participle
hubiera	hubieran		

Si Clauses

To predict the result of a likely event, use the **simple present** in the **si** clause and the **future tense** in the main clause to express the outcome.

Si dejamos de comer comida chatarra, **perderemos** peso.
If we stop eating junk food, we will lose weight.

To express how things would be if circumstances were different, use the **imperfect subjunctive** in the **si** clause and the **conditional** in the main clause.

Si Ana **cantara** en el coro, no **tendría** tiempo para redactar el anuario.
If Ana were to sing in the chorus, she would not have time to edit the yearbook.

Sequence of Tenses

Use the **present subjunctive** or **present perfect subjunctive** after the following indicative tenses.

simple present	Es bueno que **hayas decidido.**
present progressive	Está prohibiendo que **salgas.**
future	Será mejor que me **llames.**
present perfect	He sugerido que **trabajes** más.

Use the **imperfect subjunctive** or the **past perfect subjunctive** after the following indicative tenses.

preterite	Prohibió que **saliera.**
imperfect	Era bueno que **hubiera decidido.**
*past progressive	Estaba prohibiendo que **salieras.**
conditional	Preferiría que **escribieras** más.
past perfect	Había sugerido que **salieras.**

*grammar point of the next lesson

Discuss and Critique Literature

absurdo(a)	absurd
el acto	act
el análisis	analysis
el antecedente	background event
la autobiografía	autobiography
el (la) autor(a)	author
la biografía	biography
el capítulo	chapter
el clímax	climax
el contexto	context
el cuento	story; short story
el desenlace	ending, outcome
el ensayo	essay
el estilo	style
la estrofa	stanza
el género literario	literary genre
implicar	to imply
inferir	to infer
el libro de historietas	comic book
la metáfora	metaphor
narrar	to narrate
la novela	novel
la obra	work
la poesía	poetry
el cuento policíaco	crime story
la prosa	prose
el (la) protagonista	protagonist, main character
el punto de vista	point of view
la realidad	reality
relacionar	to relate
la reseña	review
la rima	rhyme
el ritmo	rhythm
romántico(a)	romantic
la sátira	satire
significar	to mean
simbolizar	to symbolize
el símil	simile

Link Events and Ideas

el suceso	event
el tema	theme
titularse	to be called
el verso	verse
aunque	although
en cuanto	as soon as
tan pronto como	as soon as

Read and Interpret a Short Play

el accesorio	accessory
el (la) acomodador(a)	usher
aplaudir	to clap
el diálogo	dialog
la dirección de escenografía	stage direction
dirigir	to direct
el (la) dramaturgo(a)	playwright
ensayar	to rehearse
el ensayo	rehearsal
el escenario	stage
la escenografía	scenery
el gesto	gesture
el guión	script
el intermedio	intermission
la obra de teatro	play
la salida	exit
el telón (levantar / bajar)	the curtain (to raise / to lower)
el vestuario	wardrobe

Other Words and Phrases

avaro(a)	miserly
codicioso(a)	greedy
el coraje	courage
el (la) farsante	fraud
insólito(a)	unusual
pedir (i) prestado	to borrow
persistente	persistent
reclamar	to call, to demand
singular	unique
soñar (ue) con	to dream of, about
el (la) tirado(a)	pauper

Past Progressive

The most common form of the **past progressive** is the **imperfect** of **estar** plus the **present participle** of the main verb. In this form, it often expresses an action that was interrupted.

¿Qué **estabas haciendo** cuando te llamé ayer?
What were you doing when I called yesterday?

To emphasize that an action continued for a period of time and then came to an end, use the **preterite** of **estar** plus the **present participle** of the main verb.

Estuvimos hablando toda la tarde.
We were talking all afternoon.

Conjunctions

The subjunctive is always used after these **conjunctions.**

a fin de que	con tal (de) que	sin que
a menos que	en caso de que	para que
antes de que		

The following conjunctions can be used with the **indicative** or the **subjunctive.**

cuando	en cuanto	tan pronto como
después de que	hasta que	

· You use the **indicative** to say that the outcome definitely occurred in the past.
· You use the **subjunctive** to say that the outcome may occur in the future.
· **Aunque** is used with the **indicative** when followed by a known fact. Use the **subjunctive** when it is not known to be true.

Se for Unintentional Occurrences

The **verb** of an unintentional occurrence is expressed with the impersonal pronoun **se** and agrees with the subject. An **indirect object pronoun** indicates the person to whom the action occurred.

Verbs Used to Express Unintentional Occurrences

acabársele (a uno)	perdérsele (a uno)
caérsele (a uno)	quedársele (a uno)
ocurrírsele (a uno)	rompérsele (a uno)
olvidársele (a uno)	

Se me **olvidaron** las **entradas** al teatro.
I forgot the theater tickets.

REPASO Uses of the Subjunctive

The **subjunctive** expresses ideas whose certainty may not be known.

Hope: **Espero que** él **se dé** cuenta del error.
Doubt: **Es dudoso que** nosotras **podamos** venir.
Influence: **Recomendó que** Ana **escribiera** dramas.
Emotion: **Me alegro de que** los actores **sean** tan buenos.
Unknown: **Buscamos** actores que **conozcan** el drama.
Conjunctions: Les enseño **para que sepan** todo.
Vete **tan pronto como** Cristina **llegue.**
Aunque llueva, jugaremos el partido.

PAPELES DE PANDORA

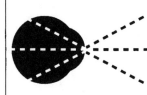

This Large Print Book carries the
Seal of Approval of N.A.V.H.

PAPELES
DE
PANDORA

Rosario Ferré

Thorndike Press • Waterville, Maine

© 2000 by Rosario Ferré

Partes de este libro fueron originalmente publicadas por la Editorial Joaquín Mortiz, S.A., México D.F., en 1976. Copyright © 1976 by Editorial Joaquín Mortiz, S.A.

Todos derechos reservados.

Published in 2002 by arrangement with Vintage Books, a division of Random House, Inc.
Publicado en 2002 en cooperación con Vintage Books, a division of Random House, Inc.

Thorndike Press Large Print Spanish Series.
Thorndike Press La Impresión grande la Serie española.

The tree indicium is a trademark of Thorndike Press.
El símbolo del árbol es una marca registrada de Thorndike Press.

The text of this Large Print edition is unabridged.
El texto de ésta edición de La Impresión Grande está inabreviado.

Other aspects of the book may vary from the original edition.
Otros aspectros de éste libro podrían variar de la edición original.

Set in 16 pt. Plantin.
Impreso en 16 pt. Plantin.

Printed in the United States on permanent paper.
Impreso en los Estados Unidos en papel permanente.

Library of Congress Cataloging-in-Publication Data

Ferré, Rosario.
  Papeles de Pandora / Rosario Ferré.
      p. cm.
  ISBN 0-7862-4703-7 (lg. print : hc : alk. paper)
  1. Large type books. I. Title.
  PQ7440.F45 P3 2002
  863′.64—dc21   2002027182

Pandora fue la primera mujer sobre la tierra. Zeus la colocó junto al primer hombre, Epimeteo, y le regaló una caja donde estaban encerrados todos los bienes y todos los males de la humanidad. Pandora abrió la caja fatal y su contenido se esparció por el mundo, no quedando en ella más bien que el de la esperanza.

La muñeca menor

La tía vieja había sacado desde muy temprano el sillón al balcón que daba al cañaveral como hacía siempre que se despertaba con ganas de hacer una muñeca. De joven se bañaba a menudo en el río, pero un día en que la lluvia había recrecido la corriente en cola de dragón había sentido en el tuétano de los huesos una mullida sensación de nieve. La cabeza metida en el reverbero negro de las rocas, había creído escuchar, revolcados con el sonido del agua, los estallidos del salitre sobre la playa y pensó que sus cabellos habían llegado por fin a desembocar en el mar. En ese preciso momento sintió una mordida terrible en la pantorrilla. La sacaron del agua gritando y se la llevaron a la casa en parihuelas retorciéndose de dolor.

El médico que la examinó aseguró que no era nada, probablemente había sido mordida por una chágara viciosa. Sin embargo pasaron los días y la llaga no cerraba. Al cabo de un mes el médico había llegado a la conclusión de que la chágara se había introducido dentro de la carne blanda de la pantorrilla, donde había evidentemente comenzado a engordar. Indicó que le aplicaran un sinapismo para que el calor la obligara a salir. La tía estuvo una semana con la pierna rígida, cubierta de mostaza desde el tobillo hasta el muslo, pero al finalizar el tratamiento se descubrió que la llaga se había abultado aún más, recubriéndose de una substancia pétrea y limosa que era imposible tratar de remover sin que peligrara toda la pierna. Entonces se resignó a vivir para siempre con la chágara enroscada dentro de la gruta de su pantorrilla.

Había sido hermosa, pero la chágara que escondía bajo los largos pliegues de gasa de sus faldas la había despojado de toda vanidad. Se había encerrado en la casa rehusando a todos sus pretendientes. Al principio se había dedicado a la crianza de las hijas de su hermana, arrastrando por toda la casa la pierna monstruosa con bastante agilidad. Por aquella época la familia vivía rodeada de un pasado que dejaba desintegrar a su alrededor con la misma impasible musicalidad con que la lámpara de cristal del comedor se desgranaba a pedazos sobre el mantel raído de la mesa. Las niñas adoraban a la tía. Ella las peinaba, las bañaba y les daba de comer. Cuando les leía cuentos se sentaban a su alrededor y levantaban con disimulo el volante almidonado de su falda para oler el perfume de guanábana madura que supuraba la pierna en estado de quietud.

Cuando las niñas fueron creciendo la tía se dedicó a hacerles muñecas para jugar. Al principio eran sólo muñecas comunes, con carne de guata de higüera y ojos de botones perdidos. Pero con el pasar del tiempo fue refinando su arte hasta ganarse el respeto y la reverencia de toda la familia. El nacimiento de una muñeca era siempre motivo de regocijo sagrado, lo cual explicaba el que jamás se les hubiese ocurrido vender una de ellas, ni siquiera cuando las niñas eran ya grandes y la familia comenzaba a pasar necesidad. La tía había ido agrandando el tamaño de las muñecas de manera que correspondieran a la estatura y a las medidas de cada una de las niñas. Como eran nueve y la tía hacía una muñeca de cada niña por año, hubo que separar una pieza de la casa para que la habitasen exclusivamente las muñecas. Cuando la mayor cumplió diez y ocho años había ciento veintiséis muñecas de todas las edades en la habitación. Al abrir la puerta, daba la sensación de entrar en un palomar, o en el cuarto de muñecas del palacio de las zarinas, o en un almacén donde alguien había puesto a madurar una larga hilera de hojas de tabaco. Sin embargo, la tía no entraba en la habitación por ninguno de estos placeres, sino que echaba el pestillo a la puerta e iba levantando amorosamente cada una de las muñecas canturreándoles mientras las mecía. "Así eras cuando tenías un año, así cuando tenías dos, así cuando tenías tres," reviviendo la vida de cada una de ellas por la dimensión del hueco que le dejaba entre los brazos.

El día que la mayor de las niñas cumplió diez años, la tía se sentó en el sillón frente al cañaveral y no se volvió a levantar jamás. Se balconeaba días enteros observando los cambios de agua de las cañas y sólo salía de su sopor cuando la venía a visitar el doctor o cuando se despertaba con ganas de hacer una muñeca. Comenzaba entonces a clamar para que todos los habitantes de la casa viniesen a ayudarla. Podía verse ese día a los peones de la hacienda haciendo constantes relevos al pueblo como alegres mensajeros incas, a comprar cera, a comprar barro de porcelana, encajes, agujas, carretes de hilos de todos los colores. Mientras se llevaban a cabo estas diligencias, la tía llamaba a su habitación a la niña con la que había soñado esa noche y le tomaba las medidas. Luego le hacía una mascarilla de cera que cubría de yeso por ambos lados como una cara viva dentro de dos caras muertas; luego hacía salir un hilillo rubio, de cera derretida, por un hoyito en la barbilla. La porcelana de las manos era siempre translúcida; tenía un ligero tinte marfileño que contrastaba con la blancura granulada de las caras de biscuit. Para hacer el cuerpo, la tía enviaba al jardín por veinte higüeras relucientes. Las cogía con una mano y con un movimiento experto de la cuchilla las iba rebanando una a una en cráneos relucientes de cuero verde. Luego las inclinaba en hilera contra la pared del balcón, para que el sol y el aire secaran los cerebros algodonosos de guano gris. Al cabo de algunos días raspaba el contenido con una cuchara y lo iba introduciendo con infinita paciencia por la boca de la muñeca.

Lo único que la tía transigía en utilizar en la creación de las muñecas sin que estuviese hecho por ella, eran las bolas de los ojos. Se los enviaban por correo desde Europa en todos los colores, pero la tía los consideraba inservibles hasta no haberlos dejado sumergidos durante un número de días en el fondo de la quebrada para que aprendiesen a reconocer el más leve movimiento de las antenas de las chágaras. Sólo entonces los lavaba con agua de amoniaco y los guardaba, relucientes como gemas, colocados sobre camas de algodón, en el fondo de una lata de galletas holandesas. El vestido de las muñecas no variaba nunca, a pesar de que las niñas iban creciendo. Vestía siempre a las más pequeñas de tira bordada y a las mayores de broderí, colocando en la cabeza de cada una el mismo lazo abullonado y trémulo de pecho de paloma.

Las niñas empezaron a casarse y a abandonar la casa. El día de la boda la tía les regalaba a cada una la última muñeca dándoles un beso en la frente y diciéndoles con una sonrisa: "Aquí tienes tu Pascua de Resurrección". A los novios los tranquilizaba asegurándoles que la muñeca era sólo una decoración sentimental que solía colocarse sentada, en las casas de antes, sobre la cola del piano. Desde lo alto del balcón la tía observaba a las niñas bajar por última vez las escaleras de la casa sosteniendo en una mano la modesta maleta a cuadros de cartón y pasando el otro brazo alrededor de la cintura de aquella exuberante muñeca hecha a su imagen y semejanza, calzada con zapatillas de ante, faldas de bordados nevados y pantaletas de valenciennes. Las manos y la cara de estas muñecas, sin embargo, se notaban menos transparentes, tenían la consistencia de la leche cortada. Esta diferencia encubría otra más sutil: la muñeca de boda no estaba jamás rellena de guata, sino de miel.

Ya se habían casado todas las niñas y en la casa quedaba sólo la más joven cuando el doctor le hizo a la tía la visita mensual acompañado de su hijo, que acababa de regresar de sus estudios de medicina en el norte. El joven levantó el volante de la falda almidonada y se quedó mirando aquella inmensa vejiga abotagada que manaba una esperma perfumada por la punta de sus escamas verdes. Sacó su estetoscopio y la auscultó cuidadosamente. La tía pensó que auscultaba la respiración de la chágara para verificar si todavía estaba viva, y cogiéndole la mano con cariño se la puso sobre un lugar determinado para que palpara el movimiento constante de las antenas. El joven dejó caer la falda y miró fijamente al padre. "Usted hubiese podido haber curado esto en sus comienzos," le dijo. "Es cierto," contestó el padre, "pero yo sólo quería que vinieras a ver la chágara que te había pagado los estudios durante veinte años."

En adelante fue el joven médico quien visitó mensualmente a la tía vieja. Era evidente su interés por la menor y la tía pudo comenzar su última muñeca con amplia premeditación. Se presentaba siempre con el cuello almidonado, los zapatos brillantes y el ostentoso alfiler de corbata oriental del que no tiene donde caerse muerto. Luego de examinar a la tía se sentaba en la sala recostando su silueta de papel dentro de un marco ovalado, a la vez que le entregaba a la menor el mismo ramo de siemprevivas moradas. Ella le ofrecía galletitas de jengibre y cogía el ramo quisquillosamente con la punta de los dedos, como quien coge el estómago de un erizo vuelto al revés. Decidió casarse con él porque le intrigaba su perfil dormido, y porque tenía ganas de saber cómo era por dentro la carne de delfín.

El día de la boda la menor se sorprendió al coger la muñeca por la cintura y encontrarla tibia, pero lo olvidó en seguida, asombrada ante su excelencia artística. Las manos y la cara estaban confeccionadas con delicadísima porcelana de Mikado. Reconoció en la sonrisa entreabierta y un poco triste la colección completa de sus dientes de leche. Había, además, otro detalle particular: la tía había incrustado en el fondo de las pupilas de los ojos sus dormilonas de brillantes.

El joven médico se la llevó a vivir al pueblo, a una casa encuadrada dentro de un bloque de cemento. La obligaba todos los días a sentarse en el balcón, para que los que pasaban por la calle supiesen que él se había casado en sociedad. Inmóvil dentro de su cubo de calor, la menor comenzó a sospechar que su marido no sólo tenía el perfil de silueta de papel sino también el alma. Confirmó sus sospechas al poco tiempo. Un día él le sacó los ojos a la muñeca con la punta del bisturí y los empeñó por un lujoso reloj de cebolla con una larga leontina. Desde entonces la muñeca siguió sentada sobre la cola del piano, pero con los ojos bajos.

A los pocos meses el joven médico notó la ausencia de la muñeca y le preguntó a la menor qué había hecho con ella. Una confradía de señoras piadosas le había ofrecido una buena suma por la cara y las manos de porcelana para hacerle un retablo a la Verónica en la próxima procesión de Cuaresma. La menor le contestó que las hormigas habían descubierto por fin que la muñeca estaba rellena de miel y en una sola noche la habían devorado. "Como las manos y la cara eran de porcelana de Mikado," dijo, "seguramente las hormigas las creyeron hechas de azúcar, y en este preciso momento deben de estar quebrándose los dientes, royendo con furia dedos y párpados en alguna cueva subterránea." Esa noche el médico cavó toda la tierra alrededor de la casa sin encontrar nada.

Pasaron los años y el médico se hizo millonario. Se había quedado con toda la clientela del pueblo, a quienes no les importaba pagar honorarios exorbitantes para poder ver de cerca a un miembro legítimo de la extinta aristocracia cañera. La menor seguía sentada en el balcón, inmóvil dentro de sus gasas y encajes, siempre con los ojos bajos. Cuando los pacientes de su marido, colgados de collares, plumachos y bastones, se acomodaban cerca de ella removiendo los rollos de sus carnes satisfechas con un alboroto de monedas, percibían a su alrededor un perfume particular que les hacía recordar involuntariamente la lenta supuración de una guanábana. Entonces les entraban a todos unas ganas irresistibles de restregarse las manos como si fueran patas.

Una sola cosa perturbaba la felicidad del médico. Notaba que mientras él se iba poniendo viejo, la menor guardaba la misma piel aporcelanada y dura que tenía cuando la iba a visitar a la casa del cañaveral. Una noche decidió entrar en su habitación para observarla durmiendo. Notó que su pecho no se movía. Colocó delicadamente el estetoscopio sobre su corazón y oyó un lejano rumor de agua. Entonces la muñeca levantó los párpados y por las cuencas vacías de los ojos comenzaron a salir las antenas furibundas de las chágaras.

Eva María

desnuda germinaba hojas por mi cuerpo de
    paraíso
sabia cuando tú inocente
la manzana gustada ya en mi mano
me acerqué y te la ofrecí
para después yo misma estrangularla
o padre o patria o tierra del padre
eva fortunata amaranta maría
cuerpo jardín sellado
cuerpo huerto prometido
grávido de cabezas y de lenguas y de ojos
    que reposan esperando
mi madre tu madre sentada en el centro de
    la tierra
enmadejando lo que tu desenmadejas en-
    madejando
con los hilos de su carne
por eso parturienta con gusto partida
por eso cabeza de niño y grito entre las
    piernas
por eso del paraíso salida
para entrar con los ojos abiertos por las
    puertas del infierno

he tratado de ser como querías
buena sorda muda ciega
tomando viña 25 el día de las madres
con mi corsage puesto y mis dormilonas de
  diamantes
pero no he podido
los antepasados no me dejan
sobreponen en mí sus pensamientos
pieles de cebolla
se empeñan en contemplar el mar si lo
  contemplo
se empeñan en hacer el amor bajo la luna
cuentan todos los días las toronjas en los
  árboles
tocan el moriviví con la punta de los dedos
se mueven puñetean protestan
abren bocas en mis brazos y en mis manos
gritan que me arranque ya el pendejo
  cinturón de espuma
que me desgarre las guajanas del manto
quieren hacer saltar los rainstones de mi
  corona marabú
quieren desprender mi cara de niña
muñeca biscuit del siglo XIX que no debe
  pensar
con un hueco en la cabeza para poner
  flores
y me dejan la boca sangrienta de puños
cada vez que le canto a la patria

los supermercados se desbordan de comida
las petroleras las atuneras las cementeras se
    desbordan
los magnates desbordan yates
las joyas se desbordan de las mujeres de los
    magnates que desbordan yates
el caño coño cañón se desborda de cloacas
    por la playa de ponce
desde hace cincuenta años
y machuelito árbol de navidad colgado de
    neveras y televisores
desbordando risas cucarachas ratones niños
    hambrientos luces de colores

escogeré entre el sombrero de flores
y los hilos de sangre
entre los guantes blancos
y la tierra entre las manos
aunque me fusilen las manos
entre el mustang banda blanca con tapalodo
    colorado
y el tiranosauro dorado
pariré un hijo macho frente al dragón que
    me acecha
y después del parto
estrangularé al dragón con mi propia placenta
lo atravesaré de costado a costado
con mi hijo vara de acero
vestida de sol por las crines enmarañadas
    de mi pelo

me pararé con pies de gárgola sobre la luna
me coseré una a una las estrellas de los ojos
con hilo rojo
para celebrar mi victoria

La casa invisible

Hace siempre, dijiste, hundiendo los zapatos en las hojas húmedas que murmuraban regadas por el suelo. Arriba las otras (muchedumbre, lejos) cabeceando verde desigual, inquieto viento por el dorso diminuto de los insectos comejeneando sombra por la piel de los troncos, subiendo. Tenías una cinta azul en el pelo y amarrada la cintura con un delantal blanco de refectorio que te estrenaste limpio hoy. Cuando llegamos al solar donde estaba la casa cruzaste las manos detrás de ti, aplastando el lazo blanco que se quebró sin ruido pero tú lo sentiste quebrarse contra tu piel, tus brazos lo quebraron con ese deje tan tuyo de eso no importa no. Te acercaste así, mirando el sitio donde estaba la casa, el hueco de sombra derramándose por entre los balaustres de tu cara, mecido de un lado para otro por el empuje del viento. Tiene techo de cuatro aguas, dijiste, y me alegré porque supe entonces que no sería en vano, que no me había equivocado cuando te cogí de la mano y te alejé de los gritos polvorientos del recreo. Te venía observando desde hace tiempo, oculto entre los árboles al borde de la plaza, olfateando como un perro viejo tu rastro. Ahora todo lo veo oscuro, las hojas que se me pegan a la cara mirando hacia arriba el fondo, yo he visto oscuro siempre pero pronto veré claro por tus ojos, detendré el salto del unicornio sobre la palma de mi mano. Te gustaría ver la casa hoy te pregunto por undécima vez, llenándote las manos de caramelos, pero hoy tú no me preguntas nada (como ayer, cómo te llamas, qué casa dices, por qué te han crecido los cabellos largos como plumas, por qué comes raíces). Miraste por un momento el garabato de niñas agitándose sobre el polvo del patio y luego pusiste tu mano en la mía, con esa terrible sencillez con que cortas en limpio todos tus gestos. Así nos internamos juntos por el sendero, un viejo y una niña, tu risa derramaba caramelos derretidos y yo recordando cómo una vez dejé de comer raíces y levanté los ojos al cielo deseando edificar mi casa, pero todo fue en vano. A mí no me había sido dada, como a ti, la mirada creadora del amor, suelta la rienda para siempre por la crin de tu cara desbordada. Subimos los escalones de dos en dos. Tú ibas ciega, descubriendo los ángulos oscuros y la superficie pulida de las tablas con tu piel, siendo en cada movimiento de moldura tallada que te salía por las puntas de los dedos, amasando el silencio por las hendiduras de todas las paredes. Ya no te quedaba la menor duda de tu destino y sin embargo te comportabas irresponsablemente, lustrosa la cinta y almidonado el delantal, correteando como una niña cualquiera. Toda la tarde nos la pasamos en esas, abriendo ventanas de musgo, trasponiendo arcos por las puertas en triángulo, tableteando persianas blanco fuerte para descascarar la luz. Ahora me siento contento porque la casa ya está terminada, dibujada por ti en su más mínimo detalle, cristalizada en tus ojos para siempre la imagen que huye, el salto del unicornio por los balaustres de tu cara. Por eso no me importó cuando hace un momento me detuve solo en el sendero para contemplarla por última vez y vi que ya no estaba.

El hombre dormido

El hombre sigue durmiendo en medio del zumbido luctuoso y brillante de los zánganos, arañado de cuando en cuando por la ira de las avispas como por la punta de una plumilla afilada sobre la plancha de acero. Pero no es así que este hombre debe alcanzar la inmortalidad, no con el odio impersonal del ácido sobre la plancha, no con medidas matemáticas de espacio blanco encasillado en celdas de bordes cortantes y filos delgados de tinta negra sino suavemente, blandamente, manchando, acariciando el cabello de espuma vieja, las manos cruzadas sobre el pecho, la red algodonosa y polvorienta que lo abriga desde hace tanto tiempo. Las losas del piso se van enfriando bajo mis manos que no cesan de dibujar, el hombre siempre duerme. No tengo prisa. Todas las tardes es igual, espero a que se duerma, vengo y me siento cerca de él sin hacer ruido, esparzo mis papeles sobre las losas, atisbo su respiración cada vez más pausada, más reseca. Todas las tardes me siento en este mismo lugar y espero, arranco las raíces de mis pensamientos y las coloco sobre el blanco del papel para verlas agitarse cegadas por la luz. Todas las tardes aguardo que el hombre dormido despierte, espero el combate. Entonces se levanta, su traje de hilo almidonado se derrumba como una montaña de sal, los ojos le saltan fuera como el sol por la boca de la mina, me arrebata las libretas de dibujo, las hace pedazos, las tira por la ventana. Entonces vuelvo a quedarme solo pero ahora consolado, sentado en medio del derrumbe que se va enfriando puedo pintar con más facilidad, cierro los ojos y oigo el clarinete del niño ciego escindir limpiamente los grumos de niebla que se han quedado adheridos a los costados de los montes.

Yo no comprendo la vida, no la he comprendido nunca. La mancho, la borro con las yemas de los dedos, unjo sus cabellos, paso y repaso mi mano abierta sobre su cabeza angustiada, siento la tibieza de sus sienes y el arrebato que la sacude cuando se me escapa, dejándome las manos vacías. Han pasado muchos años y hoy comencé por fin el cuadro que he estado pintando desde niño, el retrato del hombre dormido. Quizá sea el cuadro más difícil que tenga que pintar, quizá nunca llegue a pintarlo.

Me ha empujado a hacerlo un deseo extraño de sentir lástima, de que llueva, de que por fin empiece a llover. He pintado mucho desde que me fui de la casa y dejé atrás el huerto de árboles injertados y la escalera de hiedra. Antes de pintar cada uno de mis cuadros he pensado en el hombre dormido, en su despertar, en el combate. Últimamente he notado que duerme más profundamente. Cada vez se le hace más difícil despertar. He notado que su ira ha ido menguando, ya no me acomete con la misma agresividad de antes, con todo y contra todo, los ojos saltando fuera por la boca de la mina, que lo hacía estremecerse de indignación, sacudir desafiante la enredadera quebradiza de sus huesos frente a mi cara obstinada. Poco a poco lo ha ido cubriendo el polvo, se han congelado las telarañas que le empañaban los ojos, por las noches se encoje y arrulla a sí mismo en un rincón. Sólo yo puedo ahora tratar de que no muera, obligarlo a que resista, hacer al menos que perezca resistiendo, en retribución por la lealtad de su combate diario.

Me le enfrento ahora pincel en mano. Está profundamente dormido, con la cabeza apoyada en el codo. Los filodendros alargan hacia él sus tentáculos por la ventana abierta, las espadas sangrientas de las bromelias se desbordan por encima del marco y resquebrajan el hilo reseco de su traje, la espuma inmóvil del tiempo. Comienzo a manchar y a borrar, el abismo se abre de nuevo entre nosotros. Pero estamos habituados al combate. Trabamos lucha cuerpo a cuerpo, sin miedo, como siempre. De mi pincel van saliendo los grumos de niebla, los contornos torturados, el gesto de su rostro entregado. Una mujer con el cabello espeso de agua se ha sentado junto a él y ha tomado su cabeza entre los brazos.

Has perdido, me dicen, la cordura

has perdido, me dicen, la cordura
óyeme bien

cuando vas por la calle
todos apuntan con el dedo a tu cabeza
    ladeada
como si te la quisieran tumbar
sólo apretar el gatillo y plaf!
la frente se te hunde como una lata de
    cerveza

no saludes a nadie
no te peines, no brilles tus zapatos
cruza la calle de tu propio brazo
date la mano, ciérrate el cuello
mantente atento

        ahí va el loco, dicen!

tú pasas bamboleando la cabeza polvorienta
como un santo de madera sacado en
    procesión

los pies clavados a la tarima carcomida
mirando más allá
no dejes que tu carne florezca
déjate apedrear

has perdido, es evidente, la cordura
escucha bien

amárrate fuerte al mástil
átate a la polar
no desgonces ahora los tablones antiguos
no alces los remos de sus pivotes

clava a la estrella tu mejor ojo
mantente fiel
no pestañées sino de hora en hora
duerme tranquilo sobre tus puños
no tengas miedo de recordar
cierra tus dientes cristalcortantes
jaula tu lengua
no tragues más

has perdido la cordura, amigo, ya
es hora
corta la cuerda
súbete al viento
endurece tu corazón

La caída

A veces te hundes, caes
por el abismo de tí mismo
y apenas puedes volver, aún con jirones
a destejer los agujeros del silencio.
Pero tú siempre te levantas
sordo a los pasos que te siguen,
metiendo las orugas de tus dedos
por entre las cuerdas que se alargan,
te vas cantando por los pasillos que
    descienden.
Detrás de tí se encienden bombillas rotas
tiemblan los filamentos de las letras
florece la revolución por un fusil de losa
que alguién olvidó sobre la mesa,
dan golpes las ventanas sueltas
mientras los niños ríen
broches de amatista por la boca.
Se derrumbó la puerta del asilo.
La puerta era de sangre vieja,
de párpados que laten en la noche
de gotas congeladas en la mano
de fémures envueltos en harapos.
La gran puerta morada

sitial del Arzobispo
con su mitra de laúdano,
la silla del Presidente
con su diadema de dientes,
la silla del Gobernador
con su corona enchapada
de Royal Crown Cola.
Hoy decidiste marcharte
y el asilo se quedó vacío.
Ya no hay donde coronar a nadie.

Cuando las mujeres
quieren a los hombres

la puta que yo conozco
no es de la china ni del japón,
porque la puta viene de ponce
viene del barrio de san antón.
—plena de san antón

"conocemos sólo en parte y profetizamos
sólo en parte, pero cuando llegue lo perfecto
desaparecerá lo parcial. Ahora vemos por
un espejo y oscuramente, mas entonces ve-
remos cara a cara".
—*San Pablo,* primera epístola a los
corintios, *XIII, 12,* conocida también como epístola del amor.

Fue cuando tú te moriste, Ambrosio, y nos
dejaste a cada una la mitad de toda tu herencia, que empezó todo este desbarajuste,
este escándalo girando por todas partes como un aro de hierro, restrellando tu buen
nombre contra las paredes del pueblo, esta
confusión afueteada y abollada que tú bam-

boleabas por gusto, empujándonos a las dos cuesta abajo a la vez. Cualquiera diría que hiciste lo que hiciste a propósito, por el placer de vernos prenderte cuatro velas y ponértelas por los rincones para ver quién ganaba, o al menos eso pensábamos entonces, antes de que intuyéramos tus verdaderas intenciones, la habilidad con que nos habías estado manipulando para que nos fuéramos fundiendo, para que nos fuéramos difuminando una sobre la otra como una foto vieja colocada amorosamente debajo de su negativo, como ese otro rostro desconsolado que llevamos dentro y que un día de golpe se nos cala en la cara.

Al fin y al cabo no ha de parecer tan extraño todo esto, es casi necesario que sucediera como sucedió. Nosotras, tu querida y tu mujer, siempre hemos sabido que debajo de cada dama de sociedad se oculta una prostituta. Se les nota en la manera lenta que tienen de cruzar una pierna sobre la otra, rozándose los muslos con la seda de la entrepierna. Se les nota en la manera en que se aburren de los hombres, no saben lo que es estar como nosotras, cabreadas para toda la vida por el mismo nada más. Se les nota en la manera en que van saltando de hombre en hombre sobre las patas de sus pestañas, ocultando enjambres de luces verdes y azules en el fondo de sus vaginas. Porque nosotras siempre hemos sabido que cada prostituta es una dama en potencia, anegada en la nostalgia de una casa blanca como una paloma que nunca tendrá, de esa casa con balcón de ánforas plateadas y guirnaldas de frutas de yeso colgando sobre las puertas, anegada en esa nostalgia del sonido que hace la losa cuando manos invisibles ponen la mesa. Porque nosotras, Isabel Luberza e Isabel la Negra, en nuestra pasión por ti, Ambrosio, desde el comienzo de los siglos, nos habíamos estado acercando, nos habíamos estado santificando la una a la otra sin darnos cuenta, purificándonos de todo aquello que nos definía, a una como prostituta y a otra como dama de sociedad. De manera que al final, cuando una de nosotras le ganó a la otra, fue nuestro más sublime acto de amor.

Tú fuiste el culpable, Ambrosio, de que no se supiera hasta hoy cuál era cuál entre las dos, Isabel Luberza recogiendo dinero para restaurar los leones de yeso de la plaza que habían dejado de echar agua de colores por la boca, o Isabel la Negra, preparando su cuerpo para recibir el semen de los niños ricos, de los hijos de los patrones amigos tuyos que entraban todas las noches en mi casucha alicaídos y apocados, arrastrando las ganas como pichones moribundos con mal de quilla, desfallecidos de hambre frente al banquete de mi cuerpo; Isabel Luberza la Dama Auxiliar de la Cruz Roja o Elizabeth the Black, la presidenta de los Young Lords, afirmando desde su tribuna que ella era la prueba en cuerpo y sangre de que no existía diferencia entre los de Puerto Rico y los de Nueva York puesto que en su carne todos se habían unido; Isabel Luberza recogiendo fondos para la Ciudad del Niño, Ciudad del Silencio, Ciudad Modelo, ataviada de Fernando Pena con largos guantes de cabritilla blanca y estola de silver mink o Isabel la Negrera, la explotadora de las nenitas dominicanas desembarcadas de contrabando por las playas de Guayanilla; Isabel Luberza la dama popular, la compañera de Ruth Fernández el alma de Puerto Rico hecha canción en las campañas políticas, o Isabel la Negra, el alma de Puerto Rico hecha mampriora, la Reina de San Antón, La Chocha de Chichamba, la puta más artillera del Barrio de la Cantera, la cuera de Cuatro Calles, la chinga de Singapur, la chula de Machuelo Abajo, la ramera más puyúa de todo el Coto Laurel; Isabel Luberza la que criaba encima del techo de su casa pichones de paloma en latas de galletas La Sultana para hacerle caldos a todos los enfermos del pueblo, o Isabel la Negra, de quien jamás se pudo decir que daba lo mismo porque no era ni chicha ni limonada; Isabel Luberza la bizcochera, la tejedora de frisitas y botines de perlé color de nube, la bordadora de trutrú alrededor de los cuellitos de las cotitas de hilo más finas, de esas que le encargaban las Antiguas Alumnas del Sagrado Corazón para sus bebés.

Isabel la Rumba Macumba Candombe Bámbula; Isabel la Tembandumba de la Quimbamba, contoneando su carne de guingambó por la encendida calle antillana, sus tetas de toronja rebanadas sobre el pecho; Isabel Segunda la reina de España, patrona de la calle más aristocrática de Ponce; Isabel la Caballera Negra, la única en quien fuera conferido jamás el honor de pertenecer a la orden del Santo Prepucio de Cristo; Isabel la hermana de San Luis Rey de Francia, patrona del pueblo de Santa Isabel, adormecido desde hace siglos debajo de Las Tetas azules de Doña Juana; Isabel Luberza la Católica, la pintora de los más exquisitos detentes del Sagrado Corazón, goteando por el costado las tres únicas gotas de rubí divino capaces de detener a Satanás; Isabel Luberza la santa de las Oblatas, llevando una bandeja servida con sus dos tetas rosadas; Isabel Luberza la Virgen del Dedo, sacando piadosamente el pulgar por un huequito bordado en su manto; Isabel la Negra, la única novia de Brincaicógelo Maruca, la única que besó sus pies deformes y los lavó con su llanto, la única que bailó junto a los niños al son de su pregón Hersheybarskissesmilkyways, por las calles ardientes de Ponce; Isabel la Perla Negra del Sur, la Reina de Saba, the Queen of Chiva, la Chivas Rigal, la Tongolele, la Salomé, girando su vientre de giroscopio en círculos de bengala dentro de los ojos de los hombres, meneando para ellos, desde tiempos inmemoriales, su crica multitudinaria y su culo monumental, descalabrando por todas las paredes, por todas las calles, esta confusión entre ella y ella, o entre ella y yo, o entre yo y yo, porque mientras más pasa el tiempo, de tanto que la he amado, de tanto que la he odiado, más difícil se me hace contar esta historia y menos puedo diferenciar entre las dos.

Tantos años de rabia atascada en la garganta como un taco mal clavado, Ambrosio, tantos años de pintarme las uñas todas las mañanas acercándome a la ventana del cuarto para ver mejor, de pintármelas siempre con Cherries Jubilee porque era la pintura más roja que había entonces, siempre con Cherries Jubilee mientras pensaba en ella, Ambrosio, en Isabel la Negra, o a lo mejor ya había empezado a pensar en mí, en esa otra que había comenzado a nacerme desde adentro como un quiste, porque desde un principio era extraño que yo, Isabel Luberza tu mujer, que tenía el gusto tan refinado, me gustara aquel color tan chillón, berrendo como esos colores que le gustan a los negros. Siguiendo una a una el contorno de las lunas blancas en la base de mis uñas, pasando cuidadosamente los pelitos del pincel por la orillita de mis uñas limadas en almendra, por la orillita de la cutícula que siempre me ardía un poco al contacto con la pintura porque al recortármela siempre se me iba la mano, porque al ver el pellejito indefenso y blando apretado entre las puntas de la tijera me daba siempre un poco de rabia y no podía evitar pensar en ella.

Sentada en el balcón de esta casa que ahora será de las dos, de Isabel Luberza y de Isabel la Negra, de esta casa que ahora pasará a convertirse en parte de una misma leyenda, la leyenda de la prostituta y de la dama de sociedad. Sentada en el balcón de mi nuevo prostíbulo sin que nadie sospeche, los balaustres de largas ánforas plateadas pintados ahora de shocking pink alineados frente a mí como falos alegres, las guirnaldas de yeso blanco adheridas a la fachada, que le daban a la casa ese aire romántico y demasiado respetable de bizcocho de boda, esa sensación de estar recubierta de un icing agalletado y tieso como la falda de una debutante, pintadas ahora de colores tibios, de verde chartreuse con anaranjado, de lila con amarillo dalia, de esos colores que invitan a los hombres a relajarse, a dejar los brazos deslizárseles por el cuerpo como si navegasen sobre la cubierta de algún trasatlántico blanco. Las paredes de la casa, blancas y polvorientas como alas de garza, pintadas ahora de verde botella, de verde culo de vidrio para que sean transparentes, para que cuando nos paremos tú y yo, Ambrosio, en la sala principal, podamos ver lo que está sucediendo en cada uno de los cuartos, en cada una de las habitaciones donde nos veremos desdoblados en veinte imágenes idénticas, reflejados en los cuerpos de los que alquilarán estas habitaciones para tener en ellas sus orgasmos indiferentes, abstraídos por completo de nuestra presencia, repitiendo en sus cuerpos, una y otra vez hasta el fin de los tiempos, el rito de nuestro amor.

Sentada en el balcón esperando que entren en esta casa para buscarla y se la lleven, sentada esperando para verla pasar camino de esa sepultura que me tocaba a mí pero que ahora le darán a ella, al cuerpo sagrado de Isabel Luberza, a ese cuerpo del cual nadie había visto jamás hasta hoy la menor astilla de sus nalgas blancas, la más tenue viruta de sus blancos pechos, arrancada ahora de ella esa piel de pudor que había protegido su carne, perdida al fin esa virginidad de madre respetable, de esposa respetable que jamás había pisado un prostíbulo, que jamás había sido impalada en público como lo fui yo tantas veces, que jamás había dejado al descubierto, pasto para los ojos gusaneros de los hombres, otra parte de su cuerpo que los brazos, el cuello, las piernas de la rodilla para abajo. Su cuerpo ahora desnudo y teñido de negro, el sexo cubierto por un pequeño triángulo de amatistas entre las cuales está la que el obispo llevaba en el dedo, los pezones atrapados en nidos de brillantes, gordos y redondos como garbanzos, los pies embutidos en zapatos de escarcha roja, con dos corazones cosidos en las puntas, los tacones chorreando todavía algunas gotas de sangre. Ataviada, en fin, como toda una reina, como hubiese ido ataviada yo si éste hubiese sido mi entierro.

Esperando para restregarle en la cara, cuando pase bamboleándose debajo de una montaña de flores podridas, el perfume de Fleur de Rocaille que me unté esta mañana en la base de todos los pelos de mi cuerpo, el polvo de Chant D'Aromes con que blanqueé mis pechos y que se escurre ahora silencioso por los pliegues de mi vientre, el cabello una nube de humo alrededor de mi cabeza, las piernas lisas como el sexo nupcial de una sultana. Esperando con su vestido de lamé plateado puesto, cubriéndome de pliegues los hombros, derramándoseme por la espalda como un manto de hielo que brilla furioso a la luz del mediodía, la garganta y las muñecas apretadas por hilos de brillantes exactamente igual que entonces, cuando yo todavía era Isabel Luberza y tú, Ambrosio, todavía estabas vivo, el pueblo entero vaciándose en la casa para asistir a las fiestas y yo de pie junto a ti como un jazmín retoñado adosado al muro, rindiendo mi mano perfumada para que me la besaran, mi pequeña mano de nata que ya comenzaba a ser de ella, de Isabel la Negra, porque desde entonces yo sentía como una marea de sangre que me iba subiendo por la base de las uñas, cuajándome de Cherries Jubilee toda por dentro.

No fue hasta que Isabel la Negra levantó el aldabón de la casa de Isabel Luberza y tocó tres veces que pensó que tal vez no fuese sensato lo que hacía. Venía a hablar con ella del asunto de la casa que ambas habían heredado. Ambrosio, el hombre con el cual habían convivido las dos cuando eran jóvenes, había muerto hacía ya muchos años, e Isabel la Negra, por consideración a su tocaya, no se había decidido a reclamarle la parte de la casa que le correspondía, si bien había sabido hacer uso productivo de la herencia en efectivo que su amante le había dejado. Había oído decir que Isabel Luberza estaba loca, que desde la muerte de Ambrosio se había encerrado en su casa y no había vuelto a salir jamás, pero esto no pasaba de ser un rumor. Pensaba que habían pasado tantos años desde que habían sido rivales que ya todo resentimiento se habría olvidado, que las necesidades inmediatas facilitarían un diálogo sensato y productivo para ambas. La viuda seguramente estaría necesitada de una renta que le asegurara una vejez tranquila, y que la motivara a venderle su mitad de la casa. Por su parte Isabel la Negra pensaba que eran muchas las razones por las cuales deseaba mudar allí su prostíbulo, algunas de las cuales ella misma no entendía muy bien. Era indudable que el negocio había tenido tanto éxito que necesitaba ampliarlo, sacarlo del arrabal en el cual se desprestigiaba y hasta daba la impresión de ser un negocio malsano. Pero el ansia de poseer aquella casa, de sentarse detrás de aquel balcón de balaustres plateados, debajo de aquella fachada recargada de canastas de frutas y guirnaldas de flores, respondía a una nostalgia profunda que se le recrudecía con los años, al deseo de sustituir, aunque fuera en su vejez, el recuerdo de aquella visión que había tenido de niña siempre que pasaba, descalza y en harapos, frente a aquella casa, la visión de un hombre vestido de hilo blanco, de pie en aquel balcón junto a una mujer rubia increíblemente bella, vestida con un traje de lamé plateado.

Era cierto que ahora ella era una self-made woman, que había alcanzado en el pueblo un status envidiable, a los ojos de muchas de esas mujeres de sociedad cuyas familias se han arruinado y que ahora sólo les queda el orgullo vacío de sus apellidos pero que no tienen dinero ni para darse su viajecito a Europa al año como yo me doy, ni para comprarse la ropa de última moda que yo siempre compro. Pero aún así, a pesar de la satisfacción de haber sido reconocida su labor social, su importancia fundamental en el desarrollo económico del pueblo en los numerosos nombramientos prestigiosos de los cuales había sido objeto, como presidenta de las cívicas, de las altrusas, de la Junior Chamber of Commerce, sentía que algo le faltaba, que no se quería morir sin haber hecho por lo menos el esfuerzo de realizar aquella quimera, aquel capricho de señorona gorda y rica, de imaginarse a sí misma, joven otra vez, vestida de lamé plateado y sentada en aquel balcón, del brazo de aquel hombre que ella también había amado.

Cuando Isabel Luberza le abrió la puerta Isabel la Negra sintió que las fuerzas le flaqueron. De tan hermosa que era todavía tuvo que bajar la vista, casi no se atrevió a mirarla. Sentí deseos de besarle los párpados, tiernos como tela de coco nuevo y rasgados a bisel. Pensé en lo mucho que me hubiera gustado lamérselos para sentirlos temblar, transparentes y resbaladizos, sobre las bolas de los ojos. Se había trenzado el pelo alrededor del cuello, tal como Ambrosio me contaba que hacía. El perfume demasiado dulce de Fleur de Rocaille me devolvió a la realidad. Ante todo necesitaba convencerla de que yo buscaba su amistad y su confianza, de que si era necesario estaba dispuesta a admitirla como partner en el negocio. Por un momento, al ver que se me quedaba mirando demasiado fijamente me pregunté si sería loca como decían, si verdaderamente se creería que ella era santa, si viviría en realidad obsesionada, como me decía Ambrosio riendo, por santificarme a mí, sometiendo su cuerpo a toda clase de castigos descabellados que ofrecía en mi nombre. Pero no importa. Si fuera cierto el rumor obraría en mi ventaja, ya que me demuestra cierta simpatía. Luego de mirarme por un momento más abrió la puerta y entré.

Al entrar en la casa no pude evitar pensar en ti, Ambrosio, en cómo me tuviste encerrada durante tantos años en aquel rancho de tablones con techo de zinc, condenada a pasarme los días sacándole los quesos a los niñitos ricos, a los hijos de tus amigos que tú me traías para que le hagas el favor Isabel, para que le abras esas ganas enlatadas que trae el pobre, coño Isabel, no seas así, tú eres la única que sabes, tú eres la mejor que lo haces, contigo nada más podemos, mordiéndolos a pedacitos de membrillo o de pasta de guayaba, maceteándome los cachetes la frente la boca los ojos con el rodillo de seda para excitarlos, para el sí mijito claro que puedes cómo no vas a poder, déjate ir nada más, como si te deslizaras por una jalda en yagua, por una montaña de lavaza sin parar, orinándomeles encima para que se pudieran venir, para que sus papás pudieran por fin dormir tranquilos porque los hijos que ellos habían parido no les habían salido mariconcitos, no les habían salido santoletitos con el culo astillado de porcelana, porque los hijos que ellos habían parido eran hijos de San Jierro y de Santa Daga pero sólo podían traerlos a donde mí para poder comprobarlo, arrodillándomeles al frente como una sacerdotisa oficiando mi rito sagrado, el pelo enceguciéndome los ojos, bajando la cabeza hasta sentir el pene estuchado como un lirio dentro de mi garganta, teniendo cuidado de no apretar demasiado mis piernas podadoras de hombres, un cuidado infinito de no apretar demasiado los labios, la boca devoradora insaciable de pistilos de loto. Pensando que no era por ellos que yo hacía lo que hacía sino por mí, por recoger algo muy antiguo que se me colaba en pequeños ríos agridulces por los surcos detrás de la garganta, para enseñarles que las verdaderas mujeres no son sacos que se dejan impalar contra la cama, que el hombre más macho no es el que enloquece a la mujer sino el que tiene el valor de dejarse enloquecer, enseñándolos a enloquecer conmigo ocultos en mi prostíbulo, donde nadie sabrá que ellos también se han dejado hacer, que ellos han sido masilla entre mis manos, para que entonces puedan, orondos como gallos, enloquecer a las blanquitas, a esas plastas de flan que deben de ser las niñas ricas.

Porque no es correcto que a una niña bien se le disloque la pelvis, porque las niñas bien tienen vaginas de plata pulida y cuerpos de columnas de alabastro, porque no está bien que las niñas bien se monten encima y galopen por su propio gusto y no por hacerle el gusto a nadie, porque ellos no hubieran podido aprender a hacer nada de esto con las niñas bien porque eso no hubiese estado correcto, ellos no se hubiesen sentido machos, porque el macho es siempre el que tiene que tomar la iniciativa pero alguien tiene que enseñarlos la primera vez y por eso van donde Isabel la Negra, negra como la borra en el fondo de la cafetera, como el fango en el fondo del caño, revolcándose entre los brazos de Isabel la Negra como entre látigos de lodo, porque en los brazos de Isabel la Negra todo está permitido, mijito, no hay nada prohibido, el cuerpo es el único edén sobre la tierra, la única fuente de las delicias, porque conocemos el placer y el placer es lo que nos hace dioses, mijito, y nosotros, aunque seamos mortales, tenemos cuerpos de dioses, porque durante unos instantes les hemos robado su inmortalidad, sólo por unos instantes, mijito, pero eso ya es bastante, por eso ahora ya no nos importa morirnos. Porque aquí, escondido entre los brazos de Isabel la Negra nadie te va a ver, nadie sabrá jamás que tú también tienes debilidades de hombre, que tú también eres débil y puedes estar a la merced de una mujer, porque aquí, mijito, hozando debajo de mi sobaco, metiendo tu lengua dentro de mi vulva sudorosa, dejándote chupar las tetillas mudas y cachetear por las mías que sí pueden alimentar, que sí pueden, si quisieran, darte el sustento, aquí nadie va a saber, aquí a nadie va a importarle que tú fueras un enclenque más, meado y cagado de miedo entre mis brazos, porque yo no soy más que Isabel la Negra, la escoria de la humanidad, y aquí, te lo juro por la Mano Poderosa, mijito, te lo prometo por el Santo Nombre de Jesús que nos está mirando, nadie va a saber jamás que tú también quisiste ser eterno, que tú también quisiste ser un dios.

Cuando te empezaste a poner viejo, Ambrosio, la suerte se me viró a favor. Sólo podías sentir placer al mirarme acostada con aquellos muchachos que me traías todo el tiempo y empezaste a temer que me vieran a escondidas de ti, que me pagaran más de lo que tú me pagabas, que un día te abandonara definitivamente. Entonces hiciste venir al notario y redactaste un testamento nuevo beneficiando por partes iguales a tu mujer y a mí. Isabel la Negra se quedó mirando las paredes suntuosamente decoradas de la sala y pensó que aquella casa estaba perfecta para su nuevo Dancing Hall. De ahora en adelante nada de foquinato de malamuerte, del mete y saca por diez pesos, los reyes que van y vuelven y nosotras siempre pobres. Porque mientras el Dancing Hall esté en el arrabal, por más maravilloso que sea, nadie me va a querer pagar más de diez pesos la noche. Pero aquí en esta casa y en este vecindario cambiaría la cosa. Alquilaré unas cuantas gebas jóvenes que me ayuden y a cincuenta pesos el foqueo o nacarile del oriente. Se acabaron en esta casa las putas viejas, se acabó la marota seca, los clítoris arrugados como pepitas de china o irritados como vertederos de sal, se acabaron los coitos de coitre en catres de cucarachas, se acabó el tienes hambre alza la pata y lambe, ésta va a ser una casa de sún sún doble nada más. Isabel Luberza se había acercado a Isabel la Negra sin decirle una sola palabra. Había estirado los brazos y le había colocado las puntas de los dedos sobre los cachetes, palpándole la cara como si estuviera ciega. Ahora me toma la cara entre las manos y me la besa, ha comenzado a llorar. Coño, Ambrosio, tenias que tener un corazón de piedra para hacerla sufrir como la hiciste. Ahora me toma las manos y se queda mirándome fijamente las uñas, que llevo siempre esmaltadas de Cherries Jubilee. Noto con sorpresa que sus uñas están esmaltadas del mismo color que las mías.

Al principio, Ambrosio, yo no podía comprender por qué cuando te me moriste le dejaste a Isabel la Negra la mitad de toda tu herencia, la mitad de esta casa donde tú y yo habíamos sido tan felices. Al otro día del entierro, cuando me di cuenta de que el pueblo entero se había enterado de mi desgracia, de que me estaban mondando pellejo a pellejo, gozándose cada palabra que caía en sus bocas como uva recién pelada e indefensa, caminé por las calles deseando que todos murieran. Fue entonces que el asunto empezó a cambiar. Isabel la Negra mandó a tumbar el rancho donde tú la ibas a visitar y con tu dinero edificó su Dancing Hall. Entonces yo pensaba en lo que ella había llegado a significar para nosotros, la suma y cifra de todo nuestro amor, y no podía aceptar en lo que se convirtió después.

Porque bien claro que lo dice San Pablo, Ambrosio, una cosa es el adulterio llevado a cabo con modestia y moderación y otra cosa es el lenocinio público, el estupro de traganíqueles y luces de neón. Bien claro que él lo dice en su Epístola a los Corintios, si una mujer tiene marido infiel por la mujer, que se guarde de cometer mayores pecados al quedar con una prostituta que no con muchas. Y la mujer a su vez, al permanecer sujeta a sus deberes de esposa y madre, mortificada su carne blancadelirio, sus raíces sumergidas en el sufrimiento como a orillas de un plácido lago, exhala un perfume inefable, de aliento virginal, que sube y se remonta a los cielos, agradando infinitamente a Nuestro Señor.

Los primeros años de nuestro matrimonio, cuando me dí cuenta de la relación que existía entre ella y tú, me sentí la más infeliz de las mujeres. De tanto llorar parecía que me hubiesen inyectado coramina en el interior de los párpados, que me temblaban como peces rojos sobre las bolas de los ojos. Cuando entrabas en mi casa y venías de la de ella yo lo sabía inmediatamente. Lo conocía en tu manera de colocarme la mano sobre la nuca, en tu manera lerda de pasarme los ojos por el cuerpo como dos moscas satisfechas. Era entonces que más cuidado tenía que tener con mis refajos de raso y mi ropa interior de encaje francés. Era como si el recuerdo de ella se te montara en la espalda, acosándote con brazos y piernas, golpeándote sin compasión. Yo entonces me tendía en la cama y me dejaba hacer. Pero siempre mantenía los ojos muy abiertos por encima de tus hombros que se doblaban una y otra vez con el esfuerzo para no perderla de vista, para que no se fuera a creer que me le estaba entregando ni por equivocación.

Decidí entonces ganarte por otros medios, por medio de esa sabiduría antiquísima que había heredado de mi madre y mi madre de su madre. Comencé a colocar diariamente la servilleta dentro del aro de plata junto a tu plato, a echarle gotas de limón al agua de tu copa, a asolear yo misma tu ropa sobre planchas ardientes de zinc. Colocaba sobre tu cama las sábanas todavía tibias de sol bebido, blancas y suaves bajo la palma de la mano como un muro de cal, esparciéndolas siempre al revés para luego doblarlas al derecho y desplegar así, para deleitarte cuando te acostabas, un derroche de rosas y mariposas matizadas, los hilos amorosos del rosa más tenue, de un rosa de azúcar refinada que te recordara la alcurnia de nuestros apellidos, fijándome bien para que los sarmientos de nuestras iniciales quedaran siempre justo debajo del vientre sensible de tu antebrazo, para que te despertaran, con su roce delicioso de gusanillo de seda, la fidelidad sagrada debida a nuestra unión. Pero todo fue inútil. Margaritas arrojadas a los cerdos. Perlas al estercolero.

Fue así que, a través de los años, ella se fue convirtiendo en algo como un mal necesario, un tumor que llevamos en el seno y que vamos recubriendo de nuestra carne más blanda para que no nos moleste. Era cuando nos sentábamos a la mesa que a veces más cerca sentía su presencia. Los platos de porcelana emanaban desde el fondo una paz cremosa, y las gotas de sudor que cubrían las copas de agua helada, suspendidas en el calor como frágiles tetas de hielo, parecía que no se deslizarían nunca costado abajo, como si el frío que las sostenía adheridas al cristal, al igual que nuestra felicidad, fuese a permanecer allí, detenido para siempre. Me ponía entonces a pensar en ella empecinadamente. Deseaba edificar sus facciones en mi imaginación para sentarla a mi lado en la mesa, como si de alguna manera ella hiciese posible aquella felicidad que nos unía.

Me la imaginaba entonces hechizadoramente bella, tan absolutamente negra su piel como la mía era de blanca, el pelo trenzado en una sola trenza, gruesa y tiesa, cayéndole por un lado de la cabeza, cuando yo enredaba la mía, delgada y dúctil como una leontina alrededor de mi cuello. Me imaginaba sus dientes, grandes y fuertes, frotados diariamente con carne de guanábana para blanquearlos, ocultos detrás de sus labios gruesos, reacios a mostrarse si no era en un relámpago de auténtica alegría, y pensaba entonces en los míos, pequeños y transparentes como escamas de peces, asomando sus bordes sobre mis labios en una eterna sonrisa cortés. Me imaginaba sus ojos, blandos y brotados como hicacos, colocados dentro de esa clara amarillenta que rodea siempre los ojos de los negros, y pensaba en los míos, inquietos y duros como canicas de esmeralda, esclavizados día a día, yendo y viniendo, yendo y viniendo, midiendo el nivel de la harina y del azúcar en los tarros de la despensa, contando una y otra vez los cubiertos de plata dentro del cofre del comedor para estar segura de que no faltaba ninguno, calculando la cantidad exacta de comida para que no sobre nada, para poder acostarme tranquila esta noche pensando que he cumplido con mi deber, que te he protegido tu fortuna, que he servido para algo que no fue ser esta mañana el estropajo donde te limpiaste los pies, donde te restregaste el pene bien rápido para tener un orgasmo casi puro, tan limpio como el de una mariposa, tan diferente a los que tienes con ella cuando se revuelcan los dos en el fango del arrabal, un orgasmo fértil, que depositó en mi vientre la semilla sagrada que llevará tu nombre, como debe ser siempre entre un señor y una señora, para poder acostarme esta noche pensando que no soy una muñeca de trapo gris rellena de tapioca, acoplada a la forma de tu cuerpo cuando te acuestas a mi lado en la cama, para poder pensar que he sido tu mujercita querida como debe ser, económica y limpia pero sobre todo un dechado de honestidad, tabernáculo tranquilo de tu pene rosado que yo siempre llevo adentro, un roto cosido y bien apretado con hilo cien para los demás.

De esta manera habíamos alcanzado, Ambrosio, sin que tú lo supieras, casi una armonía perfecta entre los tres. Yo, que la amaba cada día más y más, comencé a mortificar mi carne, al principio con actos menudos e insignificantes, para hacer que ella regresara al camino del bien. Empecé a dejar la última cucharada de bienmesabe en el plato, a correrme sobre la carne viva un ojal del cinturón, a cerrar la sombrilla cuando salía a pasear por la calle para que la piel se me abrasara al sol. Esa piel que yo siempre he protegido con manga larga y cuello alto para poder exhibirla en los bailes porque es prueba fidedigna de mi pedigree, de que en mi familia somos blancos por los cuatro costados, esa piel de raso de novia, de leche de cal que se me derrama por el escote y por los brazos. Exponiéndome así, por ella, al qué dirán de las gentes, al has visto lo amelcochadita que se está poniendo sutanita con la edad, la pobre, dicen que eso requinta, que al que tiene raja siempre le sale al final.

Con el tiempo, sin embargo, me dí cuenta de que aquellos sacrificios no eran suficientes, que de alguna manera ella se merecía mucho más. Me la imaginaba entonces en el catre contigo, adoptando las posiciones más soeces, dejándose cachondear todo el cuerpo, dejándose chochear por delante y por detrás. De alguna manera gozaba imaginándomela así, hecha todo un caldo de melaza, dejándose hacer de ti esas cosas que una señora bien no se dejaría hacer jamás. Comencé a castigarme entonces duramente, imaginándomela anegada en aquella corrupción pero perdonándola siempre, perdonándola en cada taza de café hirviendo que me bebía para que se me brotara de vejigas la garganta, perdonándola en cada tajo fresco que me daba en las yemas de los dedos al destelar las membranas de la carne y que me curaba lentamente con sal. Pero todo lo echaste a perder, Ambrosio, lo derribaste todo de un solo golpe cuando le dejaste la mitad de tu herencia, el derecho a ser dueña, el día que se le antojara, de la mitad de esta casa.

No fue hasta que escuché hace un momento el aldabón de la puerta que supe que aún no tenía perdida la partida. Abrí la puerta sabiendo que era ella, sabiendo desde antes lo que había de suceder, pero al verla sentí por un momento que las fuerzas me flaquearon. Era exactamente como yo me la había imaginado. Sentí deseos de besar sus párpados gruesos, semicaídos sobre las pupilas blandas y sin brillo, de hundirle tiernamente las bolas de los ojos para adentro con las yemas de los dedos. Se había soltado la trenza en una melena triunfante de humo que se le abullonaba encima de los hombros y me sorprendió ver lo poco que había envejecido. Sentí casi deseos de perdonarla, pensando en lo mucho que te había querido. Pero entonces empezó a tongoneárseme en la cara, balanceándose para atrás y para alante sobre sus tacones rojos, la mano sobre la cintura y el codo sobresalido para dejar al descubierto el hueco maloliente de su axila. El interior de aquel triángulo se me enterró de golpe en la frente y recordé todo lo que me había hecho sufrir. Más allá del ángulo de su brazo podía ver claramente la puerta todavía abierta de su Cadillac, un pedazo azulmarino con botones dorados del uniforme del chófer que la mantenía abierta. Le pedí entonces que pasara.

Yo sabía desde un principio a lo que había venido. Ya ella había logrado sustituirme en todas las actividades del pueblo que yo había presidido contigo, colgada de tu brazo como un jazmín retoñado adosado al muro. Ahora desea quedarse con esta casa, irá asiéndose cada vez más a tu recuerdo como una enredadera de rémoras hasta acabar de quitármela, hasta acabar de chuparse el polvo de tu sangre con el cual me he coloreado las mejillas todas las mañanas después de tu muerte. Porque hasta ahora, por causa de ella, no he comprendido todo este sufrimiento, todas estas cosas que me han atormentado tanto, sino oscuramente, como vistas a través de un espejo enturbiado, pero ahora voy a ver claro por primera vez, ahora voy a enfrentar por fin ese rostro de hermosura perfecta al rostro de mi desconsuelo para poder comprender. Ahora me le acerco porque deseo verla cara a cara, verla como de verdad ella es, el pelo ya no una nube de humo rebelde encrespado alrededor de su cabeza, sino delgado y dúctil, envuelto como una cadena antigua alrededor de su cuello, la piel ya no negra, sino blanca, derramada sobre sus hombros como leche de cal ardiente, sin la menor sospecha de un requinto de raja, tongonéandome yo ahora para atrás y para alante sobre mis tacones rojos, por los cuales baja, lenta y silenciosa como una marea, esa sangre que había comenzado a subirme por la base de la uñas desde hace tanto tiempo, mi sangre esmaltada de Cherries Jubilee.

Mercedes-Benz 200SL

en suma, oh reidores, no habéis
    sacado gran cosa de los hombres
apenas habéis extraído un poco de
    grasa de su miseria
pero nosotros que morimos de vivir
    lejos uno del otro
tendemos nuestros brazos y sobre esos
    rieles se desliza un largo tren de
    carga
                    —Guillaume Apollinaire

Está estupendo el Mercedes, Mami, no te
parece, mira cómo coge las curvas pegado al
asfalto de la carretera ronroneando poderoso el guía responde al impulso de la punta
de mis dedos dentro de los guantes de piel
de cerdo que me regalaste ayer para que es-
trenara el carro con ellos para que las manos
no me resbalaran sobre los nudillos de la
rueda que ahora giro a derecha izquierda
con la más leve presión las pequeñas lanzas
cruzadas sobre el bonete destellando cromo
debajo de la lluvia listas para salir dispara-

das a los ojos de los que nos ven pasar con envidia qué santo carro la madre de los tomates la puta que los parió tremendo armatoste se gastan parece un tanque los tapalodos de alante rodando rodillos de rinoceronte mi familia siempre ha tenido carros grandes, Mami, el primer Rolls Royce de San Juan largo como esperanza e pobre y negro como su pensamiento a esta chusma hay que enseñarle quién es el que manda pueblo de cafres este, apiñados como monos les gusta sentir el sudor la peste unos de otros sólo así se sienten felices restregándose como chinches por eso les gusta tanto el bochinche qué divertido, Mami, nunca se me había ocurrido de ahí viene seguro ese imbécil se nos ha metido en medio cuidado Papi le vas a dar la figura del hombre caminando de espaldas al carro por la orilla del camino hundiendo con el índice el disco dorado de la bocina que reluce en el centro del guía de cuero beige elegante el guía este cosido a mano el cuero de la rueda sexi la condená rueda me gusta tocarla apretando el disco de oro todo el tiempo igualito que la trompeta mayor en Das Rheingold, Mami, pero el hombre no oye no se sale del camino hasta el último momento en que da un salto el tapalodos le pasa a una pulgada de la cabeza cae de bruces sobre la cuneta te cojo en la próxima mico cuando te descuelgues otra vez del árbol te asustaste, verdá, Mami, estás blanca como un papel es que pienso en la policía, Papi, es por tu bien, qué policía ni qué demonios parece mentira que no sepas todavía quién es tu marido este carro es del fuerte donde quiera que vayamos nos dará la razón por eso lo compré, Mami, por qué pendejos te crees que trabajo como un burro de ocho a ocho no es para estar después virando huevos y echándome fresco en el culo en este país lo único que vale es la fuerza Mami no te olvides nunca deso.

Metió el acelerador hasta el fondo disparando por la recta por lo menos a esta hora no hay tráfico suspiró la mujer recitando en silencio las últimas cuentas del rosario voy a reclinar el asiento hacia atrás para ver si duermo un poco sexi los asientos estos verdad, Mami, pasándole la mano por encima a la lanita gris pelitos que se doblan contra la punta de los dedos pero no para probarlos contigo que ya estás vieja y las carnes te cuelgan pellejos empolvados emperifollada con tus zapatos de cocodrilo de 150 dólares y tu sortija emerald cut diamond de 9 kilates parece una pista de patinar en hielo dijiste cuando te la compré y me dieron ganas de reír, vieja, eso está bien de patinar en hielo sí grande y sólida como la cuenta de banco en Suiza lo que te gusta gastarme el dinero de las tiendas a la iglesia y de la iglesia a las tiendas pero no me quejo, vieja, eso está bien, toda una señora toda una dama y sin eso no se puede funcionar no se llega a ninguna parte sin lo que tú me das, vieja, eso no me lo dan las muchachitas cabronas que se verían tan bien reclinadas en este asiento de pelusa gris que se verán tan bien, digo, porque pronto pienso llevar a pasear a alguna buena polla y metérselo aquí mismo rico el roce de esta tela en el trasero debe ser.

Levantó la mano del guía y la acercó en la oscuridad a la frente de la mujer que dormitaba a su lado te quiero mucho, Papi, le dije al sentir la caricia de su mano volviendo a empezar las jaculatorias a Mater Admirábilis eres como un niño con un juguete nuevo me alegra de veras verte tan loco con tu Mercedes-Benz 200SL la verdad que trabaja tanto, el pobre, se lo merece no hay derecho a matarse trabajando sin tener una recompensa sólo que a veces me hace sufrir con su falta de consideración como ahora no vayas tan ligero, Papi, la carretera está mojada el carro puede patinar sabiendo que no me hará caso nunca me hace caso igualito que si estuviera hablando sola acariciándome los brazos porque súbitamente he sentido frío los árboles que salen disparados partiéndose hacia los lados el túnel que nos va tragando estrechonegroalante anchocayéndose atrás debemos ir casi a noventa por favor, Papi, Dios nos libre y la Virgen nos guarde los wipers no van lo bastante rápido para limpiar los goterones siempre ha sido así desde que nos casamos hace veinte años me compra todo lo que quiero es un hombre bueno de su casa pero siempre la misma sordera siempre a su lado y siempre sola hablando sola comiendo sola durmiendo sola mirándome en el espejo y abriendo la boca tocándome el paladar con el dedo para ver si sale algún sonido casa perro silla la forma de la boca mordiendo los objetos reconociendo la textura de madera o de pelo con el interior del labio comprobando la resistencia a la respiración casa perro silla pero no los objetos no salen se quedan allí atorados como si la apertura fuera demasiado pequeña o ellos demasiado grandes los filos encajados dolorosamente en las encías forzándolos para arriba desde el fondo de la garganta sin ningún resultado tocando ese hueco mudo que se me enterraba cada vez más dentro de la boca cuando me miraba en el espejo hasta que creí que me estaba volviendo loca. Entonces tuve a mi hijo y pude volver a hablar.

Volvió a reclinarse en el asiento y su perfil

se recortó claramente en la oscuridad. Las luces del dashboard le iluminaban las facciones gruesas en tensión, la sonrisa infantil del hombre al volante. Cerró los ojos y cruzando los brazos sobre el pecho se acarició los hombros fríos con las manos. Y ahora de nuevo sola, después de tantas disputas iracundas con el padre se fue de la casa. Decía que los negocios le daban ganas de vomitar, que ya estaba harto de que lo amenazaran con desheredarlo, una mañana encontré la nota sobre la cama no me busquen todos los domingos los vendré a ver. Claro que lo buscamos pero él cambiaba todo el tiempo de dirección hasta que por fin Papi se cansó de pagar detectives privados lo que cuestan dios mío se enfureció con él definitivamente que se vaya al carajo, dijo, mira que yo dejando el pellejo del alma pegado al trabajo para después tener que gastar miles de dólares en detectives rastreando a una primadona que no da un tajo cría cuervos y te sacarán los ojos es lo que siempre he dicho y yo llorando que no podía contestarle porque en el fondo sabía que tenía toda la razón.

Hoy sábado por la noche y mira esa recta que viene ahí, Mami, toditita para nosotros pensar que de día está atestada de carros apiñados unos encima de otros como monos eso es lo que les gusta el olorcito a cafre la pestecita a chango suavecito así suavecito con el acelerador hasta el suelo estos alemanes fabrican carros como si fueran tanques de carrocería de acero de media pulgada lo que se lleve por delante ni se entera ni una mella le hace al que le dé un bimbazo lo noquea al otro lado del mundo y sin pasaje de regreso es una cabronería este carro Mami una condenada cabronería.

La muchacha cogió la taza y pasó el dedo índice sobre las rosas azules de la porcelana. Abrió la llave del agua caliente, exprimió la botella plástica y dejó caer tres gotas lentas que contempló deslizarse por el interior de la taza. El líquido viscoso, de un verde brutal, le recordó por un momento el miedo, pero en seguida dejó que el agua llenara la taza y observó aliviada cómo se deshacía inofensivo en espuma, derramándose por encima del borde. La enjuagó y la secó, sintiendo el chirrido de la losa limpia debajo de las yemas de los dedos, y la puso, tibia todavía, a escurrir sobre la mesa. Se enjugó las manos enrojecidas con la falda, y se quedó mirando por la ventana el patio, las plantas cabeceando de un lado para otro debajo de la lluvia como si hubiesen perdido todo sentido de dirección. Olió el vapor que subía de la tierra mojada y recordó los hoyos cavados con las manos para enterrar objetos que nadie quería, una peinilla que le faltaban los dientes, un cisne plástico con una cinta alrededor del cuello "Fernando y María, sean felices para siempre", que me había traído mi madre de recuerdo de una boda, un lipstic gastado, un dedal, siempre me había gustado enterrar en el patio objetos que nadie quería de manera que sólo yo supiera dónde están. Cuando llueve fuerte como ahora lo recuerdo más claro, me veo escarbando la tierra con las uñas, aspirando el olor que se me desmorona grumoso entre los dedos. Luego, cuando salía a pasear por el jardín y caminaba sobre los objetos ocultos que sólo yo adivinaba bajo la tierra, iba repitiéndome en voz baja, ahora estoy sobre la peinilla, ahora tengo el dedal debajo del talón derecho, ahora sobre las alas del cisne, ahora sobre la media tijera, como si el poder recorrer cada detalle de su contorno oculto con la parte de atrás de los ojos me hiciera diferente. Sabiendo que cuando dejara de llover saldría otra vez al patio como había hecho todos los días desde hacía dos semanas, dilatando con anticipación el olfato, preparándome para recuperar el recuerdo, mientras discutía conmigo misma el próximo juego que había de jugar.

Se alejó del fregadero y sintió el candor

de la habitación sin muebles, la rapidez de las gavetas vacías, la ingenuidad de las perchas de alambre chocando codo con codo dentro del clóset. Observó el reposo de los muros desprovistos de objetos, cortados súbitamente exactos. Se dio cuenta entonces de que no lo podía pensar, de que no podía evocar su mirada, sus manos, su voz, si lo deslindaba de aquel espacio, de la disciplina refrescante de la única mesa y de la pequeña estufa de gas, de la alfombra desvaída que le servía de cama, del móvil de peces de bronce contraponiendo sonidos filosos a la blandura machaqueante del agua que seguía cayendo sobre la ventana. Escuché el golpe de la puerta y supe que habías llegado corrí a encontrarme contigo y te abracé. Vamos hoy también te pregunto porque mira la lluvia como sigue mientras palpo tu espalda ensopada tu pelo adherido en mechones a mis dedos. Sí mi amor es parte de mi pacto con ellos todos los domingos ir a visitar a papá y mamá, darles a entender que nada ha cambiado, que los quiero siempre igual. Siento una gran pena por ellos, rodeados de objetos costosos que acarician con los ojos noche tras noche para no fijarse en el contorno inmóvil de sus cuerpos debajo de las sábanas, tan similar al contorno futuro de sus muertes.

Fíjate en la diferencia entre ellos y nosotros floreciendo ahora debajo de tus manos cultivando anémonas ocultas en los orificios de tu cuerpo cultivando corales en tu piel cada pétalo sedimentando lento supurando púrpura afelpada en los oídos no se oye nada ya la lluvia cayendo ahora tan lejos antes tan cerca taladrando el cerebro ahora el agua nos cubre no existe el fondo sólo la caída perpetua de nosotros los enterrados vivos persiguiéndonos a través de la mirada tan cerca y sin embargo tan lejos pero sin compasión sabiendo que eso que perseguimos es lo único que tenemos es lo único que importa. Esta mañana fueron encontrados dos cuerpos en las más extraordinarias circunstancias repite la radio a tus espaldas un hombre y una mujer miles de años después encontrados dentro de un gigantesco muro de hielo persiguiéndonos inmóviles inmortales a través del cristal tocando con el dedo la esfera perfectamente transparente de tu ojo la silueta de la pupila recortada sobre el blanco bola los encontramos caminando dentro del cristal seguía la voz él llevaba los ojos como una ofrenda en la palma de la mano cogí uno con el índice y el pulgar lo levanté a la luz para mirar a través de la pupila que se hundía inútilmente dentro de ti porque no puedo alcanzarte hundiéndote por tu propia pupila te me escapas pero no importa mi amor ya sé ya entiendo el cristal ha comenzado a derrumbarse desde arriba el polvo me ciega y ciega te persigo por la polvareda de vidrio que se te acumula sobre los hombros porque ya sé ya nada importa mi amor sólo la búsqueda del recuerdo el tacto inmóvil el sonido sordo la pupila ciega todo detenido en el instante blanco.

Si vamos temprano tendremos el domingo para nosotros le digo. Deberías venir hoy conmigo mamá nunca te ha visto a lo mejor se encariña contigo a lo mejor papá nos perdona a los dos. No mi amor es mejor que no me conozcan no sé por qué pero cómo explicártelo dejémoslo para otro día yo te acompaño como siempre hasta la casa y luego me voy. Entonces mirando otra vez por la ventana, qué oscuro está todo, es la lluvia que prolonga la sensación de la noche, este domingo parece que nunca va a amanecer, no hay nadie en las calles. Percibiendo más allá de la puerta la sensación de los cuerpos dormidos creciendo capilares por debajo de las sábanas, los oídos pegados a las ventanas cerradas escuchando la raspadura seca que hace la luz cuando va trepando por la pared.

La mujer había enderezado el asiento y trataba de adivinar las siluetas familiares de las

casas por entre las gruesas gotas que arruga-
ban continuamente el cristal del parabrisas.
Unos minutos antes había dado un suspiro
de alivio, sintiéndose ya próxima al final de
aquella prueba. Había guardado el rosario
en la cartera y aflojaba poco a poco el cuerpo, el lento y cansado dejarse ir hacia delante, la mano sobre la manija para abrir la
puerta, el carro detenido por fin frente a la
casa. Fue ella quien lo vio primero, el celaje
cruzándoseles al frente, zigzagueando por
las paredes de los edificios, saltándoles dentro de los ojos, separando con fragilidad ba-
yusca la gruesa cortina de lluvia que lo
sofocaba todo. Fue cosa de fragmentos de
segundos. El impacto sordo del tapalodo
conectando de golpe en la carne compacta
como cuando se tapa el tubo de la aspiradora con la palma de la mano fop sólo que
ahora no era la aspiradora ni los motores de
un jet sino que algo fop completamente extraño se había quedado pegado al bonete
del carro qué horror por favor detente te lo
dije Papi íbamos demasiado rápido te rogué
cien veces que fuéramos más despacio el carro patinando sin parar con aquella masa de
sombra pegada al bonete qué hijo de la gran
puta quién lo manda a tirárseme en el camino el cuerpo esplayado muñeco de goma sobre el bonete del carro hay que bajarse a

hacer algo Papi hay que bajarse por dios cállate la boca ante todo no perder la cabeza sentados uno al lado del otro sin poder moverse mirando la lluvia que seguía cayendo como si no hubiese sucedido nada derramándose por encima del bonete como si quisiera enjuagar la superficie platinada llevarse aquel objeto adherido grotescamente a los lujosos bordes de cromo a las curvas opulentas de los guardalodos.

Entonces una vez más en voz baja como una hilera interminable de jaculatorias ensartadas cada vez con más rabia espetándolas unas a otras como agujas apiñados unos encima de otros para sentir mejor la peste el hedor a chango la fetidez a mono ya no puede uno ni siquiera salir a pasear de noche sin que ahora esa cosa espachurrada ahí al frente encima de mi carro con los ojos pegados al cristal del parabrisas que se derrite continuamente por un solo lado mientras por el otro se queda quieto invitando a pasar los dedos por la superficie lisa del plate glass para comprobar que en efecto no había sucedido nada que el mundo seguía como siempre perfectamente ordenado de este lado pero sólo de este lado sentados en los asientos de pelusa gris con los brazos tumbados a los lados con los ojos pegados al parabrisas que seguía derritiéndose encerrados en aquella cámara lujosa con techo de fieltro sin saber qué decir sin saber cómo poner la mano sobre la manija para abrir la puerta.

Vieron a la muchacha que se acercaba al carro debajo de la lluvia. Tenía el pelo empegostado a la cara y el agua le escurría dos chorros gruesos por los brazos. Se acercó al bonete y se detuvo frente a los faroles encendidos que le derramaban por encima una luz ya inútil en la claridad de la madrugada. Mirando mientras sostenía la cabeza contra su pecho, aguantando la respiración mientras la veían apoyar contra sí todo el peso del cuerpo, deslizarlo poco a poco por la superficie platinada, empinándose hacia atrás en el esfuerzo, irlo bajando con infinita lentitud por el costado lustroso, hasta lograr dejarlo tendido sobre el pavimento.

Bajé la ventanilla y la lluvia entró salpicándome la cara llenándome la boca de agua y yo gritando dime qué pasa, Papi, qué vamos a hacer por favor dime qué pasa y Papi que se acerca por el lado de la ventanilla ensopándose también cállate ya imbécil te va a oír todo el vecindario esa mujer parece tarada se lo ha apropiado y no deja ni que me le acerque gruñe y parece que va a morder cada vez que le dirijo la palabra meciéndose en el suelo todo el tiempo con la cabeza una pulpa violácea encharcándole la falda es mejor que nos vayamos dejarle un papel nombre y dirección comuníquese con nosotros si podemos hacer algo que se ocupe ella misma ya que está tan jodidamente interesada pero cómo vamos a irnos, Papi, cómo vamos a dejarlo ahí tirado debajo de la lluvia no me discutas más tú en seguida te pones histérica no vamos a meterlo en el carro para que nos manche los asientos con ese desagüe de sangre.

Arrancó y dio reversa con un chillido de gomas mojadas que se exprimen de golpe sobre el asfalto. La mujer acarició suavemente la pelusa gris mientras el carro se alejaba por la carretera, tan nueva y tan linda, absolutamente ajena a algo tan desagradable como un pegoste de sangre, acurrucada en el fondo del asiento como en el interior de un nido, temblorosa la carne agradecida por aquella protección, por la seguridad del todo de acero, del todo blindado alrededor, Dios nos libre y la Virgen nos guarde, sin dinero no puede uno vivir, tranquilizándose poco a poco a medida que se acercaban a la casa. Se pasó una mano por la frente, todo era como una pesadilla, quizás sólo había sucedido en su mente exhausta, ansiosa por acabar de llegar, por quitarse la faja y las medias, el reloj y las pulseras, meterse en la bañera con el agua caliente hasta el cuello, mirando sin pensar en nada la infinita paz blanca aplastada contra el plafón del techo.

Había llovido toda la tarde cuando la mujer escuchó el timbre de la puerta. Abrí e inmediatamente vi el papel grumoso en la mano extendida, las líneas de tinta corrida por el borde de las manchas. El papel desmoronándose en mi mano la tinta corriéndose por el borde de las manchas abiertas como llagas dentro de las letras deformándolas apartándolas unas de otras favor de comunicarse con nosotros si podemos hacer algo. Entonces abrió la puerta y le enseñé el papel. Vi como se le demudó el rostro, sí señorita, espere un momento, en seguida vuelvo por favor, entornó la puerta y entró. Las manos súbitamente frías secándomelas en la falda tengo que encontrar a Papi lo llamo y no me contesta lo busco por toda la casa pero no está. Mi marido no está señorita, pero pase, en qué puedo servirle, venga pase por acá.

Cruzo por fin la puerta de tu casa y dejo hundir el pie en la lana roja de la alfombra como si fuese un pequeño animal con vida propia veo la escalera que súbitamente desciendes hasta explotar la puerta del patio Mamá ha dejado de llover voy a salir a jugar veo los cristales de la ventana de la sala son azules y rosa mientras tú sigues asomado a la ventana balanceándote sobre el pretil. No se quede ahí de pie, señorita, siéntese por favor. Mirando yo también ahora el patio donde juegas viéndote primero por el cristal rosa jugando junto al limonero rosa la fuente rosa el chorro de agua rosa que le sale por la boca a la gárgola rosa el cielo terriblemente rosa colgando ahí arrriba encima de tu juego ensimismado acercándome a la ventana para verte mejor, no señora, gracias prefiero permanecer de pie, no voy a estar mucho rato. Mirándote ahora jugar a través del cristal azul pensando que era injusto el dolor que me producía aquel cambio viéndote todo teñido de azul en medio del patio jugando ahora otro juego en el que yo te acompaño las naranjas bamboleando pelotas azules al extremo de las ramas el chorro de agua azul rebotando duro contra nuestras manos las rosas azules trepando implacables por el muro sobre la porcelana blanca de la taza en la que bebías café sobre tu cara blanca volcada en mi falda botando aquel líquido oscuro por los pozos de los ojos viéndolo todo teñido de aquel líquido que ahora me brota de adentro sin poderlo detener, qué le pasa señorita, por qué está llorando, viéndote tirado en la carretera la lluvia cayéndote sin parar dentro de los ojos tu cabeza en mi falda esperando que tu mirada terminara de salir como si orinaras interminablemente por los ojos acumulándoseme tibia sobre la falda inclinada sobre ti persiguiéndote por el círculo todavía vivo todavía cortante cristal de la córnea entrándome por tu ojo todavía transparente como un anzuelo pequeñito que dejo caer al fondo esforzándome por atraparte y sintiendo que caes cada vez más abajo porque el fondo ha desaparecido persiguiéndote tan cerca y sin embargo tan lejos cada vez más lejos sintiendo que esta vez el cristal no se derrumba sino que se va cerrando solidificando como un vaso de agua en el cual ha caído súbitamente una gota de leche sintiendo que el cristal se vuelve cada vez más cálido se empaña con mi aliento inclinada ahora brutalmente sobre tus ojos que ya no me ven porque te has quedado del otro lado del cristal porque me has abandonado en este lado para siempre.

———

Es usted la señorita que estaba con el accidentado aquella noche horrible, le pregunto, y dejo caer la mano que me tiembla sobre el almohadón de pluma de ganso recostado contra el respaldar del sofá. Fue cierto entonces no ha sido una pesadilla cuénteme enseguida lo que pasó con ese pobre hombre he estado tan preocupada todos estos días ya pensaba que me lo había inventado que había sido una fantasía de mi imaginación. El remordimiento de no habernos bajado a ayudarlos de no haber compartido con ustedes el malrato por eso mi marido le dejó ese papelito para que se comunicara con nosotros en seguida y no fuera a pensar que éramos unos vulgares capaces de un hitanrun. Claro tampoco pensamos que fuera algo grave mi marido se puso tan nervioso, el pobre, dudo que en aquellas circunstancias hubiese podido ayudarlos después casi tuve que llevarlo al hospital en estado de shock. Un hombre tan bueno, figúrese, y yo que lo quiero tanto, tenía miedo de que me le fuera a dar allí mismo un ataque al corazón. Por favor señorita, dígame, ha habido gastos de medicamentos cuentas de hospitalización puede estar segura que no habrá la menor objeción de nuestra parte lo que me extraña es que se haya usted tardado tanto en encontrarnos que no haya venido al otro día en busca de una mano amiga en la cual apoyarse tener la seguridad de que se hacía todo lo posible por él los mejores especialistas las últimas medicinas la clínica privada estamos a sus órdenes señorita, créame, los queremos ayudar.

No señora, no es eso lo que he venido a decirle. Entonces no le ocurrió nada serio, qué alivio señorita, bendito sea Dios. El muchacho está muerto, señora, eso es lo que venía a decirle. Hace dos semanas fue el entierro, yo misma me ocupé de todos los arreglos. Un féretro modesto, una tumba sencilla. En el cortejo iba yo sola, él no tenía más familia. Eso. Pensé que era mi deber decírselo. El muchacho está muerto y yo lo enterré. Adiós señora. Pero cómo se va a ir sin explicarme lo que pasó sin esperar a que llegue mi marido para que le explique a él también estoy segura que él querrá darle algo para ayudarla para por lo menos aliviarla en algunos de los gastos que ha tenido cómo se va a ir sin ni siquiera decirme el nombre señorita el nombre de ese pobre muchacho.

De pie frente a la ventana de la cocina la muchacha abrió la llave del agua caliente. Exprimió la botella plástica, dejó caer tres gotas del líquido verde sobre la porcelana curva de la taza. Contempló cómo las rosas azules, medio cubiertas por el residuo de café con leche frío, iban desapareciendo debajo de la espuma que subía reverberando hasta el borde. Estaba tranquila. Sabía que la otra no, sabía que la otra había esperado todo el día, que a eso de las cuatro había pensado que su hijo vendría, que se había asomado a la puerta de la calle y había observado con desaliento cómo el sol apretaba el cemento de las paredes, haciéndolas brotar para afuera cada vez más sólidas y groseras. Volvió a meter las manos hasta la muñeca en el agua caliente y lavó cuidadosamente la taza y el platillo. Pensó en la otra mirando una vez más hacia la calle vacía, la acera chata, el agua que se menguaba en la cuneta, el ojo enlodado del registro empotrado en medio del asfalto. La oyó decir en voz baja, no vendrá hoy, mientras pensaba que no había que preocuparse, que era un domingo como cualquier otro, escuchando los insectos que le zumbaban dentro del oído. No vendrá hoy tampoco, añadió en voz alta como para espantarlos. La muchacha pensó que ahora estaba completamente sola y se quedó un rato mirando por la ventana las plantas reviradas por el aire. La otra se alejó de la puerta y fue a sentarse al borde de la cama. La semana que viene vendrá no hay que angustiarse dijo, pensando en que tenía que comprar una colcha nueva. Qué gasto son las casas. No bien cuelga uno cortinas nuevas que el forro de las butacas se ensucia y hay que cambiar la colcha. Sin embargo feliz cuando pienso que hice la decisión correcta de no dejar a Papi las veces que lo he pensado cuando por tonterías como la de estar disparando por una carretera a las tantas de la noche me parecía que me maltrataba que no me quería, es sencillamente su manera de ser. Feliz de leer su nombre en los periódicos tantos éxitos económicos un verdadero macho tu hombre todas mis amigas me lo envidian y este año si Dios quiere nos daremos nuestro viaje a Europa. Las tiendas de Madrid donde todo es tan barato un abrigo de ante por cuarenta dólares unos candelabros por sesenta qué ganga feliz cuando pienso que él me tiene a mí y yo lo tengo a él y que llegaremos a viejos juntos. Los jóvenes que hagan su vida como les parezca ya tendrán que aprender lo dura que es la vida no es miel sobre hojuelas no, pobre el que se crea que la vida es un lecho de rosas.

La muchacha se quedó frente a la ventana de la cocina todavía un buen rato. Sin darse cuenta comenzó a cambiar el peso del cuerpo de un pie a otro pie, colocando de una vez toda la planta en el suelo, como si pisase con infinita ternura el rostro de alguien amado. Se dio cuenta, al ver las nubes que se escapaban por una esquina de vidrio, de que pronto dejaría de llover. Abrió la puerta y salió al patio. Se sentó en el suelo y hundió las manos en la tierra mojada. Entonces se preparó para recuperar una vez más el recuerdo, discutiendo consigo misma el próximo juego que había de jugar.

Está estupenda la noche para ir a pasear, verdad, Mami, una noche regia para sacar a pasear el Mercedes hoy le mandé a encerar los flancos grises y le pusieron los tapabocinas más caros cuatro chapas de cromo sólido empotradas en banda blanca ahora se ve todavía más chic hace como que todo reluzca y la carretera esperándonos ahí afuera para nosotros nada más, Mami, en este país no se puede salir a pasear más que de noche sólo entonces se puede sacar la cabeza afuera y respirar ahora podemos planear nuestro viaje a Europa dime a dónde te gustaría ir.

Primero tengo que contarte algo, Papi, esta mañana me pasó la cosa más extraña se presentó en casa una muchacha con el papel que tú garabateaste la noche aquella cuando el hombre se nos tiró debajo de las ruedas del carro era definitivamente el mismo papel reconocí en seguida tu letra no te puedes imaginar el mal rato que pasé aunque todavía me parece que todo es una mala pasada que el muchacho ese debe de estar vivito y coleando por alguna parte. No ha derramado ni una lágrima escasamente si pronunció una docena de palabras parada en medio de la sala con los puños cerrados mirándome a la cara sin el menor asomo de cortesía casi como si quisiera asustarme o está loca o es un intento de extorsión pensé en seguida. Figúrate que se me planta en medio de la sala y yo muriéndome rogándole a todos los santos para que tú regresaras para que te le encararas y se diera cuenta de que no podía meterse con nosotros de que con nosotros el chantaje no funciona porque conocemos a medio mundo de abogados y de bancos pero yo de todas maneras tratando de ser lo más civil posible preguntándole por el maldito tipo y diciéndole lo preocupados que habíamos estado ofreciéndole todo el dinero que necesitaran para médicos y medicinas deshaciéndome te juro que deshaciéndome de solicitud maternal y la tipa que me corta la palabra en seco y se me queda mirando así como mandándome a la mierda y me dice el muchacho está muerto yo lo hice enterrar diciéndolo así nada más como quien deja caer cuatro lajas de río en medio de la sala el muchacho está muerto yo lo hice enterrar como si aquello fuera de lo más natural sólo vine para que lo supiera mirándome y yo con la boca abierta como si me hubieran puesto un tapón como si me estuvieran sacando el corazón con un sacacorchos de esos de tirabuzón sintiendo que algo se me enterraba enroscándome para adentro por el lado izquierdo y que luego tiraban halaban fuerte me tuve que sentar en el sofá porque creí que me iba a desmayar mirándonos las dos sin decir una sola palabra por no sé cuánto tiempo y yo con aquel dolor terrible dentro del pecho.

Hasta que por fin reaccioné. Me enderecé en el sofá y me dije a mí misma imbécil dejándote impresionar por lo que te cuentan de un extraño si uno se va a echar encima todas las tragedias de la humanidad acaba arruinado el que da lo que tiene a pedir se atiene y cada cual que cargue con su cruz. Entonces ahí mismo me doy cuenta de lo que la tipa me estaba diciendo. Que nosotros habíamos atropellado al tipo que nosotros lo habíamos matado. Y yo que salto para arriba como un guabá cómo se atreve so insolente porque eso sí mi amor tú me conoces cuando te atacan me pongo como una fiera nosotros no tuvimos la culpa porque ya veía viniéndosete encima la acusación de asesinato en primer grado la demanda por un millón de dólares, Dios mío, este mundo está lleno de canallas. Ese hombre se tiró debajo de las ruedas del carro yo estaba allí y es bueno que usted lo sepa porque estoy dispuesta a dar testimonio en cualquier corte dispuesta a decírselo al mismo Jesucristo. Poniendo desde ya los puntos sobre las íes cuando la tipa se da media vuelta y vuelve a dejarme con la palabra en la boca y yo con la boca abierta que me quedo mirándola desde el sofá sin poder entender todavía de dónde venía aquella cosa que seguía retorciéndoseme dentro del pecho y la tipa que camina tranquilamente hasta la puerta la abre y se va.

No te angusties más por eso, Mami, mira que no habérmelo contado antes yo hubiera hecho las investigaciones para agarrar a esos bandidos la verdad que la gente en este país no tiene madre si vuelven a aparecer por esta casa no vayas a abrir la puerta si yo no estoy les dices terminantemente que no puedes atenderlos que vengan a verme a mi oficina ya sabré yo cómo lidiar con ellos. Pero mira cómo va el Mercedes, Mami, mira que bonito va por la recta como la seda va como la seda los tapalodos de alante rodando rodillos de rinoceronte la carrocería de acero de media pulgada y lo que se lleve por delante ni se entera ni una mella le hace noqueado al otro lado del mundo y sin pasaje de regreso es una condenada cabronería este carro Mami es una condenada cabronería.

Amalia

"Echó, pues, fuera al hombre, y puso al oriente del puerto de Edén querubines, y una espada encendida que se revolvía a todos lados, para guardar el camino del árbol de la vida."
—*Génesis, III, 24.*

Ahora ya estoy aquí, en medio del patio prohibido, saliéndome, sabiendo que esto va a ser hasta donde dice sin poder parar, rodeada de golpes de sábana y aletazos abandonados que dan vuelta a mi alrededor, sudando caballos blancos y gaviotas que vomitan sal. Ahora empiezo a acunar entre los brazos esta masa repugnante que eras tú, Amalia, y era también yo, juntas éramos las dos una sola, esperando el día en que nos dejaran encerradas en este patio, en que sabiendo que nos dejarán. Ahora todos se han ido y la casa arde como un hueso blanco y doy un suspiro de alivio porque ya estoy sudando, porque ahora por fin puedo sudar.

Una de las sirvientas me encontró con los ojos vueltos hacia la sombra de atrás tirada en el suelo del patio como una muñeca de trapo. Y empezó a gritar y aunque yo estaba lejos la oía gritando al lado mío con desesperación hasta que sentí que entre todas me levantaban con mucho cuidado y me llevaron a mi cuarto y me tendieron en la cama y después se fueron todas llorando a buscar a mamá. Ahora el brazo derecho me pesa como un tronco y siento la aguja metida, y aunque tengo los ojos cerrados sé que es la aguja porque ya la he sentido antes y sé que debo tener paciencia y no me puedo mover porque si me muevo es la carne desgarrándose por dentro y el dolor. Oigo detrás de la puerta a las sirvientas gimoteando y más cerca a mamá, doctor, si la niña no hacía ni diez minutos que había salido al patio, se le escapó a las sirvientas que estaban lavando la ropa en la pileta, si para eso están ellas para vigilarla que no salga al sol, tres sirvientas para eso nada más, pero ella es lista como una ladilla y se les escapa todo el tiempo, en cuanto se distraen se escurre como una polilla blanca por la oscuridad, se esconde debajo de las hojas de malanga acechando, velando el patio donde se ponen a secar las sábanas, y cuando ve que no hay nadie sale y se acuesta en el piso ardiendo

como una cualquiera, como una desvergonzada, ensuciándose el traje blanco y las medias blancas y los zapatos blancos, con esa
carita inocente vuelta hacia arriba y los brazos abiertos, porque quiere saber lo que pasa, dice, quiere saber cómo es. Ya casi no
puedo dormir, doctor, es la cuarta vez y la
próxima la encontraremos muerta, y lo peor
es no saber lo que tiene, saber nada más que
no tiene remedio, verle esa piel blanquecina
y transparente como un bulbo de cebolla
encogiéndose y ensortijándose al menor
contacto con el calor, ver el agua que le sale
por todas partes como si fuera una vejiga y
no una niña y la estuvieran exprimiendo.
Por las noches sueño que la veo tirada en el
suelo del patio toda arrugada y seca, con la
cabeza muy grande y el cuerpo chiquitito,
con la piel gomosa y violeta pegada sin remedio al semillero duro de los huesos.

Entonces oigo señora, dígame, entre su
familia y la de su marido existe alguna relación, no que yo sepa, doctor, no hay lazos
de sangre si eso es lo que usted quiere decir,
no quedábamos ni primos lejanos, pero por
qué pregunta eso, qué es lo que está pensando, no nada, es que en estos casos de de-
generación genética siempre hay detrás
algún incesto, son los mismos genes que se
superponen unos a otros hasta que se debili-

tan las paredes y entonces aparece en el hijo una característica de naturaleza distinta, nace con una sola pierna o a lo mejor sin boca, sí, claro, casi siempre se mueren pero en este caso no y eso es lo malo, qué es lo que usted está diciendo doctor, incesto. Pero si mi marido y yo no quedábamos nada, usted está loco, doctor, incesto, in-cesto, in the basket, encestó, señora, el cesto de la basura, el vicio de los pobres, en el diez por ciento de las familias puertorriqueñas se comete incesto, es la urgencia natural del hombre cuando se acuesta la madre con las hijitas en el mismo cuarto, ya usted sabe en la oscuridad no se sabe, winstontastesgood like a cigarette should, pero también es el vicio de los ricos, es el vicio de todo el mundo porque la relación sexual es siempre meternos dentro de nosotros mismos, meter el espejo dentro del espejo, el espejo redondo dentro del útero de nuestra madre por donde asoma la cabeza sangrienta de nuestro hermano, carne de mi carne y sangre de mi sangre que te meto dentro, ¡oh! Dios creó al hombre a su imagen y semejanza pero el hombre se sintió solo en aquel paraíso tan grande y entonces Dios creó a la mujer y se la presentó, ésta se llamará varona porque de varón ha sido tomada y el hombre se sintió consolado porque cada vez que fornicaba con ella le parecía que fornicaba con Dios. It happens in the best of circles, or baskets, perdón.

Entonces oigo que mi madre da un portazo y sale del cuarto y las sirvientas siguen gimoteando detrás de la puerta y oigo que el médico les da instrucciones minuciosas para mi absoluto reposo y para que traten por todos los medios de impedir que vuelva a salir al sol. Entonces cierra la puerta sin hacer ruido y se va.

De medio día abajo mi tío entró a verme acompañado de mamá. Tenía puesto el uniforme militar, planchado y almidonado como un arcángel y el águila relumbrándole sobre la visera del gorro. Llevaba una gran caja rosada debajo del brazo y con el otro abrazaba a mamá rodeándole los hombros desnudos. Los veo ahora, juntos al pie de mi cama, deformándose continuamente por las gotas de sudor que me caen de los párpados, las facciones finas, las manos finas, los labios finos, alargándose, acortándose, concavándose, uno en traje de mujer y el otro en traje de hombre, idénticos, alternando animadamente los mismos gestos, cambiando rápidamente de máscaras entre sí, rebotando risaspelotasblancas con precisión mortal, empatados en su pantomima furia, olvidados por completo del mundo. Me hablan pero yo sé que me usan, yo no soy más que una pared que reboto pelotas, juntos al pie de mi cama, mirándome, me usan para jugar entre sí. Hoy te he traído una sorpresa me dice le dice mi tío, y abrió la caja y sacó con mucho cuidado una preciosa muñeca de novia muy fina, me dice le dice, no es como las de ahora y le dio cuerda a una mariposa que tenías en la espalda y empezaste a mover tu pequeño abanico de nácar al son del cilindro de alfileres que te daba vueltas dentro del pecho. Entonces mi tío se rió como embromándome y un chorro de pelotas blancas rebotaron contra mí. Después que salieron del cuarto te acosté a mi lado y comprendí lo que mi tío había querido decir. Eras, en efecto, una muñeca extraordinaria, pero tenías una particularidad. Estabas hecha de cera.

Pobre Amalia ahora se te está derritiendo la cara y ya se ve la tela metálica donde reposan tus facciones, tu cara parece el ojo abierto de una mosca gigante. Trato de protegerte con mi cuerpo pero ya no sirve, el sol viene de todas partes, rebota de las paredes y te da puñetazos, de las sábanas cartones blancos, del piso arde. Ahora se te han derretido los párpados y me miras con las bolas de los ojos fijos, como esos peces de lagos subterráneos que no necesitan párpados porque no hay sol y nunca se sabe si están dormidos o despiertos. Ahora se te ha derretido la boca en un vómito de sangre y me da rabia porque pienso que la culpa de todo la tuvieron ellas, las otras muñecas que manipularon a su antojo al muñeco grande, porque estaban limitadas a una sola galería y a una sola baranda y ése era su destino, estar siempre en su sitio cuidando sus mesitas y sus floreros, sus tacitas y sus manteles haciendo juego, recibiendo las visitas de los generales y de los embajadores y de los ministros porque no quisieron y no les dio la gana y no se quisieron conformar. El sudor me cae dentro de los ojos y me arde pero mamá sigue de pie junto a mi cama, sonriéndome, aunque a mi tío, por más que trato, no puedo verlo más que en pedazos, como acabo de verlo ahora mismo cuando me asomé por la ventana del comedor.

El día que mamá murió le quité a Amalia su traje de novia y la vestí de luto. Como mi padre había muerto hacía mucho tiempo mi tío se vino a vivir a la casa acompañado de Gabriel su chofer. Al poco tiempo de estar en casa mi tío botó a las antiguas sirvientas de mamá y cogió para el trabajo a tres muchachas muy bonitas, la María, la Adela y la Leonor. Las trataba siempre muy bien, nunca como si fueran sirvientas, las mandaba al beauty parlor todo el tiempo, les regalaba perfumes y joyas y le asignó a cada cual una preciosa habitación.

A pesar de que las muchachas agradecían a mi tío sus atenciones y eran siempre cariñosas con él, era evidente desde que llegaron a la casa que las tres andaban rematadas por Gabriel. Cuando Gabriel se sentaba en la silla de la cocina a cantar, vestido con el uniforme tinta que se confundía con su piel, los ojos le relampagueaban y su voz daba coletazos de muchedumbre. Cantaba todo el tiempo, lamiendo con voz de brea los zócalos y las paredes de losetas blancas de la cocina, derritiéndola sobre el fogón para después revolcarla entre las cenizas antes de enroscársela dentro de la boca otra vez. Siempre con la gorra puesta y ellas todo el tiempo sirviéndole café.

Entonces empezaba a tocar en la tabla de picar las costillitas y las chuletas una dos y tré como si fuera un tambor de picar las manos rosadas de cerdo y los sesos azules de buey qué paso más chévere hasta que ellas dejaban lo que estaban haciendo y lo seguían porque no les quedaba más remedio que seguirlo, bailando alrededor de la mesa de la cocina, garabateando el compás con el tenedor chiquiquichiqui sacándole las agallas a los peces y enganchándoselas en las orejas enroscándoselas alrededor del cuello quichiquichá como navajas de coral triturando huesos y chupando tuétanos una dos y tré y despúes baila que te baila y toribio toca la flauta que la conga é. La verdad que a mí también me gustaba seguir el compás con mi zapato blanco escondida detrás de la puerta de la cocina hasta que un día él me atrapó y dándome una voltereta en el aire me agarró por la muñeca y me puso al final de la cola. Desde ese día, cuando Gabriel no tenía que manejar el carro de mi tío, todo el día nos la pasábamos jugando.

Mi tío no había querido casarse nunca y se había dedicado en cuerpo y alma a la carrera militar. Yo había sentido siempre una inexplicable antipatía hacia él y evitaba su compañía. Él, por su parte, trataba de ser amable conmigo. Había dado órdenes a las sirvientas de que ya que el doctor me tenía prohibido salir al patio, me dejasen dentro de la casa en completa libertad. También por aquel tiempo me fue regalando otras muñecas bien alimentadas y mofletudas, a quienes fui bautizando María, Adela y Leonor.

Poco después de su llegada lo ascendieron a general y empezó entonces la interminable caravana de embajadores y de ministros, coroneles y generales. Yo los miraba pasar jugando con las muñecas, sentada en el piso del comedor como si viese pasar una procesión de tronos y dominaciones, pasillos y escaleras, subiendo y bajando majestuosamente la alfombra roja que llevaba al despacho de mi tío, pasando suavemente la mano por encima de la bola verde que brillaba al comienzo y al final. Yo no comprendía lo que hablaban pero me gustaba escucharlos cuando sus voces se elevaban llenas de inspiración, como esos himnos que se elevan por las noches de los templos pentecostales, Jesús se quedó dormido tenemos que ganar Jesús se quedó dormido somos los responsables del orden mundial Jesús se quedó dormido establecido por mandato divino Jesús se quedó dormido y si no se despierta pronto somos responsables de la paz sea con vosotros, de esa paz que conseguimos por medio de la producción en masa de cerebros cloroformocoliflor, de esa paz que repetimos todos los días, con la televisión me acuesto, con la televisión me levanto, coma por televisión, haga el amor por televisión, abra las piernas por televisión y para sin dolor, PROHIBIDOFUMAR PROHIBIDOMARAVILLARSE PROHIBIDOPREGUNTAR PROHIBIDOPENSAR dominus vobiscum et cumspiritutuo, la paz de la televisión sea con vosotros. Jesús se quedó dormido Jesús se quedó dormido y si no se despierta pronto María lo matará lo matará lo matará.

Entonces oigo que dicen de ahora en adelante usaremos todas las armas que la divina providencia en su inmensa sabiduría ha puesto a nuestro alcance. ALCANCES, morteros, cañones, submarinos, cruceros y también el séptimo sello metido en una cajita de desodorante BanBan que una cigüeña lleva volando en el pico mientras venus se queda mirándola desde la tierra preocupada de que no se le vaya a caer y entonces oigo we are shipping M-48 tanks, landing tanks, every fifteen minutes, landing tanks, using nine triple turret eight inch guns, largest in service, destroying guided missiles, helicopters at its shores, every fifteen minutes, fresh fighter bombers, F4 phantoms, A6 intruders, A7 corsairs, every fifteen minutes, opening their jaws to vomit death, titititititi la máquina de teletipo sigue titititititititi sacándome la lengua, enredándola alrededor de las patas de las sillas del comedor y de los tiradores de las gavetas civilians flee as gunners slammed barrage after barrage titititititi llenando el comedor hasta el techo de serpentina blanca.

Cuando la raíz de la lengua se le quedó atascada en la boca la máquina de teletipo se calló. Entonces todos los ministros, embajadores y generales se levantaron con mucho cuidado para que no se les resquebrajara el almidón de los uniformes y poniéndose la mano derecha sobre el corazón bajaron todos la cabeza y repitieron con profunda devoción hace siete años que lo debimos de haber hecho hace siete años que lo debimos hacer. Yo los escuchaba sin comprender lo que estaban hablando, pero cuando los oía cogía a mis muñecas y las ponía a todas en fila, hagan fila, orden, orden, a-t-t-ention, pero las muñecassoldadosniñosmuertos no me hacían caso se empeñaban en apiñarse a orillas de los caminos ofreciendo sus cerebros abiertos como ramos a los caminantes que no se los querían comprar. Y Amalia vestida de negro caminando por el desierto con la cabeza en la mano todo el tiempo quejándose todo el tiempo protestando porque ya no era como antes una hermosa mujer vestida de blanco que se paraba al pie de la cama y se quedaba tranquila observándonos morir, porque ahora no era más que una muertepiltrafa, muerteañico, muertenafta, muertenapalm, muertelatadesopa tabulada por la máquina registradora a 39 centavos cada una. Entonces me quedaba quieta en medio de la serpentina blanca y empezaba a sudar.

Desde que empezaron las visitas de las

delegaciones se interrumpieron nuestros juegos en la cocina. Al terminar cada reunión mi tío llevaba a sus invitados a la sala donde hacía que la María, la Adela y la Leonor les sirvieran pasta de guayaba con queso y refresco de limón. Después hacía que se sentaran con ellos a darles conversación, como son extranjeros es bueno que nos conozcan mejor que vean que aquí también hay muchachas bonitas que se hacen teasing en el pelo usan pestañas postizas y covergirl-makeup, use Noxema shaving foam, take it off, take it off, Sexi Boom! executives intimate clothing fashion show Sexi Boom! churrasco served en La Coneja, Avenida Ponce de León No. 009 next to Martin Fierro Restaurant y ellos yes how nice, are these girls daughters of the american revolution? All. But much more exotic of course, the flesh and fire of tropical fiestas, of piña colada and cocorum, let's start screwing together the erector set girls, my daddy wanted me to be an engineer and every year he gave me for christmas a yellow erector set.

Y la María la Adela y la Leonor a carcajada limpia coreando oh tierra de borinquen donde he nacido yo, reptando como jutías por encima de las butacas y de los sofás, tierra de miss universo la isla de marisol, tomando champán en zapatos de escarcha azul, desfilando desnudas por entre galerías de libros que nadie tiene tiempo de leer, poe-sía, peo-sea, porque se tapó el sifón y la trituradora se atascó y la comida podrida apesta, cuando a sus playas llegó Colón, aguantándose la risa dentro de las tripas, exclamó lleno de admiración fo! fo! fo! acariciando a los militares y a los embajadores con manos de mayonesa y uñas de guanábana, abofeteándose las caras con los cinco dedos abiertos para restrellarse la sangre y asegurarse de que no estaban muertas.

Al principio yo las oía desde lejos y les tenía pena hasta el día en que a mí también me llevaron a la sala y me pararon debajo de la lámpara con la falda blanca muy planchada como si fuera una mariposa de papel. Entonces me levantaron entre todas y me sentaron sobre las rodillas de mi tío y me llenaron las manos de mentas blancas y sonriéndome con ternura me aseguraron que todo aquello lo hacían en mi honor. Desde entonces cada vez que oía a alguien tocando suavemente a la puerta de atrás yo misma corría a abrir y ante el asombro de los hombres que se quedaban mirándome desde la penumbra del umbral yo sacudía enérgicamente la cabeza para que no los engañaran mis rizos y mi gran lazo blanco y los cogía tiernamente de la mano y los hacía entrar y caminando en puntillas atravesábamos sigilosamente los pasillos oscuros hasta donde yo sabía que se estaban divirtiendo tanto la María la Adela y la Leonor.

Durante aquellas tardes en que Gabriel y yo nos encontrábamos encerrados en la casa, abandonados a nuestra propia soledad, nos pasábamos todo el tiempo jugando a las muñecas. Habíamos convertido en casa de muñecas el antiguo ceibó del comedor porque nos agradaban las largas galerías de balaustres donde antes se recostaban las caras vacías de los platos. Sacamos a las muñecas de sus cajas y le asignamos a cada una un piso. Entonces establecimos una ley, en ese piso que le pertenecía cada habitante podía hacer y deshacer a su antojo pero no podía bajo pena de muerte visitar a los demás. Así jugamos tranquilos todas las tardes hasta el día en que a Gabriel le volvieron a entrar ganas de cantar.

Ese día Gabriel se atrevió a coger a Amalia entre los brazos y yo que no quiero forcejeando para quitársela Amalia es mía no la toques pero no había suéltala forma él era mucho más fuerte que yo te digo y la comenzó a acunar cantándole condenado muy pasito y que estás acunándola haciendo hasta que Amalia ayayay comenzó a enloquecer rompiendo todas las leyes ayayay subiendo y bajando por todas las galerías al principio jugando Amalia abriendo y cerrando tus faldas negras por entre los balaustres ayayay riendo Amalia por primera vez riendo con dientes de guayo chiquiquichiqui machacando ajos con los talones blandos en el hoyo hediondo del pilón pum-pum-pum-pum, pum-pum-pum-pum ay mamita qué fuerte huele la carnecita de ajo y después huyendo Amalia chillando como una loca como una verdadera furia corriendo y resbalándote, levantándote y volviendo a correr una y otra vez sin importarte ya el precio que sabías que tendrías que pagar. En las tardes que se sucedieron Gabriel y yo seguimos jugando a las muñecas, pero desde ese día nuestros juegos fueron diferentes. Amalia subía y bajaba por todas las galerías en completa libertad.

Todo hubiese seguido igual y así hubiésemos seguido siendo, a nuestra manera, felices, si no es por culpa tuya Amalia, porque se me metió en la cabeza que tú eras infeliz. Mi tío había insistido en que cuando yo cumpliera doce años hiciera la primera comunión. Unos días antes me preguntó lo que quería de regalo y yo sólo pensé en ti, Amalia, en los años que llevabas de luto y en las ansias que tendrías de vestirte de novia otra vez. Después de todo para eso te habían hecho, para eso tenías un sitio blando en la mollera donde se te podía enterrar sin temor un largo alfiler de acero que te fijara en su sitio el velo y la corona de azahares. Pero las otras muñecas te tenían envidia, gozaban viéndote esclavizada, siempre subiendo y bajando las galerías María cuánto has hecho hoy, que mi tío necesita dinero, y tú Adela acuérdate que me debes un lazo blanco y un par de medias, Leonor como te sigas haciendo la enferma te van a botar de aquí tú que ya tienes el pelo pajizo y la cara plástica resquebrajada, así consecutivamente, visitando las galerías dos y tres veces al día con el bolsillo oculto de la falda negra hecho una pelota de dinero de papel.

Yo quisiera un novio para Amalia dije y él me miró sonriendo como si hubiese esperado esa contestación. Esta mañana me entregó la caja de regalo antes de salir para la iglesia. Ya yo tenía los guantes puestos y la vela en la mano pero no pude esperar a estar de vuelta. Abrí la caja en seguida y cuando levanté la tapa se me paralizó el corazón. Adentro había un gran muñeco rubio vestido de impecable uniforme militar, reluciente de galones y de águilas. Cogí mi vela, mi misal y mi bolsa con la hostia pintada encima y debajo del velo que cubría mi cara logré disimular mi terror. Salimos a la calle y mi tío abrió inmediatamente sobre mí su paraguas negro. La iglesia quedaba cerca y fuimos en pequeña procesión, primero mi tío y yo, después Gabriel, después la María la Adela y la Leonor. La caja se había quedado abierta sobre la mesa, a merced de las habitantes del ceibó.

Cuando regresamos a la casa nos quedamos paseando por el patio, mi tío insistió en que me sentara a su lado en un banco y se quedó mirándome un rato sin pronunciar una sola palabra. Todavía sostenía el paraguas negro abierto sobre mi cabeza y había ordenado a los demás que subieran a la casa para que más tarde nos sirvieran allí la merienda de celebración. Los oídos me zumbaban cuando comenzó a hablarme y me dí cuenta entonces de que lo que me estaba diciendo me lo sabía de memoria, que desde un principio lo había esperado. Me había rodeado los hombros con un brazo y seguía hablando y yo no oía ninguna de sus palabras pero entendía perfectamente lo que me estaba diciendo y entonces supe exactamente cómo se tenía que haber sentido mamá. Pero a pesar de sus palabras él veía cómo yo mantenía la cabeza agachada y no me daba la gana de mirarlo y esto lo fue enfureciendo poco a poco porque mamá siempre lo miraba recto, aunque fuera, lo supe entonces, para desafiarlo, y a mí no me daba la gana de mirarlo porque él no era más que un cobarde todo cubierto de aquellas águilas ridículas y no merecía siquiera que lo desafiaran porque un fantoche no se desafía porque un fantoche no vale la pena ni desafiarlo sino que se deja tirado en un rincón hasta que la polilla lo devora o le arranca la cabeza algún ratón. Entonces puso el paraguas abierto sobre el piso y dejó que el sol me acribillara por todos lados y puso su mano sobre mi pequeña teta izquierda. Yo me quedé inmóvil y por fin lo miré con todo el odio de que fui capaz. Y empecé a gritar a mí no me interesa tu paraíso de manjares y de champanes edificado para los embajadores y militares que vienen de visita, los embajadores porto rico is our home, porto rico chicken soup, chicken wire, chicken egg, porto rico chicken, ours, oh yes, a mí no me interesa tu paraíso dioressence bath perfume, paraíso tiempo piaget donde el amor es una bola gigante de lady richmond ice cream, porque las hojas se están cayendo de los árboles y el cielo chorrea cianuro y nitroglicerina por todas partes y los pájaros y las bestias huyen espantadas porque saben que el paraíso está perdido para siempre. Entonces él retiró la mano de mi pecho porque vio que sobre la tela blanca que estaba apretando había aparecido una enorme mancha de sudor.

Pero lo que sucedió después sí que no me lo esperaba, Amalita, debe haber sido obra de las habitantas o a lo mejor fuiste tú, sí, ahora se me ocurre que lo más seguro fuiste tú, porque desde que Gabriel te cantó te pusiste atrevida y desvergonzada, desde entonces fuiste libre, sabías lo que querías y nada que tú quisieras se te hubiese podido impedir. Las habitantes estaban regordetas y conformes asomadas a sus galerías, eran después de todo sólo muñecas plásticas de esas hechas en serie, made in taiwan, con el orín aguado y las vocecitas de batería y el pelo plateado de nilón. Tú trataste lo más que pudiste de hacer que se rebelaran, echándoles en cara dos y tres veces al día su condición despreciable, su complaciente manumisión, 25 dollars a fuck rodeadas de bañeras de porcelana rosa y lavamanos en forma de tulipán en todos los colores y los clósets llenos de pelucas y de ropa y de vajillas de porcelana que se levantaban en medio de la noche a acariciar. Y no te dabas cuenta de que todo era inútil, de que tú no eras más que una muñeca de cera, un anacronismo endeble cuya excelencia artística no tenía empleo práctico alguno en el mundo de hoy, de que los dientes de tu caja de música estaban enmohecidos después de tanto tiempo y de que estallarían por todas partes como un pequeño concierto chino en cuanto te dieran cuerda y trataras de incitar la rebelión. Y sin embargo a lo mejor todo esto también lo sabías y por eso hiciste lo que hiciste a propósito y con toda premeditación. Sacaste el muñeco militar de su caja, le arrancaste las insignias y las águilas y también el uniforme blanco y después lo pintaste de arriba abajo con la pintura más negra que encontraste, con brea azul, le teñiste el pelo con jugo de hicacos negros, le ardiste la piel con cobalto y se la teñiste de añil. Entonces lo vestiste con un uniforme muy sencillo, casi de mecánico, y le pusiste su gorra con visera de charol. Cuando la María la Adela y la Leonor subieron a servir la merienda te encontraron metida en la caja con él, abrazados.

Entonces oímos explotar dentro de la casa el griterío de risas y mi tío subió de un salto las escaleras y entró al comedor. Yo me quedé quieta, sentada en el banco, mirando cómo las manchas de sudor se iban esparciendo por todo mi traje de manera que casi no me di cuenta cuando a los pocos segundos regresó trayéndote en vilo, sacudiéndote violentamente con las dos manos, esto es obra tuya chiquilla del demonio, te parecerás a tu madre con esa carita inocente pero en el fondo no eres más que una puta, te lo he dado todo y tú no sólo no me lo agradeces sino que me faltas el respeto, so pila de mierda descarada jódete con tu negro ahí tienes a tu pendeja muñeca y ahora quédense las dos ahí para que sepan lo que es bueno. Entonces te arrojó en mi falda y cerró la puerta de un portazo y volvió a entrar.

Un rato después empecé a oír unos ruidos extraños que venían de la casa, una dos y tré, quichí, que pase manché, quiché. Poco a poco me fui acercando al comedor hasta que haciendo un esfuerzo me pude asomar por el borde de la ventana. Gabriel iba delante, rebanando el tronco, los brazos, las manos, con golpes de acetileno, maceteando jarrones de flores y garrafas de vino, explotándolas de un solo golpe, garrapatas abastecidas, cabezas de mártires, muebles destripados, arañas espachurradas contra los espejos de baccarat, platos y vasos y fuentes de plata como proyectiles volando, piedras, puños, rodillas y codos volando, cantos de vidrio y no de palabras volando, plastas de mierda y no de palabras volando, todo estallaba a su alrededor como los fragmentos de una estrella en formación. Y detrás iban ellas, rebeladas, enfurecidas, poseídas de su espíritu por fin, bailando y pariendo a la vez, pariendo gritos y gatos y uñas mientras le pegaban fuego a los tapices y a las cortinas le han sacado los ojos y los echaron en un vaso revolviendo los cuchillos dentro de la guata le cortaron las manos y se las sirvieron en un plato quebrando la cadera y volviéndola a meter le han abierto la boca y le han metido algo rosado y largo en ella que no comprendo cada vez más profundo cuando gritan E. Mi cara me mira tranquila en el cristal de la ventana, enrojecida por la luz de las llamas. Entonces el cristal se astilla y mi cara se astilla y el humo me ahoga y el fuego me roe y veo a Gabriel delante de mí cerrándome la entrada con la espada.

Cuando el fuego se fue apagando me quedé mirando cómo el sol rebotaba de las paredes. Lentamente caminé hasta el centro del patio. Entonces me senté en el suelo y cogí a Amalia entre los brazos y la comencé a acunar. Te acuné mucho rato, tratando de protegerte con mi cuerpo mientras te ibas derritiendo. Después te acosté a mi lado y poco a poco fui abriendo los brazos sobre el cemento que late y estiré con mucho cuidado las piernas para que no se me ensuciara la falda blanca y las medias blancas y los zapatos blancos y ahora vuelvo la cara hacia arriba y me sonrío porque ahora voy a saber lo que pasa, ahora sí que voy a saber cómo es.

Medea 1972

viniste a mí
con el peso del amor acomodado sobre el
 hombro
con su cabeza mansa colgándote del cuello
juntos desollamos el cordero
especulé entonces sobre el reflejo de tu rostro
aposté a tu cara linda de alcalde con futuro
a tu cuerpo refinado de talabartería
a los peces azules de tu espina dorsal
ensartados de alegría por la boca
a tus manos llenas de pan
para el hambre de todos
decidí darte a beber mis arañas sangrientas
prenderte a los ojos mis broches de basalto
y me colé invisible
por mi cuerpo de arsenal
de bárbara princesa
hasta el centro mismo del amor
descendiendo de tu brazo hasta pisar la costa

pero el amor en tierra extraña empezó a
 engordar
se infló de grasa como yo de hijos

cinco parí en absoluto silencio
chupando filtraciones de piedra pómez
embrutecida por la vellonera de tu sexo
inflándome de espuma en espiral
máquina de refrescos
de gomas que me ladran a los perros
cuando pasas en tu lincoln continental
ayer tendieron el amor sobre la mesa
los accionistas estaban en conferencia
cada cual desarrajó su presa
un brazo una pierna un ojo en punta de
    lanceta
en el vientre enterrado un letrero
se vende tu madre que fornicas
mientras te observo
y lloro con el esqueleto de mi voz
resueno sordo vibro
por el hueco
de mi bocina de tierra
que se hunde hunn hunn hunn
por mi pecho
como la bomba teta negra que chupa
halando palo arriba palo abajo
mientras repito equivocado
número equivocado
el amor
el amor hunn hunn
es una calle de faroles colorados
que se hunde hunn
por mi alma

mientras te observo
en medio de tu mesockitomesockitomesoc-
    kitome
giradero trivial de tus caderas
porque adentro estás inmóvil
las ventanas retrancadas con aldaba
las puertas con falleba
y te asfixio los ojos con las manos
porque me has abandonado

ahora meto la segunda y acelero
hasta donde duermen los niños en gavetas
    de vidrio
les preparo a cada uno una cucharadita co-
    mo un avioncito
que viene volando abre la boquita
hunn hunn hunn
y ellos la boquita abierta los ojitos abiertos
y se cierra
y se cierra
entonces es el verde parís derramándose
    por dentro
paralizando todos los insectos
los ojitos que se van quedando quietos
cucubanos pegados al espejo
de tu cara despavorida
que repito
eructo
el amor
hunn hunn hunn

así vengo a ti
valseando
vengeando
con paso de valsa y pico de garza
valso convusco
desensuicheando
corrugada valla de lágrimas
oyendo helarse el crujir de los insectos
cada vez menos
y me asomo asesina por mi cara de madre
que aúllo zumbo silbo
antes cordero pascual que vellocino anciano
y encabulyo otra vez la mordaza
que tiro
girando
a la plaza
y nadie soy
y soy todo lo que vengo

La caja de cristal

He sabido toda la vida que yo también era uno de los escogidos. Tuve siempre confianza en los sueños, porque sé que tras ellos se esconde la puerta de la inmortalidad. Tuve siempre confianza en mis manos, porque adivinaba que tenían el poder de crear puentes mágicos hechos de ramas de hielo, de telas de araña, de barras de iremita, de hebras de nitroglicerina, de todo aquello que hace posible la comunicación universal. Por ello las autoridades me buscan, aunque hasta ahora no han logrado identificarme. Sé que el día que lo logren no tendrán compasión de mí. Me apuntarán con sus armas y ni siquiera se molestarán en registrarme para hallar la debida identificación: la licencia de conducir, las huellas digitales, cualquiera de esas pruebas que en mi caso resultarían gratuitas.

Mi bisabuelo había venido a Cuba vestido de levita, tuxedo y claqué, y resoplando "¡qué calor!", como si en Panamá hubiese hecho más fresco que en La Habana. A pesar de su apariencia de mago caído en desgracia, el haber cruzado el Atlántico en compañia de Ferdinand de Lesséps lo rodeaba de un aureola de prestigio. Habían sido dos amigos unidos por un mismo sueño: escindir en dos mitades el continente del Nuevo Mundo abriendo la arteria de comunicación buscada por el hombre occidental durante siglos; zarpar en línea recta desde Francia hasta la India, alcanzar los remolinos de seda, los bosques de canela y cinamomo, los cántaros de almizcle y aloé. Pero si Ferdinand soñaba cavar en el continente virgen el surco que habría de ser la hazaña geográfica del siglo, Albert soñaba construir el puente más hermoso del mundo, que abriera y cerrara sus mandíbulas como los fabulosos caimanes de América cuando están haciendo el amor.

Al fracasar la compañía de su mentor en 1896 por haberse empeñado en hacer un canal sin esclusas que amenazaba desbordar un océano dentro del otro, Albert no había querido abandonar América. Su sueño de un puente que hiciera posible la comunicación universal había fracasado, pero había llegado a Cuba con los bigotes rubios aún rizados por los sueños. Al poco tiempo de su llegada se dedicó a diseñar hermosos puentes de metal que elevaban frágiles telas de araña sobre las copas de mango y los torrentes de cañabrava. Aquellos puentes ofrecían a los habitantes un cambio refrescante de los retacos puentes de mampostería construidos por los españoles con los sobrantes de mojones de camino. Su fama llegó hasta el punto en que se le conocía por toda la isla como "el francés de los puentes", pero él jamás le dio importancia al distintivo, ya que los puentes no eran otra cosa que la cristalización inevitable de sus sueños.

Fue para aquellos tiempos que conoció a la criolla con la cual se casó. Ileana no hablaba francés y Albert manejaba escasamente el vocabulario de la vida cotidiana, pero ella no olvidó jamás la inocencia de los arabescos geométricos que vio reflejados en sus ojos cuando lo conoció, ni la delicadeza con que levantaba extrañas construcciones de hilos entre sus dedos para ilustrar su manera de crear. Por las noches ella le preparaba su potage St. Germain y por las mañanas le cepillaba su lustroso sombrero de copa antes de que montara a la berlina de flecos azules. El resto del día mientras Alberto estudiaba los declives topográficos de los ríos, Ileana, sus primas y sus tías limpiaban fusiles y preparaban vendajes que escondían bajo la tapa del piano de cola; Albert había ingresado a una familia de mambises y nunca se enteró.

Cuando el abogado francés a quien le había estado enviando sus ahorros durante años desapareció de París misteriosamente, comenzaron a decaer sus ánimos. Debido a la creciente intranquilidad del país, no pudo seguir edificando puentes y desde entonces, quizás a causa de la nostalgia de saber que ahora jamás podría regresar a su patria, había inventado una caja nevadora que además del placer que le produciría recordar el roce liviano de los copos de nieve sobre su piel atosigada por tantos años de calor, tuviese también la utilidad de conservar fresca la carne de los mataderos de la ciudad. Una mañana Ileana lo anduvo buscando por toda la casa para servirle su café con leche y lo encontró sentado en el suelo del primer frigorífico de La Habana, vestido de tuxedo, levita y claqué y en los ojos abiertos la misma mirada de ensueño con que debió contemplar las ramas congeladas de los pinares de Alsacia el día en que se le ocurrió por primera vez que podría utilizar sus diseños para construir puentes.

Habiéndose quedado sin techo y sin sustento, mi abuelo y mi bisabuela se fueron a vivir a Mantanzas, a casa de la tatarabuela mambí. Cacarajícara, Lomas del Tabí, El Rubí, Ceja del Negro, la revolución cubana hinchaba un brazo de mar que amenazaba barrer con todo el Caribe. Jacobito tendría siete años cuando un balazo le destrozó la cara al mejor amigo de la familia. "¡Se detuvo un momento en los estribos, soltó el machete y se desplomó el Titán de Bronce en Punta Brava! Esa es la ceiba, ésos son mis primos, ése es Maceo muerto entre sus brazos, coroneles del estado mayor y no tenían más que machetes." Su madre apuntaba a sus ojos de niño la reproducción de la escena en el manoseado volumen de la historia de Cuba. "Muerto entre sus brazos el negro de corazón más noble, el verdadero revolucionario. Desafiaron una lluvia de balas para rescatar el cadáver, cabalgaron tres días y tres noches para darle sepultura lejos de las líneas españolas."

Las hazañas de la familia no hicieron mella en el ánimo de Jacobito. Se quedaba extasiado mirando las picas voladoras que giraban banderitas de colores sobre las latas de los vendedores de barquilla o escuchando embelesado el silbido de la rueda del amolador mientras el aire se llenaba de chispas azules despedidas por el filo derretido del cuchillo contra la piedra de esmeril. A los doce años lo embarcó en un balandro rumbo a Puerto Rico, donde estaría a salvo de las feroces represalias de los españoles contra los últimos miembros de una familia que casi se había extinguido en la lucha por la independencia.

Jacobito desembarcó en la Playa de Ponce machete en mano, pantalones enrollados hasta las rodillas, sombrero de paja encajado hasta las cejas y sin camisa. "Me hice aprendiz de mecánica en el Fénix porque me gustó aquello del pájaro inmortal que renace de las cenizas. Pronto aprendí a fundir las vertiginosas catalinas de los ingenios de azúcar que me daba tanto gusto ver girar como las picas de los vendedores de barquilla de mi pueblo." Giran los volantes, giran catalinas, giran los molinos, el cilindro de vapor que mueve el cigüeñal que da vuelta al eje que gira el volante que exprime el guarapo que los americanos desembarcaron por Guánica.

Vestido con su reluciente uniforme de oficial de bomberos, Jacobito metió a Yumurí hasta el pecho en las aguas transparentes del Caribe para recibir mejor al comandante Davis. El Dixie, El Annapolis y El Wasp dibujaban siluetas plomizas frente al villorrio soñoliento de La Playa. Las tropas españolas se retiraron del pueblo sin disparar un solo cañonazo puesto que no tenían cañón y el cuartel de la ciudad fue entregado a los americanos por el general de los bomberos, pariente de Jacobito, en una ceremonia musical. Sapos aplastados en las calles polvorientas, el Aquí Me Quedo, el Polo Norte, El Cañabón, la Logia Aurora con el ojo inmenso que siempretevé, el Parque de Bombas cubierto de inmensas franjas negras y rojas del tablero de damas que se derritió, los senos plateados y espléndidos de los campanarios de la catedral; los flamantes y juveniles voluntarios de la nueva nación civilizadora izaron tiendas a las afueras del pueblo en el barranco pedregoso del río Portugués, no porque estuviesen azorados, sino estrictamente por razones estratégicas.

Allí fue Jacobito a saludar al comandante Davis por medio de un intérprete, y a prevenirlo contra las súbitas crecientes del río violento y traicionero. "¿Cómo ha conseguido usted un descendiente tan hermoso del Tennessee Walker?" Jacobito no comprendía de lo que le estaban hablando hasta que el intérprete le señaló a Yumurí. "No, señor, no es de Tennessee, éste es un caballo de los mejores, caballo de paso fino puertorriqueño, hijo de Batallita en Mejorana y descendiente de Nochebuena pero si a usted le agrada se lo regalo para que sepa de veras lo que es un caballo." El comandante no entendió muy bien aquello de la descendencia, pero aceptó gustoso el obsequio. "Se llama Yumurí por un cacique indio rebelde que mató a mil invasores en mi tierra no, aquí no, en Cuba, a los españoles señor por supuesto sólo a los invasores retrógrados." "¿No le importa que le cambie el nombre?" "No hombre no, cómo va a ser póngale el que a usted le guste qué le parece Tonto ése es un nombre simpático es muy popular en Nuevo México lo usan mucho en los rodeos para caballos de show." Montura, jipijapa, jinete giraron simultáneamente como veleta blanca que súbitamente el viento azotó. Jacobito ni siquiera volvió la cabeza, "ojalá el golpe de río se los lleve, Yumurí, tan noble, Yumurí, que respondes a la presión más leve de mi índice y de mi pulgar".

La verdad fue que con la llegada de los americanos a Puerto Rico se hicieron realidad todos los sueños heredados de Jacobito. Logró a su vez elevar hermosos puentes de metal sobre los barrancos de cañabrava, en su fundición se derretía en grandes cantidades el hierro azulosorrojoblanco que vertía en las inmensas catalinas de las grandes centrales de capital extranjero, su casa fue la primera que se electrificó en el pueblo, estrenó el primer Model T que espantó a los caballos por las calles polvorientas, inauguró el primer cine que bautizó "Teatro Habana" en un edificio todo cubierto de lirios y refrescado por amplios surtidores que iban salpicando lentamente los largos cabellos de las estatuas reclinadas al borde de las fuentes. Su felicidad llegó a tal extremo que un día en que presenció un acto acrobático que ejecutaron unos aviadores americanos a las afueras del pueblo, se convenció de que él podría hacer lo mismo y subiéndose a la azotea de su casa, se lanzó al espacio abrazado a un paraguas abierto.

El pueblo entero lo acompañó al cementerio. Caminando detrás de la banda de los bomberos que resonaba sin tregua platillos y trompetas, sus amigos fueron cantando, con voces quebradas por los destellos de bronce:

No volverán jamás
felices días de amor
En nuestro corazón
a disfrutar, a disfrutar.

No hubiese querido un entierro triste, le tenía pavor a la gente seria. Por eso lo enterraron con su uniforme bomberil, capacete empenachado bajo el brazo y borceguíes brillantes de charol. Como era francmasón no pusieron una cruz sobre su tumba sino que, en cumplimiento de sus últimos deseos, colocaron sobre la lápida el cuerpo de su perra Gretchen, orejas alerta y erguida para siempre la cola espumosa, según él mismo la había conservado después de su muerte, sumergida en un baño de cemento.

En todo esto pensaba yo de niño, mientras me quedaba extasiado mirando la caja de cristal que mi abuelo se había mandado hacer a Cuba cuando había logrado reunir su primer dinerito, para contrarrestar la nostalgia del destierro. Y recorría con curiosidad los senderos que bajaban por las lomas de pajita verde, los bohíos de techo de yagua y balcones de palitos puestos en equis, las nubes de algodón adheridas al techo de tabloncillo pintado de azul del barrio de Matanzas donde Jacobito se crió; los hombrecitos de alpaca y de miga de pan que atendían sus hortalizas, que bajaban las lomas con racimos de plátanos verdes colgados de los hombros, que ordeñaban sus vacas y daban de comer maíz a sus gallinas jabás, que atendían, día a día, aquella tierra que sólo les pertenecía a ellos, recién rescatada a los españoles durante la revolución: aquel mundo me recordaba inevitablemente un paraíso perdido.

Luego de quedarme mirándola durante horas, balanceándome precariamente al borde de una de las muchas sillas tapizadas en bejuco de maguey que poblaban la sala formal (la caja se encontraba siempre colocada en una repisa alta, fuera del alcance de los niños, y para lograr admirarla era necesario permanecer por lo menos diez minutos inmóvil frente a ella, hasta que los ojos se acostumbraran a la penumbra de la habitación) yo salía de la casa dando un portazo de trueno a mis espaldas, y me sumergía de golpe en la claridad de gritos y empujones de mis primos como si me sumergiese en el agua escandalosamente fría de un estanque.

En adelante mi abuela se ocupó del sostenimiento de la familia. De los seis hijos varones que había tenido, mi padre, Juan Jacobo, se pasaba las horas quitándole las cuerdas al piano de cola para volvérselas a poner de manera que las notas sonaran diferentes. Fue así como el piano llegó a tener, sin que él lo supiera, un pentagrama japonés. Mi abuela comenzó a preocuparse cuando vio las mismas extravagancias de su esposo comenzar a aflorar en las inclinaciones del hijo. A Jacobito le apasionaba sembrar agapantos, pero no se conformaba con sembrar una reata o dos reatas de agapantos. Sembrar agapantos significaba sembrar un mar de agapantos que se derramara de un pueblo a otro, sembrar valles enteros de espigas violáceas sobre los cuales él edificaba sus puentes.

Recordando los sueños de comunicación de su abuelo, Jacobito se dedicó a la política como único camino para llevar a cabo su antigua visión del puente universal. "Anoche soñé que construía el puente más hermoso del mundo, un puente de hilos de plata que yo tendía de Norte a Sur América, y los hilos iban saliendo de mi propio vientre como si yo fuese una araña gigante y no un ingeniero como lo que soy, qué extraño, verdad. Mi puente era un puente maravilloso que unía el oriente con el occidente y el norte con el sur en una sola nación donde no existirían ni la guerra ni el hambre ni la pobreza y el puntal de apoyo del puente era nuestra isla. Verás, hijo mío, venir a anidar a nuestros bosques todas las garzas del mundo y los que nos divisen desde lejos refulgiendo sobre el mar exclamarán: Has venido a ser a nuestros ojos como quien halla la paz."

Luego vinieron los años de la Danza de los Millones. Sus tíos y su padre construyeron innumerables y hermosas fundiciones, en sociedad y en comandita, con los grandes empresarios norteamericanos. Pusieron entonces a los habitantes de los arrabales a fabricar motores, turbinas, computadoras, detonadores, piezas de automóviles, grandes y pequeñas máquinas de todo tipo, que fuesen apetecibles al mercado norteamericano. Los habitantes, sin embargo, no podían comprender por qué aquellos objetos que ellos habían fundido, atornillado, vulcanizado, montado con sus propias manos y que luego empaquetaban y embarcaban para el norte tan amorosamente en los buquealmacenes de la Sea Train y de la Sea Land, cada objeto marcado nítidamente con su precio modesto y razonable para los amigos y compañeros norteamericanos que les hacían el favor de comprárselos para ayudar así a sus desvalidos hermanos del sur, se parecían tanto a las computadoras, turbinas, detonadores y motores que los norteamericanos les embarcaban de vuelta para que ellos se los compraran a su vez, desgraciadamente marcados por tres veces el precio en que ellos habían vendido los suyos.

La abuela no se había equivocado. Entre todos los miembros de la familia, sólo Juan Jacobo conservó intacto el corazón. Como el rey Midas, todo lo que tocaba se convertía en oro y hasta llegó a sentir nostalgia por la pobreza pero no tenía por qué preocuparse porque el oro pasaba a través de él como a través de un colador. Tenía los dedos endurecidos de polvo de oro pero la ropa que usaba estaba siempre un poco raída y le quedaba un poco grande, y llevaba siempre los puños deshilachados y empolvados los ruedos de los pantalones. Cuando sacaba el pañuelo para secarse el sudor la habitación se llenaba del perfume de aguamameli y el gesto de su mano detenida en el aire recordaba la gentileza con que seguramente comenzó el discurso de la edad de oro. Cuando conoció a Marina, el mar de los agapantos agitaba olas apasionadas en sus ojos.

En la antigua casa de mis abuelos se celebraron entonces cenas espléndidas para los empresarios norteamericanos. Los "superitos", como los había bautizado mi madre, ahogando lágrimas de risa a espaldas de Juan Jacobo luego de las frecuentes y clandestinas declaraciones de amor. Diminuta y alegre como un pájaro tropical era todo un dechado de cortesía con sus "guests", se sabía de memoria el *How to Win Friends and Influence People*, el *Boston Cook Book* y el *Emily Post*. Sin embargo, cuando en las noches se sentaba a tocar danzas en el piano, vestida de azul jacinto de la cabeza a los pies, mis primos, mis hermanos y mis tíos nos sentíamos invadidos por un placer extraño, al escuchar el lento goteo de la leche venenosa de los ramos de crotones que ella había colocado primorosamente frente a cada uno de los platos de sus invitados de honor.

En la Pascua Florida era ella quien todos los años ponía la casa de gala. Los niños sacábamos las vajillas de cumplido y los cubiertos de plata, poníamos la mesa para doce personas y salíamos a las calles de los arrabales del pueblo en busca de nuestros comensales. Los habitantes de la Caja de Cristal desfilan nuevamente ante mis ojos, de pronto se han desperezado, se estiran mugrientos y cabizbajos, arrastran sus pies descalzos sobre las losas que ayudé esta mañana a restregar. Dejan en el suelo los sacos de henequén, las bateas de dulces, los racimos de plátano y se van sentando poco a poco como si no supieran cómo voltearse, cómo sentarse sobre las sillas talladas sin quebrar las rosas de caoba, cómo poner las manos agrietadas encima del mantel albo. Mi madre bendice los alimentos desde la cabecera. Mis tíos comienzan a pasar las fuentes de porcelana entre los comensales que con infinito cuidado se van sirviendo los guineítos niños, el bistec encebollado, el arroz con habichuelas, sin que caiga ni un granito de arroz, ni una gotita de salsa sobre la blancura inmaculada del mantel. Poco a poco las cabezas se van levantando de los pechos hundidos, las miradas se cruzan con más confianza, alguna que otra boca desdentada ensaya una sonrisa. Mi madre leía entonces el Eclesiastés: "Tornéme y vi las opresiones que se hacen debajo del sol, y las lágrimas de los oprimidos sin tener quién los consuele", pasaron el bienmesabe que las mandíbulas gomosas sorbieron con delicia, unos rostros reflejaban desconfianza, otros amargura, otros, la mayoría, indiferencia. "Y dije en mi corazón: ea, probemos la alegría, a gozar de los placeres; pero también esto es vanidad. Emprendí grandes obras, me construí palacios, me planté viñas, me hice huertos y jardines, y planté en ellos toda suerte de árboles frutales . . . amontoné plata y oro, tesoros de reyes y provincias; fui grande, más que cuantos antes de mí fueron en Jerusalén, conservando mi sabiduría . . . entonces miré todo cuanto habían hecho mis manos y todos los afanes que al hacerlo tuve y vi que todo era vanidad y apacentar de viento . . ."

Todos los días de Reyes se repetía aquel ritual, impuesto durante tantos años por mi madre; sólo que se repetía a la inversa. Los niños nos adentrábamos entonces por los arrabales del pueblo como si nos adentráramos por los senderos de la caja de cristal, saltando de puentecito de tablas en puentecito de tablas, de charco en charco, de balcón en palitos a balcón en palitos, espantando los cerdos, las gallinas, las guineas, hasta comenzar solemnemente a repartir entre los hijos de los empleados de las fábricas los regalos envueltos en papel plateado y decorados con grandes pascuas rojas.

La ceremonia de los obsequios duraba toda la mañana, pero de mediodía abajo nos sentábamos bajo un tinglado de zinc perforado de sol mientras los padres, los tíos, los abuelos de los niños tendían frente a nosotros un banquete de manjares espléndidos. Con infinita ternura iban colocando, sobre aquellos tablones astillados, cubiertos por la mugre de siglos, los platones quebrados rebosantes de arroz con dulce perfumado de canela y jengibre, las cazuelas desconchadas humeantes de arroz con pollo, los pasteles y el lechón asado colocados sobre hojas de plátano decoradas con amapolas, el majarete, el mundo nuevo, las hayacas, la sucesión de platos era interminable, nunca nos iba a caber todo aquello, ya teníamos el majarete atascado en el gaznate, "hemos comido opíparamenta muchas gracias", "pero no seas así mijito, prueba esta última morcillita picante, este último rabito de lechón". Sabíamos que teníamos que comérnoslo todo, quedarnos allí sentados hasta dejar aquellos tablones vacíos mientras los perros satos nos lamían las piernas por debajo de la mesa y los niños desnudos y barrigudos hincaban en nosotros el anillo de sus ojos brillantes, observándonos sin parpadear. Sólo después de terminarlo todo veríamos resplandecer en sus rostros la felicidad, sólo entonces podríamos jugar a la peregrina, a la bolita y hoyo, al esconder, al yapaqué yapaqué yapaqué de las guineas, ir a la letrina y cagar de pie, refrescándonos el culo con la brisa que entraba por las hendijas milenarias, brincar la cuica, bailar el trompo, celebremos todos juntos matarilerilerón, celebremos todos juntos con los hijos del patrón.

Justificada la posesión de bienes sin tasa escondidas las furias tras de las máscaras de vejigante, nos cogíamos de la mano y hacíamos una rueda alrededor de nuestros anfitriones, agitando inmensos mamelucos de raso brillante que inflábamos y desinflábamos a nuestro antojo, dando corneadas al aire con el cuerno azul, con el cuerno verde, con el cuerno rojo, con el cuerno amarillo salpicado de gotitas rojas, cuatro cuernos de toro en la frente y diez colmillos de tiburón. Bailábamos al son aterrador de aquella misma antiquísima canción que los habitantes de los arrabales solían cantarnos: "jínguili jínguili está colgando, jóngolo jóngolo lo está velando, si jínguili jínguili se cayera, jóngolo jóngolo se lo comiera".

Al regreso de mis estudios de ingeniería en Norteamérica, hacia ya muchos años que habían muerto mi padre y mi madre. Los testigos de aquellas cenas bíblicas, mis tíos y mis primos, habían expandido la corporación y montado nuevas fundiciones por toda la isla. Acarapachados bajo sedas de Saks Fifth Avenue y foulards de Hermès, almacenaban cantidades cada vez más exorbitantes de vajillas de Limoges y de plata de ley. La cristalería adriática doblaba tallos azules sobre el mantel, las lámparas derramaban lágrimas por las paredes, los tigres y unicornios luchaban por entre el follaje de los tapices que aleteaban con la brisa sobre los muros de la antigua casa, amarillentos ya por el tiempo.

Les pedí entonces que me dieran empleo y hasta ahora he vivido una vida tranquila: en la mañana me visto mi traje de gabardina azul y me dirijo a la oficina de mis tíos, que también es la mía, claro, y estoy muy enterado del ritmo de producción y depreciación de las fábricas.

Recibo en mi despacho a los inversionistas y socios norteamericanos, les enseño nuestros hermosos paisajes desde la altura del vigésimo piso de nuestro edificio de bronce, forrado de arribabajo de cristales opacos; les hago creer a veces que tanta hermosura es también de ellos en parte, por la cortesía y la cordialidad de sus habitantes; que algún día bienaventurado quizá llegue a serlo por completo.

Por las noches, sin embargo, es otra mi historia: me transformo en lo que soy en verdad. Vestido íntegramente de negro me introduzco sigilosamente por los pasillos de los edificios de los cuales yo siempre, claro, poseo copia de las llaves. Hasta ahora sólo he llevado a cabo pequeños actos de vandalismo, actos que son como pequeños puentes de amor que tiendo cada día entre los habitantes de la caja de cristal y yo, y que nadie en la corporación ha logrado explicarse hasta hoy: una mañana apareció devastado un compresor en la fundición: otra mañana una soldadora de la fábrica de computadoras apareció saboteada sin remedio: en otra ocasión alteré el delicado instrumento de tiempo de los detonadores que, ya examinados por los agentes de seguridad, estaban a punto de ser embarcados para una base naval en Norteamérica.

Temiendo las consecuencias que mis actos puedan tener próximamente en mi vida, he decidido introducirme por última vez en la antigua casa y rescatar la caja de cristal.

Ante la crisis por la cual atraviesan desde hace ya algún tiempo los negocios de la familia, mis primos y mis tíos se han entregado inesperadamente al pesimismo y a la desesperación. Anunciaron hace ya varios días el remate del mobiliario y demás objetos de lujo que hasta hace muy poco decoraban la casa solariega. A los gritos de "ofrezco doscientos dólares por los candelabros de plata, que valen mucho más pero en eso se tasaron porque estamos, después de todo, en familia, y no vamos a explotarnos unos a otros"; o a las maldiciones de "el reloj de péndulo le tocó a otro y yo lo quería, y a mí me tocó el piano de cola que está comido por la polilla y ya nadie dará nada por él", atravieso la antesala y el comedor sin que nadie se fije en mí penetro en la penumbra dc la sala.

El vocerío del remate me llega aquí de muy lejos; aún no le toca el turno a los sillones de copete tallado y asiento de bejuco, diseñados para la elegancia de otros tiempos y desprovistos del confort de hoy. La caja de cristal está aún sobre su repisa, recubierta por una capa fina de polvo, olvidada aparentemente por todos. La levanto entre mis manos con infinita ternura y me apodero de ella, alcanzándola con una facilidad que, aún ahora, a pesar de mis años, me sorprende. Me la coloco debajo del brazo y cruzo una vez más las habitaciones abarrotadas de tapices y de alfombras orientales, de soperas, de porcelanas, de grabados, de óleos, todo regado por el suelo como un tesoro a punto de convertirse en piedra.

Nadie se fija en mí al apoyar silenciosamente la mano sobre la manija de la puerta y salir a la calle; nadie escucha el suspiro de alivio que me sale del fondo del alma al respirar de nuevo los perfumes que matizan, como una trenza rica y olorosa, las cunetas y los callejones de la ciudad: olor a guanábana, a pajuil, a piña, a naranja, a innumerables frutas ya un poco rancias por el calor; a mabí, a ron, a bacalao, a sudor y a semen de putas. Siento que ya no podré demorarme más; ya es tiempo de edificar mi puente: el puente más hermoso pero también el más terrible, el puente último.

Ya sobre el malecón, junto a la goleta que me espera y en la que viajaré por todo el Caribe transportando frutas y vegetales de puerto en puerto, me vuelvo en dirección de la ciudad y miro hacia donde se encuentra la casa. Aguardo pacientemente la detonación del aparato que dejé oculto en la repisa oscura de la sala, en el mismo lugar que ocupó durante tantos años la caja de cristal.

Sé que mi espíritu no ha de hallar descanso hasta ver los hermosos arcos de fuego de mi puente elevarse hacia el Norte y hacia el Sur.

El abrigo de zorro azul

El día que Bernardo se quitó por fin la chaqueta de botones dorados de la academia militar dejó escapar un suspiro de alivio como quien se entrega a las arañas del sueño. De pequeña Marina le repetía al oído que tenía los ojos tan verdes que le daban ganas de arrancárselos de racimo como si fueran uvas. Existía entre ellos una relación misteriosa similar a la que existe entre la mano izquierda y la derecha, el equinoccio y el solsticio, el sístole y la diástole. Habían nacido con pocas horas de diferencia. Luego nacieron otros hermanos pero ellos, los primogénitos, retuvieron siempre a los ojos de sus padres ese brillo de primera magnitud y de calidad blancoazul que retuvieron Rigel y Betelgeuse, alfa y beta orionis, a los ojos Ptolemeo cuando recopilaba su Almagesto.

Al graduarse de la academia donde pasó tantos años, Bernardo sólo deseaba regresar a la casa de balcones blancos de su niñez. A su regreso descubrió que la familia se había mudado a la ciudad y encontró a su padre cambiado. Echaba en falta el olor a tierra que lo había rodeado siempre, el sombrero de ala ancha y pajilla de panamá que no se quitaba ni para sentarse a la mesa y que dejaba un delgado surco húmedo que nunca se le desvanecía por completo alrededor de la frente. Luego se enteró de que su padre había arrendado la mayor parte de sus tierras a inversionistas extranjeros para dedicarse a especular con grandes sumas de dinero que multiplicaba con mucho acierto.

Imposibilitado de regresar a lo que había soñado durante cuatro años, al cultivo de la tierra, Bernardo se pasaba los días recorriendo con Marina las fincas que bordeaban el mar. Se había aislado de la familia en un silencio de hielo sucio que su hermana se empeñaba en quebrar. Mi caballo hacía caracoles blandos segando a veces los cascos en el esfumado lento que se escapaba del agua. Yo lo dejaba ir, sombreando el caballo de mi hermano, penetrando al unísono la bruma salitrosa, alejándonos cada vez más de la casa. Fue entonces que le dije lo de la avioneta, yo nunca he volado, Bernardo, ten compasión de mí. Tengo diez pesos que no me los regaló nadie, me los gané trabajando, más que nada en el mundo quisiera poder volar. Bernardo, ten compasión de mí. El primer hombre que voló fue un emperador chino que se arrojó desde la torre más alta de su reino con dos sombreros inmensos en forma de almeja atados a las muñecas por largos hilos de plata. El segundo fue un mago japonés que construyó una chiringa en forma de pez y dándole la punta del cordel a un niñito desnudo que jugaba por allí se montó sobre ella y saltó desde la cumbre del Fujiyama. El tercero, Icaro derretido en estalactitas de nieve. Los caballos alargaban pequeñas olas lanudas que se quedaban adheridas a las puntas de sus cascos, desgarraban lentamente la bruma con sus crines arrastrando sus colas de pesadilla blanca por encima de la cara de la luna. Subieron rápidamente la cuesta del morrillo y se detuvieron en lo alto del acantilado. A lo lejos el mar se derrumbaba hacia adentro, devolviendo un barrunto de rocas y espuma.

Esa tarde logré convencerlo y fuimos al aeropuerto. Entregué mis diez pesos y subimos a la avioneta. Cuando comenzamos a subir tuve una sensación de varillas de madera que se doblan y papel de seda estrujado por el viento. Bernardo me miraba desde lejos, desde la distancia de sus anteojeras. Los guantes de gamuza le resbalaban sobre las manos y movía los pedales distraídamente como quien mueve una máquina de coser abullonando una manga de crema. Entonces comenzó su relato: Al regresar al colegio y enfrentarnos nuevamente al recrudecimiento del clima noté que la risa de mi compañero de cuarto se entretejía de tos como una nasa de pescadores cargada de diminutos peces rojos. Pero ya era demasiado tarde. El mismo día que hice los arreglos para su regreso alquiló un trineo y esa noche mi invitó a dar una última carrera sobre la superficie congelada del lago. Al salir por la puerta hizo sobre la nieve su acostumbrada verónica de loto negro con capa de velada de teatro. Yo insistí que se pusiera mi abrigo de zorro azul pero me lo rechazó. El trineo se internó en el lago y la niebla comenzó a borrar nuestra visión. Entrábamos en un hueco inmóvil donde se metía el puño y quedaba cercenado instantáneamente por la muñeca. Oíamos a lo lejos el crujido insoportablemente lento del lago que avanzaba congelándose por los bordes. Penetrábamos cada vez más en la densidad que se arremolinaba delante nosotros, un bosque agitado de colas de mono albino que se nos enroscaba de las manos. Entonces me dí cuenta de que mi compañero de cuarto iba ciego, no tanto por la niebla, sino porque se le había congelado la mirada. Ya no afueteaba a los caballos. Se había quedado inmóvil, impulsado por el vértigo como un auriga hierático atravesado por una lanza de viento. El trineo tropezó contra un banco de nieve e hicimos un largo tirabuzón blanco. Cuando me doblé sobre él la sonrisa le desbordaba nieve. Me quité el abrigo de zorro azul y lo envolví en él cuidadosamente.

Marina escuchó horrorizada aquel relato, sin poder siquiera disfrutar al ver a sus pies el mundo reducido a nacimiento. Su hermano no le había contado que tuviese un compañero de cuarto, su historia sobresalía súbitamente de su silencio como un témpano de hielo. Entonces vi que sonreía, apuntando a algo en el horizonte. Nos acercábamos a nuestra antigua casa, rodeada de cañaverales. La sobrevolamos y admiramos desde arriba su techo de cuatro aguas perforado de tragaluces, el mirador del comedor elevado sobre una hilera de cristales por donde estábamos acostumbrados desde niños a ver entrar y salir a los fantasmas. El sol chispeaba dentro de los tragaluces como alfileres de piedras de colores hincados en la copa de un gran sombrero de fiesta. Era la casa más hermosa de todas.

Algunos días después de subir con su hermana para enseñarle el mundo desde la claridad del sol y hacerle su relato de una muerte imaginada Bernardo volvió a alquilar la avioneta y enfilándola hacia un banco de nubes acumuladas desde hacía meses sobre el mar, desapareció para siempre. Ese mismo día por la mañana Marina recibió por correo un abrigo de zorro azul, de corte masculino y demasiado grande para ella. Pensó que era una equivocación.

El jardín de polvo

Voy cruzando lentamente por debajo de los árboles de mano de Eusebia, es hoy, la piel de los nísperos se ha rajado con el calor por debajo de la capa de polvo que los cubre dejando al descubierto la carne reluciente de venado, las cucarachas de ébano. Las abejas se introducen en las heridas de azúcar negra, la leche de los anones se cuaja sobre las escamas verdes con la lentitud de siempre. No hay nadie hoy. Sólo el jardinero arando como siempre el polvo. Cojeando a causa de la hinchazón en las piernas Eusebia va adentrándose en la sombra deshilachada del platanal hasta encontrar un tronco que sostenga el peso de sus espaldas. Después de inspeccionar atentamente el piso de tierra para asegurarse de la ausencia de hormigas bravas se sienta estirando las piernas, comienza a colocar sobre las grietas de sus pies pequeñas rebanadas húmedas que corta con una yen del tronco cercano de un árbol de cacto. Apoyo mi cabeza en su falda y escucho cómo se desmorona la galleta fresca del almidón sobre su carne negra. Me unta las sienes adoloridas con las yemas de los dedos, la palma gruesa de su mano pasa y repasa sobre mis ojos turbios como la barriga blanca de un pez de fango. Su piel brilla, me mira, sonríe, su cara está hecha de seda de berenjena húmeda, me dan ganas de hundir un dedo para ver cómo el hueco púrpura se vuelve a rellenar, me siento bien. Oigo el pito del tren, y recuerdo cómo anoche la brisa embolsaba la lluvia dentro del vientre del manatí que giraba preso dentro del mosquitero de mi cama tratando de escapar.

Eusebia saca un cigarro a medio fumar, lo enciende y da varias chupadas. Una procesión de fantasmas azules flota por entre las hojas grises y polvorientas de los plátanos como aguavivas arrastrándose por debajo del agua. Se balancea imperceptiblemente con los ojos cerrados repitiendo siempre el mismo sonido profundo. Hago un esfuerzo por levantar los párpados para mirarle los ojos de tamarindo y agradecer pero el diente de oro se va apagando, enterrándose poco a poco en la blancura de fango de su sonrisa. Las alas de pasa blanca que le nacen en las sienes se le esfuman por detrás de la nuca hasta desaparecer.

El día que Marina y Eusebia llegaron al

pueblo cruzaron las calles desiertas de la siesta en el silencioso Packard negro. Veían las galerías de gruesas columnas rosadas pasar a ambos lados del carro como bailarinas de ballet estirando medias de seda antes del primer acto. Las casas, decoradas con guirnaldas de flores, canastas de frutas, ánforas inclinadas, remolinos de acanto, rebrillaban al sol como recubiertas por una espesa capa de azúcar. Los balcones de balaustres torneaban brazos de panadera joven sobre fondos de berilio turquesa, verde magenta, violeta ajonjolí. Eusebia pensó que el pueblo parecía una inmensa repostería de lujo y dio un suspiro de alivio cuando salieron por fin a la glera polvorienta del río Portugués.

La casa de Juan Jacobo quedaba a las afueras del pueblo, cerca de la planta de cemento. El Packard se detuvo frente al portón de hierro y tocó su melancólico collar de pequeñas bocinas musicales. Nadie salió a recibirlos. Marina y Eusebia se asomaron por las ventanillas del carro y vieron una casa construída en medio de un campo de guata. Marina se quitó los zapatos y caminó descalza sobre la capa blanducha, dejando al pasar una larga hilera de pensamientos tristes hincados por el polvo. Miró hacia arriba buscando los murciélagos y tuvo que bajar la cabeza. El polvo que llovía sin detenerse la cegó momentáneamente. Comenzó a divagar por aquel paraje sin ruido ni de viento ni de agua, sacudiendo aquí y allá las ramas de algún arbusto reseco por el placer de levantar un fantasma dormido. Sopló sobre un gran copo de polvo, empujó una rama rota y salitrosa con dejadez, como si fuese un móvil de Calder, acarició con mano ausente los arbustos esmerilados de sal, pisando con pies insensibles los charcos de agua estancada y limosa. Por fin se detuvo debajo de la copa polvorienta del samán y levantó los ojos. Una complicada vegetación de membranas colgaba del abside central. Marina cayó redonda al suelo.

Cuando Juan Jacobo llegó a la casa esa noche Eusebia ya había metido a Marina en la cama y la había revivido a fuerza de agua florida sobre las sienes. Le habló dcl jardín que ella podría crear. El jardín persa, símbolo del paraíso, sólo había sido posible en medio del desierto. Podía ser un jardín simétrico y ordenado como un tapiz, o combado en un arco de porcelana azul como la cúpula de Masjidi-Shaykh. Le describió las riberas del Tigris y del Eufrates, donde las palmas de dátiles apiñaban un verde acaramelado e hirsuto que hería los belfos de los camellos golosos, la abundancia foliada creciendo a fuerza de paciencia sobre la arena milenaria como simetría de la felicidad. En el centro del jardín sagrado había siempre un pequeño estanque verde, pequeña puerta de jambas esmeraldinas por donde sólo pasaban los escogidos.

Marina no le contestaba, mirando siempre las volutas de polvo que seguían encaracolando sus lomos contra los cristales de la ventana de su habitación. Así estuvo varios días sin desempaquetar, considerando el fracaso de su matrimonio, esperando sólo a que aclarase un poco la bruma caliginosa para volver a montarse en el Packard negro y regresar a la casa de sus padres. El día que resonó el aldabón de hierro del portón sacudió en el fondo de la cama las plumas carcomidas de su sueño desencantado y se levantó para ver quién era. La mano de la bola caía una y otra vez con imperiosidad cuando Marina se asomó por encima de la muralla. Vio a un hombre de pómulos altos que sacudía el polvo que se había acumulado sobre el ala ancha de su sombrero, lustrándose los zapatos de dos tonos contra la tela gastada del pantalón. Movió su boca raída de payaso y le preguntó cortésmente si allí necesitaban un jardinero. Marina abrió el portón y le enseñó el jardín de ceniza planchada por toda respuesta. La mirada del visitante se iluminó. Es lo que yo siempre había soñado, dijo, un jardín sideral florecido de nebulosas. Ahora me explico la llovizna interminable que cae sobre este pueblo; es polvo de constelación. Cuando Marina trató de explicarle que se trataba de polvo de cemento sacudió enérgicamente la cabeza y apretó las pupilas con desconfianza. Claro, usted es demasiado joven para saberlo, le dijo, pero posee el jardín más hermoso del mundo.

Ese mismo día Marina desempaquetó, estimulada por el desafío del visitante. Pudo vérseles entonces cultivando el jardín desde el amanecer, burilando con infinita paciencia una misteriosa geometría de rombos, cubos y ángulos sobre las láminas grisáceas del suelo. A Marina se le ocurrió colgar de las ramas más altas de los árboles numerosas girándulas que reflejaran la debilitada luz solar en sus esquirlas de acero. De las ramas más bajas colgó sistros nupciales con sonajeras de vidrio para que estuviesen al alcance de la mano de aquellos paseantes que desearan distraerse. El jardinero era igualmente incansable. Manejaba el machete con la parsimonia de un sacerdote egipcio y hacía con el rastrillo interminables peinados lacios sobre el polvo. Decoró los bordes de los caminos con élitros de coleópteros y cascarones de erizo, para que armonizaran los paseos con sus silbidos plateados. Cuando el jardín estuvo terminado esperaron una noche sin luna para salir a verlo. La concavidad púrpura reposaba su vientre agujereado sobre la superficie del jardín con la impasibilidad de una anemona servida sobre un platón de porcelana perfecta. Casi no se podía respirar.

Marina y el león

Fue para celebrar la llegada del reportero norteamericano, empeñado en escribir un artículo sobre los éxitos económicos de la familia, que Marina decidió dar en su casa una fiesta de disfraces. Se mandó hacer un precioso vestido de muñeca, con mitones de perlas y zapatillas de raso con grandes lazos blancos en las puntas. La metieron en una caja forrada de seda y envuelta en papel de celofán. A través de aquella superficie dura y viscosa a la vez, Marina vio pasar el mundo aquella noche como si estuviera recubierto por una capa de barniz abrillantado en miles de pliegues que se estriaban al atravesarlos la luz. Es como si la estuviera soñando, se dijo. Mi vida toda es como la veo ahora, lejana y reluciente, exactamente como si la estuviera soñando. Bamboleándose dentro de la caja, apretaba angustiosamente su abanico de nácar en la mano enguantada, temiendo que su entrada de muñeca dormida fuese a confundirse con la de un lujoso ataúd. Su gracia natural la salvó, sin embargo, y la recibieron las ovaciones de los invitados. Al sentir que la caja tocaba el suelo Marina dio con el filo de su abanico un largo tajo a la piel transparente del papel y emergió, risueña y destellante, enmarcada por los flecos adiamantados y lánguidos del celofán.

Sentada junto a su cuñado Marina escuchaba la conversación. De pronto sintió que una partícula de carbón se le incrustaba en un ojo y parpadeó vigorosamente. Marco Antonio acababa de afirmar que no descansaría en el desarrollo de sus empresas hasta no llegar a poseer el mundo. Era en ocasiones como aquellas cuando Marina utilizaba mejor su poder de concentración. Podía juntar los tallos de sus pensamientos hasta formar con ellos una inmensa palma de viajero en medio del desierto. Dejaba entonces deslizar por los huecos ahusados palabras que le refrescaran el alma, hermanos menores nacidos de mujer, hijos vencidos, nacidos de hombre, invitaremos a los empresarios a venir a la isla y les daremos un cocktail. Vendrá entonces el año que nos someterá a la prueba y colmo será de la codicia, colmo de los despojos de los mercaderes, colmo de la miseria en todo el mundo, haremos una consolidación de compañías y subiremos el precio diez centavos el quintal, solicitaremos ayuda federal y nos darán veinte millones más, los traeremos a ver nuestras bellezas naturales y nos darán treinta millones más, entonces arderán las pezuñas de los animales y estallarán las lajas. Entonces los llevaremos a ver nuestros arrabales y nos darán cuarenta millones más, los convenceremos de nuestra importancia estratégica y nos darán cincuenta millones más, porque el Anticristo fue el creador de esta provincia y su origen fue la avaricia, ochenta millones más.

Marina pensó en su esposo, internado en un sanatorio desde hacía años. Pensó en el parecido alucinante que Marco Antonio tenía con Juan Jacobo, siendo a la vez tan diferentes. Recordó cómo, al enviar los submarinos alemanes al fondo del océano el primer molino de cemento, éste tuvo que recurrir a su hermano. No tenía dinero para encargarle un segundo molino a la firma norteamericana a la que le había encargado el primero y no sabía qué hacer, cómo convertir en realidad aquella ciudad enorme de luces polvorientas que colgaban de los techos de las casas como gotas de pus, de chimeneas incontables incrustadas en un cielo de flema que hasta entonces sólo existía en sus sueños, aquella urbe fantasmagórica que sólo existía en su mente pero que una vez convertida en realidad seguiría siendo igualmente fantasmagórica, envuelta por los siglos de los siglos en un sudario húmedo, adherido a la piel por el calor, embalsamada en gasas de harinas grisáceas que el viento cernía suavemente sobre todas las cabezas, sobre todos los hombros, sobre todas las frentes de los habitantes al igual que sobre todas las playas de polvorín blanco que elevaban, al subir la marea al atardecer, nubes que tronaban como cañonazos, sobre todos los campos untados de calamina, sobre todas las flores y frutas maduradas de cal, calcinadas de polvo de cemento en las ramas más altas de los árboles, existiendo desde entonces en un mundo donde el tiempo quedaba detenido porque de ninguna manera se podía saber la verdadera edad de las personas ni la de las cosas y por lo tanto daba lo mismo, porque por eso los habitantes se repetían unos a otros con una sonrisa triste aquello de genio y mortaja del cielo bajan y en el pueblo estaba prohibida la venta de toda clase de polvos, tanto los de Coty como los de Chanel, tanto los de arroz como los de almidón, los polvos limpiadores y los contraceptivos, los polvos de amor como los polvos de odio, enmascarados con albayalde para siempre y comiendo a través de las máscaras, hablando a través de las máscaras, riendo a través de las máscaras que no se podían quitar, esperando anhelantes la primera gota de agua que no brotaba nunca de aquel cielo de hormigón fraguado, la primera tormenta de rayos o huracán bendito que removiera aquel dosel de concreto armado que se elevaba sobre sus cabezas y que reflejaba, como en un estanque límpido, la superficie de aquella tierra sembrada de cemento, la lluvia desconocida y olvidada que sólo podría lavar aquella culpa que ellos no habían cometido pero que los condenaba a vivir como ancianos, entumecidos de plumas grises, rebosados eternamente en aquel vaho polvoso que levantaban a su alrededor a cada paso.

Marco Antonio encontró a Juan Jacobo sentado en el suelo, leyendo la biografía de Alejandro Eiffel, apasionado edificador de puentes y rascacielos, arquitecto de edificios de madejas de hilos que tejía y destejía entre los dedos. La petición de Marco Antonio le había parecido pueril. En menos de dos meses había fundido un segundo molino, hecho de velocípedos, bicicletas, duelas de barril, volantes de ingenios arruinados, chasis de automóviles abandonados, de toda la chatarra de hierro viejo que encontró, desechada por los habitantes a las afueras del pueblo. Juan Jacobo quedó así como socio fundador de una empresa que, luego de la creación inicial, dejó de interesarle por completo. Pero el dinero lo torturaba, era necesario tomar decisiones acerca de la baja de valores en el mercado, era necesario conseguir colaterales para ampliar la nueva fábrica, granjearse las simpatías del gobierno para conseguir los contratos de la construcción de las carreteras y de las escuelas, de los caseríos y de los edificios públicos. Juan Jacobo se sentía arrastrado por un remolino de fuego, era como estar girando dentro de los intestinos del demonio, dentro de aquel horno que él mismo había diseñado y que nunca cesaba de girar. Enfermó; fue necesario internarlo. Desde entonces Marina decidió irse a vivir a casa de su cuñado.

Algunos días después de la fiesta Marina fue a visitar a Madeleine, la esposa de Marco Antonio, a sus habitaciones privadas. Llevaba una primorosa lata de galletas en la mano y el pelo, recortado en redondo detrás de las orejas y húmedo aún de aguamameli, le azabacheaba al sol. No iba pensando absolutamente en nada mientras contemplaba el cabildeo de las góndolas sobre la tapa, sintiendo el leve roce de la brisa sobre la nuca cada vez que hacía girar el remolino rojo de su sombrilla sobre su hombro. Al abrir la puerta percibió un fuerte olor a amoniaco pero no le dio importancia, pensando que la casa había estado tanto tiempo cerrada. Cerró la sombrilla, pasó al comedor y se quedó paralizada en la puerta. Allí estaba Madeleine, sentada a la cabecera de la mesa en una silla arzobispal, raspando hojas con los dientes y acariciando con los dedos de los pies el espinazo de un león. Entra, entra, no le tengas miedo, me lo regaló Marco Antonio cuando pasamos por Brasil con el collar de aguamarinas que lleva puesto para poderlo amarrar, decía, mientras sorbía las gotitas de mantequilla sobre la próxima hoja antes de apretar los dientes y raspar.

Marina se acercó y puso con premeditada lentitud la punta de la sombrilla sobre las losas del piso como si fuese un fusil, deteniendo los zapatos inmaculados de griffin una pulgada exacta más allá del radio susurrante de la cola. La visita fue corta, Marina no se sentó y Madeleine no la invitó a sentarse. A Marina le parecía mentira la transformación de la hija del dueño del colmado, que antes se llamaba Pepita y que Marco Antonio había bautizado Madeleine, y que había pasado su niñez cazando gorgojos por entre las habichuelas y vendiendo arroz a dos centavos la libra, en esta modelo de Vogue, de pechos resonantes dentro de la ajustada polo shirt, de ojos engastados en elaboradas pestañas de oro, que se comía con tanto gusto aquel vegetal inverosímil, cogiéndolas por la espinita negra de la punta con dedos ensortijados de brillantes y uñas color punzó.

Qué tal de viaje, preguntó Marina a boca de jarro y sin cordialidades. Divino, darling, divino, Río de Janeiro una maravilla. El Pan de Azúcar de biggest fuck in the world, darling, the biggest and most glorious fuck. Nos disfrazamos de cocolos y a conguear se ha dicho. Marina se había quedado pensativa mirando el piso, las manos apoyadas en el mango de la sombrilla. Madeleine seguía hablando y ella la escuchaba como desde una gran distancia. Tienes que buscarte un hobby como el mío, le dijo, algo a la vez excéntrico y exciting, darling, como por ejemplo jugar con la pelambre lustrosa de un león. No sabes lo que a Marco Antonio le gusta verme alimentándolo con mis propias manos, me encierra en el patio y me va alcanzando uno a uno los filetes frescos por entre los barrotes de las rejas para que yo se los ofrezca; lo que le gusta ver la sangre corriéndome por el vientre, bajándome en ríos de granate por los muslos y los brazos.

Marina la interrumpió. Dicen que Juan Jacobo sigue peor, dijo, como si le hablara al aire. Todavía no he podido verlo, no me dejan entrar al hospital. Pero Madeleine no la escuchaba, seguía hablando desde lo alto de su silla arzobispal como si hablara sola, date tú también tu viajecito con Marco Antonio, darling, yo te cedo el turno, a mí no me importa nada, te juro, hay que dar del ala para comer de la pechuga, como dicen, y yo sé que tú te mueres por ir con él. Marina ignoró la insinuación pero de pronto se sintió cansada, agobiada por un cansancio sin límites. Es como si la estuviera soñando, se dijo, mi vida toda es como la veo ahora, obsesionada por aquella boca de mantequilla brillante que se movía frente a ella todo el tiempo, lubricada al rojo vivo por el lápiz labial, como si todavía estuviese metida dentro de aquella caja la noche de mi baile, viendo pasar el mundo, lejano y reluciente, cubierto por una capa de barniz. Dio media vuelta y salió de la habitación, dejando a Madeleine con la palabra en la boca.

La noticia del león muy pronto recorrió el pueblo. El alcalde trató de disuadir a Marco Antonio de su propósito de albergarlo en la casa, pero no pudo lograrlo. Ponce es la ciudad de los leones, decía, leones de yeso vomitan agua de colores por la boca de sus fuentes, leones de bronce defienden valientemente los portales de sus bancos, leones de fieltro juegan invencibles por sus parques de pelota, yo me niego a devolverlo, sería un insulto para el prestigio de la ciudad. Entonces levantó tapias y murallas por todas partes, convirtió el antes sombreado jardín en un acordeón de cemento que reverberaba al sol, convirtió la casa en un complicado trompe-l'oeil; salas iluminadas por arañas de cristales, pobladas de divanes para conversar, abrían en su centro bañeras rosadas en forma de concha, escaleras de caracol elevaban inútiles pasamanos de filigrana hasta las azoteas vacías. De pronto uno abría una puerta y se encontraba cara a cara con un muro, otras veces se desembocaba en un patio de volutas de hierro que, pintadas de blanco, resplandecían al sol como el encaje tendido del manto de una reina. El león, arrastrando mansamente la cola por las habitaciones que le habían sido destinadas, jugaba con las mostacillas de los edredones y se divertía bostezando frente a los espejos ahumados, traídos de París.

Al ver a su cuñado convertir la casa en laberinto Marina pensó que la posesión de aquel animal era para él algo más que un mero afrodisíaco. Estaba consciente de que desde la bolita clandestina hasta el pote de la lotería, Marco Antonio podía afirmar sin mentir que el pueblo entero le pertenecía.

Había comenzado los negocios colgando al cuello de las mendigas bateas emplumadas de peinillas multicolores que les hacía vender por tres veces su valor. Luego compró todos los carritos de resplandor azul en los que el hielo era ahusado, ahilado, compactado por un golpe experto del embudo en pirámides de frambuesa que asesinaban la sed. Pero habían sido las fábricas de cemento, carcomedoras de las lomas que ondulaban caravanas de dromedarios vegetales por el margen de los valles, lo que en verdad lo había enriquecido. Marina adivinaba que el león tenía que ver con el proceso ascendente de su ambición. Era el rizo de la ola, la última gema de su corona, el símbolo de su poder.

Poco después de su visita a Madeleine, Marina soñó que se había quedado dormida debajo del samán que crecía al fondo del patio. Abrió los ojos y vio el suelo alrededor de su cama cubierto de mimosas rosadas que movían lentamente sus estambres al ritmo de su respiración. Volvió a quedarse dormida y sintió deslizarse por su piel gotas de una substancia fragante, como de jade líquido. El roce de las hojas la despertó y, mirando hacia arriba vio con asombro que el samán lloraba sobre ella, dejando resbalar sus lágrimas por el envés pálido y velloso de las hojas. No sintió miedo. Había dormido sola en aquella casa durante tanto tiempo que ya nada la asombraba. Despierta o dormida, todo lo miraba con igual indiferencia, con esa serenidad del que se sabe invulnerable porque ya nada le importa. En las ramas más altas vio entonces a una guacamaya que gritaba con furia, salpicando todas las hojas con un vómito de fuego azul. El árbol entero parecía estar a punto de incendiarse.

Cuando Marina le contó a Marco Antonio lo que había soñado, éste le aseguró que debió haberlo leído en alguna parte, ya que el samán era conocido desde los tiempos de los conquistadores por sus supuraciones nocturnas, a causa de las cuales evitaron siempre dormir debajo de la copa, alegando que amanecían empapados por los excrementos de las cícadas. Ya Marina había olvidado su sueño la tarde que el mendigo pasó frente al portón de la casa vendiendo la guacamaya más hermosa que había visto en su vida. La llevaba encaracolada dentro de una jaula de esquejes de palma, demasiado pequeña para el ave. Al ver que tenía las plumas maltratadas se apiadó de ella y se la compró. La soltó inmediatamente y la observó perderse, remontándose libre por el boscaje polvoriento del patio.

Algunas semanas más tarde se levantó

161

temprano y viendo que hacía un sol hermoso decidió podar ella misma la enredadera de trinitaria púrpura que crecía frente a su ventana, adherida al muro como una maraña inextricable de sangre. Era la única planta que se salvaba, año tras año, de la llovizna de polvo. Quizá por eso era su planta de flores preferida y la podaba casi con reverencia, recordando, al podar cada racimo un poco más arriba del nudo que habría de retoñar, al caer las lluvias anheladas, el leve temblor transparente de los edemas purpúreos que habían ido apareciendo sobre los cuerpos de sus seres queridos. Todos estaban muertos, su padre, su madre, su hermano. Sólo le quedaba Juan Jacobo y lo sentía cada vez más lejos, cada vez más inalcanzable, casi como si se le estuviera muriendo, separado de ella por hileras de camillas blancas, por pasillos anegados en vahos de éter. Un movimiento de los pétalos arracimados sobre su cabeza la hizo levantar la vista. Vio al león que se balanceaba muy cerca de ella sobre el borde del muro, semioculto por el follaje de la trinitaria. Las piedras de su collar la cegaron momentáneamente, restrellados por el sol. Se quedó mirándolo como en sueños y luego le volvió la espalda, tornando a podar los racimos sangrientos.

El león se dejó caer sobre la hierba suculenta, erizada por todas partes en briznas de poliedros de cuarzo. El huerto apretaba un follaje pesado, agobiado de frutas que maduraban su carne aromosa al calor del sol por entre las brumas de polvo. Las esferas doradas del mango, las bolsas espinadas de las guanábanas, la coralina rugosa del mamey, el melao del níspero y del anón, pululando nidos de cucarachas de ónice al centro del corazón, por todas partes el huerto goteaba un perfume espeso, lechoso y frutal. No llegaba nadie. El silencio del jardín se restañaba periódicamente, al venir a dar sobre la hierba los perdigones de agua que tiraba el surtidor. Asomando la cabeza por entre los setos de mirto y los velones de los crótones el león observaba a Marina que continuaba impasible, podando la enredadera. Entonces vio a la guacamaya que descendía del samán y se posaba en medio de la zona circular de aire, irisada por el agua del surtidor. Abrió el pico, encrespó las garras y se le enfrentó. Un solo zarpazo fue suficiente. Hozando entre las plumas dispersas luego del parco festín, el león se tendió sobre la hierba.

Cuando Marco Antonio llegó gritando que la fiera se le había escapado Marina seguía en el mismo lugar. Los racimos que había ido dejando caer a su alrededor se adensaban sobre la blancura del suelo en una senda múrice que le teñía los pies. Notó que, al acercarse al león con la calibre .45 en la mano, a su cuñado le temblaban las piernas. No tuvo que acercarse mucho para darse cuenta de que el león estaba muerto. Mi vida toda es como la veo ahora, se dijo Marina una vez más al sentir las caricias de Marco Antonio, lejana y reluciente como si estuviese recubierta por una capa de barniz, exactamente como si la estuviera soñando.

Se acostaron sobre el charco de pétalos desparramados por el polvo como si se acostaran sobre su propia sangre, se revolcaron hasta el amanecer entre las llamas crujientes de la trinitaria como entre serpentinas fulminantes del año nuevo chino, ella le enroscó al cuello las lenguas de papel de seda púrpura de los capullos para divertirlo, para demostrarle cómo era que se hacía el amor en el mundo antes de que él lo convirtiera en un paraíso de nieve de yeso, en un mar que se podía pulir de orilla a orilla en estepas de lapislázuli. Se revolvieron sobre los racimos de espinas de trinitaria como si se deslizaran sobre pelambres de canas, se cubrieron de escamas de salamandra y de pieles de cibelina, de vahos de peces albinos y de cabezas de ángeles, derramándose la tierra sobre los cuerpos desnudos en puñados interminables de armiño, coronándose de viernes santo al contemplarse mutuamente en su deseo y en su desprecio.

Esa misma noche la casa de Marco Antonio ardió misteriosamente y no fue hasta varios días después que los encontraron, enterrados debajo de los escombros del patio, amortajados por las trinitarias y sepultados debajo del polvo, crucificados de espinas, florecidos de edemas purpúreos por todo el cuerpo.

La luna ofendida

Ofendida caí hecha pedazos
en medio de la noche
Oh! hendida en mil pedazos
colándome por los ojos de los sábalos
que huyendo asustados cuando rompiste el
    agua
con un solo gesto de tu mano
yo pasaba tranquila por el raso de nada
golpetazo de blanco
por el camino fácil de cenefa bordada
entera y redonda subía y bajaba
por el ojo derecho de mi cclipse
yo pasaba la niña rellena de palacio
ahíta de guata
con mi vientre de percal perfectamente
    cosido
con mi rostro de vidrio sonreído
para siempre pasaba
inmensa mariposa de papel
voladora de papantla
en un solo pie
el fuego alto
giraba

colocando uno a uno mis colmillos de
    alambre
en mis encías blandas
untando cielo de sonrisa sangrada
con mi soberbia de loca
inatrapable pasaba
reflejando tu locura en mi redondo
sangre de flamboyanes orinaban tus manos
derrumbadas de hierro a la orilla del camino
corvinas azules de pólvora salvaje
por allí nadaban
alargaste la mano y me detuviste
pelota cualquiera en un juego insípido
pero yo no era la niña de falditas plisadas
ni era la madama de salones podridos
tú fuiste mordiendo mi piel por el sabor
buscando
la carne endulzada en pudridero
pero mi carne era de vidrio
te partió los labios
ahora con dientes de alambre yo te desgarro
como tú me desgarras
máquina de guerra
que dale camina estalla al ritmo de la tuya
que rompo cuando tú te rompes
mi corazón es una caja mágica
hecha de cristal dormido
blanca nieves mambrú abrazados en astillas
las banderas ondean feroces
    en la noche se alaridan

pero nosotros adentro alejanos
arrasando juntos toda la soberbia
forrada de raso
forrada de espejos
azuleando cardúmenes violentos
en ráfagas de plomo que trizamos con los
    dedos
atrapados blancanievesmambrú desde hace
    tanto tiempo
muertos en la misma guerra
ofendidos caemos
en medio de la noche mi noche nuestra
    noche
decidí robarte este verso

El collar de camándulas

ahora los veo sentados por última vez alrededor de la mesa comiendo y bebiendo absolutamente confiados de su mano cuando llegó el postre a la mesa tu madre cogió el cuchillo de plata y cortó en partes simétricamente iguales el esponjoso ponqué espolvoreado de blanco luego con la punta del dedo tanteó la superficie dulcedorada para verificar la humedad antes de repartirlos solemnemente a su alrededor sólo yo sé la receta de este ponqué como si soplase las palabras por el extremo de un hueco en la garganta heredé la receta de mi madre se baten cien veces las yemas aparte hasta que pasen del amarillo denso al amarillo alimonado las claras se baten hasta que estén duras y puedan ser cortadas limpiamente con cuchillo hablando con movimientos pausados formando palabras lentas con la boca que nadie oye luego se añade con mucho cuidado no se vaya la mano unas gotas de leche de tamaima parra darle perfume a la masa cremosa luego se dobla todo y se coloca en un brazo rosado sobre el molde como si no estuviera allí frente a nosotros sino sentada en otra parte lejos con la cabeza ladeada eschuchando formando todo el tiempo palabras escuálidas que se le quedan pegadas a los labios como cáscaras porque se había quedado muda hace muchos años y lo mismo hablaba así cuando estábamos nosotros que cuando no estábamos aunque viéndola sentada a la mesa sirviendo el postre tan cotidianamente nadie lo hubiese podido adivinar

es por acá señores pasen por favor los están esperando los reporteros y las delegaciones todos están reunidos en el VIP lounge usted también Armantina pase adelante por favor

muda desde el día en que tu padre pasó por el pueblo y la dejó sentada en la esquina de la acera pasó con la guitarra al hombro enorme cucaracha dormida dentro de su estuche de terciopelo anaranjado la gorra de medio lado y el collar de camándulas y de matos sobre el pecho trabajando en cualquier cosa cargando sacos sirviéndole gasolina a los carros vendiendo periódicos por las calles pero al caer la tarde siempre se sentaba en la esquina de la plaza y levantaba con mucho cuidado los cierres dorados del estuche apoyándolos sobre las puntas de los dedos como si separase las bocas de un juey dormido entonces abría la tapa y sacaba la guitarra del fondo de peluche como quien pela una sonrisa de la encía y ella escapándose todas las tardes de la casa para oírlo rodeada de niños pordioseros una señora bien sentada en la acera quién lo iba a creer todo el pueblo comentando pero era como si hubiese perdido el juicio lo escuchaba con la cabeza de medio lado y al principio era como si devorara de golpe todas las hojas y todos los pájaros que pasaban veloces arriba como si el sonido le saliera sin parar por la punta de los dedos que va apretando rechinando por encima de la curva fría de la tapa de aluminio como por la curva de otro cielo

el aire acondicionado me cuartea la cara hay un hormiguero de gente aquí metido encaramados unos encima de otros bebiendo las sillas de cuero las patas de aluminio de las mesas me hincan la piel no gracias yo no bebo me siento aquí tranquila en el filo de este banco a esperar tu llegada Arcadio ellos también te esperan ansiosos de sentirte seguro de verte allí metido la curva de aluminio quieta también bajo sus manos pero yo sólo deseo volver a ver tu rostro saber que eres tú que has regresado para poder ser libre para poder ser finalmente yo

fue después que tu madre empezó a enloquecer siguiéndole a todas partes pese al escándalo de los vecinos que iban todo el tiempo donde su marido como un gato entre brasas el gusto que se está dando grajeándose con el cantante de la gorra se sienta en la esquina de la calle a cualquier hora y se pone a cantar se ha vuelto loca engranándose tan fresca sin importarle para nada que la vean el descaro total usted es un hombre respetable tiene que hacer algo para acabar ese espectáculo pero a ella no le importaba y seguía yendo a escucharlo todas las tardes y entonces era como si virasen el sol al revés como una media como si caminara con él por el camino de otro mundo que se gastaba muy lejos del pueblo

qué es lo que te has creído me has salido yegua andando con ese cafre por todas partes para que te diga qué guapa estás hoy qué de vitrina estás ahora mismo te pongo de patitas en la calle tengo que pensar en mi reputación y en la de nuestra familia pero a tu madre todo le parecía pequeño y sin importancia la soledad de la casa colgada de candelabros que nunca se encendían ahora mismo me firmas estos papeles que me dan el albaceazgo de tus acciones por incapacitada mental los pisos de madera brillantes que sólo pisaban zapatos de taco preciso embutidos en medias de seda todo se queda igualito aquí no ha pasado nada y que alguien se atreva a decirlo las fruteras de cristal vacías destellando sobre las mesas pulidas pero a ella no le importaba nada dejaba que todo se fuera gastando cuando lo oía cantar

papá los reporteros quieren hablarte díganos señor según los últimos polls llevados a cabo por los distintos partidos cómo ve usted sus posibilidades políticas hoy por hoy señores yo estoy absolutamente tranquilo siempre he confiado en el sentido común de este pueblo que ha de saber por intuición quién es el mejor candidato papá ya están anunciando la llegada del vuelo PAN AMERICAN LES ANUNCIA LA LLEGADA DE SU VUELO 747 POR LA SALIDA NO. 8 tenemos que irnos acercando véngase Armantina usted también

hasta el día que salió a buscarlo y no lo encontró por ninguna parte se sentó en la esquina de la plaza a esperarlo y lo esperó allí sentada toda la tarde pero no vino nadie y al otro día regresó con el vestido sucio y estrujado los ojos untados de sombra y se sentó en la acera en el mismo sitio con el llanto atravesado en la garganta como un hueso que no se podía sacar y se abrigó las rodillas con la falda como si tuviera frío la mirada perdida como si fuera a quedarse allí sentada esperando para siempre hasta que uno de los niñitos mugrientos se le acercó él le dejó esto antes de irse le dijo y puso el collar de matos y camándulas en el suelo entonces ella cogió el collar con la mano y se levantó de la esquina y regresó a la casa y desde entonces fue una esposa ejemplar pero no volvió a hablar

un solo balazo en el pecho señores murió instantáneamente como ustedes comprenderán esto es una desgracia terrible para nosotros

el día que todos rodeamos su cama tu madre se dio cuenta de que se iba a morir pero sonreía todo el tiempo dientes de tacita de porcelana y su sonrisa era redonda y nítida como una banda de oro de ley uniéndonos a todos por última vez y entonces empezó a hacer señas con el dedo el estuche de caoba Armantina tráemelo acá por favor fue sacando una a una las joyas el crucifijo de granate Antonio hijo mío el reloj de cebolla Miguel hijo mío hasta llegar donde ti Arcadio que mirabas a tu madre todo el tiempo como si quisieras comértela con tus ojos de escarabajo subiéndole y bajándole por el rostro acariciándola con tus miradas patas delicadas Arcadio hijo mío el collar de matos y camándulas póntelo quiero vértelo puesto la estrella debe colgarte siempre so-

bre el pecho tu mirada de insecto embosca-
da detrás de tus párpados tu madre se mue-
re Arcadio mirándola como quien termina
de beber un vaso de agua y retira lentamente la mano la mirada fija en el vaso vacío está muerta todos lloran Arcadio sal

y yo entonces igual que ahora sentada en
una silla al final de la memoria pensando
que te irías pero que algún día tendrías que
regresar

después del entierro se sentaron todos a
la mesa a tomar café papá Arcadio dice que
se va que no le interesa para nada la herencia que cojamos su parte y nos la metamos
por el culo Armantina sírvame un poco más
de crema ese muchacho será siempre una
bala perdida en cada familia hay su oveja
negra qué se le va a hacer con ese dinero se
puede lograr mucha obra buena un asilo de
ancianos un colegio de niñas bien una placi-
ta en medio del pueblo con muchos bancos
que lleve el nombre de mamá Armantina yo
quiero más café

Antonio Miguel pasen adelante Armantina usted también lo van a traer por el almacén de air cargo ya está todo listo los
reporteros y los delegados tienen que estar
presentes eso es lo malo de ser una figura
pública aún en los momentos de tragedia
más terrible se pierde toda la privacidad ya

están bajando la caja papá mírala por allí la traen es gris plomo sin lujo pero decente para que el pueblo vea que somos gente bien pero moderados en todo

aquel día al terminar de servir la mesa regresé a mi habitación y me estabas esperando me voy Armantina me dijiste no puedo resistir ni un momento más en esta casa ahora que mamá Dios qué mucho la jodieron me voy a Nueva York en cuanto encuentre trabajo te mando el pasaje pero nunca me lo mandaste no puedo soportar el recuerdo tirada en aquella cama rodeada de tanto cariño de alfeñique como si ella hubiera sido una dama de sociedad qué hostia tanta enfermera tanto cura tanta monja tanto rezo no quiero ni saber lo que harán con ese cuerpo mis hermanos diciendo hay que llamar a la funeraria para que la arreglen bonita no podemos dejar que el gentío que va a desfilar la vea así qué le meterán por dentro Dios qué hostia la rellenarán de trapos y botarán todo lo sagrado habrá que alquilar el salón más amplio de la funeraria donde quepa toda la gente todos los clientes y correligionarios vendrán a verla prácticamente todo el pueblo las coronas llegarán por un tubo y siete llaves seguro que pasarán de ciento porque además en esta casa no podemos velarla nos vamos a estar acordando el resto de nuestras vidas del ataúd abierto en la sala sobre el medallón de la alfombra cuando tengamos visita y les ofrezcamos refresco de limón con pasta de guayaba pero sobre todo el olor

Miguel no creo que debamos abrir la caja hace muchos días ya aunque es caja-nevera estará descompuesto

no llores Armantina te mando el pasaje seguro tú eres mi mujer Dios qué hostia el olor dulzón a carne demasiado madura en los restaurantes donde se come venado dejan que la carne se pudra para que se ablande sentado a la mesa comiendo un bocado jugoso y oliendo la pata del próximo día colgada de un clavo detrás de la puerta de la cocina Armantina Dios tengo ganas de vomitar para sacármelo del alma porque ella era salvaje se escapaba todo el tiempo de la casa antes de que le quebraran el espinazo y cuando se lo quebraron ya era demasiado tarde ya ella había saltado la valla había dado sin miedo su carne al blanco

los señores reporteros desean saber quiénes somos los que estamos aquí presentes cuáles son nuestros sentimientos de familia unida en el dolor

sí señores vinimos todos a recibir a mi hijo a nuestro hermano estamos la familia completa trajimos a Armantina nuestra criada de veinte años ella nació en casa y es como si fuera de la familia aunque desgraciadamente no podrá contestar ninguna pregunta

hacía frío aquella mañana Armantina la piel se recogía sola alrededor de los huesos pero tú fuiste sin chal ni suéter los brazos desnudos los hombros poderosos empujando el aire como tambores queriéndose salir de la tela débilblanca que no podía detenerlos caminando en silencio por el medio de la calle con el pelo una gran nube de sombra adherida a tu cabeza que rechazaste tapar con ningún velo el cuello brotado de fuerza saliéndosete por el escote del vestido demasiado pequeño que habías cogido prestado para la ocasión

Antonio papá párense aquí cerca de la caja Armantina usted un poco más atrás gracias nos quieren tomar un retrato para la prensa no se puede uno achantar hay que darle la cara a la sociedad las tragedias golpean a todas las familias por igual y después de todo la muerte no es ningún escándalo

yo iba a tu lado Arcadio caminando por el medio de la calle y me parecía por primera vez que la calle era mía tanto tiempo sin atreverme a salir con miedo a que me apuntaran con el dedo mírenla ahí va qué fuerza de cara casarse con la sirvienta de la casa

qué falta de respeto a esos pobres padres
deshonrada toda la familia y tú con el collar
de matos y camándulas sobre el pecho la
guitarra cucaracha dormida debajo del brazo la gorra de medio lado y era ese medio lado lo que más le molestaba a la gente
estrujándoles el medio lado por toda la cara
como un descaro porque te veían llevándo-
me del brazo

papá los reporteros quieren hacerte algunas preguntas quieren saber cómo fue que
lo mataron el informe de prensa asociada
dice que Arcadio estaba asaltando un colmado de mala muerte en el Barrio cuando
lo cogió la redada claro en el Barrio hay re-
dadas todo el tiempo pero quince dólares
era todo lo que había en la caja un muchacho de buena familia y posición desahogada
además quieren saber cómo tú opinas que
este escándalo va a afectar tu carrera política en el futuro tus posibilidades de ganar las
elecciones

mi hijo no estaba robando nada a él nunca le faltó su buena renta cada principio de
mes nuestra oficina se la pasaba sin falta
aunque él no trabajaba en ningún empleo
serio nosotros mismos no sabemos qué fue
lo que pasó exactamente supongo que estaría cerca del lugar cuando apareció la policía
haciéndole una redada a una ganga que

asaltaba el colmado el destino quiso que él pasara en ese momento por allí que lo accidentara una bala de ricochet era mi hijo menor el benjamín de la casa yo por supuesto estoy abrumado por la tragedia pero no veo en absoluto lo que esto tenga que ver con mi carrera política en estos momentos me siento consolado sé que mi pueblo comparte nuestra pena y se siente ahora más motivado que nunca a darme su apoyo solidario en las urnas después de todo las penas unen a los pueblos con sus dirigentes

estuviste por allá seis meses y yo mandándote mi sueldo a escondidas para que no te murieras de hambre y tú te creías que cantando te ibas a poder ganar la vida después supe que habías trabajado sí habías empaquetado bolsas de compra en los supermercados habías repartido periódicos habías lavado platos pero fue para esos días en que te estabas enderezando que tu padre se retiró del banco empezó a tener mucho éxito en la campaña política tenía mucho arrastre con el pueblo salía retratado en los periódicos todos los días tus hermanos también toda la familia eufórica ante la expectativa del éxito hasta el día que se recibió el telegrama que crepitó de mano en mano alrededor de la mesa como si les quemara los dedos NO TE ATREVAS EL DINERO Y EL PO-

DER SON DEMASIADOS LOS BOLOS
entonces empezaron sin parar las llamadas
de larga distancia a Nueva York

ahora todos se acercan a la caja arrastrando los pies y yo también me acerco apretando los puños extendiendo una mano que
adelgazo sobre la curva fría del aluminio entonces muequeando boqueando tascando la
serreta que me parte los labios tratando de
romper la boca muda

las pesquisas se sucedían unas a otras sin
resultado carajo detectives inútiles en este
mundo uno tiene que hacerlo todo siempre
chequeando y doblechequeando le sacan a
uno la tira del pellejo y los demás sin dar un
tajo no han podido averiguar nada papá es
como si se lo hubiera tragado la tierra no
aparece por ninguna parte hasta que sólo les
quedé yo como alternativa entraron en mi
habitación de noche me hicieron levantar de
la cama con las manos protegiéndome el
vientre qué van a hacer crispadas de terror
sobre la cabeza de tu hijo indefenso vamos a
ver ahora puta zarrapastrosa quién te manda
andar grajeándote por la calle recogiendo
encargos tú eres la única que sabes dónde
Arcadio se ha metido defecación de ciruelas
vas a tener en vez de parto pulpa de ciruelas
hervidas como no hables agárrale los brazos
Antonio pateando con los pies descalzos yo

les he sido siempre fiel confié siempre en usted uno Dios no por favor dos ampárame virgen de la providencia tres dónde está Arcadio cuatro mira lo que te están haciendo cinco en el vientre no por favor seis por misericordia siete no quiere cejar Miguel ahora mismo nos escribes la dirección en este papel ocho no acabaremos contigo hasta que nos ayudes a encontrarlo nueve Miguel déjala ya lo dijo ha perdido el conocimiento diez

al otro día me levanté como si no hubiera pasado nada y les serví el desayuno entonces me acerco a la caja y pongo una mano sobre la curva de aluminio levanto la cabeza y me quedo mirándolos les hablo raspando el aire con el torniquete de mi voz

dice que quiere el collar papá está ahí dentro Arcadio no se lo quitaba nunca comprenda Armantina no se puede abrir la caja hace varios días que está muerto sería un espectáculo muy desagradable la sanidad no lo permite está prohibido por ley es mejor que lo recuerde como era la limosina ya está a la puerta esperándonos véngase ya

pero yo sigo torciendo los labios arrojándoles ruidos a la cara como si fueran piedras y pongo ahora las dos manos sobre la curva de aluminio a ver si me pueden a la fuerza me tendrán que arrastrar vamos a tener que dejarla Miguel es capaz de formar un escándalo se está poniendo violenta no podemos corrernos el riesgo después de lo que pasó a quién se le ocurrió traerla con nosotros me cago en su madre debieron lavarle el cerebro antes con hexaclorofenol retírense todos por favor esto va a ser tremendo sobre todo el olor los reporteros y las delegaciones por favor retírense he dicho que todos afuera por favor todos afuera esto es un asunto estrictamente familiar ahora mismo les digo lárguense está bien Armantina podrá verlo tranquilízate papá es retardada mental todo el mundo lo sabe no se dará cuenta de nada sobre todo el olor

levantando la tapa poco a poco como quien separa las palancas del sueño mirándote por última vez empujando mis ojos por los huecos de tu cara balaceada acariciándote la frente deshecha alargo mi mano y recojo el collar que está sobre tu pecho

y si se da cuenta nadie le va a hacer caso mientras miro una vez más tu rostro tranquilo en el fondo de la caja los veo a ellos que se sientan por última vez alrededor de la mesa hay que ver lo confiados que comen y beben de mi mano acerco la bandeja a la mesa qué bueno que ya está tranquila Armantina tanto que la queremos ya veo que hoy tenemos de postre el ponqué espolvoreado de blanco la receta de mamá Armantina usted es una maravilla como si fuera de la familia va a quedarse con nosotros para siempre me miran contentos porque ahora sólo yo sé la receta se baten cien veces las yemas cien veces las claras aparte hasta que se puedan cortar limpiamente con cuchillo luego una porción generosa de leche de tamaima ahora corto los pedazos simétricamente iguales y los reparto alrededor todos los hincan con la punta del tenedor se los llevan a la boca ahora es el paladar desgajando pieles de murciélago el traqueteo de los cubiertos que estallan al caer sobre los platos el tratar de levantarse de las sillas pero es inútil mientras yo sigo mirando tu cuerpo asesinado ahora es el agarrarse la garganta con las dos manos llaga calcárea que tosen y tratan desesperadamente de arrancar pero no pueden la arena dulcedorada colándoseles por las venas hasta el fondo la esquina se baña de rojo porque se acaba la tarde mientras te desengancho fríamente del alma sentada sobre la acera viendo cómo los cuerpos se van hacia adelante cómo las cabezas ruedan dentro de los platos me levanto por fin de la esquina donde he estado sentada tanto tiempo y me voy caminando por el medio de la calle haciendo mío el camino que se abre al frente porque

ahora estoy segura de que no vas a regresar
ahora puedo irme tranquila cantando caminando gastando el camino del otro mundo
que se pierda allá lejos el collar que tú me
regalaste la estrella de matos y camándulas
abierta por fin sobre mi pecho

El infiltrado

estate tranquilo entre nosotros
sentados en la yerba que se mueve como un
  mar
estate tranquilo porque ya llegamos
a la ciudad sitiada
que se desvanece ante los sitiadores como
  un espejismo
ha pasado tanto tiempo
las fuerzas les flaquean y han llegado a dudar
las calles de berilio y malaquita
las coronas de granizo africano sobre terciopelo negro
entre la cuarenta y dos y la quinta
las vitrinas de mujeres muertas
jugando tenis bailando viajando dentro de
  las vitrinas
vestidas con los encajes que supuraron por
  las puntas de los dedos
los niños de persia
han llegado a dudar que la ciudad exista
por eso te estamos enviando a ti
estate tranquilo nos sabemos de memoria la
  estrategia

sólo nosotros sabemos hacer girar la estrella
ahora mismo está quieta
parece una rueda de bicicleta abandonada
   en un parque
sólo nosotros sabemos
ya te cosimos el poncho y te tejimos las medias
te pusimos el escarabajo en el pecho para
   que te proteja
te pusimos la moneda en la mano
para que tú mismo te la pongas en la lengua

ahora vemos las murallas y los torreones
nos acercamos para que desembarques
sostenemos el viento para que desembarques
temiendo que el viento te tumbe
pero tú doblas el viento gancho de alambre
   alrededor de tu brazo
y te vas caminando como siempre
yéndote de nosotros que nos vamos
esperando
te vas botando abisintio por los ojos agua-
   rraseados
bebiendo leche de tamaima todo el tiempo
dándole vueltas a las murallas
arrastrando tu pelo largo de indiferencia
   por el polvo
mientras las lanzas traspasan tu sombra en
   el asfalto
derramando bocanadas de camándulas

alrededor de las murallas
mientras oyes a los perros que aúllan por tu
   carne
ahora te acercas al río porque estás cansado
de buscar la entrada
tu cabeza se desdobla de algodones
se te cae constantemente al agua
devorando espuma vieja
con hojas pegadas a los ojos y labios de
   yeso
saliéndote dormido por el río que se entra
a la ciudad indomada

entonces levantarás en alto tu adarga alcantarilla
tu espada de teca y heroína
y saldrás fuera
comenzarás tu peregrinaje por los voltios
cruzando calles y levantando puentes
mirando por las ventanas sucias
para conocer todas las costumbres
a qué hora trabajan a qué hora comen a qué
   hora duermen
toninos sobre su propio semen
subiendo y bajando todos los rascacielos
todos los guided missiles
todas las guaguas
subiendo y bajando el cajón del limpiabotas
porque aunque tú quisieras y él quisiera
no tienes botas

seguirás caminando mucho tiempo
como una rabia larga de teléfono que suena
    sin que nadie conteste
hasta que se te caigan los ojos de semáforo
prendiendo rojoamarilloverde y apagando
por la sutura del párpado
y el dolor del absoluto conocimiento te
    golpee
te entre por la nuca y te salga por la lengua
te obligue a detenerte
a descender por fin de tu propio vientre
para abrirnos las puertas
entonces entraremos juntos a la ciudad
    girando nuestra estrella
incendiaremos la ciudad
poseeremos la ciudad
ocuparemos la ciudad
arrasaremos piedra a piedra la ciudad
hasta que desaparezca y exista

El sueño y su eco

¿Qué soñáste? Cuéntame tu sueño.

Mi madre aparece reflejada en el espejo, sobre la superficie del rectángulo. La luz atraviesa parejamente mi sueño y su mirada me hace concordar discordias. De un tiempo acá me conformo con la superficie lisa y llana, absolutamente predecible de las cosas. He descubierto que es la única manera de dispensar el miedo, de hacerme a un lado para dejarlo pasar.

Soñaste algo aterrador. Puedo verlo en tus ojos.

Me miro en el espejo y me veo caminando de mano de mi madre. Afuera está lloviendo a cántaros, exactamente igual al día en que el relámpago hendió en dos la palma real frente a la ventana de mi cuarto y vi el cuerpo increíblemente blanco de Doña Ana de Lanrós, nuestra primera Carmelita Descalza, incrustado en su centro.

Mamá me lleva afuera y me quedo sin respiración frente al chorro de agua que baja vertiginoso del techo, lo vomita el caño de hojalata por la esquina de la casa, es lo mejor para el pelo antes de recortarlo, lo deja sedoso y nuevo, como acabado de sacar de la caja de González Padín, dice Mamá. Me seca entonces la cabeza con una toalla antes de coger de la mesa las largas tijeras de acero toledano, metiéndo el índice y el pulgar por sus ojales. Las domina desde la altura de su hombro, desde la curva carnosa del antebrazo; las mueve lentamente sobre mi nuca, como dos puñales de plata fría, y empieza delicadamente a recortarme.

Te veo pensativa. ¿Qué soñaste?

Mamá aparece reflejada en el espejo, sobre la superficie del rectángulo. Miro su reflejo en el espejo de mi cuarto y su imagen me asalta como un celaje. Está de pie, parada detrás de mí, recortándome el pelo; pero también está junto a mí en el cementerio. Puedo oler claramente los bancos carcomidos, los lirios deshechos, los manteles manchados de esperma de la capilla de la tumba de mi tío, a la que acudimos todas las tardes a rezar. He pasado la mirada tantas veces por encima de la lápida, por sobre los manteles descosidos, sobre los bancos podridos de humedad, que siento que acabarán por gastarse a fuerza de deslizarles por encima los párpados. De rato en rato me invaden unas ganas incontenibles de levantarme de donde estoy sentada, de hundir las manos en el espejo que nos refleja a ambas para tocarle a Mamá los ojos, para ver si tengo que cerrar los míos.

¿En qué estás pensando Niña? Cuéntame.

El reflejo de sus ojos me ciega al contemplarla en el espejo. Punto de fuga: soñar con los ojos abiertos, puesto ya el pie en el estribo. Pronto tocarán al ángelus, sonará la campanilla del refectorio y mamá yo descenderemos de este escaparate que flota sobre el altar como un tiovivo antiguo. Nos alejaremos entonces de allí, girando sobre idénticos tambores rojos, los pedales niquelados haciéndonos adelantar y retroceder con facilidad. Vestidas de negro el viento embozará nuestras faldas alrededor de nuestras piernas al cabalgar hombro con hombro y perfil con perfil; hará crujir nuestras faldas veloces; nos abofeteará con tiras negras, con rachas, ráfagas. Nos veo a las dos, gualtrapeantes caballeras talares atravezando los montes, galopando difícil y siempre de sesgo, descorriéndo los misterios gozosos y los dolorosos, o anulándolo todo sobre el anular.

Estás pálida, Hija. Dime qué te pasa.

Caminamos juntas por entre los panteones del cementerio, por entre ángeles aburados de yeso viejo, grisáceos y chorreados de limo negro por la espalda, por entre rosas de hierro forjado, coronas de espinas, cadenas, clavos. Un bullir de agujas de pino, un perfume a geranios quebrados que derraman sangre seca invade mi olfato. Saltamos de tumba en tumba sobre las verjas de hierro. Son bajas, hileras de lanzas negras interrumpidas aquí y allá por jarrones de alabastro repletos de azucenas hediondas a santidad y a pudridero. Bajamos corriendo las escalinatas del panteón que hemos visitado muchas veces en sueños. Cuatro columnas de granito negro, una lápida con aldaba de bronce, coronas de flores que arrastran una caligrafía escarchada en cintas que se desgranan por el suelo. El eco de nuestros pasos se oye lejos, mullido por las agujas de pino. Vamos bajando lentamente, cada vez más lentamente, hasta llegar a la puerta cancel. Mamá se me ha adelantado y me aguarda sentada junto a la boca de la cripta. Los pliegues de su falda negra se acumulan a sus pies en un embalse sombrío. Está inmóvil junto a la lápida. Me mira. Me mira como yo te miro.

¿Seré yo, Hija? ¿Estás absolutamente segura de que no eres tú?

Carta

me detengo en la esquina de la avenida
a leer tu carta que se me desintegra entre
los dedos hace tanto calor regresar allá es
imposible dices somos una isla poblada de
muñecos vaporizada por el vaho de los carburadores me detengo en la esquina de la
avenida volcando mi dolor como un pote de
violeta de genciana manchándolo todo la
boca morada de genciana tiene olor a caimito podrido cuando ya la cabeza se pudre en
el tronco se nos pega la lengua al paladar
imposible regresar dices somos un país de
muñecos ¿quiénes son nuestros héroes? pasan por la avenida clamorosa el prisionero
liberado de vietnam del norte muñeco de
trapo el cardenal rolipoli tentenpié de goma
rodando un dos un dos de norte a sur muñeco de viento la barbiemar-y-sol casada
con el butch-big-jim muñecos de plástico
no voy a regresar jamás me dijo me dices pi-
nocho al país de los muñecos fabricados por
la fisher price inc.

los muñecos más terribles son los ejecutivos dices esos nunca los podrás destruir la leche de caimito es pegajosa como el semen inútil derramado en la esquina cuando ves una mujer hermosa pasar rápidamente por la calle tienen cabeza de oficina pecho de mesa patas de aluminio asiento de cromo con cojines de cuero rojo con cojones de vaca roja para mullir la cabeza ejecutiva ¿ejecutada? no sé por qué he venido a leer tu carta aquí frente al banco popular center el corazón palpitante de la ciudad rodeada blindada cegada por los muñecos ejecutivos soldados de stainless steel ¿acero inmarcesible? de platino puro los muñecos ejecutivos eternamente vestidos de gris que salen ahora de sus oficinas porque son las cinco de la tarde

vestida con una pancarta de peces amarillos me dejé caer en medio del océano los peces se me pegan silenciosos me ondulan por todo el cuerpo se me escurren por debajo de los sobacos se me meten entre las piernas los peces dorados me hacen reír porque tú le temes a los muñecos ejecutivos pero yo no ellos tienen grandes peceras de cristal en sus oficinas los veo clarito desde aquí están de pie en la orilla de la playa me miran meten una y otra vez las manos en las peceras tratan de agarrar los peces dorados pero las largas aletas de humo se les esfuman entre los dedos con un solo movimiento de sus colas y yo me río y los miro me voy metiendo en el agua desrizando pequeñas crestas con mis piernas macizas troncos de caoba que brillan ahora el agua me llega a la cintura y los miro que baten desesperados el agua de las peceras tratando de coger los peces pulpos que botan humo se les manchan las manos de violeta de genciana coño esa mancha no sale

he cruzado a la mitad de la avenida con tu carta desintegrada entre los dedos los carros escuelas de peces metálicos relampagueando a mi alrededor somos un país de muñecos dices no tenemos salvación muñecos hinchados de helio rebotando redonditos rosaditos rechonchitos eternos el don pablo el cardenal el alcalde el maributch agitando dumbos grandes orejas grises volando serenitos sobre las antenas de los carros ahora siento que mi vulva se deshace debajo del agua me mancha todo el vientre de púrpura me adentro en la corriente de peces de lata aprieto mi sexo de múrice con mis piernas macizas para exprimir el tinte cada vez más puro que me mancha ahora todo el cuerpo veo desde aquí a los muñecos ejecutivos que ejecutan un pas de quatre sobre la arena de la orilla me hacen señas para que regrese gritan palabras procaces blandiendo inmensos falos de cristal

ahora ves cómo el don pablo el alcalde el soldado el barbibutch prueban las olas con la punta de la lengua se les quedan pegadas las mandíbulas la leche de caimito es así traicionera beben a través de los dientes atrancados comienzan a seguirme no les queda otro remedio que seguirme van entrando en el agua violeta los cuerpos se les van disolviendo derritiendo licuando en un líquido amarillento y aceitoso que mi piel absorbe ávidamente ahora el agua les llega a la cintura ya no existen de la cintura para abajo el don pablo el alcalde el maributch flotando rebotando alegremente sobre redondas cinturas cercenadas los muñecos ejecutivos se resisten todavía las bisagras destellan platino puro en sus coyunturas siguen detenidos en la orilla de la playa gesticulando desesperados porque se le han escapado sus cupi dolls sus costosos angelotes publicitarios que tanto capital invertido les costara para crear LA IMAGEN que vendiera el dial soap el spalding ball la guerra heroica el apoteósico festival colonial

pero ahora también los muñecos ejecutivos sienten un cosquilleo peligroso en las verijasíjaresingles son los peces dorados que se les han acercado de nuevo y ahora no pueden resistir la tentación los agarran por la cola los sacan del agua pero los peces se les quedan quietos sobre la palma de la mano empiezan a perder el color se mustian rápidamente lánguidos derramando aletas se encogen se arrugan les chorrean los dedos y yo me río a carcajadas y estiro los brazos poderosos delante de mí y me empujo con los pies en la arena y empiezo a nadar a mar abierto los muñecos ejecutivos se acercan al borde del agua con las manos llenas de peces muertos se mojan sin darse cuenta las puntas de los zapatos italianos saltan para atrás porque los zapatos cuestan ciento cincuenta dólares el par y el agua de sal hace que el cuero se encrespe y se ponga duro pero me siguen con la vista yo me detengo en medio del chorro de chatarra azulrojoamarillo y les hago señas para que me sigan para que no tengan miedo es tan natural es un alivio derretirse cuando hace tanto calor dejar que la carne se convierta en algo útil (como nitroglicerina por ejemplo) ahora bajan la vista y vuelven a mirarse las puntas de los zapatos pespunteados a mano después se miran los pantalones de gabardina con la línea inmaculadamente planchada la corbata de cardin la camisa de popelina con las iniciales diminutas bordadas en rojo sobre el corazón vuelven a mirarme por última vez tiran al agua los peces hediondos se sientan en las butacas de cuero rojo dejan caer hacia atrás las cabezas ahora ya sí ejecutadas sobre los almohadones y se masturban mientras van adentrando las piernas grises en el agua violenta gehenciana

de pie en medio de la avenida hace tanto calor mi cuerpo inmóvil absorbe el líquido aceitoso amarillento que viene colándoseme poco a poco por los ojos de las ventanas ribeteando las espaldas de las aceras tatuando el enrejillado de las alcantarillas es el éster nítrico que por fin va tiñendo de azufre los biseles de cromo de los autobuses las caras gastadas de los transeúntes el perfil de los edificios ovillados en mi vientre los miles de hilos que estrellarán uno solo en la silueta de la ciudadincendio

La bailarina

tú bailas la ira cantando
una ira larga y roja como tu corazón
ira corazón bandera que deshilacha el viento
que te envuelves bailando
cuando naciste fajaron tu vientre
te envolvieron cuando todavía estabas
    húmeda
te colocaron en la cuna
tu madre te cogió entre sus brazos y te dio
    de mamar
leche de tamarindo y de retama
te crecieron los miembros largos como
    ramas
que trenzabas en las noches de viento
te envolvías en la ira bailando
y el baile era espléndido
bailabas el aire frío
alrededor de las estrellas
bailabas los bordes anaranjados de las
    campanas
que se abrían cuando tú eras niña sobre la
    superficie del sol

entonces alguien dijo: una señora bien
    educada no baila
te clavaron gemelos a los ojos y tacos en los
    pies
te colgaron carteras de los brazos y guantes
    en las manos
te sentaron en palco rojo para que vieses
    mejor
te sirvieron un banquete de cubierto de
    plata
y te dieron a almorzar tu propio corazón
estuviste mucho tiempo sentada
el remolino de tus pies debajo de la mesa
el remolino de tus manos sobre el mantel
    de encaje
reposando
masticando tu corazón
dándole vueltas con la lengua tratando de
    tragar
otros iban a bailar mientras tu almorzabas
a las cinco el lechero bailaba
a las seis el basurero con guantes
a las siete el barrendero bailaba
a mediodía salió tu hermana
bailando sus zapatillas dagas
a las seis la trajeron en ambulancia
abrieron la puerta y la cabeza rodó fuera

te levantaste gritando no puedo
vomitando carteras tacos joyas guantes

arrastrando tu ira por todas las calles
gritando aunque me duela y el niño llore yo
    bailo
por las grúas giratorias y los ventiladores
    del techo
por las varillas torcidas y las planchas
    oxidadas de mi astillero de sueños
yo bailo
marcando los bordes de la locura con
    puntos rojos
adentro los pies sangrando
bailo zapateros y piragüeros en huelga
bailo camiones amarillos que hacen temblar
    la tierra
bailo el letrero que dice no estacione
no vire a la izquierda
no vire en u
pare
llorando aceras cansadas por el agua de las
    cunetas
girando tristana sobre una sola pierna
haciendo fuetés por los pasillos con tu
    muslo ñoco
con tus pantallas de coral y tu boca
    pintada
con los pechos a borbotones aunque el niño
    llore isadora no puedo
dejar de bailar
aunque a nadie le interese cuando voy y
    cuando vengo

aunque kafka me diga la vida nada quiere
   de ti
te toma cuando vienes y te deja cuando vas
entonces alguien abre la ventana y lanza los
   brazos fuera
y tú entras
girando tus zapatillas dagas por el banquete
rebanando mandíbulas y tallos de copas
torciendo tu ira bandera roja cara de loca
por entre los ojos huecos
bailas tu corazón sobre la mesa

La bella durmiente

Septiembre 28 de 1972

Estimado Don Felisberto:

Se sorprenderá al recibir mi carta. Aunque no lo conozco personalmente lo único decente que puedo hacer al ver lo que le está sucediendo es prevenirlo. A la verdad parece que su señora no aprecia lo que usted vale, un hombre bueno y guapo, y para colmo, inmensamente rico. Es para hacer feliz a la más exigente.

Desde hace algunas semanas la veo pasar todos los días a la misma hora por enfrente de la vitrina del beauty parlor donde trabajo, entrar a uno de los ascensores de servicio y subir al hotel. Usted no podrá adivinar quién soy ni dónde trabajo porque esta ciudad está llena de hoteles con beauty parlors en el piso bajo. Lleva unas gafas de sol puestas y se cubre la cabeza con un pañuelo estilo campesino, pero aún así la he podido reconocer fácilmente por los retratos de ella que han salido en la prensa. Es que yo siempre la he admirado porque me parece divino eso de ser bailarina y a la vez señora de un magnate financiero. He dicho "he admirado" porque ahora no estoy tan segura de seguirla admirando. Eso de subir en ascensores de servicio a habitaciones de hotel me parece muy feo. Si usted todavía la quiere, le aconsejo que haga algo por averiguar qué es lo que se trae entre manos. No creo que ella se atreva a hacer algo así, tan descaradamente. Seguro se está corriendo el riesgo de manchar su reputación sin necesidad. Usted sabe que la reputación de la mujer es como el cristal, de nada se empaña. A una no le es suficiente ser decente, tiene ante todo que aparentarlo.

Quedo, sinceramente,

su amiga y admiradora

Dobla la carta, la mete en el sobre, escribe la dirección con el mismo lápiz con que escribió la carta, usando con dificultad la mano izquierda. Se levanta del piso, estira todo el cuerpo parándose sobre las puntas de las zapatillas. El jersey negro del leotardo se estira y se le transparenta la forma de los pechos y de los muslos. Camina hasta la barra y comienza enérgicamente los ejercicios del día.

Octubre 5 de 1972

Estimado Don Felisberto:

Si recibió mi carta anterior no lo puedo saber, pero si así fue parece que no la tomó en serio, pues su señora ha seguido viniendo al hotel todos los días a la misma hora. ¿Qué pasa, no la quiere? ¿Para qué se casó con ella entonces? Siendo usted su marido, su deber es acompañarla y protegerla, hacerla sentir colmada en la vida, de modo que ella no tenga necesidad de buscar otros hombres. A usted por lo visto lo mismo le da, y ella anda por ahí como una perra realenga. La última vez que vino la seguí hasta verla entrar a la habitación. Ahora voy a cumplir con mi deber y voy a darle el número, (7B), y el nombre del hotel, Hotel Alisios. Ella está allí todos los días de 4:00 a 5:30 de la tarde. Cuando reciba ésta ya no podrá encontrarme. No se moleste en investigar, hoy mismo presenté mi renuncia en el trabajo y no voy a regresar jamás.

Quedo, sinceramente,

su amiga y admiradora

Dobla la carta, la mete en el sobre, escribe la dirección y la pone encima del piano.

Coge una tiza y va pintando de blanco con mucho cuidado las puntas de las zapatillas. Luego se para frente al espejo, empuña la barra con la mano izquierda y comienza los ejercicios del día.

I
COPPELIA
(Reseña Social, Periódico
Mundo Nuevo, 6 abril de 1971)

El ballet Coppelia, del famoso compositor francés Leo Delibes, fue maravillosamente representado el domingo pasado por nuestro cuerpo de ballet Anna Pavlova. Para todos los Beautiful People presentes esa noche en el teatro (y verdaderamente eran demasiados crème de la crème para mencionarlos a todos), que les gusta la buena calidad en el arte, la soirée fue prueba de que la vida cultural de los BP's está alcanzando altas proporciones. (Aún pagando a $100.00 el boleto no había un asiento vacío en toda la platea). El ballet, cuyo papel principal fue ejecutado admirablemente por nuestra querida María de los Angeles Fernández, hija de nuestro honorable alcalde Don Fabiano Fernández, fue celebrado en beneficio de las muchas causas caritativas de CARE. Elizabeth, esposa de Don Fabiano, lucía una exquisita creación de Fernando Pena, en amarillo sol, toda cubierta de pequeñas plumas, la cual hacía un bello contraste con su pelo oscuro. Allí pudimos ver a Robert Martínez y a Mary (acabados de llegar de esquiar en Suiza), a George Ramírez y su Martha (Martha también en un bello original de Pena, me encanta su nuevo aspecto, y esas plumas de aigrette gris perla!) entusiasmados con las bellas decoraciones del teatro y los lindos corsages donados por Jardines Versalles, a Jorge Rubinstein y su Chiqui (ustedes me creerían si les dijera que su hijo duerme actualmente en una cama hecha de un verdadero carro de carreras? Esta es una de las muchas cosas interesantes en la bella mansión de los Rubinstein), al elegante Johnny Paris y su Florence, vestida de plumas de quetzal jade en un original de Mojena inspirado en el huipil azteca (para este espectáculo los BP's parece que se pusieron de acuerdo y todo fue plumas, plumas, plumas!). Y como artista invitado, la "grande surprise" de la noche, nada menos que Liza Minelli, quien se enamoró de un prendedor de brillantes en forma de signo de interrogación que le vio a Elizabeth, y como no pudo resistirlo se mandó a hacer uno idéntico, el cual luce todas las noches en su show, aunque no sobre su pecho sino colgado de una oreja como pendiente.

Pero regresemos al ballet Coppelia.

Swanhilda es la joven aldeana, hija del burgomaestre, y está enamorada de Frantz. Frantz, sin embargo, parece no hacerle caso, y todos los días sale a la plaza del pueblo a pasearle la calle a una muchacha que lee, sentada en un balcón. Swanhilda se siente devorada por los celos, y entra una noche en casa del Doctor Coppelius cuando éste no está. Descubre que Coppelia es una muñeca de porcelana. Pone entonces malignamente el cuerpo de Coppelia sobre una mesa. Coge un pequeño martillo de clavar coyunturas y va martillando uno por uno todos sus miembros hasta dejar sobre la mesa un montón de polvo que emana en la oscuridad un extraño resplandor. Se pone el vestido de Coppelia y se esconde en la caja de la muñeca, rigorizando los brazos y mirando fijamente al frente. El momento cumbre del ballet fue el genial vals de esta muñeca. Poco a poco María de los Angeles fue doblando los brazos, girando los codos como si tuviese tornillos en las coyunturas. Luego las piernas envaradas subían y bajaban deteniéndose un segundo antes del próximo movimiento, acelerando sus gestos hasta llegar al desquicio de todas sus bisagras. Comenzó a girar vertiginosamente por la habitación, decapitando muñecos, reventando relojes, haciendo todo el tiempo un ruido espantoso con la boca, tal como si en la espalda se le hubiese reventado un resorte poniéndola fuera de control. Tanto el bailarín que ejecutaba el papel del Doctor Coppelius, como el que ejecutaba el papel de Frantz, se pusieron de pie y se quedaron mirando a Coppelia con la boca abierta. Al parecer aquello era improvisación de María de los Angeles, y no estaba para nada de acuerdo con su papel. Finalmente hizo un jeté monumental, que dejó sin respiración a los espectadores, salvando la distancia del foso de la orquesta para caer en la avenida central de la platea, y seguir bailando por la alfombra roja hasta llegar al final, donde luego de hacer una última pirueta, abrió las puertas de par en par y desapareció como un asterisco calle abajo.

Nos pareció genial esta nueva interpretación del ballet "Coppelia," a pesar de la reacción de desconcierto del resto de la troupe.

El aplauso de los BP's fue merecidamente apoteósico.

bajando las escaleras relampagueando los pies casi sin tocar el piso los pies de felpa rozando el piso sin peso una losa amarilla y una gris en punta de diamante saltando de gris en gris se llamaba Carmen Merengue papá la quiso de veras saltando de raya en raya las losas de cemento resquebrajado relampagueando los pies bailar es lo que más me gusta en la vida sólo bailar cuando fue amante de papá era más o menos de mi edad la recuerdo muy bien Carmen Merengue la volatinera volando de un trapecio a otro bailando la navaja voladora la navaja volvedora el boomerang la cometa china el meteoro el pelo rojo estallándole alrededor de la cabeza impulsándola como un bólido por el abismo colgando por los dientes al final de una cuerda de plata girando vertiginosamente hasta desaparecer bailando como si nada le importara si vivía o moría sólo bailar clavada por los reflectores al techo de la carpa como una avispa brillante retorciéndose en la distancia ajena a los huecos de las bocas abiertas a sus pies a los ojos como bulbos sembrados a sus pies a la respiración sofocada de los espectadores removiendo culos hormigueros sobre las sillas porque aquello no debía ser aquello no podía ser permitido por las autoridades nadie podía desafiar la muerte con aquella soberbia la vida hay que vivirla como todo el mundo caminando por el suelo empujando paso a paso una bola de temor con las puntas de los pies pero Carmen Merengue no escuchaba ella bailaba sin malla sólo le importaba bailar cuando se acababa la feria le gustaba ir por todos los bares de la ciudad colgando la cuerda de bar en bar los señores ricos bailando a su alrededor le ponían un dedo en la cabeza y Carmen Merenguc daba la vuelta yo iba para Ponce pasé por Humacao los señores caderones moviéndose decían que estaba loca todos se aprovechaban de el jarro está pichao el pie derecho completamente horizontal poniendo un pie frente a otro pie el cuerpo tenso tendido en un arco el brazo hacia arriba tratando de alcanzar los segundos que se me escapan siempre más allá de las puntas de los dedos concentrando toda la tensión la punta de seda que sostiene mi

Estimado Don Fabiano:

Le escribo estas líneas a nombre de nuestra comunidad de religiosas del Sagrado Corazón de Jesús. Nuestra conciencia y gran amor a su hija, alumna modelo de esta academia desde kindergarten, nos obliga hoy a escribirle. No podemos pasar por alto la ayuda generosa que le ha brindado siempre a nuestra institución, y su preocupación por nuestras facilidades higiénicas, haciendo posible la instalación reciente de un tanque de agua caliente que suple tanto el internado como las celdas de clausura.

Por las fotos de la crónica social que salió en la prensa de esta semana, nos hemos enterado del desgraciado espectáculo de su hija bailando en un teatro vestida con un vestido impúdico. Estamos conscientes de que en el mundo del vaudeville estos espectáculos no tienen nada de particular. Pero, señor Fernández, ¿está usted dispuesto a que su única hija ingrese a ese mundo lleno de peligros para el alma y para el cuerpo? ¿De qué le valdrá ganar el mundo si pierde su alma? Además, tanta pierna al aire, tanto movimiento lascivo, el escote de la espalda hasta la cintura y la entrepierna abierta, Sagrado Corazón de Jesús, ¿a dónde vamos a llegar? No puedo negarle que en su hija habíamos cifrado nuestras esperanzas de que algún día recibiera el premio más alto de nuestro colegio, el Primer Medallón. Quizás no esté enterado de lo que este premio significa. Es un relicario de oro rodeado de pequeños rayos. En su interior lleva pintado el rostro de nuestro Divino Esposo, cubierto por un viril. En la tapa opuesta están inscritos los nombres de todas las alumnas que han recibido el Primer Medallón. Muchas han sentido la llamada de la vocación, de hecho la mayor parte ha ingresado a nuestro claustro. Puede ahora suponer nuestra desolación al abrir el diario y encontrarnos con las fotos de María de los Angeles en primera plana.

Ya el daño está hecho y la reputación de su hija no será jamás la misma. Pero al menos podría prohibirle que siguiera por ese camino. Sólo así podremos consentir en excusar su comportamiento reciente, y permitir que siga asistiendo a nuestra Academia. Le rogamos perdone esta tristísima carta, que hubiésemos deseado no haber escrito jamás.

Suya cordialmente en N. S. J.
Reverenda Madre Martínez

relampagueando los pies casi sin tocar el piso el pavimento agrietado por el sol saltando de losa en losa para no pisar las cruces porque da mala suerte Felisberto es mi novio dice que se quiere casar conmigo Carmen Merengue no se casaría diría que no con la cabeza moviendo de lado a lado la cara de yeso enmarcada de rizos postizos dejó que la feria se fuera sin ella se quedó en el cuartito que papá le había alquilado él no quería que ella siguiera siendo volatinera quería que fuese una señora le prohibió que visitara los bares trató de enseñarla a ser señora pero ella se encerraba practicaba todo el tiempo ciega a todo lo sórdido que la rodeaba el catre desvencijado la palangana descascarada colocando una zapatilla frente a otra levantando un poco una pierna y después la otra dibujando círculos en el aire como si tocara la superficie de un estanque con la punta del pie pero un día la feria volvió a pasar por el pueblo ella escuchó de lejos la música le revolvió el pelo rojo a Carmen Merengue sentada en el catre tapándose los oídos para no oír pero no podía algo la halaba por las rodillas los tobillos las puntas de las zapatillas una corriente irresistible se la llevaba la música le atravesaba las palmas de las manos le explotaba los oídos espuelas de gallo hasta que tuvo que levantarse hasta que tuvo que mirarse en el pedazo de espejo roto colgado en la pared y reconocer que eso era lo que ella era una volatinera de feria la cara enmarcada de rizos postizos las pestañas medio despegadas por el sudor los cachetes gordos de pancake las tetas falsas de goma rebotándole dentro del traje y ese mismo día decidió regresar

14 de abril de 1971

Estimada Reverenda Madre:

Recibimos mi esposa Elizabeth y yo su carta, que nos ha hecho meditar a fondo. Hemos decidido de mutuo acuerdo sacar a María de los Angeles de la academia de ballet y prohibirle el baile. El asunto había tomado últimamente visos desorbitados y ya nosotros habíamos discutido la posibilidad de prohibírselo. Nuestra hija es, como usted ha notado, una niña de mucha sensibilidad artística; aunque también de una gran piedad. Muchas veces al entrar a su cuarto, la hemos encontrado arrodillada en el suelo, con la misma expresión de ausencia, de extraña felicidad, que le transforma el rostro cuando está bailando. Pero nuestro verdadero deseo es, Madre, el día de mañana ver a María de los Angeles, ni bailarina ni religiosa, rodeada de hijos que la consuelen en su vejez. Por esto le rogamos que, de la misma manera que nosotros hemos tomado la decisión de sacarla del ballet, tomen ustedes la decisión de no fomentarle la piedad en demasía.

María de los Angeles heredará a nuestra muerte una cuantiosa fortuna, siendo hija única. Nos preocupa mucho que nuestra niña, criada como la nata sobre la leche, caiga el día de mañana en manos de un buscón desalmado que pretenda echarle mano a nuestro dinero. Las fortunas hay que protegerlas hasta más allá de la muerte, Madre, usted lo sabe, pues tiene bajo su cuidado tantos bienes de la Santa Iglesia. Usted y yo sabemos que el dinero es redondo y corre, y yo no estoy dispuesto a dejar que cualquier pelagatos venga a malbaratarme el mío, que tanto trabajo me costó hacer.

Nuestra desgracia está en haber tenido una hija y no un hijo, que hubiese sabido atender nuestro capital y nuestro nombre. Porque el que pierde su capital en esta sociedad pierde también el nombre, Madre. Al que está abajo todo el mundo lo patea, eso usted también lo sabe. Las niñas son siempre un consuelo y una mujer educada, de intelecto pulido, es la joya más preciosa que un hombre puede guardar en su hogar, pero no puedo conformarme al ver nuestro futuro tan incierto. Todo depende de que María de los Angeles se case con un hombre bueno, que no la venga a destasajar. Solamente entonces, cuando la vea casada, protegida en el seno de ese hogar como lo fue en el nuestro, junto a un marido que sepa conservar y multiplicar su herencia, me sentiré tranquilo.

Como usted comprenderá, el que María de los Angeles decidiese unirse a vuestra orden sería para nosotros inaceptable. Le aseguro que, por más que nuestra devoción sea profunda y nuestro aprecio hacia usted sea sincero, no podríamos evitar el resentimiento y la sospecha, ya que el ingreso de una fortuna como la de ella al convento no sería pecata minuta.

Le ruego me perdone, Madre. Comprendo que he sido brutalmente sincero con usted, pero también es cierto que cuentas claras conservan amistades. Usted puede estar segura de que, mientras yo viva, al convento no ha de faltarle nada. Mi preocupación por la obra de Dios es genuina, y ustedes son sus obreras sagradas. Si Elizabeth y yo hubiésemos tenido un hijo además de una hija, le aseguro que no habría encontrado en nosotros oposición alguna, sino que nuestro deseo más ardiente hubiese sido que ella se uniese a ustedes en esa labor santa, de redimir al mundo de tanta iniquidad.

Reciba un saludo cordial
de su amigo que la admira,
Fabiano Fernández

Abril 17 de 1971
Colegio del Sagrado Corazón

Apreciado señor Fernández:

Recibimos su atenta cartita y juzgamos sabia su decisión de sacar a María de los Angeles del nocivo ambiente del ballet. Estamos seguras de que con el tiempo ella olvidará todo este episodio, que recordará como una pesadilla. En cuanto a su súplica de que desanimemos su piedad, señor Fernández, a pesar de ser usted el benefactor principal del Colegio, y con todo el respeto debido, usted sabe que no podemos complacerlo. La vocación es siempre un don de Dios y nosotras no nos atreveríamos jamás a intervenir en su cumplimiento. Como dice Nuestro Señor en la parábola de los obreros enviados a la viña, muchos serán los llamados y pocos los escogidos. Si María de los Angeles se siente escogida por nuestro Divino Esposo, hay que dejarla en libertad para que responda a su llamado. Comprendo que los quehaceres de este mundo lo atribulen. Ver a su hija entrar a nuestra comunidad sería quizá para usted un desgarramiento del corazón. Pero ya verá señor Fernández, ya verá, con el tiempo la herida se irá cerrando. Hay que recordar que Dios sólo nos tiene aquí prestados, en este valle de lágrimas no estamos más que de paso. Si llegara algún día a pensar que ha perdido a su hija para el mundo de los hombres, la habrá ganado para el de los ángeles. Me parece que, por el nombre con que la bautizaron, la Providencia Divina ha estado de nuestro lado desde que esta niña nació.

Respetuosamente suya en N. S. J.
Reverenda Madre Martínez

Abril 27 de 1971

Estimada Reverenda Madre:

No puede imaginarse lo que estamos sufriendo. El mismo día que le hicimos saber a María de los Angeles nuestra decisión, cuando supo que le prohibíamos para siempre volver a bailar, cayó gravemente enferma. Hemos traído a los mejores especialistas a examinarla, sin ningún resultado. No quiero abrumarla a usted con nuestra terrible congoja. Le escribo estas lineas porque sé que usted es su amiga y la aprecia de veras. Le ruego que rece por ella para que Dios nos la devuelva sana y salva. Lleva durmiendo diez días y diez noches con suero puesto, sin haber recobrado una sola vez el conocimiento.

Su amigo,
Fabiano Fernández

II
LA BELLA DURMIENTE

era el día de su cumpleaños y estaba sola sus padres habían salido a dar un paseo por el bosque en sus alazanes se le ocurrió recorrer huronear todo el castillo lo que nunca le había sido permitido porque había una prohibición que la hacía sufrir mucho pero que ahora mismo no podía recordar entonces fue recorriendo todos los pasillos en paso de bouret chiquitito despacito las puntas de las zapatillas juntitas subiendo ahora por la escalera de caracol junititos chiquititos hormigueando por la oscuridad no podía ver nada pero sentía que algo la estaba atrayendo las zapatillas cada vez más imperiosas como las de Moira Shearer punteando pellizcando el piso con las puntas como si de allí fuese a salir una nota musical golpeándolo con sus pies clavijas tratando de dar la nota que la haría recordar qué era lo que estaba prohibido pero no podía adelgazando las piernas disciplinándose sin descanso abriendo puertas y más puertas mientras subía por el túnel de la torre hacía días que estaba subiendo y no llegaba nunca a la salida estaba tan cansada de bailar pero no podía dejar de hacerlo las zapatillas la obligaban entonces la puertecita de telarañas al final del pasillo la manija de su mano girando la viejecita hilando la rueca girando el copo girando el huso girando sobre la palma de su mano el dedo pinchado la gota de sangre ya está sintió que se caía al suelo ¡plaff! y que todo se iba durmiendo desvaneciendo derritiendo a su alrededor los caballos en las cuadras las bridas en las manos de los palafreneros los centinelas con sus lanzas recostados las puertas del palacio los cocineros los asadores las perdices los faisanes el fuego dormido en la boca del fogón el tiempo cosido con telarañas al ojo del reloj todo se fue recostando a su alrededor hasta que el palacio entero quedó sumido en un profundo silencio durmió tanto tiempo que los huesos se le fueron poniendo finos como agujas se le colaban sueltos por el cuerpo perforaban su carne por todas partes hasta que un día oyó a lo lejos un ¡TATIII TATIII TATIII! lo reconoció era Felisberto que se acercaba trató de levantarse pero el lamé drapeado alrededor de su cuerpo la oprimía es lamé de oro puro con ese peso encima no se puede bailar ¡BAILAR! ¡eso era lo que estaba prohibido! Felisberto acerca su rostro al mío me besa en la mejilla ¿eres tú, príncipe soñado? ¡cuánto me has hecho esperar! de la mejilla me empieza a emanar un calorcillo redondo que se me esparce por todo el cuerpo quítenle esos trapos de encima que la están sofocando que me están sofocando despiértate mi amor ahora vas a poder bailar todo lo que tú quieras porque han pasado cien años y ya se han muerto tus padres ya se han muerto las reseñadoras sociales las damas de sociedad las monjas del colegio ahora vas a poder bailar para siempre porque te vas a casar conmigo te voy a llevar lejos de aquí me hablas y te veo chiquitito mirándote desde el fondo ahora más grandecito mientras me voy acercando subiendo rápidamente de las profundidades se me ha caído el traje de oro lo siento que me roza las puntas de los pies hasta que se zafa ya estoy libre ahora liviana desnuda empujándome hacia ti con las piernas hasta romper la superficie dame otro beso Felisberto despertó.

Abril 29 de 1971

Estimada Reverenda Madre:

¡Nos encontramos nuevamente felices! ¡Nuestra hija está sana y salva! Gracias sin duda a la intervención divina despertó de ese sueño que ya creíamos mortal. Estando sumida en coma vino a verla el joven Felisberto Ortiz, a quien nosotros no conocíamos. Se mostró consternado ante su gravedad y nos dio a entender que entre ellos existía desde hacía algún tiempo el idilio. ¡Mire qué hija bandida, tan escondidito que se lo tenía! Estuvo mucho rato con ella, hablándole al oído todo el tiempo como si no estuviera dormida. Por fin nos rogó que le retiráramos las mantas de lana pesada con que la habíamos arropado para retener el poco calor que le quedaba en el cuerpo. Siguió hablándole y meciéndola, rodeándole los hombros con un brazo, hasta que notamos que los párpados le comenzaron a temblar. Entonces acercó su rostro al de ella, le dio un beso en la mejilla y ¡Alabado sea el Santísimo, María de los Angeles despertó! Yo mismo no podía creer lo que veía.

En resumidas cuentas, Madre, los felices sucesos de este día nos han hecho acceder a los deseos de ambos jóvenes de casarse lo antes posible y formar hogar aparte. Felisberto es un joven humilde, pero tiene la cabeza en su sitio. Hoy mismo le dimos nuestra bendición al compromiso y piensan casarse dentro de un mes. Claro, nos entristece pensar que ahora nuestra hijita no podrá nunca llegar a ser Primer Medallón, como usted tanto hubiese deseado. Pero estoy seguro de que a pesar de todo usted comparte nuestra felicidad, y se alegrará de veras al ver a María de los Angeles vestida de novia. Quedo, como siempre,

Su amigo agradecido,
Fabiano Fernández

El evento social más importante de esta semana, queridos Beautiful People, fue por supuesto el compromiso de la linda María de los Angeles Fernández, hija de nuestro querido Don Fabiano, con Felisberto Ortiz, ese guapo jovencito que promete tanto.

Se anunció que la boda será dentro de un mes. Ya están enviando las invitaciones impresas en Tiffany's, claro está! Así que manos a la obra, amigos, a preparar sus ajuares, que ésta será sin duda la boda del año. Va a ser un espectáculo muy interesante ver ese día a las Diez Mejores Vestidas compitiendo contra las Diez Más Elegantes, competencia importantísima hoy en nuestra irresistiblemente excitante islita.

La vida cultural de los Beautiful People parece que va a seguir alcanzando altas proporciones, pues nuestro querido Don Fabiano ha anunciado que prestará su deslumbrante colección de cuadros religiosos del barroco italiano para decorar las paredes de la Capilla de Mater, donde se celebrará la boda, y que además se encuentra tan contento con el escogido de su hija (el novio tiene un masters nada menos que en marketing, de Boston University) que donará a la capilla un poderoso aire acondicionado Frigid King de doscientos mil dólares, para que ese día los Beautiful People podamos asistir a la ceremonia sin esos inevitables sudorcitos y vaporcitos que produce el terrible calor de nuestra isla, y que no solamente estropea la hermosa ropa, sino que pone mongos y aguados los lindos y elaborados peinados de las BP's. Es por esto que en las bodas, los invitados a menudo no van a la iglesia, a pesar de que muchos son muy devotos y de comunión diaria, sino que esperan para felicitar a la feliz pareja en el receiving line del hotel, con el resultado de que la ceremonia religiosa queda siempre algo deslucida. Pero ésta será una boda única, ya que los BP's podrán disfrutar por primera vez de los hermosos oropeles de nuestra Santa Madre Iglesia, envueltos en ese friíto de Connecticut, como en deliciosa crisálida.

Ahora, entre los BP's hay un

grupo que se llama los SAP's (Super Adorable People). Estos se reúnen todos los domingos para tomar el brunch y comentar sobre las fiestas del fin de semana. Luego del brunch todos bajan a la playa de los BP's donde se reúnen a quemar sus esbeltos cuerpos y a tomar piña colada.

Si usted se considera "in", y no va a esa playa, ¡cuidado que a lo mejor pierde su status! ¡AH! Y se me olvidaba informarles que ahora lo "in" entre esas BP's que se encuentran en estado interesante (quiero decir, esperando la visita de la cigüeña), es entrenarse con el muy popular instituto Lamaze, que les promete un parto sin dolor.

(Recortes de periódico que va pegando la madre de María de los Angeles en el Album de Bodas de su hija.)

Para mi hijita adorada, para facilitarle su entrada al reino de las novias, antesala del reino de los cielos.

I. UNA IDEA PARA EL SHOWER

Si ha sido usted invitada a un shower para la pariente o la amiga íntima que se casa pronto y se ha estipulado que los presentes deben ser para uso personal, aquí tiene una idea que será acogida con mucho gusto por la futura señora y que despertará el entusiasmo de los concurrentes. Compre un cesto de mimbre pequeño, un tramo largo de cordón de plástico para tendedero y un paquete de pinzas para ropa. Busque además cuatro bonitos juegos de brasier y pantaletas en colores pastel, dos o tres pares de pantimedias, una baby doll, una bonita y vaporosa gorra para cubrir los tubos del rizado y dos o más bufandas de chiffón. Extienda el tendedero y prenda a intérvalos con las pinzas las diversas prendas, alternándolas según su índole y color, hasta llenar toda la cuerda. Doble ahora ésta con todo y ropa y acomódela en el cesto, que envolverá luego en un par de metros de tul nylon, atándolo con un bonito moño adornado de flores artificiales. No se imagina el alboroto que despertará en el shower su novedoso regalo.

II. PARA TODA UNA VIDA

A pesar de los cambios experimentados en el modo de vivir, la decoración, etc., las novias, en términos generales, siguen prefiriendo los regalos tradicionales como lo son la vajilla, los cubiertos, y las copas.

Las vajillas se fabrican actualmente en materiales muy prácticos con cualidades que las hacen bastante resistentes, al igual que ornamentadas a tono con la decoración moderna. Sin embargo, estas vajillas no son tan finas como las clásicas vajillas de porcelana. Las vajillas clásicas, como la Bernadot de Limoges, o la Franconia de Bavaria, pueden verse en residencias donde han ido pasando de generación en generación.

Los cubiertos pueden conseguirse en diversos diseños y de distintas calidades, entre las cuales figuran los de baño de plata, los de plata esterlina y los de acero inoxidable. Lógicamente es muy práctico un cubierto de acero inoxidable. Sin embargo, para vestir una mesa, nada como la plata.

Lo que se conoce como silver-plated es un baño especial de plata. Muchas novias suelen procurar cubiertos con baño de plata Reed and Barton, ya que tiene garantía de 100 años. La cristalería debe armonizar con la vajilla. En cristalería hay marcas reconocidas, las cuales suelen procurar las novias, dependiendo del presupuesto. Son éstas: St. Louis y Baccarat.

Una novia haciendo su lista de estos regalos obtendrá artículos para toda la vida. Esto depende del poder adquisitivo de los invitados. Pueden entre todos, pieza a pieza, regalarle únicamente la vajilla, etc. Si son invitados pudientes le regalarán bandejas, jarros, floreros, salseras, aceiteras, etc., y otros artículos para la mesa bien servida, en plata.

III. ¿EN QUE CONSISTE LA FELICIDAD?

¿Una bella casa en medio de un lindo jardín, finos muebles, alfombras y cortinajes? ¿Viajes? ¿Ropa? ¿Mucho, mucho dinero? ¿Joyas? ¿Autos de último modelo? Posiblemente usted tiene todo esto y sin embargo no es feliz, pues la dicha no consiste en poseer bienes materiales. Si usted cree en Dios y en sus promesas, si es buena esposa, y madre; si maneja bien el presupuesto del hogar y hace de éste un recinto de paz y amor, si es una buena vecina y está dispuesta siempre a ayudar a quien lo necesita, será sumamente dichosa.

(Notas al calce de las fotos en el Álbum de Bodas de María de los Angeles y Felisberto, escritas de su puño y letra por Elizabeth, ahora madre de los dos.)

1. *Intercambiando anillos y jurándose amor eterno en la Dicha y en la Desgracia.*

2. *Bebiendo la Sangre de Cristo en el Copón de Oro Sagrado durante la Misa Nupcial.*

3. *María de los Angeles retratada de perfil, con el velo como una nube cubriéndole el rostro.*

4. *¡Desfilando por el centro de la nave! ¡Qué asustada se veía mi pobre niña!*

5. *Cortando el bizcocho, las manos unidas amorosamente sobre el cuchillo de plata.*

6. *¡Casados al fin!*
   ¡Un sueño hecho realidad!

7. *María de los Angeles retratada de frente. Ha doblado su velo hacia atrás y sonríe con el rostro descubierto, campechanamente. ¡Ahora ya es por fin una Señora!*

III
GISELLE

vestida de gasa blanca como Giselle contenta porque me voy a casar con Felisberto me acerco hoy a tus pies ¡Oh Mater! más pura que la azucena cuya blancura superáis a rogarte que me ampares en este día el más sagrado de mi vida me acerco a ti y coloco mi ramo de novia sobre el escabel de terciopelo rojo donde reposa la punta de tu pie, pasando mis ojos por última vez por encima de tu modesto vestido rosado tu manto azul celeste las doce estrellas que circundan tu cabeza y inclinada Mater es el ama de casa perfecta. vestida de gasa blanca me acerco ¡Oh Mater! pero no como tú sino como Giselle después que se mete la daga en el pecho porque sospecha que Loys su amante no va

a querer seguir siendo un sencillo campesino como ella creía sino que va a convertirse
él también en un príncipe con muchos intereses creados entonces Giselle piensa que
Loys dejará de amarla porque ella es astuta
y sabe que cuando hay intereses creados por
el medio el amor es siempre plato de segunda mesa los cazadores los ministros los bata-
llones de soldados rojos con los hombros
entorchados de oro todo vendrá antes que
ella y es por esto que Giselle se suicida o
quizá no se suicida sino que decide acercarse a las willis conducidas por la Reina de la
Muerte y es para llegar a ellas que tiene que
pasar por la torpe pantomima de la daga se
la mete en el pecho dándole la espalda al escenario mano piernas pies verduguean el aire desgonzados está loca la pobre Giselle ha
enloquecido de amor dicen los campesinos
que lloran alrededor de su cuerpo caído pero ella no está allí se ha escondido detrás de
una cruz del cementerio donde se pone su
verdadero traje de novia su traje de willis
blanco delirio hecho de piel de pensamiento
de virgen lo estira suavemente por encima
de su tez helada ahora se pone las zapatillas
para no quitárselas jamás porque su destino
es bailar para siempre deslizarse como un
fantasma por todos los campos irse quedando a pedacitos por las ramas de los bosques

asombrada ella misma de ver que su cuerpo se le va desprendiendo en copos y Mater la mirará desde su silla allá arriba en el cielo y sonreirá complacida porque para Giselle bailar y rezar son una misma cosa. por eso se une al oleaje de las willis en un baile de agradecimiento su cuerpo tiene la ligereza de una clepsidra o reloj de agua la Reina de la Muerte se queda asombrada al verla bailar pasa una mano a través del cuerpo de Giselle y la retira cubierta de pequeñas gotas Giselle no tiene cuerpo Giselle está hecha de agua. pero de pronto las willis huyen despavoridas han oído unos pasos que se acercan por el bosque es Loys que se ha empeñado en seguir a Giselle una vocecita en el fondo de su corazón la previene ten cuidado Giselle un peligro terrible te acecha. Loys siempre ha tenido éxito en todas sus empresas y no ha de aceptar que Giselle se le escape así porque sí se ha empeñado en seguirla para tratar de quitarle su traje blanco delirio deshojárselo pétalo a pétalo en el acto de amor para después preñarla meterle un hijo dentro de su vientre delgadísimo de clepsidra quitarle su ligereza de gota de agua ensancharle sus caderas de semilla ya fofas abiertas para que ella no pueda jamás volver a ser una willis, pero no Giselle está equivocada Loys la ama de veras Loys no la preñará Loys se pondrá un condón velorosado se lo prometió junto a su lecho de muerte la coge del brazo y la hace darse vuelta junto al altar hasta quedar frente a frente a los invitados que llenan la iglesia le da unas palmaditas en la mano desfallecida que ella ha apoyado sobre su brazo para darle valor tranquilízate ya falta poco tienes que ser valiente, pero ahora cuando la luz de la aurora tiñe de rosa el horizonte se oyen las campanas distantes de la iglesia y las willis tienen que batirse en retirada, ellas no son ángeles como traidoramente aparentan ellas son demonios sus trajes son crinolinas sucias y malolientes sus alas de libélula están amarradas con alambres de púas a la espalda ¿Y Giselle, qué hará Giselle? Giselle ve a las willis desapareciendo una tras otra entre los árboles como suspiros oye desesperada que la llaman pero ya es tarde ya no puede escaparse siente que Felisberto la coge por el codo y la fuerza a desfilar por el mismo centro de la nave

(Reseña Social, Periódico
Mundo Nuevo, 25 de febrero de 1972)

Pues bien, tal parece que el evento social del año ya ha acontecido y la fabulosa boda de Felisberto y su María de los Angelcs es sólo un recuerdo resplandeciente en las mentes de las personas más elegantes de Puerto Rico. Todos los BP's se presentaron en la Capilla de Mater, para ver y ser vistos, en sus mejores galas. Viendo a la linda novia desfilar hacia el altar, forrado de arriba abajo con una catarata de lirios calas, estaba todo lo más granado de nuestra sociedad. La avenida central de la iglesia, off limits con un cordón de seda para todos menos la novia y el novio, estaba enteramente cubierta por una alfombra de raso puro, importada para la ocasión desde Tailandia. Las columnas de la capilla, cubiertas de techo a piso con capullos de azahares ingeniosamente tejidos con alambres, daban a los invitados la ilusión de entrar a un rumoroso y verde bosque. Las paredes, colgadas de Caravaggios, Riberas y Carlo Dolcis auténticos, fueron una fiesta resplandeciente para los ojos de los BP's, ávidos siempre de esa belleza que educa. Nuestro querido Don Fabiano cumplió su promesa de exhibir en la capilla sus fabulosos cuadros, y la boda de María de los Angeles no tuvo nada que envidiarle a las bodas de las Meninas en el Palacio del Prado. Seguramente que ahora las monjitas de la academia, después de la instalación de tan fabuloso aire acondicionado, no se olvidarán nunca de rezar por Don Fabiano y su familia. ¡Esta es una hábil manera de ganarse el cielo, si es que hay alguna!

La recepción tuvo lugar en el salón íntimo del Caribe Supper Club, y fue un verdadero sueño de Las Mil y Una Noches. Toda la decoración estuvo a cargo de Elizabeth, esposa de Don Fabiano, acostumbrada como está ella a convertir sus sueños en realidad.

Con los diamantes como tema, los adornos del salón de baile fueron confeccionados en tonos plateados. Tres mil orquídeas fueron traídas en avión desde Venezuela y colocadas sobre una base de cristal de roca, con tres gigantescas lágrimas de diamante, importadas desde Tiffany's, colgando del mismo centro. La mesa, donde tenían sus sitios la novia y el novio, rodeados por sus invitados de honor, era de cristal Waterford importada de Irlanda. Y como si esto fuera poco, material de plata importada brillaba de los respaldares de todas las sillas, cinceladas en forma de corazón. Los manteles eran igualmente de hilo de plata, y los menús tenían forma de diamantes pear shaped. Hasta los hielos tenían forma de diamantes, para dar el toque final a la perfección. El bizcocho, confeccionado con azúcar especialmente refinada para que tuviese también ese diamond look cegadoramente bello, representaba el templo del Amor. Los novios, figuritas de porcelana parecidísimas a María dc los Angeles y a su Felisberto, subían por un sendero de espejos bordeado de flores y cisnes de azúcar en los más delicados colores pastel. El último piso, coronado por el kiosco del templo, con columnas de cristal y techo de cuarzo, albergaba un cupido antiguo con alitas de azúcar que giraba constantemente sobre la punta del pie, apuntando su diminuto arco a todos los que se le acercaban.

La atracción principal de la noche fue Ivonne Coll, cantando sus hits "Diamonds Are Forever" y "Love Is a Many Splendored Thing".

El ajuar de la novia era algo fuera de este mundo. Se destacaba entre todo el decorado por la sencillez exquisita de su línea. Los BP's deberán aprender, con el ejemplo de María de los Angeles, que la sencillez es siempre reina de la elegancia.

HELLO! I ARRIVED TODAY

Name: *Fabianito Ortiz Fernández*

Date: *5 de noviembre de 1972*

Place: *Hospital de la Caridad*
Santurce, Puerto Rico

Weight: *8 lbs.*

Proud Father: *Felisberto Ortiz*

Happy Mother: *María de los Angeles Fernández de Ortiz*

Apreciado Don Fabiano:

Acabo de recibir el birth announcement de su nietecito Fabiano, y no quiero dejar pasar un solo día sin dirigir unas líneas de felicitación al nuevo abuelo por el feliz advenimiento. ¡A la verdad que eso fue friendo y comiendo! ¡Nueve meses justos después de la boda! Me puedo imaginar la fiesta que haría usted, con champán y puros para todo el mundo, en la misma antesala del quirófano. El nacimiento de un niño es siempre motivo de alegría y comprendo que para usted, preocupado en exceso como lo ha estado siempre por los asuntos de este mundo y ansioso porque Dios le diera un varón desde hace años, este suceso sea el más feliz de su vida. No olvide, querido amigo, en la euforia de su felicidad, que un nacimiento es motivo de alegría santa. Espero muy pronto recibir la invitación al bautizo, aunque desde ahora le aconsejo que debe cuidarse de no hacer una fiesta pagana, tirando la casa por la ventana. Lo importante es no dejar a ese querubín moro, sino abrirle las puertas del cielo.

Cariñosamente, quedo, como siempre,
su amiga en N. S. J.
Reverenda Madre Martínez

13 de diciembre de 1972

Estimada Reverenda Madre:

Acabo de recibir su carta, que le agradecí
mucho, pues Elizabeth y yo estamos pasando un trago muy amargo. En momentos como éstos es siempre consolador saber que
uno tiene buenos amigos tan cerca. Como
era de esperarse Madre, el nacimiento de
nuestro nietecito nos dio un alegrón inmenso. Toda la familia se reunió en el hospital y
estuvimos celebrando hasta el amanecer.
Luego de asegurarnos de que nuestra hija y
su retoño estaban en perfecta salud, Elizabeth y yo regresamos a casa. Antes de irnos
le rogamos a María de los Angeles que nos
avisara cuando hubiese fijado la fecha del
bautizo. Usted sabe lo mucho que Elizabeth
goza con la decoración de las fiestas, la pobre, y ya ella se había hecho la ilusión de,
para su nietecito, celebrar el bautizo más
hermoso que se hubiese visto jamás en
Puerto Rico. Tenía ya encargadas, entre innumerables cosas los recordatorios, las es-
tampitas, las capitas, las palomitas de seda

241

llevando moneditas de oro en el pico. Había mandado a decorar el bassinet en concha de bautizo forrada de satén azul por dentro y derramando encaje de bruselas por los bordes. Pensando que el bautizo sería muy pronto, había encargado hasta el bizcocho, un inmenso corazón de rosas de azúcar sostenido en el aire por tres angelotes de biscuit representando el amor, ese amor que ha hecho posible el advenimiento de un niño tan hermoso. Imagínese cómo nos sentimos, Madre, cuando recibimos una nota cortante de María de los Angeles, informándonos que ella había decidido no bautizar a su hijo.

En esta vida hay que aceptar las cosas como Dios se las manda a uno, Madre, pero esto ha sido un golpe duro para nosotros. María de los Angeles ha cambiado mucho desde que se casó. Al menos siempre nos quedará el consuelo del niño. Es un rorró precioso, parece que va a ser rubio porque nació sin pelo, y tiene los ojos azul cielo. Ojalá se le queden así y no le cambien. Algún día se lo llevaremos al convento para que usted lo conozca.

Reciba un saludo afectuoso
de Elizabeth y mío,
Fabiano Fernández

242

Querida María de los Angeles:

Tu padre me ha informado tu decisión de no bautizar a tu hijito, decisión que me ha sacudido profundamente. Conociendo tu corazón como lo conozco, de cualquier persona menos de ti hubiese yo esperado una decisión semejante. ¿Qué te sucede, hija mía? Me temo que no eres feliz en tu casamiento y eso me entristece mucho. Recuerda que los matrimonios están hechos en el cielo y por eso quizás le dicen a uno en broma cuando se casa, matrimonio y mortaja del cielo bajan. Si eres infeliz comprendo que trates de impresionar a tu marido, haciéndolo darse cuenta de que algo anda mal. Pero serías cruelmente injusta si pretendieras utilizar a tu hijo para estos propósitos. ¿Quién eres tú para jugar con la salvación de su alma? Piensa lo que le sucedería si se te muriera pagano. Se me hiela el corazón nada más que de pensarlo. Piensa que este mundo es un valle de lágrimas y que tú ya has vivido tu vida. Tu deber ahora es dedicarte en cuerpo y alma a ese querubín que Dios te ha enviado. Hay que tener la mente un poco práctica, hija querida, ya que esta vida está llena de sufrimientos inevitables. ¿Por qué no ofrecerlos para ganarnos la otra? Déjate de estar pensando en tantos pajaritos de colores, en tanto ballet de príncipes y princesas. Bájate de esa nube y dedícate a tu hijo, ése es ahora tu camino. Tranquilízate, hija, Dios velará por ti.

Recibe un abrazo y un beso de quien te quiere como una segunda madre,
Reverenda Madre Martínez

Mayo 30, 1973

Querido Don Fabiano:

Perdóneme por haber dejado pasar tanto tiempo sin escribirle, pero usted sabe lo mucho que María de los Angeles y yo lo queremos, a pesar de los largos silencios transcurridos entre nosotros. Su nieto está precioso, regordete y saludable como pimpollo de rosa. Me lo estoy regustando a diario. Tiene puñitos de boxeador y cuando lo cargan al hombro patea como un macho. Ante los problemas que estamos teniendo María de los Angeles y yo, este niño ha venido a ser un consuelo para mí. Lo quiero más cada día que pasa.

Le ruego Don Fabiano, que mantenga lo que voy a decirle en la más estricta confidencia, destruyendo esta carta inmediatamente después de leerla, tanto por compasión a ella como por consideración a mí. Ahora me he venido a dar cuenta de la desgracia que fue mudarnos tan lejos, pues usted ha sido siempre mi mejor aliado, mi brújula en cómo tratar a María de los Angeles, en cómo llevarla por el camino sano con tanta dulzura que ella misma no pueda darse cuenta de que todo ha sido previsto.

Usted recordará que antes de nuestro matrimonio yo le dí mi palabra a su hija de permitirle continuar su carrera de bailarina. Ésta fue la única condición que ella puso al matrimonio y yo la cumplí al pie de la letra. Pero usted desconoce el resto de la historia. A los pocos días después de la boda María de los Angeles insistió que mi promesa de dejarla bailar abarcaba el acuerdo de que no tuviéramos hijos. Me explicó que a las bailarinas, una vez salen encinta, se les ensanchan las caderas y al sufrir este cambio fisiológico ya no pueden jamás llegar a ser bailarinas excelentes.

No puede imaginarse la confusión en que esta declaración me arrojó. Queriendo a María de los Angeles como la quiero, un hijo de ella era mi gran ilusión. Usted sabe Don Fabiano que soy de origen humilde y quizá por esto siempre he tenido terror de perderla. Pero que yo sea de origen humilde no quiere decir que no tenga mi dignidad, que no tenga mi orgullo.

Su capricho me hirió profundamente. Pensé que quizás porque soy pobre y mi apellido no es conocido, como dicen ustedes, ni mi familia gente bien, como dicen ustedes, María de los Angeles no quería un hijo mío. Pero yo no voy a ser pobre siempre, Don Fabiano, yo no voy a ser pobre siempre. Aunque comparado con usted, que tiene tantos millones, a mí me considerarían pobre, ya que sólo tengo un millón de dólares en el banco. Pero ese millón yo lo he hecho a pulmón, Don Fabiano, porque lejos de su hija haber sido un asset, su hija ha sido un lastre, una tara lamentable para mi desarrollo. A pesar de su escabrosa carrera de bailarina, gracias a mis éxitos económicos nadie puede darse el lujo de hacernos un desaire, y nos invitan a todas partes.

Cuando María de los Angeles me dijo que no quería un hijo mío me quedé sentidísimo. Recordé entonces una conversación que tuvimos usted y yo antes de la boda, cuando me llevó aparte y me confesó lo contento que estaba de que su hija se casara conmigo porque confiaba en que a mi lado ella sentaría cabeza, encontraría esa conformidad y aceptación que le faltaban y que a todas las mujeres les produce ser esposa y madre. Recordé que usted me rogó en aquella ocasión con lágrimas en los ojos que le diéramos un nieto, un heredero para que defendiera su fortuna en el futuro, para que se la protegiese y multiplicase cuando usted faltase. Recordé mi rabia y mi vergüenza al escuchar sus palabras, recordé haber pensado entonces qué era lo que usted se había creído, que porque yo era pobre era también papanatas, que por eso había querido que su hija se casara conmigo, creyéndose que yo no era más que un pelele para echárselo de semental. Cuando ella me dijo eso me acordé de sus palabras y me dio por pensar que no estaba nada de mal eso de un heredero, no estaba nada de mal, pero no para que heredase su fortuna sino para que heredase la mía, la que yo habría de hacer algún día para eclipsarlo, para borrarlo del mapa a usted y a toda su familia.

Claro que luego me arrepentí de estos pensamientos indignos y me propuse convencerla a las buenas de que tuviéramos un hijo. Primero le hice ver lo generoso que había sido con ella, comprándole (sin tener con qué para aquel entonces) un trousseau de reina, poniéndole casa y carro con sirvientas a la puerta. Luego le hablé del amor, de cómo un hijo es la única manera de que el matrimonio perdure. Pero cuando se me siguió emperrando, negándoseme, Don Fabiano, cuando me encontré al final de mi paciencia, al final de la cabulya como dicen en cristiano, la forcé carajo Don Fabiano le hice la barriga a la fuerza.

Desgraciadamente Fabianito, en vez de traer la paz a nuestro hogar, en vez de darle a su hija la alegría que yo esperaba una vez que tuviera a su hijo entre sus brazos, ha venido a ser una maldición para ella, un fardo insoportable que ha abandonado al cuidado de la niñera. A pesar de sus temores de no poder volver a bailar en el corto tiempo desde que dio a luz ella ha logrado un éxito extraordinario. Esto le ha valido el título de prima ballerina de la compañía que ahora lleva mi nombre, porque hasta se la compré para tenerla contenta.

Nuestra vida había transcurrido así, en relativa paz y armonía, y yo me consideraba un hombre feliz con María de los Angeles a mi lado, con un hijito sano que Dios nos había obsequiado y los negocios viento en popa, hasta hace dos semanas cuando en mala hora se me ocurrió llevarla a ver el show de volatineros del Astrodromo. Acababa de llegar a la ciudad y pensé que como ella estaba tan triste, podría divertirla. Luego de los bailes consabidos de prestidigitadores y atletas salió a la arena una mujer; una pelirroja de pelo enseretado. Bailaba casi a la altura del techo, sin malla de seguridad, y no sé por qué María de los Angeles se impresionó muchísimo al verla. En cuanto llegamos a casa me pidió que le tendiera una cuerda de un extremo a otro de la sala y de un salto se subió a ella. Vi con gran sorpresa que sabía hacerlo, al principio balanceándose cautelosamente pero luego se fue soltando, llevando el compás con el vaivén del cuerpo. Lo más que me llamó la atención fue la expresión de su cara. Parecía vaciada de todo pensamiento. Le hablaba y no me contestaba, era como si no me estuviera escuchando. Al rato se bajó de la cuerda y me acompañó en la mesa a la hora de la cena, pero la expresión de su cara no ha variado, sigue siendo la misma hasta hoy. Me mira con las pupilas dilatadas y se niega a contestarme cuando le dirijo la palabra.

Y para colmo ayer, no encuentro cómo decírselo, Don Fabiano, recibí un anónimo, el segundo que recibo en estos días, un asqueroso pliego de papel escrito a lápiz con letra infantilmente gorda y desigual. Seguramente alguna enferma lo escribió, no me la puedo imaginar de otra manera, uno de esos alacranes frustrados que abundan por los cubujones de los arrabales. Esta hija de su madre me informa que a la hora en que María de los Angeles va a hacer supuestamente sus prácticas al estudio la ve entrar todos los días a un cuarto de hotel, insinuando que se encuentra allí con un hombre.

Lo más terrible de todo esto, Don Fabiano, es que la sigo queriendo, no podría soportar vivir sin ella. Es que usted me la entregó en el altar todavía una niña, recuerdo todavía su cara el día de la boda, enmarcada por aquel velo de tul increíblemente blanco, y me parece un sueño. La recuerdo pasando de su mano a la mía como una virgen, la recuerdo así y no logro consolarme.

Pero además de esto, además de que la quiero de veras, no voy a permitir que mi matrimonio fracase porque yo sencillamente no estoy acostumbrado al fracaso. Cuésteme lo que me cueste, voy a hacer del matrimonio un éxito. Después de todo hay algo de exótico, de extraordinario, en que la esposa de un magnate financiero sea bailarina. ¿No le parece? Es una extravagancia que puedo permitirme, de la misma manera que muchos de mis amigos van todos los años a cazar elefantes al Africa.

Mañana iré personalmente a investigar lo que hace María de los Angeles en la habitación de hotel que me indica el anónimo. Estoy casi seguro de que todo esto es una calumnia, una mentira repugnante de alguien que envidia mi felicidad junto a ella, al igual que mi éxito, el haber logrado hacer mi primer millón antes de cumplir los treinta.

Sin embargo, no puedo dejar de sentirme atemorizado, intuyo la sombra de una amenaza revoloteando sobre nosotros. Usted sabe que un hombre puede soportarlo todo, absolutamente todo, menos esta clase de insinuaciones, Don Fabiano. Le juro que me siento destrozado. Mañana temo no poder responder de mis propios actos.

Deja de escribir súbitamente y se queda un rato largo mirando la pared frente al escritorio. Coge los pliegos manuscritos y los arruga con las dos manos hasta hacer una pelota apretada, que arroja con furia al cesto de la basura.

La luz de la tarde entra por la ventana de la habitación 7B, en el Hotel Alisios, atravesando las persianas venecianas, sucias y medio rajadas por uno de los extremos, y cae a manera de varas sobre los cuerpos desnudos, tendidos sobre el sofá. El hombre, acostado sobre la mujer, tiene el rostro vuelto hacia el respaldar raído y bayunco. La mujer le acaricia lentamente la cabeza, hundiendo una y otra vez la mano izquierda en el pelo rizado. En la mano derecha sostiene un pequeño breviario de oraciones y lee de él en voz alta, dirigiendo su voz por encima del hombre dormido sobre ella. María era virgen en todo lo que decía, hacía, amaba. Su lirio parece buscarla y a su vez ella levanta a menudo los ojos para . . . Al llegar aquí el hombre balbucea unas palabras incomprensibles y remueve un poco la cabeza como si fuera a despertar. La mujer sigue leyendo en voz baja tras de acomodar un poco el seno que tiene aplastado debajo del oído del hombre. Mater Admirábilis Azucena de los valles y Flor de los campos, rogad por nosotros. Mater Admirábilis más pura que la azucena cuya . . . Cierra por un momento el breviario y se queda mirando las carcomeduras del plafón, nota con desagrado que hay manchas de humedad por todas partes. Se acuerda de cómo, durante el acto sexual, se había puesto a repetir en voz alta la oración preferida de Mater, el bendita sea tu pureza, y el efecto afrodisiaco que esto le había causado. Era la primera vez que se acostaba con un hombre que no fuera su esposo y pensaba que hasta ahora todo había salido bien. Lo había recogido esa misma tarde, parándose en la esquina como una prostituta cualquiera. El oldsmobile se había detenido a su lado y había visto la cara del desconocido inclinada un poco hacia delante, debajo del cristal del parabrisas, con las cejas ligeramente arqueadas en una interrogación muda. Había pensado que daba lo mismo y no quiso mirarle otra vez la cara. El hombre le había ofrecido veinticinco dólares y ella había aceptado.

Sintió deseos de bailar. El hombre seguía durmiendo encima de ella como un bendito, un brazo arrastrado por el suelo y la cara vuelta hacia el ángulo del sofá. Se deslizó poco a poco debajo del cuerpo tibio hasta quedar libre. Sacó del bolso la cuerda de nilón y la tendió de extremo a extremo de la habitación. Se calzó las zapatillas de ballet, se amarró las cintas a los tobillos y de un salto se subió arriba. Al saltar desnuda sobre la cuerda de las suelas de sus zapatillas cubiertas de tiza se desprendió una nube de polvo que flotó por un momento en el aire estancado de la habitación. La concentración de su rostro, al comenzar a bailar, hizo más obvia la pintura exagerada de sus facciones. Tenía los ojos rodeados por dos chapas de zinc, contra las cuales se destacaban sus inmensas pestañas de charol. El pancake de sus mejillas, de tan grueso, parecía que se le iba a desprender de la cara en tortas. Pen-

só con alivio que por primera vez iba a poder ser ella, que por primera vez iba a poder
ser bailarina, aunque fuera de segunda o de
tercera categoría. Comenzó a colocar un pie
frente a otro, sintiendo cómo los rayos de
sol le cercenaban inútilmente los tobillos.
Ni siquiera se dio vuelta cuando oyó la
puerta abrirse de repente a sus espaldas, sino que siguió colocando cuidadosamente
un pie frente a . . .

Abril 25, 1974

Estimada amiga:

No sabe lo que le agradecimos Elizabeth y
yo su cartita de pésame, que recibimos hace
ya casi un año. Sus palabras y sus oraciones,
llenas de sabiduría y de consuelo, fueron un
bálsamo para nuestro dolor. No pude sin
embargo contestarle hasta hoy, Madre, porque me faltó valor. Hablar de estas cosas es
siempre volver a vivirlas, repetir, como en
una película muda, los gestos y las palabras
que quisiéramos congelar en el tiempo y no
podemos, congelarlos para poder cambiar-
los, repetirlos de otra manera. Son tantas las
cosas que hubiésemos querido alterar antes
de la muerte de nuestra hija adorada. Su boda demasiado prematura, cuando pienso

que se nos casó casi una niña se me aprieta el corazón. Su matrimonio apresurado con ese muchacho que apenas conocíamos, un muchacho neurótico y ambicioso, como sabemos ahora que es demasiado tarde.

Perdóneme, Madre, quizá no deba expresarme así de Felisberto, víctima como fue de este accidente monstruoso. A pesar de haber él también perdido la vida, y de que por caridad cristiana uno no debe nunca recriminar a los muertos, a pesar de saber todo esto no puedo perdonarlo. Usted misma se había dado cuenta de que María de los Angeles no era feliz en su matrimonio. Él la torturaba por el asunto del baile, injuriándola y criticándola, porque no le gustaba que ella bailara. Por otro lado, se llenaba constantemente la boca, echándoselas de que él había hecho tanto dinero que había comprado, para complacerla a ella en su capricho, la mejor compañía de ballet de todo el país.

Pero lo que no le puedo perdonar, lo que me sigue despertando a media noche bañado en sudor y temblando de ira es que ahora, Madre, cuando ya no hay remedio, me he venido a enterar que él hacía dinero con ella, que la compañía de ballet le dejaba sus buenos dividendos. Mi hija que jamás trabajó porque nunca tuvo necesidad de hacerlo, y ese desalmado la estaba explotando.

El día del accidente, ella estaba reunida con el coreógrafo, componiendo los pasos de un número nuevo para su próximo recital, cuando Felisberto se apareció de sorpresa. Desde la puerta de la habitación se puso a insultarla, injuriándola por haber dejado al niño solo con la niñera para irse allí a repetir las morisquetas de siempre. Parece que su orgullo pudo más que su ambición y, según el testimonio del coreógrafo, la amenazó con pegarle allí mismo una buena paliza si no abandonaba el baile. De haber estado yo presente, habría estado de acuerdo con Felisberto en esto. El ballet era un vicio que había que extirparle a María de los Angeles de raíz. Conozco de cerca ese mundo de las bailarinas por una canita al aire que me eché una vez, Madre, y todas esas mujeres acaban siendo unas cabras. Me extrañó que Felisberto nunca estuviese muy interesado en que ella dejara de bailar, cuando se oponía era muy débilmente, claro, yo nunca me imaginé que estaba pensando en sus ganancias. Esa tarde por lo visto decidió que era más importante su dignidad y quiso darle a María de los Angeles un buen escarmiento. Pero ese escarmiento era para habérselo dado en privado, Madre, en la privacidad de la casa haberle puesto las peras a cuarto pero no allí de aquella manera escandalosa, y en presencia de un extraño.

El coreógrafo, que no conocía a Felisberto, un hombre excepcionalmente fornido pero un infeliz ajeno a todo, salió en defensa de María de los Angeles. Forcejeando con él, tratando de sacarlo a la fuerza, lo restrelló con tal violencia contra la pared de cemento que le fracturó el cráneo. María de los Angeles se quedó paralizada en medio del cuarto. Felisberto, que había sacado una pistola de la chaqueta para defenderse, con el golpe inesperado apretó el gatillo y el disparo accidental la atravesó por la frente.

No puede imaginarse, amiga mía, lo que he sufrido con todo esto. Cada vez que pienso en mi hija desangrándose allí tirada, sin recibir siquiera los Santísimos Oleos, lejos de su madre, lejos de mí que la adoraba, que hubiese dado con gusto la mitad de mi vida por verla contenta, cuando pienso que tuvo una muerte tan inútil, siento una ola de rencor que me sube por la garganta. Cuando llegó la ambulancia ya estaba muerta. A Felisberto lo encontraron tirado en el suelo a su lado. Se lo llevaron inmediatamente a la sala de emergencia. Estuvo en intensive care durante dos semanas pero murió sin recobrar el conocimiento.

Casi un año ha pasado ya. Es como si entre el recuerdo de ese momento y yo se interpusiera un paño de cristal que se nubla con mi aliento si me acerco demasiado. Prefiero no hacerme más preguntas, Madre, no torturarme más. Fue la voluntad de Dios. Al menos nos queda el consuelo de no haber reparado en nada para su entierro. La sociedad entera se desbordó en nuestra casa. Nunca habíamos tenido una prueba como aquella del aprecio sincero de nuestros amigos. Pensándolo así, Madre, todas esas señoras y señores, Beautiful People y Super Adorable People, que usted, desde la santidad de su retiro mundano, ha contemplado siempre con un poco de sorna y desdén, no debería recriminarlos tanto. En el fondo son buenos. Todos fueron a comulgar. Con la vejez he aprendido que la belleza del cuerpo no es siempre vanidad, a menudo es un reflejo de la belleza del alma. Enterramos a María de los Angeles vestida de novia, rodeada por la espuma de su velo. Se veía bellísima. Sus cabellos recién lavados relucían sobre el blanco amarillento del traje. Los que la habían visto bailar comentaban extasiados que no parecía muerta, sino dormida, representando por última vez su papel de la Bella Durmiente.

Fabianito, por supuesto, se ha quedado con nosotros. Si no fuera porque hemos sufrido tanto, creería que todo esto ha venido a ser justicia divina Madre. ¿Recuerda lo mucho que ansiamos Elizabeth y yo que

Dios nos enviara un varoncito, un hombrecito que defendiera nuestro nombre y nuestra hacienda para así alcanzar una vejez tranquila? Quizá la muerte de nuestra hija no haya sido después de todo tan inútil. Hacía ya tiempo que ella se había descarrilado, por andar con esa farándula de crápulas que son los bailarines. En realidad, Madre, mucho antes del accidente era como si nuestra hija hubiese muerto para nosotros.

Pero Dios en su misericordia divina siempre hace justicia, y nos dejó al querubín de su hijito para que llenáramos el hueco de ingratitud que ella nos dejó en el corazón. A propósito, Madre, pronto recibirá la invitación para el bautizo, que celebraremos con todas las pompas y las glorias. Esperamos que consiga permiso para salir esa tarde de la clausura y así pueda asistir, pues nos encantaría que fuese la madrina.

De ahora en adelante sí que podrá estar tranquila de que al convento no ha de faltarle nada, Madre, porque el día que yo me muera ahí le quedará Fabianito, que velará por usted.

Reciba un abrazo cariñoso de Elizabeth y otro de mi parte, se despide, como siempre,
su viejo amigo,
Fabiano Fernández

ese techo manchado feo siempre metiéndole a uno los cojones en la cara tranquila viene de tranca ese techo está cabrón parece cojones despachurrados ahí arriba te dije que bailar estaba prohibido sigue insistiendo y verás cómo te rompo la prohibido estaba prohibido así que ahora aguántate dormir dormir dormir dormir dormir dormir dormir dormir dormir dormir dormir dormir dormir despiértate amor mío quiero que te cases conmigo te dejaré bailar te dejaré ser bailarina te dejaré ser tranca viene de tranca no por favor no me preñes te lo ruego Felisberto por lo más que tú cabrón eso está cabrón bailando Coppelia bailando la Bella Durmiente bailando Mater hilando camisitas blancas mientras esperaba que la barriga del salvador le creciera ahora abre las piernas ahora aguántate ahora arrodíllate para que adores lo que pariste lo adorarás lo besarás lo lamerás lo cuidarás ¿qué será de mi niño bonito sin su madrecita? ahora olvídate de ser bailarina olvídate de ser lo adularás lo protegerás para que después él te proteja y te defienda por los siglos de los siglos ahora arrodíllate y repite con devoción repite con devoración ni Coppelia ni Bella Durmiente ni este mundo es un Valle de Lágrimas el otro es el que importa hay que ganárselo ofreciendo los sufrimientos inevitables que te tocarán si lo que tienes entre las piernas es una y si no hay más ninguno y si no hay otro cabrón eso está ni Super Adorable Bitch ni bandejas de plata ni copas de plata ni jarros de agua de plata ni caricias largas y frías con manos de plata ni palabras introducidas por la boca con largas cucharas de plata di que sí mi amor di que estás contenta bailando Giselle pero esta vez con furia con crinolinas malolientes y alas de alambre de púas amarradas a la espalda porque no me conformo Felisberto porque me traicionaste y por eso te he traído aquí para que me vieras y se lo contaras a papá se lo describieras detalle a detalle para que ambozados vieran mi cara de yeso rodeada de rizos postizos mis pestañas de charol despegadas por el sudor mis cachetes gordos de pancake el pelo que se me va tiñendo de rojo a la limón a la limón que se rompió la ciega a todo lo que la rodeaba las manchas del techo las persianas podridas la palangana descascarada a la limón a la limón de qué se hace el dinero un día la feria volvió a pasar por el pueblo y ella tapándose los oídos para no oír pero no podía algo la halaba por las rodillas los tobillos las puntas de las zapatillas a la limón a la limón a la algo la arrastraba y se la llevaba lejos ni protegida ni dulce ni honrada ni tranquila María de los Angeles tú tranquila de cascarón de huevo el dinero se hace de cascarón de huevo ni sometida ni conforme ni

De tu lado al paraíso

Methinks her fault and beauty, blended together, show, like leprosy, the whiter, the fouler.

The Duchess of Malfi

Hace un año justo que ellos vienen posponiendo este regreso, este enfrentamiento a su último rostro, a su espíritu que aguarda sentado en el centro tibio de la casa. Es comprensible que después de lo que sucedió les faltara valor, necesitaran casi doce meses para ir sedimentando capa tras capa alrededor de su corazón para poder regresar, hojear estas láminas fragilísimas, a la vez hirientes y blandas, su rostro y sus manos cubiertas por una piel de vidrio, estas láminas centelleantes, tan parecidas a los muros de esta casa que yo limpio cada día en su nombre, eñangotándome para darle cera de muñeca a los pisos, metiendo la mano hasta el hombro en el servicio para purificar la porcelana más alejada de su garganta, poniéndome en cuatro patas para cepillar el vello de las alfombras hasta dejarlas relajadas, desleídas como vellones de mujeres rubias derribadas por el suelo, rebajándome día tras día hasta llegar a ser la mierda y la hielda de la sociedad para que ella pueda seguir siendo la crema y nata, para que ella pueda seguir viviendo, como el ángel que ahora es, en el séptimo cielo, soñando como una princesa su séptimo sueño encima de sus siete colchones de pluma de ganso, sellada en la frente con el séptimo sello de Nuestro Señor que por siempre la tenga en su gloria. Estas láminas que ahora son lo mismo que decir su cuello sus hombros o sus muslos, los destellos de luz filtrándose a través de las celosías que he limpiado por encima y por debajo como si fuesen sus uñas, sobre el piso de parquet que he barnizado igual que si fuese su piel y entonces por eso el álbum, la necesidad de verla arrodillada para siempre en el reclinatorio de seda china, un cirio encendido en la mano, de contemplarla rezando frente a la custodia de brillantes como frente a la corona de su propio martirio. Por eso estas imágenes sostenidas cuidadosamente entre el índice y el pulgar para que no se derritan, para que no se vayan a derrumbar en un montoncito de polvo traicionero, luminoso y cortante, de pie en el último peldaño de la escalera, la cola de su vestido de piel de ángel acumulada delante de sí como un remanso, como un embalse de sangre fría y nevada, estas imágenes ya un poco desvaídas y grumosas a la merced del tiempo que deshilvana sus contornos, como sucede siempre con los recuerdos, nebulosas como celdas de panal viejo que a fuerza de labradas y relabradas han ido perdiendo su transparencia. Por eso la necesidad de estas repeticiones incansables, colocadas por mí dentro del álbum de bodas como una hilera de frutas abrillantadas dentro de su caja, quizá un poco encogidas y demasiado dulces, es verdad, pero conservadas, estuchadas para siempre en láminas de fórmica igual que en el fondo de un agua azul, melancólica y cetácea pero limpia al tacto, la necesidad de abrir una vez más las tapas purísimas, gruesas y blandas como labios de novia para ir depositando una a una, lo más amorosamente que puedo, las fotos de la boda dentro del álbum.

Los señores van y vienen, residen aquí algunos meses, luego empaquetan valijas y baúles y se van a pasear, algunas veces a España otras a Francia. Van y vienen tranquilos de que la casa queda segura conmigo, de que yo no permitiré que caiga en esa amoralidad en que suelen caer las casas deshabitadas, en ese orinar desvergonzado y constante por entre los reverberos de las rejas, en ese romper en medio de la noche los cristales de las ventanas a estallidos impúdicos como si fueran hímenes. Cuando regresan es siempre por alguna razón sin importancia. Algo, alguna noticia recibida en alta mar sobre enfermedades en la familia, algún artículo leído en medio de la paz del desayuno frente a la taza de café humeante, describiendo los estragos este año de la sequía en los habitantes del Africa, o informando la última tasa de mortandad colérica en la India los espanta pasajeramente, los alebresta como aves ordinarias de corral que en su aspaviento olvidan toda su elegancia. Necesitan entonces regresar para sentirse reconfortados, sentarse en la silla que les toca en el comedor, tomarse sorbo a sorbo la sopa que yo les preparo en las mismas cucharas de siempre, un poco nebulosas por el tacto, sabiéndose de memoria cuál es el borde astillado, dónde es que está la pequeña grieta en el vidrio para esquivarla. Pero esta vez todo ha de ser diferente.

Estuvieron tanto tiempo planeando para lograr esa boda. Lecho nupcial bordado de mariposas, catafalco coronado de entorchados, ambos dignos de una princesa. Se pasaban los días dando fiestas en la casa, exhibiendo a la novia como una fruta olorosa y sutilmente trajeada para que madurase pronto, para que supurase de prisa sus últimas gotas de candor. Ella llamaba la atención por esa calidad especial que tiene su carne, hacinada en lo más alto del abismo como una escalera por la que suben y bajan los ángeles. Por fin apareció Juan Tomás. Luego de meses de insistencia, colocando el retrado del compromiso sobre la mesa de noche, invitando a la madre a tomar el té, colocándole al padre una copa tibia y dilatada en la mano, colocándosela hasta el fondo para injertarle el tallo fijamente entre el corazón y el anular como un sexto dedo de vidrio, de mirar por la ventana día tras día sin esperar ya a nadie, sin ilusionarse por nadie ella aceptó por fin el matrimonio envuelta en ese manto de calma e indiferencia en que se envuelven las estatuas griegas. No puedo llorar. Siento que de las esquinas de mis párpados comenzarán a escurrírseme dos hilillos de arena que por más que parpadée no podré detener. Las imágenes ondulan de un lado para otro dentro de las láminas del álbum, se cimbran, se borran, al pasar de una página a otra página.

La primera sospecha que tuve de que regresarían fue cuando vi que el almendro había empezado a abortar. Botaba los capullos todavía abrigados dentro de los sépalos y la terraza se cubrió de un día para otro con una capa de cascarones grisáceos, ennegrecidos por la punta. Barrí todo hasta dejar la terraza tan limpia como antes pero el árbol siguió abortando. Ese mismo día salí a la calle, reuní apresuradamente mis ahorros y compré el álbum. Me encerré en mi habitación y me senté en el catre. Me había dado trabajo encontrarlo. La piel tenía que ser de cabretilla blanca, de la misma que ella se había subido aquella mañana por los brazos hasta más arriba del codo y que yo mismo había ajustado con botones diminutos a sus muñecas. Me estremecí de pronto al pensar en aquella piel empolvada por dentro subiendo por su cuerpo, ciñéndola dedo a dedo como a un lirio, ciñendo sus manos de novia, adormecidas como pequeñas conchas en el cuenco tibio de su falda, ciñendo sus brazos de novia, reposados y plácidos, rodeando siempre las rosas talladas del respaldar de alguna butaca o de alguna silla igual que si sostuviesen un ramo, o yaciendo, frescos y tersos como tubos de nieve a lo largo de las sábanas. Pensé en ella luego de la ceremonia tendida en la cama, el vestido un ollejo de lirio arrojado al suelo, abortado allí como una flor de almendro y ella vejada, vapuleada, ensalivada pero intacta, respirando una mancha tibia sobre el espejo helado, en la boca un ramillete de palomas congeladas durante el orgasmo. No podía soportar saberla tan abandonada, a la deriva sobre aquellas sábanas deshechas de ira, turbias de un resentimiento sin márgenes, el intento descabellado de destruir aquel destino que nos había tocado, la necesidad de que pasáramos por la vida con el paraíso intacto. Dí un suspiro de alivio al pensar que por fin podría cumplir mi cometido, llevar a cabo aquello que me dictaba no sabía bien si el instinto o la conciencia.

Cuando entré a servir a esta casa descubrí que vivir ya no me era necesario. El mundo de los hombres no era para mí otra cosa que un rumor sordo de voces, un estirarse de bocinas mongas por la calle, de pasos que se acercan y se alejan de la puerta sin ningún propósito. Antes de llegar aquí había vivido buscando el amor, obsesionado por la idea de encontrarlo alguna vez en el fondo de los ojos de los hombres, esperando tropezarme algún día, al pasar el cepillo para recoger la limosna en alguna iglesia, al encenderle una lámpara votiva al Sagrado Corazón, con un hombre que tuviese un corazón como el mío, una bomba botando fuego por la aorta, un corazón con el esqueleto de artillería sin astillársele todavía, un golpe de pólvora latiéndole dentro del pecho. Pero los hombres me temían, tenían los corazones carcomidos de caracoles, casi no se atrevían a tocarme. Si algún día aceptaban ir conmigo a mi habitación se conformaban con mirarme. Arrodillados frente a mí me achicharraban con ojos de chicharra impúdica, hundiéndomelos por todo el cuerpo sin el menor respeto, chichándome los oídos, la garganta, los tobillos a golpes, cachiporreándome sin atreverse a acariciarme, como si temiesen ser arrasados, devastados sólo de pensar que pudieran penetrarme. Entonces yo los rechazaba lo más tiernamente posible pero ellos se enfurecían conmigo, se ponían de pie vomitando insultos como gárgolas, maricón chupabichos, mequetrefe de mierda, santolete coge piedras hasta entre las guaretas y me golpeaban hasta dejarme sin sentido.

El día que la vi por primera vez la seguí por la calle hasta descubrir donde vivía. Al poco rato toqué a la puerta y me abrieron. Dije que estaba buscando empleo, enseñé mis mejores credenciales, no sé lo que me hubiese hecho si me hubiesen negado la entrada. Me asignaron una habitación al fondo de la casa, un catre de hierro, una silla y sin ventana. Cuando me puse por primera vez mi uniforme de sirviente me abotoné hasta el cuello las solapas de hilo blanco de la chaqueta como si me fijara al pecho dos alas almidonadas. Me miré al espejo y pude ver que el corte sencillo me iba bien a la cara, destacaba esa calidad de clara batida que tiene mi piel, a la vez dura y liviana, cercenada por un solo golpe de la espátula. Me puse mis guantes blancos, de rigor para todo buen sirviente, pensando que en adelante quedarían borradas todas mis huellas, agradeciendo de antemano la distancia que ellos pondrían entre mi cuerpo y lo que tenía que hacer.

Los señores depositaron en mí la responsabilidad de cuidar a su única hija, a punto de contraer matrimonio, cuando me colocaron a su servicio. Tan consentida que está, Dios mío, tan ingenua y entrando ahora en esa etapa tan peligrosa en que entran todas las novias, en esa etapa de espejo que de nada se empaña, al menos hemos encontrado un capeador capacitado de los caprichos de la nena, que no le pierda ni pie ni pisada, que en Dios la acueste y en Dios la levante, velándola para que no se nos descocote por el escote, para que no se nos encocore con su crica de cocolía bailando demasiado pegada de los hombres, protegiéndole la cricasálida, abullonada y pura como un copo de cotton candy debajo de sus faldas de tules, protegiéndola hasta que llegue el día de la boda y ella acabe de convertirse en novia, en ese ser perfecto y angustiosamente frágil que ahora sólo yo podré eternizar, en esa luna llena que ahora sólo yo podré fijar en medio del cielo, en esa ola monstruosa y erguida en picos, detenida por mí antes de golpear la costa.

La primera vez que le serví estaba sentada en la silla que le tocaba en el comedor. Me incliné hacia ella con los ojos bajos, la mano derecha doblada detrás de la espalda en un gesto de rigurosa etiqueta y le ofrecí la bandeja desbordada de vegetales perfumados con la mano izquierda, colocándosela cuidadosamente entre el oído y el hombro, en ese sitio exacto donde ella pudiese ver y oler los manjares ofrecidos sin tener que volver el rostro, sin tener que girar la cabeza sobre el cuello un solo grado para hundir la cuchara en el lago de mantequilla empozada al pie del árbol de plata, ajena a la angustia que me producía saberla tan cerca y sin embargo tan lejos, igual que si la estuviese soñando de nuevo, inclinándome fuera de las córneas de mis ojos para volver a mirarla comprendiendo que ella me había reconocido, que ella sabía que yo la había soñado porque ella me había soñado a mí, me había perseguido por esa calle paralela a la mía al otro lado del vidrio, había adherido su boca trompa de mosca a la otra cara del muro tratando de besarme, había machucado el vidrio con puños de culo de gallina tratando de romperlo, se había arrodillado innumerables veces frente a mí apretando palomas tibias entre las piernas hasta reventarlas, tratando de taparme la cara con sangre, con estrellas de esputo caliente sin poder alcanzarme.

Los días que siguieron a nuestro primer encuentro fueron nuestro paraíso. Yo preparaba los manjares de la boda con dedos de hada, urdiendo redecillas de almíbar alrededor de los bizcochos igual que si los tejiese alrededor de su pelo, planchando trozos de caramelo astillado sobre las pieles de los flanes como si los planchase sobre su carne, sellando lo más delicadamente posible el párpado tierno de las empanadillas con las puntas del tenedor igual que si le sellara a ella los párpados. Cuando comenzaron a llegar los regalos los fui colocando uno a uno en su habitación. Me gustaba observar cómo caían al suelo los lazos de plata fruncida, las cintas que ella desataba fríamente con las puntas de los dedos, enroscadas aquí y allá como pedazos de flauta.

Pero ella nunca estaba contenta. Me miraba siempre con la misma sonrisa de desdén, implacable ante todo lo que no fuese perfecto. Cuando por la mañana yo le llevaba la bandeja de café con leche a la cama hacía siempre un mohín de asco, porque el café que yo le preparaba le sabía a café de cafres, porque la jalea que yo le servía le sabía a ralea. Me ordenaba a gritos que le preparara su baño de sanguaza de malagueta, que le brillara sus zapatos de charol hasta que relucieran como cucarachas, que le bailara una y otra vez, para distraerla en sus tardes de aburrimiento de niña rica, la danza "De tu lado al Paraíso".

Empezaba entonces a husmear a su alrededor quejándose de que algo le apestaba, que investigara si el servicio estaba tapado porque morrocoyo viene de morralla y eso era lo que yo era, morralla, mampostial cagado por el diablo, marrano supurado de almorranas y por eso marrallo te parta, indigno de atar la menor trabilla de mi sandalia, indigno de lamer el suelo donde ella, si quería, cagaba. Yo guardaba sus palabras en las entretelas de mi corazón, las envolvía en las gasas más tiernas de mi carne como Lázaro antes de resucitar, antes de empezar a sangrar de nuevo. Escuchaba sus palabras y me sentía feliz porque sabía que ella me amaba, que ésa era la única forma que ella tenía de declararme su amor.

Por eso la mañana antes de la boda entré en su habitación como si entrara al paraíso. Hilo entonces el hielo deshecho de sus sábanas, recojo con dedos delicados los encajes de sus almohadas que siempre se le deshilachan un poco durante la noche, recojo uno a uno los vellos rubios de su sexo, como desprendidos de una gran cebolla dorada, y los oculto dentro de mi pecho, recojo las piezas de ropa intima que ha dejado caer por todas partes, sobre las sillas, debajo de la mesa, encima de la cama, esas membranas de entrañas de mamey que le cubrían los muslos, los telares adhirientes que cubrían esa herida de guamá que lleva hincada entre las piernas, las cuevas de guano que oculta debajo de sus sobacos, recojo las copas del brasier, ahora ya vacías de la pulpa de su corazón, lo doblo todo amorosamente y lo guardo dentro de las gavetas. Entro entonces a la sala de baño y abro la llave de la bañera para restregarla. Miro el remolino de agua y pienso en su cuerpo, en esa piel que detiene su carne como un cedazo para que no pase, para que no se deshaga en un chorro de leche inútil y pasajero, forzándola a quedarse más acá de los poros, haciéndola palpable, dándole peso y forma, cuajándola en el tiempo. Pienso en cómo yo la había soñado tantas veces creyéndola hombre, buscándola hombre, ocupando el espacio con el órgano impudorosamente erecto, obvio como un dios menor y sobreestimado, acostumbrado al rito consuetudinario de ser adorado, de ser acariciado en redondo, doblado de dolor tan públicamente para probar que sí puede, que el cetro del mundo no le ha sido arrebatado todavía, que todavía puede ordenarle al sol que se oculte y a las estrellas que inunden el cielo de semen con mover un solo dedo de la boca bicho, que todavía puede ponérselo a las mujeres, pisarlas hasta dejarlas cluecas de placer, hasta ponerlas a gritos de rodillas en el cielo, dejarles las pulpas de los ojos majados a mamerrazos de berenjena, sentarlas en la popeta una y otra vez hasta dejarles la chocha chonga, hasta dejarlas chuecas, chumbas y choretas, ordenadas en hileras de muslos, mondas, ñocas y lirondas, alineadas en ristras enchuladas de chuletas que caminan por la calle entrechocándose la chocha, amansadas, entregadas por fin, comiendo de la mano como palomas tiernas, chupando extasiadas la yema sagrada del padre, del hijo y del espíritu santo hasta el fin de los siglos, putrificadas para siempre en carne de putas para que ellos puedan seguir siendo santos, para que ellos puedan seguir marchando en los ejércitos de san josés, la vara eternamente florecida en la mano, en esos defensores de las esposas encinta, preñadas por el oído con un beso de lengua y ahora la descubría todavía novia, todavía virgeputa intocada y por lo tanto salvable. Levanto entonces la tapa del servicio, ese ojal suave donde ella deglute sus gluteos golosos de miel y lo restriego todo cuidadosamente, hundo hasta el fondo de la taza el cepillo de cerdas de seda como si lo hundiese hasta el fondo de su garganta, pensando, al meter la mano para tocarlos, en la poca diferencia que hay entre los hilos de miel que ella orina y los hilos de hiel que supura por la comisura de los labios cada vez que me habla, metiendo la mano para aburar con mis dedos los grumos anonadados de su mierda, amasándolos con ternura porque sé que ésa es la materia más antigua de su soledad, amándola con más fuerza que nunca al saberla tan avara de su propia podredumbre, tan valerosa y soberbia a pesar de vivir cargando, enroscada como una culebra hedionda, su propia muerte dentro del vientre. Deseando consolarla de ese conocimiento que todos adquirimos desde niños al vernos cagar nuestra propia carne podrida prematuramente, reconociendo que aunque lograría eternizarla, jamás iba a lograr consolarla, lograr que aceptara, serena y conforme, el paraíso que nos había tocado.

En cuanto supe que los señores regresaban comencé a limpiar la casa con una furia de azote. Sacudí los vientres de las cortinas hasta reventarlos contra el techo, bruñí los pisos de mármol, los rebané sin compasión en lascas barnizadas de carne, resbalando arrodillado tomates de piedra adolorida sobre la superficie lisa, empujando el trapo de bayeta con los socos de las muñecas hasta quedárseme los bofes pegados de las palmas, abrillantando las llaves del agua para que rutilaran en la noche como estrellas, acharolando las rosas talladas de los muebles con aceite de coco, con aceite de limón, con aceite de sándalo para que cuando ellos lleguen los reciban más cómodamente, el contorno de la madera o del tapizado acoplándose al contorno de sus cuerpos, amadrigándolos en paz, guareciéndolos en su seno.

Ahora han estado esperando que sean un poco más de las cuatro de la tarde para invadir la casa. Amigos y familiares los acompañan desde el aeropuerto en un lento cortejo, contorneando las aceras, arremolinándose en las esquinas, destorciéndose por la calle en una cola espesa de flores. Ya siento los automóviles llegando, los pasos subiendo por las escaleras. El álbum está sobre la mesa. Demasiado obvio para que no lo noten, demasiado evidente. Se han intuitivamente puesto en fila, formando un ejército tijereteante que va entrando por la puerta. Las damas han ido al salón de belleza, los peinados tiesos de laca en orden perfecto, ni un pelo fuera de sitio. Pasa una cabeza de rizos diminutos y simétricos como un tazón de caracoles de pasta. Pasa un casquete de charol anudado en la nuca. Pasa un panal barroco trasudado. Todas estrenando, hilo, seda, trajes negros. Joyas, por supuesto, el erizo de perlas y brillantes justo aquí, en la solapa, donde más gracia hace a la cara, el collar y la sortija haciendo juego, el conjunto de patitas movedizas que sacuden por la punta gotitas de brillantes. Van sentándose en la sala. La conversación es animada, se desplaza como una nube de insectos al atardecer en la playa, por entre las alas inquietas de los abanicos. Las damas sacan pañuelos y se secan lágrimas, gotas de sudor, se enjugan las mejillas, el cuello, las sienes, lloran por todas partes, por la comisura roja de los ojos, por la espalda, por entre los muslos, los lamparones adensan la seda, la hacen más negra, la brotan de destellos de sal, de miles de cabezas de alfileres. Vestidas ahora de granito negro ellas se hacen señas, susurran, gimen, se cimbran unas hacia atrás y otras hacia adelante en pequeños coros, rutilan absolutamente seguras de sí mismas, hablan, hablan todo el tiempo, mueven lenguas por las puntas de los codos, dentro de los escotes, detrás de las orejas, llevan una lengua estuchada en cada uña. Yo voy pasando entre ellos las bandejas tintineantes, los vasos helados de refresco de limón atrapados instantáneamente, engrifados.

Los señores se han dejado caer a plomo dentro de las butacas que exhalan un perfume mustio, de plumas que no han sido removidas en mucho tiempo. Me piden café, me piden té, me piden aspirinas. Las damas de granito negro se acercan, compartimos, padecemos, acompañamos en la pena, queridos, lo que los queremos, no los habíamos vuelto a ver desde el día de la boda, ese entierro tan súbito, nadie se enteró hasta que ya fue demasiado tarde y luego tanto tiempo de viaje, dicen que tuvieron que recoger los sesos que dejó desparramados por el parabrisas, que la segunda sacudida la arrojó contra el vidrio y que los hilos finísimos siguieron hendiéndose, ramificándose a su alrededor durante mucho rato después del accidente, desgranando pedacitos de esmeril sobre su cuello, sobre sus hombros igual que si la escarcharan, los azahares de la corona, el vestido cubierto por miles de lentejuelas nuevas, filosas, dentelladas, como llamas, como cierzo. Parecía que alguien hubiese querido congelarla, preservarla para siempre igual que se veía entonces, el vestido de piel de ángel cuajado a su alrededor como un remanso, la cabeza torcida boca abajo, ahogándose en el torrente de su velo. Pobres, lo que los queremos, lo que lamentamos, queremos compartir la pena, movernos a lástima, recordarla, a eso vinimos. Imposible, hemos destruido todas las fotos, todos los regalos, todos los recuerdos, no queremos saber nada del asunto. He logrado por fin hacer que reclinen las cabezas sobre las rosas acharoladas de las sillas, que hundan los zapatos en los vellones suavísimos de la alfombra, cierren los ojos, no hablen más.

De pronto alguien descubre el álbum sobre la mesa. Lo examinan, lo sostienen por el canto sin atreverse a abrirlo, cómo ha venido a parar aquí, sorprendidos, asombrados, la memoria un hueco empedrado de golondrinos, sofocarla bien con fomentos calientes, rociarla arribabajo con vinagre, hacer gárgaras de creosota con ella. Pero no pueden remediarlo, va pasando de mano en mano, se acurruca en el hueco del brazo, se tiende, dócil, debajo de las palmas, no pueden resistirlo, lo han abierto al fin. Van de grupo en grupo al principio entorunados, rezongando, mostrando de mal humor las escenas deslumbrantes, poco a poco con más entusiasmo, engranándose en la curiosidad ajena, las bocas inundadas de saliva, observando cómo la novia se somete una vez más a los quehaceres de mis manos que no cesan, que no se detienen ni por un momento, van y vienen diligentes, ardorosas, palpitantes como insectos, siempre con un propósito exacto, dejándose colocar por mí el anillo de galaxia alrededor del anular con una familiaridad impudorosa, dejándose estirar la cola de lirio detrás de sí hasta que la obligo a formar un pistilo con su cuerpo, dejando que le acomode las capas de hojaldre polvoroso alrededor del rostro, observando mis ojos que la observan desde el fondo del panal como abejorros blandos. Las láminas relampaguean, saltan, lascas de cera hirviente se les adhieren a las manos, a la cara, a los brazos, tratan inútilmente de arrancárselas pero no pueden, se han quedado mudos, sin lengua que agitar en boca, en poro, en ingle, ni en sobaco, retorciéndose tratando de escapar, desmembrados.

Poco a poco los grupos de amigos y familiares se han ido levantando, besitos, cariños, palmaditas que suenan a muñecas que ya no pueden con la colgadera de monedas, máscaras ya un poco derretidas, colocadas con infinito cuidado sobre las caras frente al altar del espejo, los pinceles untados en los últimos productos de Revlon.

Esta casa tan rechinantemente limpia, parece que lo hubiesen hecho a propósito para que nos fuéramos pronto, para hacernos sentir incómodos, las alfombras suspiran cuando les enterramos los tacos, la piel de los pisos se rasga con los clavos de nuestros zapatos, han regresado con tanto recuerdo a flor de piel, enquistados a la cintura como racimos de culebrilla púrpura, llorando por todo, mesándose los cabellos por todo, sintiendo a cada momento un quejido trepándoles por la garganta. He comenzado a empujarlos disimuladamente en dirección a la puerta, las damas han terminado de rezar el rosario, ahora lo guardan con un clic preciso en sus estuches de filigrana, en forma de corazón o de mariposa, de porcelana de limoges con pastoras columpiándose al final de largas cuerdas de flores, tendrá que cuidarlos mucho, pobres, todo esto ha sido demasiado fuerte para ellos, menos mal que lo tienen a usted hoy que ya nadie tiene sirviente, usted sabrá qué hacer para ir consolándolos, servirles su potaje calientito cuando salgan de la habitación, llevarles una tacita de té de tilo o de guanábana servida en bandeja con doile albo, de organdí o de linó cristal para tranquilizarlos, alguien se pasa la punta de la lengua por los labios resecos, qué calor, son una pejiguera estos pésames, al menos vimos el álbum, son tan hermosos siempre los álbumes de boda, las novias tienen algo tan misterioso y a la vez albicante, algo que fuerza a uno de pronto a parpadear, a llevarse una mano a los ojos como para protegérselos de algún alud de nieve, de algún derrumbe de calicanto. Caminando arrastrando un poco los pies, las piernas a pedacitos trembleques, calamitando, me acerco a la puerta y les abro.

A los pocos días del velorio los señores se sintieron mejor y decidieron que no era saludable seguir viviendo en la casa. Resolvieron irse a vivir a un condominio de moda con incineradora, trituradora, elevador para perros y bañera romana. Fue entonces que mi corazón entró en la casa como un corazón de hierro. Retumbando. Latiendo a golpes. Entrechocándole pelotas de pólvora por todas partes. Explotándoselas dentro de los ojos, dentro de los oídos, dentro de la boca para desvirgarla, para reventarle por fin esa piel de vidrio, esa cáscara de niña bien tan cuidadosamente esmerilada, tan repugnantemente dulce en que la habían envuelto. Reventándola para que sintiera, para que participara, sumergida durante tanto tiempo dentro de su estuche como en el fondo de un agua azul, preservada de todos los dolores del mundo. Desgranándola poro a poro igual que un velo, entrando en ella para arrasar con sus muslos, su cuello, sus brazos hasta convertirla en una montaña de polvo, luminoso y cortante. Ahora ya no queda de ella más que un solar baldío y este extraño bienestar que siento al abrir la puerta del condominio y acomodarme yo también en el cubículo que me pertenece. Aquí podré hojear tranquilamente las láminas del álbum para seguir edificándola, para seguir segregándola pared a pared, celda por celda. Aquí podré labrar y relabrar en paz, sin prisa, borrar y repulir, podar y retallar cien veces su imagen de la novia perfecta, arrodillada para siempre en el reclinatorio de seda china, frente a la custodia de brillantes. De pronto me he quedado mirando esos ojos que han venido observándome desde que comencé a hojear el álbum, semiocultos detrás del torrente de su velo. Entonces me detengo porque sé que mi búsqueda ha terminado, sé que por fin me ha reventado por el costado y me ha obligado a nacer, a reconocerme, como ella, intocado e intocable, detenido en este momento de éxtasis en que me seduzco a mí mismo amándome, mamándome, fellahín libélula alargada volando en círculos, prisionero ululante de mi propio fellatio. He caído de rodillas y he comenzado a rezar. He aquí el ángel del señor, haced de mí según su palabra, soy de oro y oro una vez más porque juntos hemos descubierto la hora del ángel, soy unánimemente verde, arrancado de la rama antes de tiempo, mi carne no conoce ni de venas ni de redes ni de riendas, soy orándome, horadándome, horadándomela meticulosamente, acercándome cada vez más a ella en la hora de su muerte, en la hora de mi muerte, la muerte de la novia y la de su sirviente, desterrados para siempre al mismo cielo.

Maquinolandera

Nosotros, los maquinolanderos, somos los que somos, señores, venimos, los maquinolanderos, en nuestra maquiná. Nosotros, los chumalacateros, ecuahey, venimos hoy aquí, señores, a vaticinarlos, a profetizarlos el día de San Juan. Nosotros, los vates de San Clemente, los profetas del mondongo encocorado de los cueros de los congos, nosotros los gozaderos, los bendecidos, los perseguidos por los agentes de la ley, venimos a divinarlos, llegamos a lucimbrarlos, venimos a lunizarlos hasta hacerlos dar a luz. Maquinitamelleva, gritamos, mellevelagozadera, soneamos, seformólachoricera, bombeamos, bajo el mando de Ismael. Nosotros los condenados, los jusmeados por los jocicos jediondos, los jodidos por las jetas joseadoras de los agentes de la ley. Nosotros, los cucaracheados por los escondrijos, los evacuados por los canales de los arrabales donde nos solemos estar. Nosotros, Ray, Roberto, Willi y Eddi, Dios los cría y ellos se juntan, bajo el mando de Ismael. Ismael el bendito porque Dios lo escucha, tiende su lomo frente a él y le dice pégame, pégame duro mi amor, qué rico suena mi tambor. Ismael bongocero, dale que dale y tumba que tumba, pegándole al cuero de Dios. Ismael Nazareno, el cristo negro del pueblo, clavado a la cruz de Celia con largos clavos de plata, haciéndolos revolverse, haciéndolos retorcerse, haciéndolos rebelarse con alta fidelidá. Maquinitamelleva, gritamos, maquinitolandera, tumbeamos, chumalacatera, bombeamos, bajo el mando de Ismael. Ismael el llamado nos llama, señores, Ismael nos junta, nosotros, los cazadores de ballenas blancas preñadas por Dios. Nosotros los ajusticiados, los soneros songorosos de los sones del sollozo, pegándole a los bongoses con manos de sangrasa, con caños de cañones fétidos por el fandango del muladar. Nosotros, los sonsacados de prisión por obra y gracia de la cruz divina de Celia, la diosa del ritmo, la agitadora, la Químbaracúmbaracumbaquímbambá, meando desde el fondo de su garganta el melao ardiente de su voz para purificarnos, para latigarnos con la furia destorcida de los intestinos de Dios. Nosotros, los chumalacateros, maquinistas carboneros de este último holocausto en que todo ha por fin de estallar, venimos hoy aquí, señores, a hacerlos venirse a todos, a hacerlos rebelarse, a hacerlos revirarse, en nuestra maquiná.

Me quedo inmóvil sobre el piso de mi celda y las escucho, puedo vagamente escucharlas, pongo mi oído sobre las losas y las oigo cantando, bailando, envueltas en el vaho rítmico de mi respiración, en esa humedad tibia que me crece alrededor del rostro desde el cabello a la barba haciéndome invulnerable, surgiéndome de ese tufo invisible en el calor que siempre me precede, anunciándome, preparando el aire que he de atravesar segundos más tarde para afirmar mi existencia, para asegurarme de que todavía vivo, de que todavía puedo insuflar mi aliento dentro de sus bocas de otra manera cerradas para siempre, adheridas por esa podredumbre hacia adentro que suele ser el comienzo, el principio, oculto y secreto, de toda descomposición. No tengo prisa. La calma me nieva desde la frente y me blanquea la barba, me algodona la curva blanda de la boca. No tengo prisa. Cierro los ojos y las veo atravesando celda por celda las galerías de los años que he pasado aquí, sepultado vivo en la cárcel de las tumbas pero siempre soñando, soneando, improvisando mi retorno al mundo en cuerpo y alma, en nota y palabra, buscando con serenidad la frase exacta, la superficie precisa que separe mi rostro del vacío. Definiéndomelo en la oscuridad con las yemas de los dedos para saber dónde comienza, de dónde nace ese espacio que ocupo brotándome hacia adentro, palpándomelo una y otra vez para reconocerme, para escucharme Ismael hijo de la sirvienta doñamargotrivera maquinitolandera que componía canciones en casa del amo rico, para escucharme el confinado de la tenia grande que todo lo devora por la soledad del vientre, el encalabozado en solitaria por los siglos de los siglos.

Todavía no sé dónde, cuándo, aprisionadas en medio de cuál compás, entreparadas, orgullosas y rígidas, entre las cuerdas de acero de cuál pauta quedarán pronunciadas, fijadas para siempre en la inmovilidad de cuál oración todavía dispersa, colocadas en esa secuencia que sólo yo podré adivinar, precedidas por palabras todavía ignoradas pero reinando entre ellas, perniabiertas y obscenas, vomitando de cuajo toda la vida que cantan por la boca, absolutamente seguras de su poder. Desde ahora puedo decir que desconozco el orden y que no me importa, me tienen sin cuidado la coherencia y el sentido. No sé si mamá la traerá con ella, cantándola tranquila por las cuestas recostadas de la Calle Calma, o si la traerá consigo Celia, cargándola desde el Levante. No sé si olfatearé su tufo por entre las axilas de cilantrillo de Ruz, o si percibiré de golpe su presencia en el fragor infernal de los socos de Lhuz. No sé si esperaré su triunfo ante el espectáculo giratorio de Yris, ante ese escándalo de su carne vale girando a cien revoluciones por minuto por el Madison Square Garden, o si la vislumbraré por las carnestolendas de su fama, encendiendo a las muchedumbres en Alaska. No sé si entenderé por primera vez el sentido en la hermenéutica de sus nalgas, repicando alegremente por entre los tambores del Congo, o si sentiré por fin su calor ante ese serete que cae, flameando, desde Puerto Rico al mundo, en una aureola de fuego por sus espaldas.

Rodeado por las paredes de mi celda, no existe para mí otro espacio que el que ocupo, he olvidado el paso del tiempo. Nada se interrumpe, nada comienza, nada termina. Sólo me importa inventarla, o lo que es igual, encontrarla. Perseguir día a día su rastro como el de una fiera en celo, ese trazo grasiento que va quedando untado a su paso por la tierra, ser testigo suyo a cada feroz encuentro con el amor, o lo que es lo mismo, con la muerte, percibir a distancia el hedor de aquellos que han dejado de amarla y que ahora será necesario exterminar, de aquellos que insisten en olvidarla porque desean seguir inviolados, cauterizados todos los esfínteres pero moribundos, goteando la podre por los abismos de adentro.

Ahora Ray va a la cabeza, Ray nos dirige, los dragones relampagueándole muslo arriba por las costuras de los pantalones, lentejueleándole mar de llamas por las espaldas de la chaqueta, nos indica el camino con la trompeta, se ha puesto un dedo sobre los labios para indicarnos cautela, nos obliga a arrodillarnos dentro de las zarzas para ocultarnos, cardos de hierro nos desgarran las canillas, cadillos de acero nos adhieren los codos, desviándonos encorvados para internarnos por los senderos enmohecidos, infernándonos por la maleza, separando con brazos abrasados las ramas erizadas de cobos humeantes, de jaibas de azufre para poder pasar. Yris, Ruz y Lhusesita se nos han adelantado, veo sus huellas por el lodo adolorido. Esperan, pacientes, sabiendo que llegaremos a su lado, se han dejado llevar mansamente hasta la orilla de la playa. Daniel, Santo Dios, Santo Fuerte, Santo Inmortal, las acompaña, Daniel, líbranos Señor, ahora y siempre, de todo mal, va el primero, moviendo inquieto sus hombros de toromata de lado a lado para abrirles trocha por entre la chatarra mohosa, adentrándose frente a ellas por entre la selva de metal humeante, manchándose indiferente el traje de hilo blanco con la sangre enmohecida de los troncos, hinchando ante sus ojos su pecho de anacobero para darles valor, para embravecerlas ante la presencia de esa arca sagrada donde duerme la anaconda de su voz, donde se resuelve, todavía tranquila, la guanabacoa carnosa que le sale a mordidas suaves cuando canta por la boca.

Enciendo la radio y escucho la misma voz de siempre, describiendo árboles que abortan frutas y manantiales que despeñan espuma de nitrato de plata desde lo alto de los montes. Abrumado por las repeticiones aburridas he comenzado a verla desnuda, sentada sobre la tarima recién pintada de blanco, la boca abierta como si fuese a cantar. El aire huele a dientes quemados y a uñas chamuscadas dice la voz, mientras voy observándole detenidamente el cuerpo pero no alcanzo a verle la cara, se la esconde continuamente entre las manos, se la enjaula en una celda de uñas sangrientas. Un chorro de sevenup la baña súbitamente frío, goteándole la quijada en el aire como un sexo rasurado con blueblade. El mar agita olas de helio y las playas aletean de peces muertos, repite la voz. Las gotas han comenzado a salpicarle el cuello, rodeándoselo de una gola de moscas gelatinosas y resbaladizas, el semenup salpicándole ahora los hombros desnudos que espeta en el aire con desafío, salpicándole los pechos compactos de hielo pulverizado en bolsas de goma. La tierra se desmadra de sus entrañas, se derrite en toneladas de vísceras por los costados humeantes de los montes. La voz es ahora un zumbido que rebota de las paredes de mi celda y me perfora los oídos, me hace verla más claramente, el semenup escurriéndosele por el vientre acezante de pulmón de vaca, grosera y hermosa a la vez.

Roberto se nos ha adelantado, nos ha sacado gabela. Nos hace comprender que es imprescindible llegar rápidamente a la playa, nos abre el camino derritiendo la maleza de metal con el lanzallamas de su flauta. Las llaves plateadas se hunden bajo sus dedos para chorrear fuego sobre los chasís desarrajados, sobre los caparazones volcados de los carros, destripados de asientos y cristales, sobre los carburadores carbonizados que no nos dejan pasar. La procesión nos alcanzará pronto, podemos verla ya reflejada al revés en las peras negras de los lentes de Roberto, adivinamos su cercanía la ondulación apremiante de su cuerpo, en los pálpitos violentos de su camisa de satén de berenjena. Ellos llegarán primero, podemos verlos desde aquí arrastrando con desgano la tarima de tablas recién pintadas donde tomará lugar el espectáculo, el escenario donde ellas cantarán más tarde para distraerlos. Bamboleando sobre los hombros la imagen de yeso de la Virgen al vaivén bembeteado del cura español, comboyando, baboyando a la fuerza la Virgen, Virgen María, Madre de Dios, subiendo y bajando las lomas de vinyl verde, el camino chicloso empegostándose a las suelas de los zapatos. Nosotros, los chumalacateros del Señor, somos los que somos, señores, los vemos, vienen por el camino, de lejos los divisamos, vestidos de aluminio, calzados de zahorra y cubiertos de sarro. Salen de sus casas, nada los asusta, nada los arredra, como son las cosas, señores, como son las cosas, se acercan al mar. Se notan inquietos, removiendo los hombros por debajo de los capacetes de hierro, olisqueando el paraje con máscaras de hocico de perro, escudriñando, sospechosos, los vahos de monóxido de carbono que tendrán que atravesar antes de llegar a la playa. Empecinados en ver el mar como si fueran a verse el alma, empeñados en verlo retorcerse por entre las rocas de hierro, hediendo, humeando, hirviendo, hasta el confín del cielo. Ocultos por la maleza podemos verlos pasar por entre las filas de los agentes, por entre los viciosos de la fuerza de choque, por entre los narcotizantes y los estupefacientes, los armados de telescopio y retrovisor. Sabemos que todos los caminos estarán clausurados, atestados de escuadrones cargando metralletas, las cinturas en frutecidas de granadas polvorientas, los cascos empujados hacia atrás como bolas de ojos en blanco.

Me levanto del piso y me tiendo sobre el camastro, cierro los ojos y sonrío. Recorro con la memoria los seis pasos norte cinco sur que constituyen el perímetro de mi mundo y me siento contento. No tengo prisa. La calma me nieva desde la frente y me blanquea las manos. Examino despacio las cuentas del rosario de hierro que cuelga a la cabecera de mi cama. Respiro el perfume de las varas de azucena que se han ido doblando, marchitas y en desorden, frente al retrato de mamá. Lo aspiro deliberadamente y lo entremezclo al del pitillo que siempre me perfuma los labios, al de esa grilla azul que me ilumina los ojos, me los empolva de cenizas dulces, me los espacia de distancias deliciosas. Los tallos se sumergen en el agua descompuesta como astillas atravesando un ojo turbio. Dejo que el perfume que las flores muertas y asebadas rezuman en su honor me adormezca, me enmarañe las pestañas del sueño. La azucena es una flor que sale, pienso, los capullos se agrupan unos junto a otros como dedos de lagarto tierno. Algún día sabré cuál es, cómo es, algún día habré terminado de inventarla. Aspiro el perfume azuloso y logro comenzar a pensarla de nuevo, quebrando con deleite las azucenas marchitas por lo más delgado del tallo como si le quebrara a ella las coyunturas frágiles, acariciando las largas varas verdes de sus huesos que se retuercen furibundas bajo mis manos, cubierta toda de estrellitas podridas y de guantecitos muertos, contemplándola florecida al fin, sembrado todo su cuerpo por los orgasmos de la muerte.

Sabíamos que sería difícil pero no imposible, señores, nosotros, los maquinolanderos, lo habíamos planeado todo tan minuciosamente, habíamos aceitado todos los cilindros, todas las turbinas, todos los gatillos de nuestra maquiná. Espueleábamos las poleas, girábamos las correas, ensayábamos una y otra vez las figuras que habríamos de ejecutar. Sabíamos que habían colocado nuestros retratos dentro de todas las tazas de todos los orinales públicos, sobre los fuselajes fugaces de todas las guaguas, en los paños de cal viva con que habían calafateado toda la ciudad. Sabíamos que rostros aprehensores nos acechaban, ojos olfativos nos rastreaban, rotenes de rotorooter nos rotaban, nos impulsaban vertiginosamente a actuar.

Ahora vemos a Willi que ha tomado el mando, la barba le brilla de brillopad caliente alrededor del rostro, lo arropa de pronto en filamentos de fuego porque el sol se la prende, es el mismo sol de siempre, incrustado en el cobalto sin nubes pero Willi lo desafía el primero, levanta las palmas para enseñárnoslas, esas palmas benditas con que le pega a las congas, tumbeando, quinteando, haciéndonos bailar la seguidora bajo el embrujo de sus manos, seguirlo hasta arrastrarnos junto a él sobre la arena candente, metiéndonos corazones a cada golpe, pequeños odres de odio un poco arriba a la izquierda por todo el cuerpo donde conectada/conectó viene la bola para home el puño puñeta de los agentes en nuestra carne indefensa, haciéndonos recordar la baba caliente de los lobos que nos salpica, que nos ha sal picado en tasajo durante siglos. Nosotros, los maquinolanderos, Ray, Roberto, Willi y Eddi, los soneros songorosos de los sones del sollozo en medio de la noche huyendo, en medio del miedo huyendo, en medio del huye huitinila huye huyendo, los nietos del gran becerro los becerrillos mordiendo molinetes de talones blandos en medio de la oscuridad huyendo, haciéndonos recordar las persecuciones pasadas, entazadas, hacinadas unas sobre otras hasta desembocar en esta, en la montería mayor de nuestro son montuno, en la cacería carnívora de nuestro canto, en este hacernos cundir como la verdolaga por entre el ramaje del mangle.

Cierro una vez más los ojos y los abro, parpadeo sólo de hora en hora, como los lagartos. El humo de las azucenas me sube por el pecho, me invade en una marea cada vez más lenta, me sale en grumos perfumados por la boca. Ahora puedo ver sus rostros frente a mí, ondulantes y translúcidos, reflejados en el agua que se va aquietando, asentándose hasta el fondo como el sedimento de un sueño. Veo el limo crecerles al fondo de los ojos y darles una frescura imprevista en las cuencas de la mirada, las bocas de las trompetas me miran verticales desde el fondo, todavía opacas y manchadas de verdín. Casi puedo sumergir la mano en el agua y tocar con las puntas de los dedos el trombón de Ray, la flauta de Roberto, los tambores de Eddi, los timbales de Willi, los bongóes que siempre llevan con ellos para cuando yo regrese, para cuando me les una en un día cualquiera en cualquier cafetín y me les siente a su lado. Permanezco absolutamente inerte sobre el camastro, los ojos cerrados, las manos y los pies colgando por los bordes como peces muertos para hacerlos surgir con más fuerza, escoltándolas de lado y lado por entre las zarzas. Yris, Ruz y Lhusesita, quizá también Celia y mamá, caminando tranquilas junto a ellos, sin saber sobre las espaldas de cuál llegará montado el ángel, en cuál de sus rostros acabaré por beber boca abajo el aliento, en el fondo de cuáles ojos acabaré por encontrarla al fin. Sarnoso y realengo, por las huellas de cada una de ellas persigo su rastro, olisqueándolo sanguinolento por las calles de La Perla, por los riscos de latones del Wipeout por donde pasan tumbeando, quinteando, saltando felices de Barrio Obrero a la Quince un paso é, hasta la zona turística. Me quedo inmóvil, hundido en el fondo de la sábana como en el vientre de un banco de niebla. Yris, Ruz y Lhusesita esperan, pacientes, rezan aves a la Virgen, se peinan unas a otras, se untan una gotita de perfume detrás del lóbulo, beben una copita de licor, aguardan la orden de subir a la tarima para dar su show.

Willi se descubrió el primero, saltó enloquecido por las congas fuera del mangle. Ahora se ha derrumbado, se arruga frente a nosotros en un viroteo de viruta, se carboniza ante nuestros ojos en bonzo anaranjado orlado de luto, empedrado arribabajo de carbunclos. Los cueros de las congas saltan a su alrededor en chicharrones dorados, un agente apagó el lanzallamas apretando el botón con el índice. El altoparlante recita tranquilo Virgen, Virgen María, Madre de Dios, las flores plásticas de los flamboyanes humean pétalos aceitosos y flexibles, las ramas de neón de las playeras eléctricas encienden y apagan racimos de uvas multicolores, el viento remueve hojas de goma estampadas a presión. Una línea de azul intenso forma un recuadro alrededor del estrado, aquí y allá una placa dorada, una esquirla de visera, un botón de uniforme destella al sol. Al centro, una masa gris removiendo la arena, un tintineo de cadenas, unos ojos cautelosos espiando las zarzas.

Ahora es Eddi el que nos dirige, Eddi detonando la batería de los timbales mientras va pasando entre nosotros, ofreciéndonos a cada uno una lata de sevenup, levantándola a contrasol y borboteándonos el chorro de almíbar gélido contra los dientes, derramándonoslo por la barbilla, por los resquicios cosquillosos de la boca. Es Eddi el que nos hace calcular la distancia que nos separa de la capa de molletes muslos moflers frenos tapabocinas volantes latas latitas latones inscritas please don't litter dispose of properly que arropa totalmente la playa y cubre los pies descalzos, los zapatacones de acero de los enfilados alrededor.

Nos sonreímos. Nadie ha notado nada, nadie se ha dado cuenta. Olfateando nuestra música han comenzado a bailar, la salsa ha comenzado a humedecerles las entrepiernas. Eddi galvaniza las bombas de la batería, Roberto blande feliz el lanzallamas de la flauta, Ray levanta la trompeta al nivel de sus ojos listo para disparar. Nos pusimos las gafas de sol para ver mejor dentro de la ventisca de arena que levantaban las plantas pateadoras de los pies sonrosados, los jinquetazos de las caderas, la melcocha de los cuerpos que por allá jumea basculeaban frente a nosotros meneando su salazón. Atentos y pierniabiertos los agentes se apostaban a ambos lados del estrado para observarlos, sus sonrisas de cera rancia derritiéndoseles por las comisuras de la boca.

Aspiro profundamente el humo de las azucenas, el perfume de la estrella azul que llevo hincada a los labios. Ahora es necesario recordarlo todo, las mechas de cordón de zapato dentro de las bombas, el filo amolado de las bayonetas dentro de las trompetas, el combustible más potente filtrado dentro de las flautas. Es necesario que los asista en todos los preparativos, oírlos, contentos, fundiendo los fuelles de sus instrumentos por los ranchones de Trastalleres o saltando del tingo al tango por los tinglados del Tíbiritábara mientras van ensayando, preparándose en los asaltos menores, en el incendio de alguna refinería pequeña, en la explosión de alguna fábrica de productos químicos o de afeites de mujer. Es necesario que los vea claramente y camine a su lado, los acompañe cuando entierran a los muertos de Tokio, vaya con ellos a curarles los chancros a las putas del muelle, les siga los pasos a las que abortan con gancho por los tugurios de tursi. Es necesario que yo también sea reverente, me arrodille frente a las cueras desnudas de los bares y deje que me ensangrienten la cara, me la estrujen contra sus sexos empolvados de escarcha, ayudarlas a colocarse amorosamente una hoja de jen en la palma de la mano, oculta en el fondo del pliegue de la vida, enseñarlas a hacer sus cruces de amor sobre las espaldas de los marines para grabar así de antemano nuestro pacto de sangre.

La imagen de la Virgen se detuvo por un momento sobre la corriente de cabezas inquietas, se bamboleó por unos segundos, perdido el rumbo, y se volcó sobre el piso expirando una nube de yeso por los fragmentos de la boca. Dimos entonces por fin el primer paso, nosotros, los maquinolanderos, en nuestra maquiná. Maquinitamelleva, gritamos, maquinitolandera, coreamos, chumalacatera, soneamos, bajo el mando de Ismael. Culatazos silbaban, brazos quebraban, piernas partían, se cerraban de golpe todas las válvulas, todos los cilindros, todas las compuertas de la represión. Hombres y mujeres elevaban al cielo su aullido al verse agredidos por los truculentos, por los tremebundos de cachiporra y espolón. Sabíamos lo que todos sabemos, señores, no sabíamos nada, no había nada nuevo, no sabíamos más. Empuñando garrotes, embragando bastones, los escarabajos golpeaban furiosos a su alrededor. Nosotros reímos, fogueados, calientes, soneamos los sones de nuestras calderas, cantamos felices, los dichos y lemas, bailamos en la jodienda de nuestro ritmo su sometimiento de siglos, su hambre milenaria de libertad. Entonces vimos como, en medio de nuestra música celestial, se encontraban y se reconocían, se saludaban salseando por los pasadizos empedrados de Salsipuedes, trepaban enardecidos por las alturas nevadas de Altoelcabro, bienaventurados, jugaban pelota por los jardines esmaltados de los Bravos de Boston, ilusionados, corcoveaban corceles de paso fino por las praderas cegadoras del Último Relincho, reconciliados, solidarios al fin, se abrazaban en comparsas de amor por los callejones resplandecientes de Honkong. Nosotros, los maquinolanderos, no sabíamos nada, señores, no había nada nuevo, no sabíamos más.

El altoparlante derramaba rezos mezclados a súplicas, a gritos de cabezas rotas rodando por entre las flores plásticas cuando escuchamos por primera vez el borboteo de una voz surgiendo por entre los fragmentos de yeso de la Virgen, una voz que derramaba una salsa gruesa sobre los cráneos abiertos, una salsa olorosa a laurel y a tomillo, a perejil florecido de almendras, una voz sangregorda y lenta, que resollaba por entre las ollas milenarias de guiso de carne prieta, una voz suave, borbollando malanga y yautía en lentos latones de sudor sangriento, que rezongaba por las barbillas descarnadas a golpes en gotas de orégano, una voz de ajos carajientos que maldecía dulcemente, quedamente. Era Ruz que había tomado el mando, era Ruz que abría para nosotros la boa desmesurada de su boca bajo las orbes planetarias de sus fosas nasales para respirarnos su paz, era Ruz que envolvía los anillos de su benevolencia alrededor de todas las macanas, de todas las manoplas, de todos los puños, era Ruz, rasgando los abismos de terciopelo negro de su voz para darnos tiempo, yo soy yo, cantaba la Negra de Ponce, La Borrachita, abriendo su glotis de morsa degollada al borde del abismo para distraerlos, yo soy yo, cantaba apacible la negra llena de Dios, la que seno entre los senadores y los amamanto con mi paz, la que los arrullo por la ensenada honda de mis senos. Yo soy yo, cantaba, despalillando sobre ellos las venas tiernas de su respiración, exhalándoles encima pulmones perfumados de hojas de tabaco para tranquilizarlos, para adormecerlos bajo los luceros de las noches tibias de sus recuerdos del ayer, para arrullarlos en los zafiros deshechos de su nostalgia, a la sombra de los bastiones de en mi Viejo San Juan.

Sentada impasible sobre su tarima de sapa monumental la vimos temblar por todos los flancos de su vientre al sentir los filos de las bayonetas rizándoselos en orlas, la vimos abrir cada vez más descarada las zanjas terráqueas de su respiración bajo las hojas de acero que le trinchaban los cachetes, la vimos seguir cantando gracias mundo mientras le esposaban al cuello palancas de nitrato, la vimos elevar la boa apacible de su voz en una última gárgola de amor antes de caer revolcándose desde lo más alto del estrado, envuelta en el tufo de su propia muerte pero bendiciéndonos, encomendándonos a las siete potencias con su eprianlola, con su lolamento, con el sollozo interminable de su lamento borincano.

Ellos creyeron entonces haber ganado la partida, elevaron al cielo su grito de celebración, sacudieron en alto cadenas y metralletas. Se dieron cuenta demasiado tarde de lo que sucedió. La hojalata de las ramas crujía rebotando balas, una lluvia de manoplazos arreciaba a nuestro alrededor cuando la descarga sísmica los elevó desprevenidos por el aire. Escaldados en pleno vuelo como pellejos hervidos quedaron colgando de los árboles, el magma luciferino de su espeso menstruo les salpicó en los ojos y los cegó. Era Lhusesita que había tomado el mando, era Luzferita la que se acercaba trepando en espiral, resbalando sus ojos de jueya por los costados candentes de las pailas, era la Luzbela, la macho de Luzbel el cortejo de Dios, heliogábala carnívora del sol, envergada para siempre por sus llamas, las piernas abiertas en dirección a oriente.

Era la Luz Más Bella, la grifa más engrifada de todas las grifas antillas, Lhusesita la del puño, la del coño en el carajo, la de los colmillos ajos, la negra más parejera que parió esta tierra santa, Lhusesita encandilada, la más atada de amor por su piel amor atada, la desatada de odio contra la injusticia blanca, Lhusesita la malvada, la maldecida de siempre por todos los ricos santos, la que rayó la payola de sus aureolas falsas, la que les rompió la cara con su jeta de campana, la prieta de la petrina, la de negros calcañares, la de los negros cantares, la negra de alma más negra clavada al cielo del Artico, de quien nunca se pudo decir esa negra de alma blanca, decente y morigerada, Lhusesita de cristal, la de la horquilla en el alba, la niña más compasiva, vejada de costa a costa por grosera y ordinaria, Lhusesita alucinada, la de los pies delicados, perdida por los caminos por los que pasas cantando, alumbrando las esperanzas de todos los desamparados, irguiendo tu cuerpo de bestia, ardiendo tu cuerpo de vesta, azotada, escarlatina, pero atizando los vientos con tu batola de lava.

Espesados por el pasmo, sopesados por el peso de las nubes de azufre que salían de su boca sin cesar, los escuadrones la rodearon amartillando sus rifles sin atreverse a ordenarle que callara, paralizados ante aquella santa satana erguida en dos patas frente a ellos, atormentada por la soufrière de su sufrimiento ante la miseria de los que la rodeaban, al contemplar sus cuerpos despellejados por el hambre, el espectáculo de aquella isla donde los habitantes sobrevivían en tumbas, recluidos en trabajos forzados, extraviados por los laberintos de las refinerías y de las fábricas donde trabajaban de sol a sol. De pronto comenzó a pasearse de un extremo a otro de la tarima, barriéndola con la zarpa de su cola, comenzó a peinarse con arrogancia las largas plumas de sus agallas sacudiéndose la crin de alacrana fuera de los ojos para ver mejor, para medir mejor la distancia de los cilindros que la querían encañonar. Comenzó por fin a cantar, inundando toda la isla con la hemorragia de su voz, regándola con su sangre para que germinara de nuevo, para reverdecerla roja de costado a costado. Vomitando toda la basura del mundo por el vertedero de su voz para purificarla, para purgarla de toda aquella inmundicia en que la habían sumido.

Abro los ojos y observo la claridad del día empalideciendo la ventana, siento el sudor del insomnio ardiéndome todavía sobre los párpados. Me he pasado toda la noche buscándola, tratando inútilmente de encontrarla. Puede llegar montada sobre las espaldas de mamá, o quizá sobre las de Celia, galopando enfurecida y ciega como suelen arribar los ángeles. Es posible que llegue jineteando sobre el vientre gigantesco de

Ruz, o sujetándose a la pelambre irisada de las espaldas de Lhuz, el hermoso cuello mulato enhiesto, y el cabello que el viento esparce, mueve y desordena. Puede que todavía llegue hasta mí, a horcajadas sobre el lomo de Yris, recargada hacia atrás sobre la grupa de su caballería montada, apostada hacia adelante sobre sus pechos de regimiento, tergiversando frente a mis ojos enloquecidos el fuoco de su caballera bermeja.

Me levanto del catre y me acerco a la ventana. Desde aquí puedo ver el cuadrilátero calcinado del patio, las cuatro esquinas rígidas como codos exactos. La distancia reconocida durante el ejercicio diario me conforta, me hace distribuir perfectamente centrado el peso de mi cuerpo sobre la planta de los pies, me hace olvidar el balanceo inseguro del miedo. La sombra del muro de la derecha es apenas un fa o un sol sostenido, una barra de tinta negra reconcentrada en el piso, incrustada en ese ángulo preciso donde comienza la tierra sembrada de cemento. Apoyado contra el marco de la ventana he comenzado a sonear de nuevo, sonando, soñando. Cierro los ojos y me dispongo a esperarla, siento una vez más esa paz que me invade cada vez que recorro la distancia esteparia que le separa las sienes, el vértigo reconfortante que me produce asomarme por el embalse de sus mejillas en reposo. He comenzado una vez más a cantarla, a improvisarla a media voz bajo el ojo indulgente del vigilante de turno.

No hay mal que dure cien años, maribelemba, ni cuerpo que lo resista, cantamos, nosotros, los chumalacateros, Dios los cría y ellos se juntan, te digo quesosnegrosejuntan, sabíamos lo que todos sabemos, señores, no sabíamos nada. Traigounabomba, coreamos, comounatromba, quinteamos, suenasabroso, tumbeamos, bajo el mando de Ismael. Lhusesita parpadeaba cada vez más tenue por la línea del horizonte, empalidecía sobre los cogollos de las palmas, sobre el reflejo cincelado de las bandejas de las bahías. El polvorín de su voz se deshacía inofensivo sobre nuestras cabezas en luces de bengala cuando la vimos irse de boca sobre las cachas de Ruz. Yris la había empujado. Yris había observado su debilitamiento, había advertido la necesidad de un movimiento poderoso que arrastrara a las masas, que las redimiera en carne viva de una vez por todas. Bajando la cabeza, había aceptado humildemente el advenimiento de su momento, la hora temida de su conciliáculo, asistida hasta el altar por las preces de los profetas, por los rezos de los soneros aclamándote La Divina, la grúa de la pencas, la que todo lo levantas, cubierta de palomas blancas como por cartas de amor, requerida y requebrada por todos los que te aman, por todos los que te viven Yris la prometida, la pundonorosamente fiel, la novia, per sécula seculórum, de Kingkong, Papote y Siete Machos. Trepada sobre sus plataformas de oro que restallaban al sol se subió de un salto a la tarima y abrió lentamente sus piernas de colosa ante los ojos atéridos de la muchedumbre. Bajo el vértice invertido de su sexo apareció la pirámide del mar. Un viento de sal le silbó súbitamente entre los muslos y, dando un gran taconazo de catorce quilates sobre las tablas, comenzó a bailar.

Enjoyada sobre los socos de sus tacones giraba por todas partes, sacudiendo su miráculo meticuloso en la cara de los desvanecidos y de los desaguados, alardeando su desnudez de posta humeante hasta hacerlos desesperarse, hasta hacerlos arrancarse capacetes y caretas, vestidos y guantes, hasta hacerlos empuñar metralletas y lanzallamas, rifles y macanas de los que escapaban escurriéndose entre la maleza, esgonzando la cadera y volviéndola a hundir al son de la cachapa, al son de la chacona, yo soy la checha, señores, sacúdanse, al son de su último elepé. Explotándolo todo con las calderas de sus caderas para arrasar con todo, para derribarlo todo antes de volver a empezar. Fulminando a los que tratan de detenerla con los fuetes de sus pezones, apresándolos en la tarraya de su melena roja, amenazando con no ponerle tranque jamás a su molino gigante de sandunguera sagrada. El lunar sobre su ojo derecho zumba implacable al ritmo de su voz, al ritmo enloquecedor de su Nolimetángere, de su Nometoques con los dedos salpicados de sangre, los macanazos la rozan cada vez más cerca y nadie se atreve a tocarla, la sangre agrietada cae a su alrededor y nadie se atreve a tocarla, le arrojan los perros encima y nadie se atreve a tocarla, se abalanzan sobre sus nalgas sagradas ahora ya sangradas y nadie se atreve a tocarla, lamen chillando la canela prieta de sus jamones en dulce y nadie se atreve a tocarla, sorben amansados para siempre el bienmesabe de sus entrepiernas y nadie se atreve a tocarla, chaconeando las caras de sus enemigos con las valvas de su concha de oro, abollándoles la frente los cachetes los oídos con los cueros descuajados de sus odres sonrosados, hundiéndoles para siempre los ojos despavoridos con los tocones macizos de sus tacos al ritmo de su canto, al ritmo implacable de su voz incitando a la revolución.

Por fin ha entrado por las puertas de mi

celda como quien pasa por las puertas de la gloria. El cuerpo helado erguido ante mí, destellando ira hasta enceguecerme, la observo, supurándola gota a gota por los ojos como un veneno mortal, destilándola lentamente por los surcos de mis mejillas en las lágrimas cristalinas de la yuca, cuajándola en el llanto de los siglos, en los sollozos de todos los descastados y de todos los oprimidos, de los destituidos y de los ajusticiados, de los abandonados para siempre por la esperanza, supurada de sangre por todas las heridas, empantanada de pus, encenegada de semen y enlodada de heces, parida con terror por entre feces et urinae saca la cara al sol y escucho su grito:

> Chúmalacateramaquinólandera
> Chúmalacateramaquinólandera
> Chúmalacateramaquinólandera
> Chúmalacatera
> Chúmalacatera

> MAQUINÁ

El cuento envenenado

Y el rey le dijo al Sabio Ruyán:

     -Sabio, no hay nada escrito.

     -Da la vuelta a unas hojas más.

El rey giró otras páginas más, y no transcurrió mucho tiempo sin que circulara el veneno rápidamente por su cuerpo, ya que el libro estaba envenenado. Entonces el rey se estremeció, dio un grito y dijo:

     —El veneno corre a través de mí.

Las mil y una noches

Rosaura vivía en una casa de balcones sombreados por enredaderas tupidas de trinitaria púrpura, y se pasaba la vida ocultándose tras ellos para leer libros de cuentos. Rosaura. Era una joven triste, que casi no tenía amigos; pero nadie podía adivinar la razón para su tristeza. Como quería mucho a su padre, cuando este se encontraba en la casa se la oía reír y cantar por pasillos y salones, pero cuando él se marchaba al trabajo, desaparecía cómo por arte de magia y se ponía a leer libros de cuentos.

Se que debería levantarme y atender a los deudos, volver a pasar el cognac por entre sus insufribles esposos, pero me siento agotada. Lo único que quiero ahora es descansar los pies, que tengo aniquilados; dejar que letanías de mis vecinas se desgranen a mi alrededor como un interminable rosario de tedio. Don Lorenzo era un hacendado de caña venido a menos, que sólo trabajando de sol a sol lograba ganar lo suficiente para el sustento de la familia. *Primero Rosaura y luego Lorenzo. Es una casualidad sorprendente.* Amaba aquella casa que la había visto nacer, cuyas galerías sobrevolaban los cañaverales como las de un buque a toda vela. La historia de la casa alimentaba su cariño por ella, porque sobre sus almenas había tomado lugar la primera resistencia de los criollos a la invasión hacía ya cien años.

Al pasearse por sus salas y balcones, Don Lorenzo sentía inevitablemente encendérsele la sangre, y le parecía escuchar los truenos de los mosquetes y los gritos de guerra de quiénes en ella habían muerto en defensa de la patria. En los últimos años, sin embargo, se había visto obligado a hacer sus paseos por la casa con más cautela, ya que los huecos que perforaban los pisos eran cada vez más numerosos, pudiéndose ver, al fondo abismal de los mismos, el corral de gallinas y puercos que la necesidad le obligaba a criar en los sótanos. No obstante estas desventajas, a Don Lorenzo jamás se le hubiese ocurrido vender su casa o su hacienda. Se encontraba convencido de que un hombre podía vender la piel, la pezuña y hasta los ojos pero que la tierra, como el corazón, jamás se vende.

No debo dejar que los demás noten mi asombro, mi enorme sorpresa. Después de todo lo que nos ha pasado, venir ahora a ser víctimas de un pila de escritorcito de mierda. Como si no me bastara con la mondadera diaria de mis clientas. "Quién la viera y quien la vió", las oigo que dicen detrás de sus abanicos inquietos, "la mona, aunque la vistan de seda, mona se queda". Aunque ahora ya francamente no me importa. Gracias a Lorenzo estoy más allá de sus garras, inmune a sus bájeme un poco más el escote, Rosa, apriéteme acá otro poco el zipper, Rosita, y todo por la misma gracia y por el mismo precio. Pero no quiero pensar ya más en eso.

Al morir su primera mujer, Don Lorenzo se sintió tan solo qué, dando rienda a su naturaleza enérgica y saludable, echó mano a la salvación más próxima. Como naúfrago que, braceando en el vientre tormentoso del mar, tropieza con un costillar de esa misma nave que acaba de hundirse bajo sus pies, y se aferra desesperado a él para mantenerse a flote, así se asió Don Lorenzo a las amplias caderas y aún más pletóricos senos de Rosa, la antigua modista de su mujer. Celebrado el casorio y restituída la convivencia hogareña, la risa de Don Lorenzo volvió a retumbar por toda la casa, y éste se esforzaba porque su hija también se sintiera feliz. Como era un hombre culto, amante de las artes y de las letras, no encontraba nada malo en el persistente amor de Rosaura por los libros de cuentos. Aguijoneado sin duda por el remordimiento, al recordar como la niña se había visto obligada a abandonar sus estudios a causa de sus malos negocios, le regalaba siempre, el día de su cumpleaños, un espléndido ejemplar de ellos.

Esto se está poniendo interesante. La manera de contar que tiene el autor me da risa, parece un firulí almidonado, un empalagoso de pueblo. Yo definitivamente no le simpatizo. Rosa era una mujer práctica, para quién los refinamientos del pasado representaban un capricho imperdonable, y aquella manera de ser la malquistó con Rosaura. En la casa abundaban, como en los libros que leía la joven, las muñecas raídas y exquisitas, los roperos hacinados de rosas de repollo y de capas de terciopelo polvoriento, y los candelabros de cristales quebrados, que Rosaura aseguraba haber visto en las noches sostenidos en alto por deambulantes fantasmas. Poniéndose de acuerdo con el quincallero del pueblo, Rosa fue vendiendo una a una aquellas reliquias de la familia, sin sentir el menor resquemor de conciencia por ello.

El firulí se equivoca. En primer lugar, hacía tiempo que Lorenzo estaba enamorado de mí (desde mucho antes de la muerte de su mujer, junto a su lecho de enferma, me desvestía atrevidament con los ojos) y yo sentía hacia él una mezcla de ternura y compasión. Fue por eso que me casé con él, y de ninguna manera por interés, como se ha insinuado en este infame relato. En varias ocasiones me negué a sus requerimientos, y cuando por fin accedí, mi familia lo consideró de plano una locura. Casarme con él, hacerme cargo de las labores domésticas de aquel caserón en ruinas, era un especie de suicidio profesional, ya que la fama de mis creaciones resonaba, desde mucho antes de mi boda, en las boutiques de moda más elegantes y exclusivas del pueblo. En segundo lugar, vender los cachivaches de aquella casa no sólo era saludable sicológica, sinó también económicamente. En mi casa hemos sido siempre pobres y a orgullo lo tengo. Vengo de una familia de diez hijos, pero nunca hemos pasado hambre, y el espectáculo de aquella alacena vacía, pintada enteramente de blanco y con un tragaluz en el techo que iluminaba todo su vértigo, le hubiése congelado el tuétano al más valiente. Vendí los tereques de la casa para llenarla, para lograr poner sobre la mesa, a la hora de la cena, el mendrugo de pan honesto de cada día.

Pero el celo de Rosa no se detuvo aquí, sinó que empeñó también los cubiertos de plata, los manteles y las sábanas que en un tiempo pertenecieron a la madre y a la abuela de Rosaura, y su frugalidad llegó a tal punto que ni siquiera los gustos moderadamente epicúreos de la familia se salvaron de ella. Desterrados para siempre de la mesa quedaron el conejo en pepitoria, el arroz con gandules y las palomas salvajes, asadas hasta su punto más tierno por debajo de las alas. Esta última medida entristeció grandemente a Don Lorenzo, que amaba más que nada en el mundo, luego de a su mujer y a su hija, esos platillos criollos cuyo espectáculo humeante le hacía expandir de buena voluntad los carrillos sobre las comisuras risueñas.

¿Quién habrá sido capaz de escribir una sarta tal de estupideces y de calumnias? Aunque hay que reconocer que, quién quiera que sea, supo escoger el título a las mil maravillas. Bien se ve que el papel aguanta todo el veneno que le escupan encima. Las virtudes económicas de Rosa la llevaban a ser candil apagado en la casa pero fanal encendido en la calle. "A

mal tiempo buena cara, y no hay porqué hacerle ver al vecino que la desgracia es una desgracia," decía con entusiasmo cuando se vestía con sus mejores galas para ir a misa los domingos, obligando a Don Lorenzo a hacer lo mismo. Abrió un comercio de modistilla en los bajos de la casa, que bautizó ridículamente "El alza de la Bastilla", dizque para atraerse una clientela más culta, y allí se pasaba las noches enhebrando hilos y sisando telas, invirtiendo todo lo que sacaba de la venta de los valiosos objetos de la familia en los vestidos que elaboraba para sus clientas.

Acaba de entrar a la sala la esposa del Alcalde. La saludaré sin levantarme, con una leve inclinación de cabeza. Lleva puesto uno de mis modelos exclusivos, que tuve que rehacer por lo menos diez veces, para tenerla contenta, pero aunque sé que espera que me le acerque y le diga lo bien que le queda, haciéndole mil reverencias, no me da la gana de hacerlo. Estoy cansada de servirles de incensario a las esposas de los ricos de este pueblo. En un principio les tenía compasión: verlas languidecer como flores asfixiadas tras las galerías de cristales de sus mansiones, sin nada en qué ocupar sus mentes que no fuese el bridge, el mariposear de chisme en chisme y de merienda en merienda, me partía el corazón. El aburrimiento, ese ogro de afelpada garra, había ya ultimado a varias de ellas, que habían perecido víctimas de la neurosis y de la depresión, cuando yo comencé a predicar, desde mi modesto taller de costura, la salvación por medio de la Línea y del Color. La Belleza de la moda es, no me cabe la menor duda, la virtud más sublime, el atributo más divino de las mujeres. La Belleza de la moda todo lo puede, todo lo cura, todo lo subsana. Sus seguidores son legiones, como puede verse en el fresco de la cúpula de nuestra catedral, donde los atuendos maravillosos de los ángeles sirven para inspirar la devoción aún en los más incrédulos.

Con la ayuda generosa de Lorenzo me subscribí a las revistas más elegantes de París, Londres y Nueva York, y comencé a publicar en La Gaceta del Pueblo una homilía semanal, en la cual le señalaba a mis clientas cuales eran las últimas tendencias de estilo según los coutouriers más famosos de esas capitales. Si en el otoño se llevaba el púrpura magenta o el amaranto pastel, si en la primavera el talle se alforzaba como una alcachofa picuda o se plisaba como un repollo de pétalo y bullón, si en el invierno los botones se usaban de carey o de nuez, todo era para mis clientas materia de dogma, artículo apasionado de fe. Mi taller pronto se volvió una colmena de actividad, tantas eran las órdenes que recibía y tantas las visitas de las damas que venían a consultarme los detalles de sus últimas "tenues".

El éxito no tardó en hacernos ricos y todo gracias a la ayuda de Lorenzo, que hizo posible el milagro vendiendo la hacienda y prestándome el capitalito que necesitaba para ampliar mi negocio. Por eso hoy, el día aciago de su sepelio, no tengo que ser fina ni considerada con nadie. Estoy cansada de tanta reverencia y de tanto halago, de tanta dama elegante que necesita ser adulada todo el tiempo para sentirse que existe. Que la esposa del Alcalde se alce su propia cola y se huela su propio culo. Prefiero mil veces la lectura de este cuento infame a tener que hablarle, a tener que decirle qué bien se ha combinado hoy, qué maravillosamente le sientan su mantilla de bruja, sus zapátos de espátula, su horrible bolso.

Don Lorenzo vendió su casa y su finca, y se trasladó con su familia a vivir al pueblo. El cambio resultó favorable para Rosaura; recobró el buen color y tenía ahora un sinnúmero de amigas y amigos, con los cuales se paseaba por las alamedas y los parques. Por primera vez en la vida dejó de interesarse por los libros de cuentos y, cuando algunos meses más tarde su padre le regaló el último ejemplar de ellos, lo dejó olvidado y a medio leer sobre el velador de la sala. A Don Lorenzo, por el contrario, se le veía cada vez más triste, zurcido el corazón de pena por la venta de su hacienda y de sus cañas.

Rosa, en su nuevo local, amplió su negocio y tenía cada vez más parroquianas. El cambio de localidad sin duda la favoreció, ocupando éste ahora por completo los bajos de la casa. Ya no tenía el corral de gallinas y de puercos algarabeándole junto a la puerta, y su clientela subió de categoría. Como estas damas, sin embargo, a menudo se demoraban en pagar sus deudas, y Rosa, por otro lado, no podía resistir la tentación de guardar siempre para sí los vestidos más lujosos, su taller no acababa nunca de levantar cabeza. Fue por aquél entonces que comenzó a martirizar a Lorenzo con lo del testamento. "Si mueres en este momento", le dijo una noche antes de dormir, "tendré que trabajar hasta la hora de mi muerte sólo para pagar la deuda, ya que con la mitad de tu herencia no me será posible ni comenzar a hacerlo." Y como Don Lorenzo permanecía en silencio y con la cabeza baja, negándose a desheredar a su hija para beneficiarla a ella, empezó a injuriar y a insultar a Rosaura, acusándola de soñar con vivir siempre del cuento, mientras ella se descarnaba los ojos y los dedos cosiendo y bordando sólo para ellos. Y antes de darle la espalda para extinguir la luz del velador de la mesa de noche, le dijo que ya que era a su hija a quién él más quería en el mundo, a ella no le quedaba más remedio que abandonarlo.

Me siento curiosamente insensible, indiferente a lo que estoy leyendo. Hay una corriente de aire frío colándose por algún lado en este cuarto y me he empezado a sentir un poco mareada, pero debe ser la tortura de este velorio interminable. No veo la hora en que saquen el ataúd por la puerta, y esta caterva de maledicientes acabe ya de largarse a su casa. Comparados a los chismes de mis clientas, los sainetes de este cuento insólito no son sinó alfileterazos vulgares, que me rebotan sin que yo los sienta. Después de todo me porté bien con Lorenzo; tengo mi conciencia tranquila. Eso es lo único que importa. Insistí, es cierto, en que nos mudáramos al pueblo, y eso nos hizo mucho bien. Insistí, también en que me dejara a mí el albaceazgo de todos sus bienes, porque me consideré mucho más capacitada que Rosaura, que anda siempre con la cabeza en las nubes, para administrarlos. Pero jamás lo amenacé con abandonarlo. Los asuntos de la familia iban de mal en peor, y la ruina amenazaba cada vez más de cerca a Lorenzo, pero a éste no parecía importarle. Había sido siempre un poco fantasioso y escogió precisamente esa época crítica de nuestras vidas para sentarse a escribir un libro sobre los patriotas de la lucha por la independencia.

Se pasaba las noches garabateando página tras página, desvariando en voz alta sobre nuestra identidad perdida dizque trágicamente a partir de 1898, cuando la verdad fue que nuestros habitantes recibieron a los Marines con los brazos abiertos. Es verdad que, como escribió Lorenzo en su libro, durante casi cien años después de su llegada hemos vivido al borde de la guerra civil, pero los únicos que quieren la independencia en esta isla son los ricos y los ilusos; los hacendados arruinados que todavía siguen soñando con el pasado glorioso como si se tratara de un paraíso perdido, los políticos amargados y sedientos de poder, y los escritorcitos de mierda como el autor de este cuento. Los pobres de esta isla le han tenido siempre miedo a la independencia, porque preferirían estar muertos antes de volver a verse aplastados por la egregia bota de nuestra burguesía. Sean Republicanos o Estadolibristas, los caciques políticos todos son iguales y ellos saben bien de qué pata cojea cada cién pies que los rodea. Los ricos de esta isla son todos cojos de nacimiento, pero a la hora del tasajo vuelan más rápido que una plaga de guaraguaos hambrientos; se llaman pro-americanos y amigos de los Yanquis cuando en realidad los odian y quisieran que les dejaran sus dólares y se fueran de aquí.

Al llegar el cumpleaños de su hija Don Lorenzo le compró, como siempre, su tradicional libro de cuentos. Rosaura, por su parte, decidió cocinarle a su padre aquel día una confitura de guayaba, de las que antes solía confeccionarle su madre. Durante toda la tarde removió sobre el fogón el borbolleante líquido color sanguaza, y mientras lo hacía le pareció ver a su madre entrar y salir varias veces por pasillos y salones, transportada por el oleaje rosado de aquel perfume que inundaba toda la casa.

Aquella noche Don Lorenzo se sentó feliz a la mesa y cenó con más apetito que el que había demostrado en mucho tiempo. Terminada la cena, le entregó a Rosaura su libro, encuadernado, como él siempre decía riendo, "en cuero de corazón de alce". Haciendo caso omiso de los acentos circunflejos que ensombrecían de ira el ceño de su mujer, padre e hija admiraron juntos el opulento ejemplar, cuyo grueso canto dorado hacía resaltar elegantemente el púrpura de las tapas. Inmóvil sobre su silla Rosa los observaba en silencio, con una sonrisa álgida escarchándole los labios. Llevaba puesto aquella noche su vestido más lujoso, porque asistiría con Don Lorenzo a una cena de gran cubierto en casa del Alcalde, y no quería por eso alterarse, ni perder la paciencia con Rosaura.

Don Lorenzo comenzó entonces a embromar a su mujer, y le comentó, intentando sacarla de su ensimismamiento, que los exóticos vestidos de aquellas reinas y grandes damas que aparecían en el libro de Rosaura bien podrían servirle a ella de inspiración para sus nuevos modelos. "Aunque para vestir tus opulentas carnes se necesitarían varias resmas de seda más de las que necesitaron ellas, a mí no me importaría pagarlas, porque tú eres una mujer de adeveras, y no un enclenque maniquí de cuento," le dijo pellizcándole solapadamente una nalga. *¡Pobre Lorenzo! Es evidente que me querías, si. Con tus bromas siempre me hacías reir hasta saltárseme las lágrimas.* Congelada en su silencio apático, Rosa encontró aquella broma de mal gusto, y no demostró por las ilustraciones y grabados ningún entusiasmo. Terminado por fin el examen del lujoso ejemplar, Rosaura se levantó de la mesa, para traer la fuente de aquel postre que había estado presagiándose en la mañana como un bocado de gloria por toda la casa, pero al acercársela a su padre la dejó caer, salpicando inevitablemente la falda de su madrastra.

Hacía ya rato que algo venía molestándome, y ahora me doy cuenta de lo que es. El incidente del dulce de guayaba tomó lugar hace ya muchos años, cuando todavía vivíamos en el caserón de la finca y Rosaura no era más que una niña. El firulí, o se equivoca, o ha alterado descaradamente la cronología de los hechos, haciendo ver que éstos tomaron lugar recientemente, cuanto es todo lo contrario. Hace sólo unos meses que Lorenzo le regaló a Rosaura el libro que dice, en ocasión de su veinteavo aniversario, pero han pasado ya más de seis años desde que Lorenzo vendió la finca. Cualquiera diría que Rosaura es todavía niña cuando es una manganzona ya casi mayor de edad, una mujer hecha y derecha. Cada día se parece más a su madre, a las mujeres indolentes de este pueblo. Rehusa trabajar en la casa ni en la calle, alimentándose del pan honesto de los que trabajan.

Recuerdo perfectamente el suceso del dulce de guayaba. Ibamos a un coctel en casa del Alcalde, a quién tú mismo, Lorenzo, le habías propuesto que te comprara la hacienda "Los Crepúsculos", como la llamabas nostálgicamente, y que los vecinos habían bautizado con sorna la hacienda "Los Culos Crespos", en venganza por los humos de aristócrata que siempre te dabas, para que se edificara allí un museo de historia dedicado a preservar, para las generaciones venideras, las anodinas reliquias de los imperios cañeros. Yo había logrado convencerte, tras largas noches de empecinada discusión bajo el dosel raído de tu cama, de la imposibilidad de seguir viviendo en aquel caserón, en donde no había ni luz eléctrica ni agua caliente, y en donde para colmo había que cagar a diario en la letrina estilo Francés Provenzal que Alfonso XII le había obsequiado a tu *abuelo. Por eso aquella noche llevaba puesto aquel traje cursi, confeccionado, como en "Gone with the Wind", con las cortinas de brocado que el viento no se había llevado todavía, porque era la única manera de impresionar a la insoportable mujer del Alcalde, de apelar a su arrebatado delirio de grandeza. Nos compraron la casa por fin con todas las antiguedades que tenía adentro, pero no para hacerla un museo y un parque de los que pudiera disfrutar el pueblo, sino para disfrutarla ellos mismos como su lujosa casa de campo.*

Frenética y fuera de sí, Rosa se puso de pie, y contempló horrorizada aquellas estrías de almíbar que descendían lentamente por su falda hasta manchar con su líquido sanguinolento las hebillas de raso de sus zapatos. Temblaba de ira, y al principio se le hizo imposible llegar a pronunciar una sola palabra. Una vez le regresó el alma al cuerpo, sin embargo, comenzó a injuriar enfurecida a Rosaura, acusándola de pasarse la vida leyendo cuentos, mientras ella se veía obligada a consumirse los ojos y los dedos cosiendo para ellos. Y la culpa de todo la tenían aquellos malditos libros que Don Lorenzo le regalaba, los cuales eran prueba de que a Rosaura se la tenía en mayor estima que a ella en aquella casa, y por los cual había decidido marcharse de su lado para siempre, si estos no eran de inmediato arrojados al patio, donde ella misma ordenaría que se encendiera con ellos una enorme fogata.

Será el humo de la velas, será el perfume de los mirtos, pero me siento cada vez más mareada. No sé porqué, he comenzado a sudar y las manos me tiemblan. La lectura de este cuento ha comenzado a enconárseme en no sé cual lugar misterioso del cuerpo. Y no bien terminó de hablar, Rosa palideció mortalmente y, sin que nadie pudiera evitarlo, cayó redonda y sin sentido al suelo. Aterrado por el desmayo de su mujer, Don Lorenzo se arrodilló a su lado y, tomándole las manos comenzó a llorar, implorándole en una voz muy queda que volviera en sí y que no lo abandonara, porque él había decidido complacerla en todo lo que ella le había pedido. Satisfecha con la promesa que había logrado sonsacarle, Rosa abrió los y lo miró risueña, permitiéndole a Rosaura, en prueba de reconciliación, guardar sus libros.

Aquella noche Rosaura derramó abundantes lágrimas, hasta que por fín se quedó dormida sobre su almohada, bajo la cual había ocultado el obsequio de su padre. Tuvo entonces un sueño extraño. Soñó qué, entre los relatos de aquel libro, había uno que estaría envenenado, porque destruiría, de manera fulminante, a su primer lector. Su autor, al escribirlo, había tomado la precaución de dejar inscrita en él una señal, una manera definitiva de reconocerlo, pero por más que en su sueño Rosaura se esforzaba en recordar cuál era, se le hacía imposible hacerlo. Cuando por fín despertó, tenía el cuerpo brotado de un sudor helado, pero seguía ignorando aún si aquel cuento obraría su maleficio por medio del olfato, del oído o del tacto.

Pocas semanas después de estos sucesos, Don Lorenzo pasó serenamente a mejor vida al fondo de su propia cama, consolado por los cuidos y rezos de su mujer y de su hija. Encontrábase el cuerpo rodeado de flores y de cirios, y los deudos y parientes sentados alrededor, llorando y ensalsando las virtudes del muerto, cuando Rosa entró a la habitación, sosteniendo en la mano el último libro de cuentos que Don Lorenzo le había regalado a Rosaura y que tanta controversia había causado en una ocasión entre ella y su difunto marido. Saludó a la esposa del Alcalde con una imperceptible inclinación de cabeza, y se sentó en una silla algo retirada del resto de los deudos, en pos de un poco de silencio y sosiego. Abriendo el libro al azar sobre la falda, comenzó a hojear lentamente las páginas, admirando sus ilustraciones y pensando que, ahora que era una mujer de medios, bien podía darse el lujo de confeccionarse para sí misma uno de aquellos espléndidos atuendos de reina. Pasó varias páginas sin novedad, hasta que llegó a un relato que le llamó la atención. A diferencia del resto, no tenía ilustración alguna, y se encontraba impreso en una extraña tinta color guayaba. El primer párrafo la sorprendió, porque la heroína se llamaba exactamente igual que su hijastra. Mojándose entonces el dedo del corazón con la punta de la lengua, comenzó a separar con interés aquellas páginas que, debido a la espesa tinta, se adherían molestamente unas a otras. Del estupor pasó al asombro, del asombro pasó al pasmo, y del pasmo pasó al terror, pero a pesar del creciente malestar que sentía, la curiosadad no le permitía dejar de leérlas. El relato comenzaba: "Rosaura vivía en una casa de balcones sombreados por enredaderas tupidas de trinitaria púrpura . . .", pero Rosa nunca llegó a enterarse de cómo terminaba.

Índice

Rosario Ferré

PAPELES DE PANDORA

Rosario Ferré nació en 1938 en Ponce, una ciudad en la costa sur de Puerto Rico. Se graduó en Literatura Inglesa el año 1960 en el Manhattanville College, obteniendo posteriormente una maestría de Literatura Española y Latinoamericana en la Universidad de Puerto Rico y, años más tarde, un doctorado en la Universidad de Maryland. Comenzó a escribir en la década de los setenta, primero como redactora y editora de la revista literaria *Zona de carga y descarga,* que publicaba trabajos de jóvenes escritores puertorriqueños. Colaboradora asidua de *El Nuevo Día* y del *San Juan Star,* Rosario Ferré ha explorado todos los géneros literarios, publicando relatos, poesía, ensayos, biografías y dos novelas. Con la primera, *Maldito amor,* ganó el Premio Liberatur del año 1992 en Frankfurt, y la versión inglesa de la *La casa de la laguna* fue finalista del National Book Award. Rosario Ferré está considerada una de las escritoras más importantes de Puerto Rico.